學術論文集叢書

第一屆《群書治要》國際學術研討會論文集

林朝成、張瑞麟
主編

主辦單位：國立成功大學中國文學系
合辦單位：香港中文大學中國語文及文學系、
財團法人桃園市至善教育事務基金會

序

對於學術界來說，《群書治要》像是一塊璞玉，正待良工巧匠的琢磨。二〇一九年六月三日至四日，成功大學中國文學系、香港中文大學中國語文及文學系與財團法人桃園市至善教育事務基金會聯合主辨的第一屆《群書治要》國際研討會就在成大中文系文學院演講廳舉辦。本會邀集日、韓、中、港、臺的專家學者交流對話，分享研究成果，呈現多元的視角，期望獻上切磋琢磨之力，成就《群書治要》的光彩。本書即是結集與會學者的心血成果，企盼獲得迴響而有更多的學者來共同參與。

說起這次會議的緣起，國立成功大學中國文學系與至善教育基金會的產學合作是重要的基礎。基金會乃淨空老法師所創設，在秉持老法師弘揚漢學的理念下，極樂寺與中文系從二〇一六年開始教學合作，於二〇一八年四月二十七日進一步簽訂了「至善基金會與成大中文系共同培育漢學教育人才合作計畫」，一起朝「弘揚中華文化，培育漢學人才」的理想前進。中文系藉此機緣將博、碩士班，分為甲組（中文組）和乙組（漢學組）二組，讓「古典文學」與「經學和思想」師資群的教授能強化各自的核心課程，拓展該領域研究教學的廣度與深度。中文系順應漢學組的新成立，盤整既有「經學與思想」和「語言文獻」的基礎課程，依漢學組課程地圖完整性的需求，開設新課程，參酌淨空老法師在傳統文化中的三大關懷，陸續規劃了蒙學、《群書治要》與「四庫學」等專題課程。本次會議的籌辦，就是深化《群書治要》理解與研究的重要一環。

淨空老法師先後追隨一代大哲桐城方東美教授、藏傳高僧章嘉呼圖克圖與儒佛大家濟南李炳南老教授，致力弘揚佛法和傳統文化幾十年。除已印購六千五百套以上的《大藏經》贈送全球各團體外，為宣揚漢學，早先曾委託商務印書館印製了一百套《文淵閣四庫全書》，捐贈給世界各地大專院校圖書館，後於二〇一〇年歲末喜得《群書治要》，又印行一萬套，分贈各國，可謂用心至深。老法師認為《群書治要》對實現和諧社會、大同之治的理想有極大的幫助，所以大力推動，不僅在威爾士三一聖大衛大學漢學院、馬來西亞漢學院等學術界，引起了廣泛的關注和興趣，並推廣至多個民間社團，共修共讀《群書治要》。此次的會議，便是為了深化《群書治要》的基礎理解，呈顯其所蘊涵的思想面貌，重新認識《群書治要》的經典世界，使其弘揚得以順遂。

《群書治要》是一部由魏徵等人所編撰的唐代重要典籍，除了在內容上，彙集了「經」、「史」與「子」三部之精華，並且在實際的政治文化上，產生了不可忽視的影響，一方面唐太宗君臣此時共建了被視為足以比擬三代的「貞觀之治」，另一方面該書超越地域限制在日本皇室、幕府中流傳，如「承和」、「貞觀」之間的和樂安平，顯示出《群書治要》蘊含著豐富的價值與意義。

有別於學界採取比較單一面向來看待《群書治要》，發表論文的學者展現了各自的關懷，多層面的關注，讓本書內容多采多姿。鳥瞰所收十七篇文章，依貞觀視野來說，有經部的《周易》、《毛詩》、《左傳》、《孔子家語》，有史部的《史記》、《漢書》，也有子部的《老子》、《墨子》、《莊子》、《呂氏春秋》；切入角度，有文獻、版本的探討，有思想的開拓，充分展現出《群書治要》蘊藏的豐富價值。尤其，透過水上雅晴教授〈日本金澤文庫古鈔本《群書治要》寫入的音義註記〉與金光一教授〈日本江戶時代古學派與《群書治要》回傳中國的關係〉兩篇文章，帶出了不同文化視野的交流議題，更加顯示《群書治要》的深遠意義。

相較於《群書治要》含納六十八部著作的內涵，以及在日本受到尊崇而產生的深遠影響，本書的研究僅僅只是掌握到小部分的精彩，期待未來有更多的專家學者參與，在持續的關注下使《群書治要》及其相關議題的開發能夠廣大且深遠。最後，感謝辛苦參與會議的學者、費心審稿的委員，以及漢學組博碩士生的全力支援，尤其是遵理學校中文科導師林溢欣先生的慷慨解囊，讓本書得以順利出版。

謹將本書獻給共同關注《群書治要》的學友、善知識，以及無常遷化的《群書治要》知音石立善教授。

林朝成
張瑞麟

目次

日本金澤文庫古鈔本《群書治要》寫入的音義註記*

水上雅晴

〔日本〕中央大學文學部教授

摘要

金澤文庫舊藏古鈔本《群書治要》處處寫入有訓點和音義註記，均是12-13世紀之間寫入的，大半註記來自《經典釋文》、《玉篇》和《廣韻》。來自《釋文》的註記在《群書治要》卷1到10卷的經書部分、卷34《老子》和卷37《莊子》內集中看到，陸德明將這些書作為「經典」。對經書部分寫入註記的是明經博士家的人，明經博士家在作成經書鈔本時寫入來自《釋文》的音義註記。《老子》和《莊子》部分寫入的音義註記未必來自《釋文》，對兩書附加註記的是文章博士家的人。利用《釋文》情況的區別反映著明經博士家和文章博士家的漢籍學術方式不同。

至於《玉篇》和《廣韻》均有原撰本和重修本，金澤文庫本《群書治要》寫入的音義註記所引《玉篇》只有重修本，其所引《廣韻》則兼有原撰本和重修本。原撰本《廣韻》的成書時間是還沒解決的問題，對金澤文庫本寫入的音義註記對這個問題提供新材料和新思路。金澤文庫本音義註記中還看到《東宮切韻》的釋義。《東宮切韻》是9世紀編成的《切韻》系日本韻書，其佚文又見於金澤文庫本音義註記中。金澤文庫本《群書治要》寫入的音義註記可算是為了解日本中世小學和小學書接受的情況和水平之有力資料。

關鍵詞：群書治要、手寫註記、玉篇、廣韻、東宮切韻

* 感謝兩位匿名審稿人的細心審閱和他們所提供的寶貴意見與建議。此文是日本中央大學2020年度特定課題研究「漢學受容和傳播的基礎」的階段性成果之一。

Handwritten Notes in a Japanese Old Manuscript of *Qunshu Zhiyao* Preserved in the Kanazawa Library

Mizukami, Masaharu

Professor, Department of Letters, Chuo University

Abstract

There is a set of old manuscripts of *Qunshu Zhiyao* preserved in the Kanazawa Library (“QZK”)，which had been written in the he 12th and the 13th century. There are a plenty of handwritten notes found in the margin and between the lines. Many of them are phonetic and semantic notes for the words in each book collected in *Qunshu Zhiyao*. These notes had been written by the scholars from the hereditary families, who served as teachers of Confucian Classics and Chinese Classics in the Imperial Court. Most of the notes had been derived from three Chinese dictionaries: *Jingdian Shiwen*, *Yupian* and *Guangyun*. *Jingdian Shiwen* was quoted only in the part of Confucian Classics collected in *Qunshu Zhiyao*. That is because the man who made notes in this section was the scholar from the hereditary family of the teacher of Confucian Classics. Referring *Jingdian Shiwen* was their traditional way of understanding the pronunciations and meanings of the words of Confucian Classics. Many of the handwritten notes seen in the parts except Confucian Classics were derived from *Yupian* and *Guangyun*. Each of these two dictionaries has the original edition and the revised edition. All of the phrases of *Yupian* seen in QZK were derived from the revised edition, whereas all of the phrases of *Guangyun* were derived from both of the original and the revised edition. There is an opinion that the original edition appeared in the Yuan dynasty, in other words, after the 14th century. The handwritten notes found in QZK were all made in the 12th and the 13th century, this fact gives another light about the time of the appearance of the original edition of *Guangyun*. The handwritten notes in QZK show us an aspect of the academic circumstances in medieval Japan, deserves further examination.

Keywords: *Qunshu Zhiyao*, Handwritten notes, *Yupian*, *Guangyun*, *Donggong Qieyun*

一　前言

《群書治要》50卷是魏徵等奉唐太宗敕命而編成的政書，從各種古籍中節錄有關治道的記載而成的。不久之後，中土失傳，其書至晚9世紀傳入日本，受到為政者的歡迎，不斷如線。例如，仁明天皇在承和五年（838）六月二十六日命令太學助教直道廣公（生卒年未詳）侍讀《群書治要》。清和天皇在貞觀十七年（875）四月二十五日，就文章博士菅原是善（812-880）和明經博士菅野佐世（802-880）讀此書。文章博士和明經博士在朝廷內分別擔任文史和經學漢籍的講讀。至於醍醐天皇則在昌泰元年（898）二月二十八日聽了式部大輔紀長谷雄《群書治要》的講授。[1]日本宮內廳書陵部藏有金澤文庫舊藏47卷古鈔本《群書治要》（缺卷4、卷13、卷20），[2]幾乎所有現存鈔本和刊本均以金澤文庫本為藍本，如連筠簃叢書本、粵雅堂叢書本、四部叢刊本等中國刊本也不例外。[3]

金澤文庫本《群書治要》中處處看到「送假名」、「振假名」、「返點」、「乎古止點」等各種訓點，已經引起一些研究者的關心，他們從語言學的角度進行研究。[4]根據小林芳規的解說，卷1-10「經部」典籍中的訓點都是由清原教隆（1199-1265）附加的；卷11-30「史部」典籍中的訓點是由藤原茂範（1236-？。藤原氏南家）和藤原俊國（1212-1271。藤原氏北家日野流）附加的；卷31-50「子部」典籍中的訓點是由藤原敦周

1　小林芳規：〈金澤文庫本群書治要の訓點〉，唐．魏徵撰；尾崎康、小林芳規解題：《群書治要》第7冊（東京：汲古書院，1991），頁479-480。孫猛：《日本國見在書目錄詳考》（上海：上海古籍出版社，2015），頁1166。

2　唐．魏徵撰；尾崎康、小林芳規解題：《群書治要》全7冊（東京：汲古書院，1989-1991）。本文考察以此本為底本。

3　《群書治要》的版本，參看尾崎康：〈群書治要とその現存本〉，《斯道文庫論集》25（東京：慶應義塾大學附屬研究所斯道文庫，1990）。

4　小林芳規：〈金澤文庫本群書治要卷四十所收三略の訓點〉，《田山方南華甲記念論文集》（東京：田山方南先生華甲記念會，1963）、小林芳規：〈漢籍訓讀語の特徴——群書治要古點と教行信證古點、法華經古點との比較による——〉，《訓點語と訓點資料》29（京都：訓點語學會，1964）、西崎亨：〈文明本節用集所引『三略』の訓點——群書治要本三略との比較〉，《國學院雜誌》87:8（東京：國學院大學，1986）、小林芳規：〈金澤文庫本《群書治要》の訓點——經部について〉，《金澤文庫研究》277（橫濱：金澤文庫，1986）、連仲友：〈金澤文庫本群書治要に於ける「願」字の訓讀について〉，《鎌倉時代語研究》22（東京：武藏野書院，1999）、佐佐木勇：〈日本漢音における反切、同音字注の假名音注、聲點への反映について——金澤文庫本《群書治要》鎌倉中期點の場合〉，《國語學》53:3（東京：國語學會，2002）、佐佐木勇：〈金澤文庫本《群書治要》經部鎌倉中期點の漢音——聲母について〉，《新大國語》30（新潟：新潟大學教育學部國語國文學會，2005）、佐佐木勇：〈金澤文庫本《群書治要》經部鎌倉中期點の漢音——韻について〉，《ことばとくらし》17（新潟：新潟縣ことばの會，2005）、森岡信幸：〈金沢文庫本群書治要鎌倉中期点経部の文末表現をめぐって〉，《国語学論集：小林芳規博士喜壽記念》（東京：汲古書院，2006）等。

（1119-1183）、敦綱（生卒年未詳）、敦經（生卒年未詳。以上三人均屬藤原氏式家）以及清原賴業（1112-1189）附加的。清原氏屬於明經博士家，藤原氏南家、北家日野流、式家則均屬於文章博士家。明經博士家和文章博士家世襲明經博士和文章博士的地位，分別擔任經學和文史漢籍的講授，根據訓點可以了解各家的漢籍讀法互相不同。[5] 除了各種訓點以外，金澤文庫本《群書治要》天頭、地腳和行間寫入大量音注和義注，諸家卻不加留意。本文有鑒於此，針對這種音義註記進行初步探討，從而闡明其來源與學術價值，同時討論12至13世紀之間日本國內漢籍流通和時人學習漢籍的情況。

二　金澤文庫本音義註記與《經典釋文》

金澤文庫本《群書治要》卷1《周易・坎》卦辭「習坎」二字天頭寫入「習：便習也，重也。劉云：『水流行不休，故曰習。』坎：徐：『古感反。』本又作『陷』，京、劉作『欿』，儉也，陷也。八純卦象水。陷：陷沒之陷」（1_33-34_231-233）[6]的註記。容易可知，這些文字來自陸德明《經典釋文》。[7]《經典釋文》是對解釋「經典」文字音義的字典，《孟子》以外的十二經音義註記都收錄在內。《群書治要》從卷1至卷10收錄的大多文獻是經書，具體而言，卷1《周易》；卷2《尚書》；卷3《毛詩》；卷4《左傳・上》（闕）；卷5《左傳・中》；卷6《左傳・下》；卷7《禮記》；卷8《周禮》、《逸周書》、《春秋外傳國語》、《韓詩傳》；卷9《孝經》、《論語》；卷10《孔子家語》。除了《逸周書》、《春秋外傳國語》、《韓詩傳》、《孔子家語》以外都是經書。可以推測的是，清原教隆大概在解釋這些儒家經典文字的音義之時參考《經典釋文》。其實，就金澤文庫本《群書治要》所收經書部分而言，天頭、地腳和行間看到的音義註記一共有197條，其中193條都分別在《經典釋文》中看到同樣文字。卷1《周易》53條；[8]卷2《尚書》26條；卷3《毛詩》35條；卷5《左傳・中》20條；卷6《左傳・下》14條；卷7《禮記》13條；卷8《周禮》34條；卷9《孝經》無，《論語》2條。下面舉幾個例子，加以說明。

5　金澤文庫本寫入的訓點，參考小林芳規：〈金澤文庫本群書治要の訓點〉，頁480-483；頁494-503。

6　括號內的「1_33-34_231-233」表明汲古書院刊影印本第1冊，頁33-34，第231-233行。下同。

7　《經典釋文》「習」下說：「便習也，重也。劉云：『水流行不休，故曰習。』」；「坎」下說：「徐：苦感反。本亦作『埳』，京、劉作『欿』，險也，陷也。八純卦象水。」；「險陷」下說：「陷沒之陷。」，呈現一些差異。唐・陸德明：《經典釋文》（臺北：學海出版社，1988），頁24上。

8　日本中世時代文人之間存在著一種禁忌，即學習《周易》的人要受災禍，其禁忌影響到朝廷內《群書治要》的講授。花園天皇在正和三年（1314）二月十日就式部大輔菅原在輔學習《群書治要》，但是不讀第一卷《周易》，因為「《周易》者五旬已前不讀之間，其說近代絕了云云。」見花園天皇著：《花園天皇宸記一》（增補史料大成2，京都：臨川書店，1975），頁90下。花園天皇是時18歲，文中的「之間」是「以……之故」的意思。《周易》學習上的禁忌，參看水上雅晴：〈日本易學中的禁忌——以禁忌對明經博士家清原家的影響為考察中心〉，《古典學集刊》1（華東師範大學出版社，2015）。清原教隆對《群書治要・周易》加上很多音義註記表明，清原氏用功學習《周易》。

事例一

金澤文庫本《群書治要》卷2《尚書．皐陶謨》「愿而恭」句「愿」字左旁寫入「音願」二字（1_85_101）。《釋文》卷3〈尚書上．皐陶謨〉「愿」下說：「音願」（38下左）。[9]

事例二

卷3《毛詩．召南．何彼襛矣》「唐棣之華」句「棣」字左旁寫入「徒帝反」三字（1_149_53）。《釋文》卷5〈毛詩．召南〉「唐棣」下說：「徒帝反。移也。《字林》：大內反。」（57上右）

事例三

卷5《左傳中．宣公二年》「其御羊斟不與」句「斟」子左旁寫入「之金反」三字（1_223_5）。《釋文》卷16〈左傳．宣公二年〉「羊斟」二字下說：「之金反」。（244上左）。

金澤文庫本中寫入的193條音義註記大多與《經典釋文》一致如此，可知寫入者清原教隆參考的文獻只限於《釋文》。其他3條註記也可能與《釋文》有關係。

事例四

卷2《尚書．大禹謨》「罔淫于樂」句「樂」字左旁寫入「音洛，又音岳。」（1_78_46）的音義註記。《釋文》卷3〈尚書上．大禹謨〉「樂」字下只有「音洛」二字的音註，沒有「又音岳」三字（38下右）。《釋文》卷5〈毛詩．周南．關雎〉「皆樂」下有「音洛，又音岳。」（53下左）的音註，則教隆寫入的註記可能是《釋文》原有而後來失掉的文字。

事例五

卷2《尚書．說命上》「用汝作霖雨」句「霖」字左旁寫入「音林」（1_104_253）的音義註記。《釋文》卷3〈尚書上．說命上〉並無對「霖」的音註（43下右）。《釋文》卷15《左傳一．隱公九年》「雨霖」下有「音林」的音義註記。《爾雅》云：『久雨謂之淫。淫雨謂之霖。』」（223下左）《釋文》全書中還有兩條同樣音注，[10]則教隆寫入的音

---

9 括號內的「38下左」表明唐．陸德明著；黃坤堯、鄧仕樑編校：《新校索引經典釋文》（臺北：學海出版社，1988。據清通志堂刊本編校）的頁38下左。下同。

10 卷19《左傳五．昭公四年》「霖雨」下（頁275下右）和卷26《莊子．大宗師》「霖雨」下（頁371下右）。

註同樣可能反映著《釋文》音註的舊貌。

事例六

卷1《周易・坤卦〉卦名「坤」字左旁寫入「口本反，順也」（1_23_147）的音義註記。《釋文》卷2《周易・坤卦〉卦名「坤」字下說：「本又作巛。巛，今字也。同困魂反。〈說卦〉云：『順也』。八純卦象地。」（19下右）兩條註記完全不同，「口本反，順也」的音義註記似乎並不見於包含《玉篇》和《廣韻》等《釋文》以後的各種詞典，教隆寫入的這條註記的來源並不明白。

清原教隆利用《釋文》來決定經傳文字的音義，這種解經方式是清原氏常用的。明經博士家的清原氏十分尊重僅在家內傳承的經書古鈔本，據此進行講解。這種古鈔本中寫有由家內大儒附加過的很多訓點，清原氏稱之為「家點」，經由家點保存「家說」即自家的經傳解釋。清原氏在家本內寫入的大半音義註記來自《釋文》，甚至一些註記文字是《釋文》的佚文，[11]清原教隆是按照家內傳統附註方式對金澤文庫本《群書治要》節錄經書的部分寫入音義註記的。小林芳規根據清原教隆舊藏各種經書鈔本的「奧書」即卷末識語來解說他學習和講授經書的情況。教隆的父親清原仲隆（1155-1225）在建曆二年（1212）至貞應元年（1222）之間給他傳授《春秋經傳集解》的家說；他在建保六年（1218）受到《古文尚書》的家說；在嘉祿二年（1226）對《詩經》毛傳、鄭箋附加家點；在仁治二年（1241）對《古文孝經》加以校點；又在仁治三年（1242）對自已抄寫的《論語集解》鈔本寫入家點。至於教隆對《群書治要》所收經書附加訓點則是建長五年（1253）至七年（1255）之間。[12]然則他可以利用各種經書已經擁有的家點，包含來自《釋文》的音義註記，對《群書治要》所收經傳文字加上訓點。其實，《群書治要》卷9《論語・為政》「大車無輗」句「輗」字左旁寫入「音居」（1_544_217）的音義註記，同樣註記見於《釋文》卷24《論語・為政》（345下左）。東洋文庫收藏正和四年（1315）《論語集解》鈔本即所謂正和本《論語集解》，這本鈔本是以清原教隆在仁治三

11 清原氏經學古鈔本和《釋文》的關係，參看板井健一：〈論語釋文の「書キ入レ」音について——清原家相傳論語抄本を中心とせる——〉，《日本中國學會報》21（東京：日本中國學會，1969）；水上雅晴：〈明經博士家的《論語》詮釋：以清原宣賢為中心〉，鄭吉雄、佐藤錬太郎主編：《臺日學者經典詮釋中的語文分析》（臺北：臺灣學生書局，2010），頁228-234。日本國內經傳舊鈔本中寫入《釋文》的音義註記已經始於十世紀，東洋文庫藏有唐鈔本《詩經》卷6〈唐風〉斷卷（日本國寶），此本中散見來自《釋文》的音義註記，篇名〈杕杜〉的「杕」字右旁看到「徒細反」的音義註記，「獨行踽踽」句「踽」字右旁也看到「俱禹反」的音義註記，這些是由日本文人寫入的，見東洋文庫監修；石塚晴通、小助川貞次、會谷佳光解題：《國寶毛詩、重要文化財禮記正義卷第五殘卷》（東京：勉誠出版，2015），頁12-13。值得加以注意的是，兩條註記還見於金澤文庫本《群書治要》卷3〈毛詩・杕杜〉（1_160_140、143）。

12 小林芳規：〈金澤文庫本群書治要の訓點〉，頁484-485。

年（1243）抄寫的本子為底本抄寫的，該本在〈為政〉「輗」字左旁同樣寫入「音居」的音義註記。[13]

除了儒家經典以外，《經典釋文》還收錄《老子》和《莊子》等道家經典的音義註記，兩書都收錄在《群書治要》卷34和卷37。對金澤文庫本加以調查，就可以知道，對《老子》的音義註記一共有7條，其中只有2條的註記與《釋文》一致；對《莊子》的音義註記一共有7條，所有註記均與《釋文》一致。根據小林芳則的解說，兩書不是由清原教隆，而是由藤原敦周附加訓點的，[14]敦周不太使用《釋文》的音義註記。正如上面已經講到的，他是藤原氏式家的官人，屬於文章博士家，為學方法與明經博士家未必一樣，利用《釋文》音義的情況呈現區別，不足為怪。

三　金澤文庫本音義註記與《玉篇》

《群書治要》所收大半漢籍並不包含於《經典釋文》的「經典」之列，金澤文庫本對這些漢籍文字也寫入很多音義註記，這些註記自然來自《經典釋文》以外的漢籍。

事例七

卷8《逸周書・芮良夫解》「民將弗龕」[15]句天頭寫入「龕：《玉篇》曰：『受也。苦含反。』」（1_469_197）的音義註記。這條註記當然來自《玉篇》，《玉篇・龍部第三百八十一》「龕」下則說：「苦含切。龍皃也，受也，聲也，盛也。」（23_537中）[16]

事例八

卷29《晉書上・愍懷太子傳》「殿下誠可及壯時極意狡獪」句地腳寫入「獪：古邁反，又音澮。《玉》云：『狡也』。」（4_340_217）的音義註記。文中「玉」字無疑是「玉篇」的略稱，《玉篇・犬部第三百六十四》「獪」下果然說：「古邁切。狡獪也。又音澮。」（23_536中）

---

13 正和本《論語集解》（重要文化財）的圖像公開於東洋文庫網頁收載的《岩崎文庫善本圖像數據》上。網址：http://124.33.215.236/zenpon/zenpon201009.php（2020年4月30日閱覽）

14 小林芳規：〈金澤文庫本群書治要の訓點〉，頁482-483；頁497。

15 通行本《逸周書》卷9〈芮良夫解第六十三〉「龕」字作「堪」，黃懷信等說：「堪，《治要》作『龕』。」見黃懷信、張懋鎔、田旭東撰；黃懷信修訂；李學勤審定：《逸周書彙校集註（修訂本）》（上海：上海古籍出版社，2017），頁1002。

16 本文使用的《玉篇》是梁・顧野王原撰；唐・孫強增訂；宋・陳彭年等重修：《大廣益會玉篇》，收入《叢書集成新編》第35冊（臺北：新文豐出版公司，1985。據小學彙函本縮印）。括號內的「23_537中」表明該本卷23，頁537中。下同。

事例九

卷41《淮南子・泰族訓》「然而不可省者」句天頭寫入「省：《玉》云：『思井反。善也。』」（6_293_468）的音義註記。《玉篇・目部第四十八》「省」下則說：「思井切。善也。《說文》云：『視也』。又所景切。」（4_488下）

從事例七到事例九可以了解，金澤文庫本《群書治要》中一些音義註記來自《玉篇》的釋義。但是，抄寫註記者一般不標出《玉篇》的書名。

事例十

卷21《後漢書一・皇后紀序》「孝文衽席無辯」句「衽」字右旁寫入「而甚反」（2_166_189）的音義註記，「玉篇」或者「玉」等文字不能看到。《玉篇・衣部第四百三十五》「衽」下則說：「而甚切。裳際也。衣衿也。」（28_546上-中）

事例十一

卷31《六韜・龍韜》「外貌咋咋」句「咋」字左旁寫入「側革反。聲大也」（5_38_268）的音義註記。《玉篇・口部第五十六》「餌」下則說：「側革切。聲大也。〈考工〉曰：『鍾侈則柞』，鄭氏云：『柞讀為咋咋然之咋，聲大外也。』」（5_124下）

事例十二

卷45《崔寔政論》「婢妾皆戴瑱襟之飾」句天頭寫入「瑱：他見反，以玉充耳也。」（7_15_87）的音義註記。《玉篇・玉部第七》「瑱」下則說：「他見切，以玉充耳也。」（1_478下）

從事例七到事例十二可以知道，金澤文庫本《群書治要》寫入的不少音義註記來自《玉篇》。《玉篇》凡30卷，532部，收錄16917字，原來是由梁人顧野王（519-581）在大同九年（543）編纂的。北宋之初，顧氏原撰《玉篇》（以下稱《原本玉篇》）已經殘缺不全。[17]根據錢曾（1629-1701）《述古堂書目》卷2〈韻學〉說：「《玉篇》三十卷三本（宋板）」[18]，「三本」換言之三冊本《原本玉篇》並不是30卷的完本，殘卷文字則收錄在《續修四庫全書》第228冊。[19]現在可以參閱的完本《玉篇》是由宋人陳彭年在大中祥符六年（1013）重修、在天禧四年（1020）刊行的《大廣益會玉篇》（以下稱《重修玉篇》），書中一共收錄22873字。

17 周祖謨：〈萬象名義中之原本玉篇音系〉，《問學集》（北京：中華書局，2004），頁271。

18 清・錢曾藏並撰：《錢遵王述古堂藏書目錄》，《續修四庫全書》第920冊所收本（據錢氏述古堂抄本影印），頁435上。

19 《原本玉篇》的傳存情況，參看張萬春：〈原本《玉篇》殘卷版本、傳抄和失傳年代與語音研究綜述〉，《語文建設》第7期（2012），頁73-74。

《玉篇》傳入日本較早，根據孫猛的考證，奈良時代（710-794）前半期的文人就引用此書。惟宗直本（生卒年未詳）在貞觀十年（868）前後編纂的《令集解》所引《古記》和《令釋》多引《玉篇》。《古記》成書於天平十年（738），《令釋》則成書於延曆（787-791）之間。[20]藤原佐世（847-898）《日本國見在書目錄》著錄「《玉篇》卅一卷：陳左將軍顧野王撰」[21]，這本《玉篇》無疑是《原本玉篇》。岡井慎吾編成《玉篇逸文》，這本資料集分為〈內篇〉和〈外篇〉，〈內篇〉收載《原本玉篇》佚文，25種日本古籍包含於徵引文獻之列，其中最早的是奈良時代的，最晚的是17世紀的。[22]然則我們在金澤文庫本《群書治要》寫入的音義註記中可能看到來自《原本玉篇》的釋義。

事例十三

卷29《晉書上・簡文帝紀》「將何以紓之耶」[23]句地腳寫入「紓：式居反。緩也。或作舒。」（4_332_155）的音義註記。《原本玉篇・糸部第四百二十五》「紓」下說：「始居反。《韓詩》：『彼交匪紓』，紓，緩也。《左氏傳》：『以紓楚國之難。』杜預曰：『紓，緩也。』《方言》：『紓，解也。』野王案，《左氏傳》『而脩礼紓禍』，是也。或為俆字，在人部。」[24]，反切上字和或體字互相不同。《重修玉篇・糸部第四百二十五》「紓」下則說：「式居切。緩也，解也。或作舒。」（27_544中）

事例十四

卷47《世要論・銘誄》「而有饕餮之害」句天頭寫入「饕：勑高反。貪財也。」（7_219_567）的音義註記。《原本玉篇・食部第一百十二》「饕」下說：「勑高反。《左氏傳》：『縉雲氏有不才子，貪于飲食，置于貨賄，聚斂積實，不知紀極，天下之民，謂之饕餮。』杜預曰：『貪財為饕，貪食為餮也。』」[25]，沒有「貪財」的釋義。《重修玉篇・食部第一百十二》「饕」下則說：「敕高切，貪財也。」（9_501中）

事例十五

卷50《袁子正書・論兵》「進不可詭」句天頭寫入「詭：《玉》云：『責也』。」（7_393_132）的音義註記。《原本玉篇・言部第九十》「詭」下說：「俱毀反。《詩》：

---

20 孫猛：《日本國見在書目錄詳考》，頁405。

21 藤原佐世：《日本國見在書目錄・十・小學家》，收入《新編叢書集成》第1冊，頁374中。孫猛指出「左將軍」的「左」下脫「衛」字，見孫猛：《日本國見在書目錄詳考》，頁403。

22 岡井慎吾：〈玉篇逸文・逸文內篇〉，《玉篇の研究》（東京：財团法人東洋文庫，1969），頁4-5。

23 今本《晉書》無此句。

24 《玉篇零卷・糸部》，收入《續修四庫全書》第228冊，頁589-590。

25 同前註，頁363。

『無縱詭隨』。箋云：『無聽於詭也。善，不肯行而隨人為惡。』[26]」，沒有「責也」的釋義。《重修玉篇·言部第九十》「詭」下則說：「俱毀切。欺也，責也，怪也，謾也。」（9_449下）

金澤文庫本《群書治要》寫入的文字中還有與《原本玉篇》可以比較的音義註記，經過調查可以看出，所有音義註記內容同樣與《重修玉篇》的釋義一致，從而可知，12世紀到13世紀的寫入註記者只參照重修本。這或許是因為《原本玉篇》內容在當時已經失掉了大半。值得留意的是，《原本玉篇》和金澤文庫本《群書治要》所引《玉篇》均用「AB 反」的注音方式，《重修玉篇》則用「AB 切」的注音方式，呈現區別。不僅如此，原本和重修本《廣韻》均用「AB 切」的注音方式，金澤文庫本《群書治要》音義註記所引《廣韻》音註卻一律作「AB 反」（參看事例十七至二十；二十二之二十七）。一個可能的推論是，「AB 反」是日本文人熟悉的注音方式，因此寫入註記者在引用《重修玉篇》和《廣韻》之時，將反切註記中的「切」字改為「反」。《切韻》和《原本玉篇》等最早進入日本的字典中看到的音註基本上都是用「AB 反」的注音方式，菅原是善（812-880）《東宮切韻》即被認為是日本人編纂的第一部韻書也採用「AB 反」的注音方式（參看事例二十八和事例二十九），博士家以此為正統注音方式，代代襲用。

四　金澤文庫本音義註記與《廣韻》和其他字典

金澤文庫本《群書治要》寫入的音義註記所引字典並不限於《玉篇》，很多註記來自其他字典。

（一）利用《廣韻》的情況

《廣韻》是在宋大中祥符元年（1008）陳彭年等奉詔編輯的，正式書名為《大宋重修廣韻》。雖然未標出書名，這本字典的釋義也往往見於金澤文庫本寫入的音義註記中。

事例十六

卷10《孔子家語·五儀解》「油然若脟可越」的「脟」字左旁寫入「音劣。脇肉也。」[27]（1_611_161）的音義註記。《玉篇·肉部第八十一》「脟」下說：「力輟切。《說文》曰：『腸間肥也』。」（7_495下），釋義不同，只從這個反切，也難以直接導出

26 《玉篇零卷·糸部》，收入《續修四庫全書》第228冊。

27 通行本《孔子家語·五儀解》「油然若脟可越」的「脟」字作「將」，見《四部叢刊初編縮印本》第71冊所收（臺北：臺灣商務印書館，1967。明覆宋刊本），頁14下。

「音劣」的音註。《廣韻・入聲・十七薛》小韻「劣」字下就有「脟」字，其下則說：「脅肉」(5_499)[28]，音義互相一致。

事例十七

卷32《管子・小稱》「我有過則立毀我」句「毀」字左旁寫入「許委反」(5_103_243)的音義註記。《玉篇・土部第九》「毀」下說：「麾詭切。壞也，缺也，破也，虧也。」(2_480上)，反切上下字均不同。《廣韻・上聲・四紙》小韻「毀」字下則說：「壞也，破也，缺也，虧也。許委切。」(3_241)，反切上下字完全一致。

事例十八

卷50《抱朴子・酒誡》「在乎呼噏」句天頭寫入「噏：許及反。又作吸。」[29](7_440_506)的音義註記，《玉篇》沒有收錄「噏」字。《廣韻・入聲・二十六緝》小韻「吸」下說：「內息。許及切。」，屬於這個小韻的「噏」下則說：「上同」(5_533)，反切上下字同樣一致。

一些音義註記內容，不僅與《玉篇》相同，而且與《廣韻》不異，不能決定寫入註記者使用哪一方。

事例十九

卷21《後漢書一・章帝紀》「夙夜慄慄」句「慄」字右旁寫入「力質反」(3_156_106)的音義註記，《玉篇・心部第八十七》和《廣韻・入聲・五質》的「慄」下均有「力質切」(8_497下／5_469)的音義註記。

事例二十

卷33《晏子・雜上》「僨以揭也」句「揭」字地腳寫入「渠列反」(5_187_406)的音義註記，《玉篇・手部第六十六》和《廣韻・入聲・十七薛》的「揭」下均有「渠列切」(6_492下／5_497)的音義註記。

這種例子並不罕見，總而言之，金澤文庫本《群書治要》中看到的音義註記內容大多與《玉篇》或者《廣韻》相同。從此可知，加上訓點者在寫入音義註記之時，至少參照《玉篇》和《廣韻》兩本字典，下個例子證實這種看法。

---

28 本文使用的《廣韻》是陳彭年等重修：《校正宋本廣韻（附索引）》(臺北：藝文印書館，1991)。括號內的「5_499」表明該本卷5，頁499。下同。

29 原文中「作」字作「乍」，「乍」是「作」的日本略體字。

事例二十一

卷35《文子・自然》「霸者迫於理也」句天頭寫入「迫：《玉篇》、《宋韻》并云：『附也』。」(5_308_186上)的音義註記。《玉篇・辵部第一百二十七》「迫」下有「補格切。逼迫也，附也，急也。」的註記(10_503中)。《宋韻》不是正式書名，實際上應該是指《廣韻》，《廣韻・入聲・二十陌》「迫」下有「逼也，近也，急也，附也。」(5_510)的註記。

金澤文庫本寫入的音義註記中時有看到《宋韻》的書名，例如，卷33《晏子・雜上》「嬰非君奉餽之臣也」句天頭寫入「餽：……《宋韻》曰：『餉也』。」(5_189_419)的註記；卷40《賈子・官人》「行足以為民率」句天頭寫入「率：《宋韻》曰：『循也，領也，將也，用也』」(6_216_490)的註記。與《宋韻》相同的釋義分別見於《廣韻・去聲・六至》(4_351)和《廣韻・入聲・五質》(5_471)。在中世日本，《宋韻》是相當普遍的名稱，朝廷內召開會議，決定新年號為嘉曆(1326-1329)時，與會公卿對《穀梁傳・襄公二十四年》「四穀不升謂之康」句進行討論，一位公卿說：「《宋韻》在『康』右加『欠』的『歑』字之下有此注，[30]這裡所謂「此注」應該是指《廣韻・下平・十一唐》「歑」下「穀不升謂之康」(2_180)的釋義。

(二)《原本廣韻》

金澤文庫本《群書治要》處處看到來自《廣韻》的音義註記，《四庫全書總目提要》對於《廣韻》版本說明：「考世行《廣韻》，凡二本：一為宋陳彭年、邱雍等所重修；一為此本，前有孫愐《唐韻序》，註文比重修本頗簡。」[31]，則除了《大宋重修廣韻》以外，還有被稱「此本」的《原本廣韻》。根據艾紅培，「《原本廣韻》是《四庫全書》中保存的一種《切韻》系韻書，注釋簡略，是一種略注本《廣韻》。[32]」劉芹則對兩種《廣韻》的內容進行全面比較，從而下結論說：「每個韻內小韻數目除個別韻外完全相同，每個小韻除個別小韻外收字範圍相同，小韻收字注釋基本相同，小韻所用反切絕大部分相同。」[33]其實，從金澤文庫本的一些音義註記內容可以判斷寫入音義註記者參照《原本廣韻》還是《重修廣韻》。

---

30 日語原文：「《宋韻》康ノ作ニ欠ヲ書タル歑文字下有此注」，見《改元部類(自永仁至貞治)》，收入《續群書類從》第11輯上(東京：續群書類從完成會，1958)，頁232上。

31 王雲五主持：《四庫全書總目提要及四庫未收書目禁燬書》(臺北：臺灣商務印書館，1985)，頁880。

32 艾紅培：〈《原本廣韻》的成書年代考論〉，《現代語文(語文研究版)》11期(2009)，頁149。

33 劉芹：〈《四庫全書》所存《原本廣韻》成書來源考〉，《中國典籍與文化》第4期(2013)，頁85。

事例二十二

卷21《後漢書一・皇后紀序》「妖倖毀政之符」的「妖」字左旁寫入「於嬌反」（3_166_191）的音義註記。《原本廣韻・下平・三宵》「妖」下說：「於嬌切。妖艷也。《說文》作媄：『巧也』。今從夭，餘同。」（2_546下）[34]《重修廣韻》「妖」下則說：「妖豔也。《說文》作媄：『巧也』。今從夭，餘同，於喬切。」（2_151）金澤文庫本寫入註記中的反切文字與前者相同。

這個例子可能表明寫入註記者參照《原本廣韻》，但是管見所及，這只是孤證，金澤文庫本《群書治要》全書中不能看到其他類似例子。雖然兩種《廣韻》的內容基本上一致，但是劉芹又指出，從體例上看，兩書有不同點，就是說，「注釋、反切次序不同」，具體而言，「《原本廣韻》先反切後注釋，《重修廣韻》先注釋後反切。」[35]然則，根據釋義的行文形式可能辨別寫入的音義註記來自《原本廣韻》還是來自《重修廣韻》。

事例二十三

卷29《晉書上・齊王攸傳》「每朝政大議」句天頭寫入「政：之盛反。正也。」（4_337_198）的註記。《原本廣韻・去聲・四十五勁》「政」下說：「之盛切。政化。《釋名》：『政，正也。下所取，正也』。」（4_168下）《重修廣韻》「政」下則說：「政化。《釋名》：『政，正也。下所取，正也』。亦姓，出《姓苑》。之盛切。」（4_430）前者採用「先反切，後釋義」方式，後者採用「先釋義，後反切」方式，金澤文庫本音義註記與前者相同。

事例二十四

卷30《晉書下・劉毅傳》「劉毅字仲雄」句天頭寫入「毅：魚既反。果敢也。」（4_397_3）的音義註記。《原本廣韻・去聲・八未》「毅」下說：「魚既切。果敢」（4_137下）。《重修廣韻》「毅」下則說：「果敢也。魚既切。」（4_361）金澤文庫本的音義註記方式與前者相同。

事例二十五

卷36《尸子・恕》「恕者以身為度者也」句「恕」字右旁寫入「商著反。仁恕反。」（5_413_418）的註記，「仁恕反」的「反」字恐是衍字。《原本廣韻・去聲・九御》

---

34 本文使用的《原本廣韻》是文淵閣《四庫全書》第236冊所收本（臺北：臺灣商務印書館，1983）。括號內的「2_546下」表明該本卷2，頁546下。下同。

35 劉芹：〈《四庫全書》所存《原本廣韻》成書來源考〉，頁85。

「恕」下說：「商著切。仁恕。」（4_138上）《重修廣韻》「恕」下則說：「仁恕。商署切。」（4_362）金澤文庫本的音義註記方式還是與前者相同。

這些例子都表明寫入註記者參照《原本廣韻》，但是他們參照的《廣韻》未必都是《原本》。

事例二十六

卷31《六韜・上賢》「止奢侈」句左旁寫入「奢：張也，侈也，勝也。式車反。」（5_12_62）的音義註記。《原本廣韻・下平・九麻》「奢」下說：「式車切。張也，侈也，勝也。」（2_60下）《重修廣韻》「奢」下則說：「張也，侈也，勝也。式車切。」（2_165）金澤文庫本的音義註記與後者相同。

事例二十七

卷40《賈子・先醒》「諫臣詰逐」句天頭寫入「詰：《玉篇》云：『治也，譴也，問罪也。』《宋韻》云：『問也，責讓也。去吉切。』」和「誥：《宋韻》云：『告也，謹也。古到切。』」（6_211、212_455）等音義註記。寫入兩種音義註記是因為附加訓點者即藤原敦綱認為「詰」或是「誥」字之誤。《原本廣韻》沒有收錄「詰」字，《重修廣韻・入聲・五質》「詰」下說：「問也，責讓也。去吉切」（5_469）至於「誥」字，《原本廣韻・去聲・三十七號》「誥」下說：「古到切。告也，謹也。」（4_162下）。《重修廣韻》「誥」下則說：「告也，謹也。古到切。」（4_417）金澤文庫本的音義註記均與後者相同。

對金澤文庫本《群書治要》寫入註記者都是12至13世紀的日本文人，當時還可以參照原本和重修本等兩種《廣韻》。這個事實對《原本廣韻》成書時間問題有重要意義。艾紅培將《原本廣韻》和元人周德清《中原音韻》（1324年成書，1341年刊出）韻字的反切進行對比，從而發現「《原本廣韻》所反映的語音面貌既與《中原音韻》相符合。」，因此斷定認為「《原本廣韻》的成書晚於《大宋重修廣韻》，成書時間應當在元代。[36]」但是上面舉例中，卷21（事例二十二）和卷29（事例二十三）的註記是由藤原俊國（1212-1271。藤原氏北家日野流）寫入的，卷36（事例二十五）的註記是由藤原敦周（1119-1183。藤原氏式家）寫入的。他們可能參閱《原本廣韻》，則該本是到元代之前已經成書的。金澤文庫本《群書治要》中的筆寫註記為考察《原本廣韻》成書時間問題提供新線索及思路。

36 艾紅培：〈《原本廣韻》的成書年代考論〉，頁151。

（三）《東宮切韻》

除了《玉篇》《廣韻》等兩種字典以外，金澤文庫本《群書治要》寫入的音義註記還引用其他字典。

事例二十八

卷40《三略・下略》「若決江河而溉熒火」[37]句天頭寫入「熒：麻果云：『火光也』。」（6_183_225）的音義註記。

「麻果」無疑是「麻杲」之誤，《日本國見在書目錄》（891年成書）著錄「《切韻》五卷：麻杲撰」[38]，則日本國內流通麻杲《切韻》。但是正如孫猛就麻杲《切韻》指出：「菅原是善撰《東宮切韻》，引及此書」[39]，從此可以推測，金澤文庫本中看到的麻杲《切韻》引文大概出於《東宮切韻》。《東宮切韻》是由菅原是善（812-880。菅原道真的父親）集成陸法言《切韻》等14種《切韻》系韻書而編成的韻書，現在失傳，但是日本一些古籍引有佚文。麻杲《切韻》包含於書中徵引的14種《切韻》之內。[40]值得關注的是，《東宮切韻》的引文只見於金澤文庫本《群書治要》卷40寫入的音義註記內，不見於他卷。

事例二十九

卷40《新語・資質》「九派之間」[41]句天頭寫有「派：《東宮切韻》：匹卦反。水邪流。《說文》從反，[42]同源別流也。」（6_191_294）的音義註記。

---

37 《三略・下略》將「熒」字原作「熵」，見漢・黃石公：《黃石公三略》卷下〈下略〉，收入《新編叢書集成》第32冊，頁201上。

38 藤原佐世：《日本國見在書目錄・十・小學家》，頁374下。

39 孫猛：《日本國見在書目錄詳考》，頁475。

40 《東宮切韻》的內容，成書時間，佚文的情況等，參看中村璋八：〈神宮文庫本五行大義背記に引存する東宮切韻佚文について〉，《東洋學研究》11（東京：駒澤大學東洋學會，1955）；上田正：〈東宮切韻論考〉，《國語學》第24輯（東京：日本國語學會，1956）。

41 陸賈《新語》將「九派之間」，原作「隔於九 之隄」，見陸賈：《新語》卷下〈資質第七〉，《四部叢刊初編縮印本》第73冊所收本，頁11下。

42 「《說文》從反」的「反」是「𠂢」字之誤。《說文解字》卷11上「派」下云：「別水也。从水𠂢，𠂢亦聲。」見漢・許慎撰；清・段玉裁注；許惟賢整理：《說文解字注》（南京：鳳凰出版社，2007），頁961。

事例三十

卷40《賈子・退讓》「菁弗翦」[43]句天頭寫有「菁：《東宮切韻》作『葺』，以草蓋屋也。似入反。」（6_215_481）的音義註記。

事例三十一

卷40《賈子・大政上》「君以民為盲明」句天頭寫有「盲：陸方言云：『無目。釋氏云：目無瞬子』。」（6_218_505）的音義註記。

在三個例子中，第一個和第二個個例子中看到《東宮切韻》的書名，第三個例子中看不到《東宮切韻》的書名，但是註記文字中看到陸方言的名字，則寫入註記者藤原敦綱大概是從《東宮切韻》轉引的。上列的音義註記可算是《東宮切韻》的佚文，保留唐人《切韻》之斷圭破璧。該卷的訓點和註記是由藤原敦綱長寬二年（1164）寫入的，則《東宮切韻》在當時還可以參閱。金澤文庫本《群書治要》寫入的音義註記中保存著日本字典中釋義的佚文，這些釋義來自《切韻》。

五　結論

《群書治要》保存漢籍古文本、佚書和佚文，這是眾所周知的事，金澤文庫所藏古鈔本《群書治要》寫入的音義註記含有中國和日本字典的古文本和佚文則是以往研究忽視的事情。這些註記是12-13世紀之間寫入的。《群書治要》50卷收錄經史子部之書，前10卷收錄的典籍大半是經書，由清原教隆寫入的音義註記幾乎都是來自《經典釋文》的。明經博士家清原氏留下很多經傳古鈔本，其中處處看到來自《經典釋文》的音義註記，清原教隆按照自家學習經書的方式對《群書治要》所收經傳文字加以音義註記。《群書治要》卷34和卷37分別收錄《老子》和《莊子》，《經典釋文》也以此為經典加以音義註釋，但是對金澤文庫本所收《老子》和《莊子》寫入的音義註記未必來自《經典釋文》，這是因為抄寫者不是清原氏，而是藤原氏式家的藤原敦周。藤原氏式家屬於文章博士家，學習漢籍的方式與明經博士家自有不同。

《群書治要》卷11以下都是史子部書，這部分不能參照《經典釋文》加以音義註記，自然利用其他字典。這部分寫入的音義註記大多來自《玉篇》和《廣韻》，少數來自日本古代字典《東宮切音》。《玉篇》有顧野王原撰和陳彭年重修本，日本古籍中看到原撰本的不少佚文，但是金澤文庫本中完全看不到原撰本的文字。這可能表明原撰本《玉篇》在日本到12-13世紀之前已經失傳。就《廣韻》而言，除了通行本即陳彭年重

---

43 賈誼《新書》將「菁弗翦」句原作「茆茨弗翦」，見漢・賈誼：《新書》卷7〈退讓〉，收入《新編叢書集成》第18冊，頁524下。

修本以外，還有被稱「原本」即現在只在《四庫全書》所收的本子。金澤文庫本寫入的音義註記中兼有來自重修本和原本兩種《廣韻》的文字。一些研究者將《原本廣韻》和14世紀成書的《中原音韻》進行比對，從而認為《原本廣韻》的成書後於重修本，成書時間當在元代。但是關注音義註釋方式進行分析就可以了解，金澤文庫本一些音義註記中看到的注音方式與《原本廣韻》相同，這可能表明《原本廣韻》是已在宋代成書的。至於《東宮切音》是9世紀在日本編成而不久後失傳的字典，釋義來自14種《切韻》系中國字典，其佚文保存在金澤文庫本寫入的音義註記中。從金澤文庫本《群書治要》寫入的音義註記可以了解日本到12-13世紀之前小學和小學書接受的情況和水平。

徵引文獻

一　原典文獻

黃懷信、張懋鎔、田旭東撰；黃懷信修訂；李學勤審定：《逸周書彙校集註（修訂本）》，上海：上海古籍出版社，2017。

《孔子家語》，《四部叢刊初編縮印本》第71冊所收本，臺北：臺灣商務印書館，1967。據明覆宋刊本縮印。

漢・許　慎撰；清・段玉裁注；許惟賢整理：《說文解字注》，南京：鳳凰出版社，2007。

漢・黃石公：《黃石公三略》卷下〈下略〉，《新編叢書集成》第32冊所收本。

漢・陸　賈：《新語》，《四部叢刊初編縮印本》第73冊所收本。

梁・顧野王原撰；唐・孫強增訂；宋・陳彭年等重修：《大廣益會玉篇》，《叢書集成新編》第35冊所收本，臺北：新文豐出版公司，1985。據小學彙函本縮印。

唐・陸德明原著；鄧仕樑、黃坤堯校訂、索引：《新校索引經典釋文》，臺北：學海出版社，1988。

唐・魏　徵等奉敕撰；尾崎康、小林芳規解題：《群書治要》7冊，東京：汲古書院，1991。

唐・顧野王撰：《玉篇零卷》，收入《續修四庫全書》第228冊。

《原本廣韻》，文淵閣《四庫全書》第236冊所收本，臺北：臺灣商務印書館，1983。

宋・陳彭年等重修：《校正宋本廣韻（附索引）》，臺北：藝文印書館，1991。

清・錢曾藏並撰：《錢遵王述古堂藏書目錄》，《續修四庫全書》第920冊所收本（據錢氏述古堂抄本影印）。

清・阮元校刻：《十三經注疏附校勘記》，臺北：藝文印書館，1993。

王雲五主持：《四庫全書總目提要及四庫未收書目禁燬書》，臺北：臺灣商務印書館，1985。

東洋文庫監修；石塚晴通、小助川貞次、會谷佳光解題：《國寶毛詩、重要文化財禮記正義卷第五殘卷》，東京：勉誠出版，2015。

藤原佐世：《日本國見在書目錄》，《新編叢書集成》第1冊所收本。

正和本《論語集解》，岩崎文庫善本圖像數據網站，網址：http://124.33.215.236/zenpon/zenpon201009.php（2020年6月30日閱覽）

《改元部類（自永仁至貞治）》，收入《續群書類從》第11輯上，東京：續群書類從完成會，1958。

二　近人論著

上田正：〈東宮切韻論考〉，《國語學》第24輯，東京：日本國語學會，1956。

小林芳規：〈金澤文庫本《群書治要》の訓點──經部について〉，《金澤文庫研究》277，橫濱：金澤文庫，1986。

小林芳規：〈金澤文庫本群書治要の訓點〉，唐・魏徵等奉敕撰；尾崎康、小林芳規解題：《群書治要》第7冊，東京：汲古書院，1991。

中村璋八：〈神宮文庫本五行大義背記に引存する東宮切韻佚文について〉，《東洋學研究》11，東京：駒澤大學東洋學會，1955。

水上雅晴：〈日本年號資料與經學〉，《中國典籍與文化論叢》20，北京：中華書局，2018。

水上雅晴：〈明經博士家的《論語》詮釋：以清原宣賢為中心〉，鄭吉雄、佐藤鍊太郎主編：《臺日學者經典詮釋中的語文分析》，臺北：臺灣學生書局，2010。

艾紅培：〈《原本廣韻》的成書年代考論〉，《現代語文（語文研究版）》11期（2009）。

尾崎康：〈群書治要とその現存本〉，《斯道文庫論集》25，東京：慶應義塾大學附屬研究所斯道文庫，1990。

周祖謨：《問學集》，北京：中華書局，2004。

岡井慎吾：《玉篇の研究》，東京：財團法人東洋文庫，1969。

孫　猛：《日本國見在書目錄詳考》，上海：上海古籍出版社，2015。

張萬春：〈《原本玉篇》殘卷版本、傳抄和失傳年代與語音研究綜述〉，《語文建設》第7期（2012）。

劉　芹：〈《四庫全書》所存《原本廣韻》成書來源考〉，《中國典籍與文化》第4期（2013）。

日本江戶時代古學派與《群書治要》回傳中國的關係*

金光一

〔南韓〕首爾市立大學中國語文化學科副教授

摘要

十八世紀初期古學的崛起以來，日本的學界一直努力尋找《孝經鄭注》，明和年間（1764-1771）以後，著眼於《群書治要》的編纂年代提出新的意見，就是說《群書治要》所抄錄的《孝經》是鄭注。在這種情況下，《知不足齋叢書》傳入日本，再次推動日本學界從《群書治要》中抄出《孝經》分別單行，河村益根、岡田廷之等人刊行《鄭注孝經》。岡田廷之希望鮑廷博把他所輯的《鄭注孝經》刻入《知不足齋叢書》，可知他的工作直接針對中國學界的需求。該書果然收在《知不足齋叢書》第二十一集。《鄭注孝經》編入《知不足齋叢書》，中國學者之間引起了一場真偽論爭。鮑廷博儘管把《鄭注孝經》收入《知不足齋叢書》，也表示一點保留的態度。鮑廷博在《鄭注孝經》跋中透露了他自己不知道《群書治要》的撰人、編纂時代、流傳過程、文獻源流等相關情況，其實，嘉慶六年《群書治要》很可能已經傳入中國。當時嘉定錢侗也由賈舶獲得一本《鄭注孝經》，另行刊印，有嘉慶七年的序，後來《知不足齋叢書》亦將錢序收入，補刻進去。錢侗與鮑廷博不同，序中毫不猶豫地肯定岡田本《鄭注孝經》的重要價值，其主要原因就是他已經參閱過《群書治要》尾張本。由此可見，錢侗作此文時，《群書治要》終於回傳中國，逐漸流布於杭州一帶。

關鍵詞：群書治要、日本古學派、尾張本、鄭注孝經、知不足齋叢書

* 本文是從金光一《群書治要研究》（復旦大學博士學位論文，2010）中抄出有關《群書治要》回傳的內容而編成的。

The Sorai School in Tokugawa Japan and the Return of *Qunshu Zhiyao*

Kim Kwang Il

Associate Professor

Department of Chinese Language and Culture University of Seoul, Korea

Abstract

Qunshu Zhiyao《群書治要》, or*The Political Essence from a Bunch of Books*, is ananthology for political reference compiled by four famous scholars at the fifth year of *Zhenguan* 貞觀 era in accordance of an imperial order. Although this book had won high praiseright after the completion from *Tang Tai-zong* 唐太宗, one of the greatest emperor in Chinese history, later it gradually lost favor from members of the royal court of *Tang* 唐, and finally disappeared in China. But, fortunately, this simple and clear political text for emperors was introduced in Japan and has survived until today. In other words, *Qunshu Zhiyao* belongs to so-called y*icun-shu* 佚存書, which means a group of Chinese books that disappeared in China but have transmitted in Japan. Because this anthology of Chinese classics is an important y*icun-shu*, we need to study it from various angles.

In this thesis, I try to trace the path that *Qunshu Zhiyao*,returned to China along with.How could a book which disappeared thoroughly in China have remained in Japan until *Edo* 江戶 period? This question concerns cultural exchange between China and Japan. After *Qunshu Zhiyao* was introduced into Japan by envoys dispatched to China, Japanese royal court and aristocratic circles of*Heian* 平安 period had a high estimate of this Chinese styled politics at first, and later the interest of it was gradually widespread to families of generals. In the 18th century, Japanese scholars recognized philological value of it and were exerted to revise the text. Through their effort, the most perfect printing version of *Qunshu Zhiyao*until today came into existence. It is the *Owari* 尾張 edition, that was eventually re-exported in China, and in this process, some scholars of Sorai school had played important role.

Keywords: *Qunshu Zhiyao* 群書治要, Owari 尾張 edition, The Sorai School, *Zhengzhu Xiaojing* 鄭注孝經, *Zhibuzuzhai Congshu* 知不足齋叢書

一 前言：作為佚存書的《群書治要》

《群書治要》一書，南宋以來中國久佚，只在日本流傳，清嘉慶初年始得回傳，則是一種日本學界所說的「佚存書」。所謂「佚存書」，顧名思義，從形式邏輯看有所矛盾，因為一個名詞前同時冠以「佚」、「存」兩個相反的定語。這種矛盾提法淵源於日本寬政十一年（1799）至文化七年（1810）之間林述齋陸續刊行的《佚存叢書》。他在〈佚存叢書序〉說：

> 歐陽永叔〈日本刀歌〉云：「徐福行時經未焚，佚書百篇今尚存。」然所謂百篇之書，我無有之，則不知其何據，豈臆度言之耶。惟我邦皇統一姓，神聖相承，未始有易姓革命之變，而右文之化，稽古之風，歷千載而彌盛，故使凡出於古者，今皆不至于廢替也。至載籍則非惟本邦古今所有，即西土撰著傳到此間，輒亦永存不失。向使百篇之經果傳於我者，我必不使其終散亡矣。余嘗讀唐宋以還之書，乃識載籍之佚於彼者，不為尠也。因念其獨存於我者，而我或致遂佚，則天地間無復其書矣，不已可惜乎。於是彙一編，姑假諸歐詩，名曰《佚存叢書》。[1]

《佚存叢書》收入《古文孝經》、《臣軌》、《李嶠雜詠》、《文館詞林》、《唐才子傳》等失傳於中國、卻保存在日本的十八種佚書。據他解說，《佚存叢書》之名取諸歐陽修〈日本刀歌〉中的「佚」、「存」二字，由此可知「佚存書」這一簡明扼要的提法含蓄著中國與日本的地域概念，通過兩個相反字眼的明顯對比，有效地表達出中國散佚而日本所存漢籍的特點。

林述齋簡單地提及這種佚存現象的主要原因，一是日本歷史上沒有改朝換代的政治變動，二是歷代日本人非常重視古文獻的保存。雖然日本經過南北朝時代、戰國時代等政局極為混亂的時期，再加上律令體制崩潰以後武家幕府實際上統馭日本全國，但是名目上的天皇家卻尚未滅亡過，綿綿不絕，因此與中國和朝鮮半島等鄰國相比，社會相對穩定，這使得平安時代以來的文物及典籍保存得比较完善。而且，日本本土歷代沒有被外國勢力大規模侵略和佔領，從而許多典籍可以避免兵燹及掠奪。不僅如此，受到分權化的社會體制的影響，日本各地建立了許多圖書收藏機構，比如皇室文庫、寺院文庫、武家文庫、藩文庫以及學校文庫等，各個文庫收藏不同特點的典籍，這種日本所發展的文庫文化也在一定程度上減輕了典籍散佚的風險。總而言之，大量文獻得以完好保存，為佚存現象提供最基本的歷史條件。

由於其固有的文獻特點，我們需要從多方面的角度來進行研究，佚存書大體有以下三個方面的學術價值。

---

1 林衡編：《佚存叢書》，殷夢霞、王冠选編：《古籍佚書拾存》（北京：北京圖書館出版社，2003）。

第一，正如林述齋說，佚存書多為「或致遂佚，則天地間無復其書」的唐宋古籍，其在文獻研究方面的價值十分珍貴。所以，十八世紀中期以來，佚存書陸續傳入中國後，引起了學界的極大關注。雖然有些學者提出這些佚存書作偽之嫌疑，隨著中國學界逐漸領略到日本學術的力量與佚存書群的規模，積極肯定其所含蓄的文獻價值，從而這種佚存書群成為清末以來古籍輯佚、校書、考據等學術研究的必備書。比如，《七經孟子考文補遺》據足利學校所藏宋版《五經正義》、日本博士家所傳的抄本，以及明正德、嘉靖、萬曆、崇禎年間所刊的《十三經注疏》等，相互參校，將各本的異同和疑點分為考異、補闕、補脫、正誤、存舊、謹案等數類，並詳加記述。由於此書所依據的材料大體是中國已佚的佚存書，因此，阮元編纂《十三經注疏校勘記》時將它作為最為主要的參考資料。

第二，佚存現象本身是中日文化交流史的重要研究課題之一。日本律令時期遣唐使大量攜歸中國的文物和典籍以來，漢籍不斷地傳入日本，其規模蔚為大觀。對於各種漢籍什麼時候經過什麼途徑東渡日本，目前研究逐漸活躍。由於佚存書的源流大部分都是唐抄本或者宋刊本，因此，通過佚存書東傳的研究，可以知道十三世紀以前中日文化交流的細節。還有一點值得關注，則是佚存書回傳的問題。十八世紀中期以來佚存書陸續回傳中國，比如《七經孟子考文補遺》、《古文孝經》、《論語義疏》等三部書曾經都被收入《四庫全書》。此後，阮元《宛委別藏》收入了《群書治要》以及《泰軒易傳》、《樂書要錄》、《難經集注》、《五行大義》、《臣軌》、《玉堂類稿》等《佚存叢書》中的七種佚存書。到了十九世紀末，黎庶昌和楊守敬在日本主動地尋找二十六種佚存書，輯刻《古逸叢書》。這種佚存書的回歸也是中日學術文化交流的重要環節。

第三，佚存書在日本學術史上佔有非常重要的位置。有些漢籍為什麼只在日本傳存下來？林述齋從政治背景和文獻保存的角度來簡單地回答這一提問。不過，追蹤各個佚存書的流傳過程，就可以發現各書的保存與日本學術史有非常密切的關係。比如，就著名佚存書《古文孝經》而言，日本博士家學的傳統在該書的流傳起了很大的作用。日本皇室歷代非常尊重《孝經》，而貞觀二年（860）下詔將《御注孝經》制定為國家正典，廢止《孝經》孔傳及鄭注的講授，可是明經博士家清原氏一直講授《古文孝經》孔傳，從而此書得以流傳。不僅如此，佚存書的發現本身就反映著日本學術的發展。佚存書的發現與日本古學崛起之間有緊密的親緣關係。由於佚存書是古學派學說的重要理論依據，古學派學人非常積極地從事佚存書發現和整理工作，因而整個日本學界提高文獻學水準。總之，在佚存書研究這一課題中，涉及佚存書在日本學術史上的地位，也是不可忽視的重要組成部分。

作為一部重要佚存書，《群書治要》的文獻價值並不亞於《七經孟子考文補遺》、《古文孝經》、《論語義疏》等三部著名佚存書，其東渡及回傳的途徑和過程也顯示著中日文化及學術交流的典型特點，並且該書在日本學術史上發揮了不少作用。因此，要是從佚存書的角度考察《群書治要》的學術價值，也必須涉及上述的三個層面。本文主要討論其中一個環節：《群書治要》之回傳中國。

二　十八世紀日本古學發現佚存書

延享五年（1748）五月二十四，日本林家的幾個中心人物拜訪當時留在客館本願寺的朝鮮通信使一行，進行了簡單的學術研討會。在這次研討會上，日本侍講直學士藤原明遠具體列舉朝鮮的學人、歷史以及書籍，暗暗表示他對朝鮮學術的熟悉程度，還向通信使員提及一些相當尖銳的問題，包括當時朝鮮突出的學者有哪些人、他們的最新學術成果是什麼、朝鮮古代史料保存情況如何等等。其中有一條更加令人矚目。

> 漢唐以來，典籍浩瀚，中華之亡者，我邦多存之，若孔安國《孝經傳》、梁王侃（按：當為「皇侃」之誤）《論語疏》、唐魏徵《群書治要》、宋江紹虞《皇朝類苑》，不一而足。貴邦亦傳此等之典籍乎？勤問之。[2]

雖然朝鮮通信使從事官曺命采簡單地回答「見問諸書，並皆有之耳」，當時朝鮮卻沒有這些文獻。藤原的提問事實上是按照當時日本學術的尺度來衡量朝鮮的學術力量，由此可以窺見江戶時代中期日本學術特點與水準。當時是江戶幕府的鼎盛時期，在經濟繁榮的基礎上，朱子學、陽明學、古學、國學等多種思想和學術正在發展成熟，尤其是古學與國學的崛起，廣泛地引起了對古書與古代史的關心，從而十八世紀初期以來逐漸發現了許多漢籍中國已佚而日本尚存。比如說，太宰純於享保十六年（1731）作的〈重刻《古文孝經》序〉說：「夫古書之亡於中夏而存於我日本者頗多」[3]，如前所述，日本學界將這種文獻稱為「佚存書」。

其實，在佚存書流傳問題上，「發現」的作用與「保存」同樣重要，因為如果沒有十八世紀日本學界細心的發現和整理，某些我們現在稱為「佚存書」的文獻，恐怕僅會是「佚書」。而將某一部書判定為佚存書，是並不簡單的事，首先應該了解中國文獻的整個結構，然後必須要把握某一部書在中國的存佚現狀。換句話說，十八世紀日本學界大量發現佚存書，意味著他們對中國文獻的鑑別能力已經達到很高的水平。應該指出，佚存書的發現和日本古學崛起之間有親緣關係。由於佚存書為古學派學說的重要理論依據，古學派學人非常積極地從事佚存書發現和整理工作，因而整個日本學界可以提高文獻學水準。比如，上文所引藤原明遠是著名朱子學者室鳩巢之門人，並不是古學派學人，[4]而從他的提問中，不難發現當時日本學人對保藏許多佚存書抱著很大的自豪，可

2　曺命采：《奉使日本時聞見錄》，《續海行總載》（首爾：民族文化推進會，1977），卷10。

3　太宰純：《古文孝經》（北京：中華書局，1991，叢書集成初編本）。

4　原三右衛門：《先哲叢談》（東京：春陽堂書店，1936），卷7。

見十八世紀中期以來，古學派的問題意識及研究成績已經成了跨學派的普遍常識。值得注意的是，他所提及的《古文孝經》、《論語義疏》、《群書治要》、《皇朝類苑》，古學興起以後才重新認定為佚存書。

就《群書治要》而言，駿河版由於種種原因，在文本校勘質量上有不少問題，並且流布也未廣。其實，該本出版主要目的是，滿足政治上的需求和領導個人的興趣，因此不太引起學界的普遍關注，這種情況持續了一百多年。十八世紀初期以來，隨著古學崛起，日本學界發現《群書治要》是一部很重要的佚存書，也認識到該書蘊藏著珍貴的文獻價值。在這種情況下，學界對該書的普遍需求也逐漸增多，但是「活本亦難得，如其繕本，隨寫隨誤，勢世以音訛，所處以訓謬，間有不可讀者」[5]，於是乎需要重新刊行《群書治要》。

三 《群書治要》尾張本的刊行

天明七年（1787），日本尾張藩精心校勘並重新刊印了《群書治要》全新整理本，則是現在最為通行的《群書治要》尾張本，也是嘉慶初年始得回傳中國的本子。尾張藩刊印《群書治要》可以追溯到駿河版。德川家康死後，他生前所搜集並保藏在駿府的大量圖書轉讓給御三家（尾張藩、水戶藩、紀伊藩），一般稱之為「駿河御讓本」，[6]其中自然有《群書治要》駿河版。藩祖德川義直以來，尾張藩歷代極為重視該書，到了安永年間（1772-1781），第九代藩主德川宗睦（1733-1799）之子治休、治興二世子籌備《群書治要》的刊行。據細井平洲〈刊《群書治要》考例〉說明，「我孝昭二世子好學，及讀此書，有志校刊，幸魏氏所引原書，今存者十七八，乃博募異本于四方，日與侍臣照對是正，業未成，不幸皆早逝」。安永六年（1777），高須家的德川治行成為尾張藩世子，[7]繼承前二世子的遺志，天明七年終於告成。

《群書治要》尾張本以駿河版為底本，借出當時江戶楓山文庫所藏的金澤本，以及九條家傳來的平安時期的古寫本，再相校合，並且與其他傳世原典互相對照，扎實加以文本校勘。尾張藩為了保持學術質量，投入整個藩國力量，彙集當時尾張藩的一級藩僚及學者進行校勘工作。〈刊《群書治要》考例〉列舉參加校勘的學人：人見桼、深田正純、大塚長幹、宇野久恒、角田明、野村昌武、岡田挺之、關嘉、中西衛、小河鼎、南宮齡、細井德民。此十二人基本上是尾張藩的重臣、藩主侍讀、藩校明倫堂的教授及督

5 細井平洲：〈刊《群書治要》考例〉，《群書治要》尾張本。

6 參見川瀨一馬：《駿府御讓本の研究》，《日本書誌學之研究》（東京：講談社，1943年），頁642。

7 參見福井保：〈天明版《群書治要》校勘始末記〉上，《書誌學》，第6卷第3號（東京：書誌學會，1936），頁7。

學。因此，福井保推定，實際從事《群書治要》校勘的人員，當然不止此十二人。[8]

其具體例子是片山世璠，《先哲叢談續編》記載他曾經在江戶尾張藩邸繼述館參與過《群書治要》的校勘。[9]在《群書治要》回傳問題上，特別值得注意的人物是岡田挺之，因為《群書治要》之回傳和《孝經鄭注》在日本的刊行密切有關。岡田挺之（1737-1799），名宜生，號新川，歷任尾張藩學明倫堂教授、繼述館總裁，寬政四年（1792）繼細井平洲任明倫堂都督。他於寬政五年（1794）據《群書治要》校輯的《鄭注孝經》，編入《知不足齋叢書》第二十一集，以其名揚至中國。

《群書治要》尾張本的主編細井平洲在〈刊《群書治要》考例〉中聲明其文獻校勘的原則：

> 是非不疑者就正之，兩可者共存。又與所引錯綜大異者，疑魏氏所見，其亦有異本歟。又有彼全備而此甚省者，蓋魏氏之志，唯主治要，不事修辭，亦足以觀魏氏經國之器，規模宏大，取舍之意，大非後世諸儒所及也。今逐次補之，則失魏氏之意，故不為也。不得原書者，則敢附臆考，以待後賢。以是為例讎校。

從大體來看，這些原則充分反映在實際校勘工作。但是，不但《群書治要》本身是一部佚存書，而且該書所摘錄的典籍中有十幾部失傳已久，因此尾張本校勘工作中，出現了許多問題無法解決，如細井平洲所說，尾張學者們也只好「以待後賢」。其實，尾張藩積極將他們的成果傳到中國本土，主要是為了張揚當時日本的學術力量，然而還有一個重要理由，則是不拋棄求得《群書治要》另一種傳本的希望。他們渴望以《群書治要》回傳中國為機會，能找到另一種中國傳本，使得尾張本校勘成績更加完善。[10]

四　《知不足齋叢書》收入岡田挺之所輯《孝經鄭注》

如前所述，佚存書的發現是十八世紀日本學人的自豪，所以十分積極地把他們所取得的研究成果傳到中國，而且非常關注中國學界的反應。這種中日之間學術文化交流的明顯例子是《古文孝經》之回傳中國以及《知不足齋叢書》之輸入日本。享保十七年（1732），日本著名的古學派學者太宰純，以足利學校所藏劉炫《孝經直解》本為底本，廣校眾本，又作了大量校勘、考證和音注的工作，刊行《古文孝經孔氏傳》。該書傳到中國，乾隆四十一年（1776）收入鮑廷博《知不足齋叢書》第一集。

此後，這一《知不足齋叢書》第一集再次輸入日本，天明元年（1781）又被日本人

8　參見福井保：〈天明版《群書治要》校勘始末記〉上，頁9。

9　東條耕：《先哲叢谈續編》，卷3，韓國國立中央書書館藏本。

10　近藤守重：《御本日記續錄》卷中（《右文故事》卷5），《近藤正齋全集》第2冊（東京：國書刊行會，1906），頁214。

翻刻，大鹽良為此作跋曰：「乃命剞劂，刻之其家塾，版成而請琴鶴丹治公，令長崎府尹，托海舶遺華云。後數年，又問估客伊孚九，乞長崎購獲《古文孝經》及《七經孟子考文》各五六通而歸矣」[11]，據此可知十八世紀中日之間文獻傳達格外迅速。《七經孟子考文補遺》和《古文孝經孔氏傳》的刊行分別在享保十五年（1730）和十七年（1732），而不久就傳入中國，狩野直喜據大鹽良之跋推測，二書的傳入當在享保二十三年（1738）以前。[12]享保年間中國商船極為頻繁赴往長崎，其中有大鹽良提及的商船「伊孚九」，他用癸丑牌於享保十八年三月八日以第七番船到長崎，滯留至翌年二月九日，因此大庭修甚至推定很有可能在享保十九年（1734）。[13]

在日本所刊典籍迅速傳達中國的過程中，中國商船發揮了很重要作用。江戶時代幕府實施鎖國政策，只允許中國和荷蘭商人進入長崎一港，在嚴格管制下進行貿易。這些貿易商人不僅將中國文獻典籍舶載日本，以滿足官府和民間的需求，同時也將日本書籍攜歸中國，充當日籍西傳的載體。如上所述，伊孚九於享保年間首次把《七經孟子考文補遺》、《古文孝經》傳入中國，但是他攜回之書現在已經無法考定其下落，很可能沒有引起當時學人特別關注。

《古文孝經》在中日學術交流上首次起了作用，實際上是浙江商人汪鵬帶來的。汪鵬，杭州人，字翼滄，號竹里山人，因商賈事，屢次赴長崎。據狩野直喜考證，梁玉繩《清白士集．瞥記七》說：「吾杭汪翼滄賈於海外，著《日本碎語》，亦云《袖海編》」，並引汪鵬《日本碎語》曰：「我購得《古文孝經孔氏傳》及《七經孟子考文補遺》，傳之士林焉」，而《小方壺齋輿地叢鈔》（《昭代叢書》戊集）所收《袖海編》的卷末識語云：「乾隆甲申（二十九年）重九日竹里漫識於日本長崎唐館」，由此可知，汪鵬購得《古文孝經》的時間當在乾隆二十九年（1764）以前。[14]鮑廷博為《古文孝經》作跋，闡述了《知不足齋叢書》收入該書的緣起：

> 《古文孝經孔傳》一冊，吾友汪君翼滄，市易日本，得之攜歸，舉以相贈。博留意鄭孔二注有年矣。往讀《宋史》載日本僧奝然于雍熙元年（984），浮海而至，獻《鄭注孝經》一卷、越王《孝經新義》第十五一卷。……竊意鄭孔亡逸于五代，諸家簿錄中皆未見复有藏本，而宋時日本既經進獻鄭注，則其國中留貽，或尚可問。因屬汪君訪之，不意其所得者，更為奝然之未獻也。……汪君所至，為長崙，距其東都，尚三千餘里。此書購訪數年，得之甚艱，其功不可沒云。[15]

---

11 轉引大庭修：《江户時代中國典籍流播日本之研究》（杭州：杭州大學出版社，1998），頁446。

12 參見狩野直喜：〈山井鼎と《七經孟子考文補遺》〉，《支那學文藪》（東京：弘文堂，1927），頁196-197。

13 參見大庭修：《江户時代中國典籍流播日本之研究》，頁447。

14 參見狩野直喜：〈山井鼎と《七經孟子考文補遺》〉，頁201-202。

15 《古文孝經》，叢書集成初編本。

中國學界表揚鮑廷博「搜訪之勤，遠周海外」（吳騫〈新雕《古文孝經》序〉），並積極肯定《古文孝經》的學術文化上的價值，比如盧文弨作序曰：「此書亡逸殆及千年，而一旦復得之，此豈非天下學士所同聲稱快者哉！」（〈新刻《古文孝經孔氏傳》序〉）。

有意思的是，日本人非常敏感地注視中國學界對《古文孝經》的反應。乾隆四十一年（1776）的《知不足齋叢書》也很快就輸入日本，據大庭修研究，《聖堂文書》（370-61）「戌七番船持渡《知不足齋叢書》大意書添書草稿」有如下記載：

> 一《知不足齋叢書》，三部各六套四十八本。該叢書所輯《古文孝經》者，原為漢之孔安國所傳之書，但唐國已佚，唯傳承於日本。信濃國太宰彌右衛門者將此書注音流布于世。唐人汪翼滄者泛海來日，將此書攜歸本國，贈于鮑廷博。因此書彼地已亡，故又為珍重，遂編入上述叢書之中。以上為太意書所載，日本太宰純之名，見載書中，故特此报告。[16]

此篇是長崎書籍檢查官向進齋宮於安永八年（1779）六月十五日呈上的大意書，從中可見安永七年（1778，戊戌年），戌七番船首次將《知不足齋叢書》所收的《古文孝經》攜來日本，時距該書刊行僅有二年的時間。

此前，十八世紀初期古學的崛起以來，日本學界一直努力尋找《孝經鄭注》，但是奝然所回傳中國的《孝經鄭注》已經杳杳無蹤，於是乎甚至出現了偽作，即寶曆三年（1753）良野芸之所刊的《鄭注孝經》，而當時已經判定偽作。[17]明和年間（1764-1771）以後，松平襲、宇佐美惠、片山世璠等一些學人，著眼《群書治要》的編纂年代提出新的意見，就是說《群書治要》所抄錄的《孝經》是鄭注。[18]

在這種情況下，《知不足齋叢書》傳入日本，再次推動日本學界從《群書治要》中抄出《孝經》分別單行。首先，河村益根於寬政三年（1791）以家藏《群書治要》抄本為底本，參照注疏本稍加補充，刊行《孝經鄭注》。[19]爾後，參加過《群書治要》尾張本校勘的岡田廷之也刊行《鄭注孝經》，而明確表明他所輯《鄭注孝經》與《群書治要》的關係：「右《今文孝經鄭注》一卷，《群書治要》所載也。其經文不全者，據註疏本補之，以便讀者」（〈《鄭注孝經》題識〉）。他於寬政五年（1793）作〈鄭注孝經序〉曰：

> 頃者，讀《知不足齋叢書》所載《古文孝經》鮑、盧諸家序跋，乃知唯得孔傳，未得鄭註，瀛海之西，其佚已久。嗚呼！書之災厄，不獨水火，靳秘之甚，其極

---

16 轉引大庭修：《江戶時代中國典籍流播日本之研究》，頁82。

17 參見石濱純太郎：〈良芸之校刊の《鄭注孝經》〉，《支那學論考》（大阪：全國書房，1943）。

18 參見林秀一：〈《孝經鄭注》の輯佚及び刊行の歷史——特に日本を中心として〉，《支那學》第9卷第1號，頁56-61。

19 參見林秀一：〈《孝經鄭注》の輯佚及び刊行の歷史——特に日本を中心として〉，頁64。

有至澌滅者，豈不悲乎！今刻是本，予之志在傳諸瀛海之西，與天下之人共之。……海舶之載而西者，保其無恙，冀賴神明護持之力。鮑、盧諸家得是本，再附剞劂，則流傳遍于寰宇，當我世見其收在叢書中，所翹跂以俟之也。

岡田廷之希望鮑廷博把他所輯的《鄭注孝經》刻入《知不足齋叢書》，可知他的工作直接針對中國學界的需求。嘉慶六年（1801），該書果然收入《知不足齋叢書》第二十一集，鮑廷博為之作跋云：「入我朝一百五十年，歲在癸丑，日本岡田字挺之者，復于其國《群書治要》中得之，業殘缺不完，稍為補輯，序而行之。復以其本附估舶來，意欲予刊入叢書，以廣其傳。序中極為鄭重，若跂足以俟者。且言書之災厄，不獨水火，靳秘之甚，有至澌滅者，與予流通古書之旨頗合，樂為傳之」。

五　《群書治要》回傳過程

《鄭注孝經》編入《知不足齋叢書》，中國學者之間引起了一場真偽論爭，尤其是阮元對此書持有否定意見。當初，鮑廷博請阮元為《鄭注孝經》作序，但是他以為「其文辭不類漢魏人語，且與群籍所引有異，未有以應」[20]。這種觀點一直延續到《十三經注疏校勘記》，其〈《孝經注疏校勘記》序〉對從日本傳入的孔傳、鄭注一概加以否定：「《孝經》有古文，有今文，有鄭注，有孔注。孔注今不傳，近出于日本國者，誕妄不可據。要之孔注即存，不過如尚書之偽傳，決非真也。鄭注之偽，唐劉知幾辨之甚詳，而其書久不存。近日本國又撰一本流入中國，此偽中之偽，尤不可據者」。

鮑廷博雖然把《鄭注孝經》收入《知不足齋叢書》，也表示一點保留的態度。他提出岡田所輯《鄭注孝經》的資料來源問題，其跋曰：「至考渠國所刊《七經孟子考文補遺》中，《孝經》但有孔傳，並無鄭注。不知所謂《群書治要》，輯自何人，刊于何代，何以歷久不傳，至近時實行于世，其所收是否裔然獻宋原本，或由後人掇拾他書以成者，茫茫煙水，無從執而問難焉。亦俟薄海內外窮經之士，論定焉可耳。」換句話說，他認為如果岡田所依據的《群書治要》是可靠的資料，就能消除對《孝經鄭注》的疑惑。

雖然鮑廷博透露了他自已不知道《群書治要》的撰人、編纂時代、流傳過程、文獻源流等相關情況，其實，嘉慶六年《群書治要》很可能已經傳入中國。當時嘉定錢侗也由賈舶獲得一本《鄭注孝經》，另行刊印，有嘉慶七年的序，後來《知不足齋叢書》亦將錢序收入補刻進去。錢侗在〈重刻《鄭注孝經》序〉曰：「往歲，平湖賈舶自日本購得《孝經鄭注》歸時，余寓居杭州萬松山館，客有攜以相示者。前有岡田廷之序，後稱寬政六年寅正月梓，其題首云新川先生校驗，序末小印，知新川即挺之之字。」

錢侗與鮑廷博不同，序中毫不猶豫地肯定岡田本《鄭注孝經》的重要價值，其主要

---

20 阮元：〈《孝經鄭氏解輯本》題辭〉，臧鏞堂述、臧禮堂學：《孝經鄭氏解輯本》，叢書集成初編本。

原因就是他已經參閱過《群書治要》尾張本。錢侗回答鮑廷博所提出的疑問，即太宰純《古文孝經孔氏傳》及山井鼎《七經孟子考文補遺》為何不稱引《孝經鄭注》，提及他親眼看到的《群書治要》:「(《鄭注孝經》) 廷之後跋稱，《鄭注孝經》一卷，《群書治要》所載。考《群書治要》，凡五十卷，唐魏鄭公撰，其書久佚，僅見日本天明七年刻本。前列表文亦有岡田挺之題銜，則此書即其校勘《治要》時，所錄而單行者。《治要》采集經子各注，不著撰人名氏，而今本竟稱鄭注，或亦彼國相承云爾。而挺之始據《釋文》定之，故太宰純、山井鼎諸人俱未言及耳。」由此可見，錢侗作此文時，《群書治要》這一幾百年失傳的古書，終於回傳中國，逐漸流布於杭州一帶。

在《群書治要》回傳的整個過程中，尾張藩的積極舉措特別值得注意。《尾州御留守日記》寬政八年（1796）六月六日條有如下記載：「《群書治要》六部以御用成田贞之右衛门江相渡候，但御本之仪人見璣邑取扱ニ而長崎江相渡外國迄も差遣候積之由相聞候」[21]。璣邑為〈刊《群書治要》考例〉中題名的人見桼之號，他作為當時主導改革尾張藩的重臣，學術文化上功績也很大，包括招聘細井平洲、創建藩校明倫堂、以及總管《群書治要》的版印等。由《尾州御留守日記》所載來看，可知將《群書治要》傳送中國的舉措也是他的主意。

還有一個人物在《群書治要》回傳起了作用，即是江戶後期著名幕僚近藤守重。近藤守重（1771-1829），字子厚，號正齋、昇天真人。他是在日本史上以調查蝦夷（今北海島）著稱的探險家，也是後來任書物奉行的文獻專家，著有《清俗紀聞》、《安南紀略稿》、《正齋書籍考》、《右文故事》、《好書故事》等多種。近藤守重從寬政八年（1795）任長崎奉行手附出役，在赴長崎之途，拜訪尾張藩主德川宗穆。宗穆將《群書治要》一部賜給近藤守重，又將五部托其轉送中國。近藤守重與當時長崎奉行中川忠英商量後，以一部存藏長崎聖堂，一部存放諏訪神社，另外三部托唐商館轉交中國國內。[22]近藤守重在《右文故事》卷五《御本日記續錄》卷中，轉載當時長崎譯司寄給中國商人的諭單：

> 《群書治要》此書係昔年賫來之書籍，而邇年絕不聞有此書題目，未識今有無原版。茲幸存于本邦，而在尾張□□著工翻刻，乃缺三卷甚為可惜。恃將該書三部發與爾等兩局船主，每局各一部，尚存一部歡交府學官庫存貯。爾等俟其回棹之日，一拼帶回，必須斟酌料理。更且現在此書總雖果無原板，或在縉紳故家歷世

21 轉引福井保：《天明版〈群書治要〉校勘始末記》下，《書誌學》第6卷第4號（東京：書誌學會，1936），頁10。

22 參見近藤守重：《御本日記續錄》卷中（《右文故事》卷5），《近藤正齋全集》第2冊（東京：國書刊行會，1906）：「寬政八年，守重長崎祇役ノ時，此書西土ニ亡佚スルノ故ヲ以テ，大納言殿ヨリ其臣人見桼ヲシテ，此書五部ヲ郵致セラレ西土ニ送リ致サンコトヲ命セラル。此時、守重ニモ又外ニ一部ヲ賜フ。守重即コレヲ時尹中川忠英ニ谋テ，其一部ヲ长崎聖堂ニ，一部ヲ諏訪神社ニ置キ，三部ヲ唐館ニ与フ。」

傳下至今尚存者，亦未可知，爾等細加訪問尋覓。如有則務必將其所缺之三卷，抄謄帶來，得將全部以副以有輔仁之意。丙辰（嘉慶元年，寬政八年，1796）七月。[23]

據此論單，尾張藩積極將《群書治要》傳送中國的目的，除了張揚日本學界最新研究成果以外，還希望尋找《群書治要》在中國流傳的另一傳本，以補闕卷。其實，不但《群書治要》本身是一部佚存書，而且該書所摘錄的典籍中有十幾部失傳已久，因此在尾張本校勘工作中，出現了許多問題無法解決，如細井平洲所說，尾張學者們也只好「以待後賢」(〈刊《群書治要》考例〉)。他們希望以《群書治要》回傳中國為機，能找到另一種中國傳本，使得尾張本校勘成績更加完善。

《御本日記續錄》還有當時中國商人的答復：

蒙諭有《群書治要》三部內兩部給送兩局收去，其一部可否交館中，將來或有讀書之輩以便觀看等，因俱已領。悉仰貴國文風大盛，歷古典籍無不畢備，寔為敘服。謹其單上覆照論辯理可也。辰八月錢公兩局仝某。

近藤守重說明，所謂兩局唐商是費肇陽和顧鳳楷，而錢侗看到的《群書治要》也有可能是他們所攜回之本子。《群書治要》尾張藩於天明七年由書肆風月堂初刊以後，多次重印，其中寬政三年的印本，加以大規模的修訂，而且印量也不少，因此尾張本有天明刊本與寬政刊本的兩個系統。[24]近藤所傳給中國商舶的《群書治要》是寬政刊本。稍後，《群書治要》寬政刊本或者其翻刻本編入阮元嘉慶年間搜求並進呈的《宛委別藏》。隨著中國學界對該書的要求逐漸增多，道光二十八年（1848）《連筠簃叢書》、咸豐七年（1857）《粵雅堂叢書》分別編收《群書治要》。值得一提的是，連筠簃叢書本仍據寬政本重新刊刻，而粵雅堂叢書本的底本是天明初刊本，這意味著除了近藤守重所傳送的三部以外，其他多部《群書治要》流入中國。

六 結論

《群書治要》回傳後，該書逐漸引起學界的關注，其主要原因在於該書保存了多種的佚書。嘉慶十一年（1806），孫星衍首次據《群書治要》輯錄《尸子》(《平津館叢書》甲集）以來，《群書治要》成了嚴可均、黃奭、顧觀光、錢陪名、王仁俊等輯佚家的主要材料。

其中，嚴可均的成績最為突出。他首先在《群書治要》所采摭《孝經》的基礎上，

23 近藤守重：《御本日記續录》卷中。

24 參見石濱純太郎：〈《群書治要》の尾张本〉，《支那學論考》，頁57-61。

廣徵眾書，重新輯錄鄭注，其〈《孝經鄭氏注》敘〉中說：「嘉慶初，我鄉鄭氏復于海舶得日本所刊魏徵《群書治要》」[25]，他據以輯錄了先秦漢魏晉時期的文獻，收入《全上古三代秦漢三國六朝文》。不僅如此，《群書治要》的資料來源均是貞觀初期官府所存的唐前善本，多有與通行本不同的異文及佚文，因此清末俞樾、孫詒讓等校勘唐前古籍時，《群書治要》是重要的參考材料。

---

25 嚴可均：《鐵橋漫稿》，卷5，續修四庫全書本。

徵引文獻

一　原典文獻

《古文孝經》，叢書集成初編本。

清・阮　元：〈《孝經鄭氏解輯本》題辭〉，藏鏞《孝經鄭氏解輯本》，叢書集成初編本。

清・嚴可均：《鐵橋漫稿》卷五，續修四庫全書本

日・林　衡：《佚存叢書》（殷夢霞、王冠选編《古籍佚書拾存》），北京：北京圖書館出版社，2003。

日・太宰純：《古文孝經》（叢書集成初編本），北京：中華書局，1991。

日・原三右衛門：《先哲叢談》，東京：春陽堂書店，1936。

日・細井平洲：〈刊《群書治要》考例〉，《群書治要》尾張本。

日・近藤守重：《御本日記續錄》卷中（《近藤正齋全集》第2冊），東京：國書刊行會，1906。

韓・曺命采：《奉使日本時闻見錄》（《續海行總載》卷十），首爾：民族文化推進會，1977。

二　近人論著

日・大庭修：《江戶時代中國典籍流播日本之研究》，杭州：杭州大學出版社，1998。

日・川瀨一馬：〈駿府御讓本の研究〉，《日本書誌學之研究》，東京：講談社，1943。

日・石濱純太郎：〈良芸之校刊の《鄭注孝經》〉，《支那學論考》，大阪：全國書房，1943。

日・林秀一：〈《孝經鄭注》の輯佚及び刊行の歷史——特に日本を中心として〉，《支那學》第九卷第一號。

日・狩野直喜：〈山井鼎と《七經孟子考文補遺》〉，《支那學文籔》，東京：弘文堂，1927。

日・福井保：〈天明版《群書治要》校勘始末記（上）〉，《書誌學》第6卷第3號，東京：書誌學會，1936。

日・福井保：〈天明版《群書治要》校勘始末記（下）〉，《書誌學》第6卷第4號，東京：書誌學會，1936。

韓・金光一：《《群書治要》研究》，上海：復旦大學博士學位論文，2010。

天明本《群書治要》引《左傳》改易文字析論

黃聖松

成功大學中國文學系教授

摘要

《群書治要》因唐太宗李世民「欲覽前王得失」需求，故蒐羅經、史、諸子與治國相關篇卷節錄編輯而成。經部典籍以《左傳》卷帙最繁而達三卷之多，唯其中一卷已佚，僅存引錄《左傳》宣公二年（607B.C.）至哀公二十四年（471B.C.）內容。本文校對天明本《群書治要》引錄《左傳》，多有改易文字之例。經本文分析，《群書治要》代換文字可分「以意義相當之字代換」、「以具通假關係之字代換」、「以具異體與俗體關係之字代換」、「訂正與錯訛用字」等四種類型，旨在便於閱讀與理解文意。《群書治要》引錄《左傳》亦有「訂正與錯訛用字」之例，推測乃學者摘選文句，因未仔細察核而疏忽所致。

關鍵詞：群書治要、左傳、文字

The Analysis of Revising and Changing Chinese Characters in "The Governing Principles of Ancient China" (the hand-copied book form Japan in 1786) which Quoted "Zuo Zhuan"

Huang, Sheng-sung

Professor, Department of Chinese Literature, National Cheng Kung University.

Abstract

Since Emperor Taizong of Tang's (Li Shi-min) desired to "overview reading success and failure of former emperors." Therefore, excerpts edited "The Governing Principles of Ancient China" from the related volumes of the Classics, History, Philosophy and Literature of manage state affairs. "Zuo Zhuan" is the biggest part (up to three volumes) in the volumes of Classics; however, one of them is missing and only the content form 607 B. C. to 471B.C. remains. This article proofreads the edition of "The Governing Principles of Ancient China" in 1786 (the hand-copied book form Japan), and there are many examples of changing the script in the part of "Zuo Zhuan". According to the analysis of this article, the replacement Chinese characters of this edition can be divided into four types, and they are "substitute characters with equivalent meaning", "substitute characters with the same or similar pronunciation.", "substitute characters with variant form and popular form", "revise and misused characters"; it will be easier to read and comprehend in this way. Why did those mistakes happen? It is speculated that scholars selected sentences and characters without carefully checking and fully attention.

Keywords: "The Governing Principles of Ancient China", "Zuo Zhuan", Chinese characters

一　前言

宋人王溥（922-982）《唐會要》：「貞觀五年九月二十七日，秘書監魏徵撰《群書政要》，上之。太宗欲覽前王得失，爰自六經，訖於諸子；上始五帝，下盡晉年。徵與虞世南、褚亮、蕭德言等始成凡五十卷，上之，諸王各賜一本。」[1]知唐人魏徵（580-643）、虞世南（558-638）、褚亮（560-647）、蕭德言（558-654）等人合撰《群書政要》，於唐貞觀五年（631）奏呈唐太宗李世民（598-649）。《群書治要．序》：「聖思所存，務乎政術。綴敘大略，咸發神衷。雅致鉤深，規摹宏遠。網羅治體，事非一目。……本求治要，故以治要為名。」[2]或因李世民「欲覽前王得失」以為治理國家之大要，故將《群書政要》易名為《群書治要》（以下簡稱《治要》）。該書蒐羅經、史、諸子，遠始五帝而下逮兩晉。經部典籍含《周易》、《尚書》、《毛詩》、《左傳》、《禮記》、《周禮》等，又以《左傳》卷帙最繁而達三卷之多。可惜卷四已佚，現存卷五引錄《左傳》宣公二年（607B.C.）至襄公三十一年（542B.C.）、卷六引錄《左傳》昭公元年（541B.C.）至哀公二十四年（471B.C.）之文。

目前從文獻版本角度研究《治要》單篇論著，如近人王叔岷（1914-2008）〈《群書治要》節本《慎子》義證〉、[3]吳金華〈略談日本古寫本《群書治要》的文獻學價值〉、[4]張蓓蓓〈略論中古子籍的整理——從嚴可均的工作談起〉、[5]鍾焓〈《黃石公三略》西夏譯本注釋來源初探——以與《群書治要》本注釋的比較為中心〉、[6]耿振東〈淺談《群書治要》、《通典》、《意林》對《管子》的輯錄〉、[7]林溢欣〈《群書治要》引《賈誼新書》考〉、[8]林溢欣〈從日本藏卷子本《群書治要》看《三國志》校勘及其版本問題〉、[9]劉佩

---

1 宋．王溥：《唐會要》，收入商務印書館四庫全書出版工作委員會：《文津閣四庫全書》（北京：商務印書館，2005），卷36，頁1。

2 唐．魏徵等：《群書治要》，收入安懷沙：《四部文明》（西安：陝西人民出版社，2007，景印清阮元輯《宛委別藏》日本天明刊本），序頁2。為簡省篇幅及便於讀者閱讀，下文徵引本書時，逕於引文後夾注卷數與頁碼，不再以注腳呈現。

3 王叔岷：〈《群書治要》節本《慎子》義證〉，《國立臺灣大學文史哲學報》第32期（1983.12），頁1-11。

4 吳金華：〈略談日本古寫本《群書治要》的文獻學價值〉，《文獻》第3期（2003.7），頁118-127。

5 張蓓蓓：〈略論中古子籍的整理——從嚴可均的工作談起〉，《漢學研究》第32卷第1期（2004.3），頁39-72。

6 鍾焓：〈《黃石公三略》西夏譯本注釋來源初探——以與《群書治要》本注釋的比較為中心〉，《寧夏社會科學》總第144期（2007.9），頁90-93。

7 耿振東：〈淺談《群書治要》、《通典》、《意林》對《管子》的輯錄〉，《湘南學院學報》第30卷第3期（2009.6），頁25-30。

8 林溢欣：〈《群書治要》引《賈誼新書》考〉，《雲漢學刊》第21期（2010.6），頁62-90。

9 林溢欣：〈從日本藏卷子本《群書治要》看《三國志》校勘及其版本問題〉，《中國文化研究所學報》第53期（2011.7），頁193-216。

德〈《群書治要》、《說郛》所收《鬻子》合校〉、[10]鞏曰國與張豔麗〈《群書治要》所見《管子》異文考〉、[11]王文暉〈《群書治要》對今本《孔子家語》的整理價值〉、[12]林溢欣〈從《群書治要》看唐初《孫子》版本系統——兼論《孫子》流傳、篇目次序等問題〉、[13]潘基銘〈日藏平安時代九条家本《群書治要》研究〉、[14]何家歡〈《後漢書》校勘記——以《群書治要》為底本〉等。[15]學位論文則見周少文《《群書治要》研究》、[16]金光一《《群書治要》研究》、[17]沈蕓《古寫本《群書治要・後漢書》異文研究》、[18]王維佳《《群書治要》的回傳與嚴可均的輯佚成就》、[19]楊春燕《《群書治要》保存的散佚諸子文獻研究》、[20]吳媛援《古寫本《群書治要・三國志》異文研究》、[21]牛曉坤《金澤本《群書治要》子書（卷三一至三七）研究》等。[22]論著皆圍繞《治要》與徵引典籍之考訂與證補，凸顯該書於版本目錄學之重要，可惜未見學者針對《治要》引錄《左傳》內容之討論。

筆者初步校對清人阮元（1764-1849）輯《宛委別藏》日本天明刊本《治要》，見《治要》引錄《左傳》多有改易文字之處。本文所援用《左傳》版本，為臺北藝文印書館於1993年據清嘉慶二十年（1815）江西南昌府學版影印。此版本《左傳》係經清人阮元（1764-1849）主持校勘，是時阮氏聘請聘段玉裁（1735-1815）、顧廣圻（1766-1839）等著名學者參與。《左傳》據宋代慶元年監所刻三十六卷本為底本校勘，間亦參

---

10 劉佩德：〈《群書治要》、《說郛》所收《鬻子》合校〉，《管子學刊》第4期（2014），頁88-90。

11 鞏曰國、張豔麗：〈《群書治要》所見《管子》異文考〉，《管子學刊》第3期（2015），頁12-16、34。

12 王文暉：〈《群書治要》對今本《孔子家語》的整理價值〉，收入復旦大學漢語言文字學科《語言研究集刊》編委會：《語言研究集刊》第15輯（上海：上海辭書出版社，2015），頁331-338。

13 林溢欣：〈從《群書治要》看唐初《孫子》版本系統——兼論《孫子》流傳、篇目次序等問題〉，《古籍整理研究學刊》第3期（2011.5），頁62-68。

14 潘基銘：〈日藏平安時代九条家本《群書治要》研究〉，《中國文化研究所學報》第67期（2018.7），頁1-40。

15 何家歡：〈《後漢書》校勘記——以《群書治要》為底本〉，《青年文學家》第12期（2018），頁75。

16 周少文：《《群書治要》研究》（新北市：國立臺北大學古典文獻學研究所碩士論文，2007）。

17 金光一：《《群書治要》研究》（上海：復旦大學中國古代文學博士論文，2010）。

18 沈蕓：《古寫本《群書治要・後漢書》異文研究》（上海：復旦大學漢語言文字學博士論文，2010）。

19 王維佳：《《群書治要》的回傳與嚴可均的輯佚成就》（上海：復旦大學歷史學碩士論文，2013）。

20 楊春燕：《《群書治要》保存的散佚諸子文獻研究》（天津：天津師範大學中國古代文學碩士論文，2015）。

21 吳媛援：《古寫本《群書治要・三國志》異文研究》（南寧：廣西大學歷史漢語言文字學碩士論文，2018）。

22 牛曉坤：《金澤本《群書治要》子書（卷三一至三七）研究》（保定：河北大學漢語言文字學碩士論文，2018）。

校不全北宋刻小字本及不全宋本《春秋經傳集解》，又淳熙本《春秋經傳集解》，[23]是目前流通最廣、品質最佳之版本。至於《治要》選用天明本，主要緣由乃因其刊印最備、易於翻檢且讀者最眾，故針對此版本進行校理。經比對二書文字差異，析為「以意義相當之字代換」、「以具通假關係之字代換」、「以具異體與俗體關係之字代換」、「訂正與錯訛用字」等四節，為使讀者明於分析結果之條目，暫不顧及各節篇幅長短而予以合併。今就此為討論範圍，將讀書心得形諸文字，就教方家學者。

二　以意義相當之字代換

古籍大規模引錄他書，最早可見漢人司馬遷（145 B.C？-86B.C.？）《史記》徵引《尚書》，其間常見太史公更易《尚書》原文之例。古國順《司馬遷尚書學》對此專闢「訓詁文字例」一節，分析《史記》代換《尚書》原文之法有「以意義相當之字代經者」、「以義近通用之字為訓者」、「以音同音近之字為訓者」三種。[24]《治要》引《左傳》改易文字之例，亦見古先生所析「以意義相當之字代經者」之例，今據此而潤飾為「以意義相當之字代換」，依卷帙先後說明如下。此類事證頗繁，顧及篇幅而未能遍舉，僅就常見者為例說明如下。

（一）《治要》卷五：「三年，楚子伐陸渾之戎，遂至于雒，觀兵于周疆。」（頁2）《左傳》宣公三年（606B.C.）作：「楚子伐陸渾之戎，遂至於雒，觀兵于周疆」；[25]「遂至于雒」之「于」原書作「於」。又《治要》卷五：「其孫箴尹克黃使于齊」（頁3），《左傳》宣公四年（605B.C.）作：「其孫箴尹克黃使於齊」（卷21，頁23）；乃以「于」代「於」。《左傳》「于」、「於」皆作介詞用，近人楊伯峻（1909-1992）《春秋左傳詞典》：「《經》皆作『于』，《傳》則『于』、『於』並用。」[26]然《治要》引《左傳》又非全然以「于」代「於」，遵從原書者仍常見之，此則不一一列舉。以「于」代「於」之由，推測乃因「于」、「於」用法既同，且「于」字筆劃簡易而便於刊刻，故偶然將「於」易為「于」。

（二）《治要》卷五：「無乃不可乎？」（頁8）《左傳》宣公十五年（594B.C.）作：「毋乃不可乎？」（卷24，頁10）漢人許慎（58？-148？）《說文解字》（以下簡稱《說

---

23 陳東輝、王坤：〈《十三經注疏校勘記》與《七經孟子考文補遺》之關係探微〉，《國學學刊》第1期（2015），頁18-33。

24 古國順：《司馬遷尚書學》（臺北：中國文化大學中國文學研究所博士論文，1985），頁71-81。

25 晉．杜預集解，唐．孔穎達正義：《春秋左傳注疏》（臺北：藝文印書館，1993年，據清嘉慶二十年〔1815〕江西南昌府學版影印），卷21，頁15。為簡省篇幅及便於讀者閱讀，下文徵引本書時，逕於引文後夾注卷數與頁碼，不再以注腳呈現。

26 楊伯峻：《春秋左傳詞典》（臺北：漢京文化事業公司，1987），頁24。

文》)：「毋，止之詞也」；又言：「無，亡也。」段玉裁《注》：「其意禁止，其言曰毋也，古通用『無』。」[27]至於「無」字之意，段《注》言：「凡所失者、所未有者，皆如逃亡然也，此有無字之正體。」（12篇下，頁46）因典籍「毋」、「無」通用，故《治要》引錄乃以「無」代「毋」。然《治要》引《左傳》又非全然代換，如《治要》卷六：「毋墮乃力」（頁23），《左傳》昭公二十八年（514B.C.）作「毋墮乃力。」（卷52，頁30），仍見援用「毋」之例。

（三）《治要》卷五：「子罕不受」（頁19），《左傳》襄公十五年（558B.C.）作：「子罕弗受。」（卷32，頁26）《說文》：「弗，矯也」（12篇下，頁32）；「不，鳥飛上翔不下來也。」（12篇上，頁2）《公羊傳》桓公十年（702B.C.）：「弗者，不之深也。」[28]又三國魏人張揖（？-？）《廣雅．釋詁》：「否、弗、倗、粃，不也。」清人王念孫（1744-1832）《廣雅疏證》：「皆一聲之轉也。」[29]因「弗」、「不」乃「一聲之轉」，又皆具否定義，故《治要》引錄逕以「不」代「弗」。然《治要》引《左傳》又非全然代換，遵從原書者仍常見之，此則不一一列舉。

（四）《治要》卷六：「使醫除病」（頁28），《左傳》哀公十一年（484B.C.）作：「使醫除疾。」（卷58，頁25）《說文》：「疾，病也」；「病，疾加也。」段《注》：「析言之則病為疾加，渾言之則疾亦病也。……苞咸注《論語》曰：『疾甚曰病。』[30]」（7篇下，頁26）依段《注》之意，則「疾」、「病」二字渾言則無別，析言則「疾」乃謂「病」之加劇。考諸《左傳》「病」字用法，《春秋左傳詞典》釋其一義為「疾病，受傷」，[31]陳克炯《左傳詳解詞典》亦言「病」可解為「名詞，泛指疾病。」[32]正因二字意義相近，故《治要》引錄逕以意近之「疾」代「病」。然《治要》引錄仍用「疾」字者亦有之，在此不一一俱引。

本節所舉四例，雖偶見以意義相當之字代換原文，然又非全數如此。尤其第（一）、（三）例代換之例僅見數則，多數仍援用原字。顯然《治要》引錄《左傳》未具

---

27 漢．許慎著，清．段玉裁注：《說文解字注》（臺北：黎明文化事業公司，1994，據經韵樓藏版影印），12篇下，頁30、12篇下，頁46、12篇下，頁30。為簡省篇幅及便於讀者閱讀，下文徵引本書時，逕於引文後夾注卷數與頁碼，不再以注腳呈現。

28 漢．公羊壽傳，漢．何休解詁，唐．徐彥疏：《春秋公羊傳注疏》（臺北：藝文印書館，1993，據清嘉慶二十年（1815）江西南昌府學版影印），卷5，頁6。

29 魏．張揖輯，清．王念孫疏證，鍾宇訊點校：《廣雅疏證》（北京：中華書局，2004，據嘉慶年間王氏家刻本影印），卷4上，頁19。

30 原句見《論語．子罕》：「子疾病，子路使門人為臣。」三國魏人何晏（？-249）《注》：「包曰：『疾甚曰病。』」見魏．何晏注，宋．邢昺疏：《論語注疏》（臺北：藝文印書館，1993，據清嘉慶二十年（1815）江西南昌府學版影印），卷9，頁5。

31 楊伯峻：《春秋左傳詞典》，頁556。

32 陳克炯：《左傳詳解詞典》（鄭州：中州古籍出版社，2004），頁847。

一致性與標準化要求，應是隨機而改易文字。推測其由，或因刻工便宜行事而校對者未能細察，致使偶見以意義相當之字代換原文之例。

三　以具通假關係之字代換

林慶勳、竺家寧、孔仲溫《文字學》：「古人行文的時候，往往倉促間沒使用正字，而用了一個發音相同或相近的字代替，這就是通假。……通假的必要條件是音同、音近，所以我們尋求本字，由得由聲音入手，因聲而求義。」[33]先秦古籍常見通假字之例，《左傳》即有不少例證。《治要》引錄《左傳》亦見逕將通假字取代原字之例，今依卷帙先後說明如下。

（一）《治要》卷五：「二年，鄭公子歸生伐宋，宋華元禦之。」（頁1）《左傳》宣公二年（607B.C.）作：「二年春，鄭公子歸生受命于楚伐宋，宋華元、樂呂御之。」（卷21，頁6）《說文》：「御，使馬也。」（2篇下，頁17）「御」之意為駕御馬匹，《左傳》所見「御」字絕大多數皆用本義。《說文》另有「禦」字，其意為「祀也。」段《注》：「後人用此為禁禦字。」（1篇上，頁13）實則《左傳》已見「御」訓為「止」之例，襄公四年（569B.C.）《傳》：「季孫不御。」晉人杜預（222-285）《春秋左傳集解》（以下簡稱《集解》）：「御，止也。」唐人孔穎達（574-648）《春秋正義》（以下簡稱《正義》）：「止寇謂之禦，御即禦也，故訓為止。」（卷29，頁21）宣公二年（607B.C.）《傳》之「御」，楊伯峻《春秋左傳注》謂「御同禦」，[34]實乃禁禦之意。《左傳》常見以「禦」表防禦、禁禦之意，如宣公二年（607B.C.）《傳》：「既而與為公介，倒戟以禦公徒而免之。」（卷21，頁11）又成公六年（585B.C.）《傳》：「楚公子申、公子成以申、息之師救蔡，禦諸桑隧。」（卷26，頁14）《左傳》之例甚繁，僅列二則為證。清人朱駿聲（1788-1858）《說文通訓定聲》（以下簡稱《定聲》）謂「御」可假借為「禦」，[35]《治要》引錄而逕易「御」為「禦」，係以通假字代換。

（二）《治要》卷五：「從臺上彈人，而觀其避丸也。」（頁1）《左傳》宣公二年（607B.C.）作：「從臺上彈人，而觀其辟丸也。」（卷21，頁9）檢諸《左傳》莊公九年（685B.C.）：「秦子、梁子以公旗辟于下道」（卷8，頁19），唐人陸德明（550？-630）《經典釋文》（以下簡稱《釋文》）：「音避，本亦作避。」[36]知《左傳》「辟」作「避」解時，實有他本逕作「避」。《說文》：「辟，法也。」段《注》謂「辟」「或借為辟僻，

33 林慶勳、竺家寧、孔仲溫：《文字學》（新北市：國立空中大學，1995），頁477。

34 楊伯峻：《春秋左傳注》（北京：中華書局，2000），頁651。

35 清・朱駿聲：《說文通訓定聲》（北京：中華書局，1984，據臨嘯閣刻本影印），豫部第九，頁5。為簡省篇幅及便於讀者閱讀，下文徵引本書時，逕於引文後夾注卷數與頁碼，不再以注腳呈現。

36 唐・陸德明著，黃焯斷句：《經典釋文》（北京：中華書局，1983），卷15，頁13。

或借為避，或借為譬，或借為闢，或借為壁，或借為襞。」（9篇上，頁35）此外，《說文》：「避，回也。」段《注》：「經傳多假辟為避。」（2篇下，頁8）段《注》已謂「辟」可通假為「避」，《定聲》亦言「辟」可假借為「避」（卷11，頁53），又《左傳》另本亦有作「避」之例，故《治要》引錄逕以「避」易「辟」。

（三）《治要》卷五：「雖晉之強，能違天乎？」（頁7）《左傳》宣公十五年（594B.C.）作：「雖晉之彊，能違天乎？」（卷24，頁8）《說文》：「彊，弓有力也。」段《注》：「引申為凡有力之稱。」（12篇下，頁58）知「彊」本義為有力之弓，強而有力則其引申義。《說文》又見「勍」，其意為「彊也，《春秋傳》曰：『勍敵之人。』」（13篇下，頁52）《說文》所引見《左傳》僖公二十二年（638B.C.），《集解》：「勍，強也」（卷15，頁4），逕以「強」代「彊」。《說文》又見「強」字，其意為「蚚也」（13篇上，頁45），知「強」本義為一種蟲類。段《注》：「以強為彊，是六書之叚借也。」（13篇上，頁45）《定聲》則認為「彊」與「勍」為假借關係，故以「強」「假借為彊，實為勍。」（卷18，頁48-49）《左傳詳解詞典》釋「彊」有「強盛、強大」、「強橫」、「強者」之意，[37]大致如段《注》所言，皆有強而有力之意。然《左傳》另有「強」字，《左傳詳解詞典》釋「強」有二音，讀為陽平聲時為「強壯、強健有力」，讀為上聲時有「強迫、強制」、「勉強」意。[38]「強」讀為陽平聲與「彊」意同，《左傳》兼用二字。然「強」讀為上聲，《左傳》則不用「彊」字，應是藉此區分二義。《左傳》宣公十五年（594B.C.）之「彊」既有強力之意，乃以「強」假之，故《治要》逕以「強」代「彊」。此外，《治要》卷五：「秦、狄、齊、楚皆彊，……今三彊服矣，敵楚而已。」（頁13）二「彊」字未作「強」，仍同《左傳》成公十六年（575B.C.）原文作「彊」，[39]知《治要》引錄未必全數以「強」代「彊」。

（四）《治要》卷五：「士之二三，猶喪妃耦，而況霸主？」（頁12）《左傳》成公八年（583B.C.）作：「士之二三，猶喪配耦，而況霸主？」（卷26，頁20）《釋文》：「妃耦，音配」；[40]謂「妃」讀為「配」。「妃耦」又見《左傳》昭公三十二年（510B.C.）：「各有妃耦」（卷53，頁26），《釋文》亦言：「有妃，音配。」[41]《說文》：「妃，匹也。」段《注》：「夫婦之片合如帛之判合矣，……人之配耦亦曰匹。妃本上下通偁，後人以為貴偁耳。〈釋詁〉曰：『妃，媲也』，[42]引申為凡相耦之偁。《左傳》曰：『嘉耦曰

37 陳克炯：《左傳詳解詞典》，頁459。

38 陳克炯：《左傳詳解詞典》，頁459。

39 晉・杜預集解，唐・孔穎達正義：《春秋左傳注疏》，卷28，頁6。

40 唐・陸德明著，黃焯斷句：《經典釋文》，卷17，頁10。

41 唐・陸德明著，黃焯斷句：《經典釋文》，卷20，頁5。

42 原句見晉・郭璞注，宋・邢昺疏：《爾雅注疏》（臺北：藝文印書館，1993，據清嘉慶二十年（1815）江西南昌府學版影印），卷1，頁15。

妃』，[43]其字亦叚配為之。」（12篇下，頁5）《定聲》謂「妃」「經傳亦以『配』為之」，又言「配」可「假借為妃」。（卷12，頁16）依段《注》與《定聲》知「妃」、「配」具通假關係，《治要》引錄應是避免如段《注》所言，「妃」乃「後人以為貴偁」而引發誤解，故逕以「配」代「妃」。

（五）《治要》卷五：「夫豈無僻王？賴前哲以免也。」《注》：「言三代亦有邪僻之君。」（頁12）《左傳》成公八年（583B.C.）作：「夫豈無辟王？賴前哲以免也。」（卷26，頁22）《釋文》：「無僻，匹亦反，下注同」；[44]知《釋文》另據版本作「僻」。《說文》：「僻，辟也。」段《注》：「辟者，法也，引伸為辟人之辟。辟人而人避之，亦曰辟。」（8篇上，頁29）本節第（二）則已引段《注》，謂「辟」可假為「僻」，《定聲》亦如此言（卷11，頁53），知《治要》引錄逕以「僻」代「辟」。

（六）《治要》卷五：「晉卿不如楚，其大夫則賢，皆卿才也。」（頁22）《左傳》襄公二十六年（547B.C.）作：「晉卿不如楚，其大夫則賢，皆卿材也。」（卷37，頁13）《說文》：「材，木梃也。」段《注》：「材引伸之義，凡可用之具皆曰材。」（6篇上，頁29）至於「才」之意，《說文》：「艸木之初也，從丨上貫一，將生枝葉也。一，地也。」段《注》：「引伸為凡始之偁。〈釋詁〉曰：『初、哉，始也』，[45]哉即才。……凡木材、財、裁、纔字，以同音通用。」（6篇上，頁68）依段《注》則「才」與「材」之通用乃同音假借。《定聲》亦謂「材」與「才」乃假借關係，又言：「凡才能字當作材，材質字當作才。」（卷5，頁62-63）故《左傳》用「材」而《治要》引錄逕以「才」代之，乃以通假字代換。然後世常以「才」表才能而「材」指材料、材質，上引《治要》卷五後文即作「如杞梓、皮革，自楚往也。雖楚有材，晉實用之。」（頁22）此處之「材」乃指「杞梓、皮革」之物質，故仍用原字「材」，與前文表示能力才幹之「才」區別。

（七）《治要》卷五：「楚疲於奔命」（頁24）《左傳》襄公二十六年（547B.C.）作：「楚罷於奔命。」（卷37，頁16）《釋文》：「楚罷，罷，音皮。」[46]《說文》：「罷，遣有辠也。」段《注》：「引伸之為止也、休也。……罷之音亦讀如疲，而與疲義殊。……凡曰之言者，皆轉其義之詞。」（7篇下，頁43）依段《注》之意，則「罷」、「疲」之意本是懸遠，爾後則「轉其義」而與「疲」相通。《說文》：「疲，勞也。」段《注》：「經傳多假罷為之。」（7篇下，頁34）依段《注》則「罷」乃「疲」之通假，《定聲》亦如是言。（卷10，頁45）知《治要》引錄《左傳》，捨通假字「罷」而逕用

43 原句見《左傳》桓公二年（710 B.C.），見晉・杜預集解，唐・孔穎達正義：《春秋左傳注疏》，卷5，頁19。

44 唐・陸德明著，黃焯斷句：《經典釋文》，卷17，頁10。

45 晉・郭璞注，宋・邢昺疏：《爾雅注疏》，卷1，頁8。

46 唐・陸德明著，黃焯斷句：《經典釋文》，卷17，頁13。

「疲」代換。然《治要》卷六：「庶人罷弊」（頁2），《左傳》昭公三年（539B.C.）作：「庶民罷敝」（卷42，頁11），則仍引作「罷」，知《治要》引錄又非全然以「疲」代「罷」。

（八）《治要》卷五：「慈和而後能安靜其國家。」（頁26）《左傳》襄公二十七年（546B.C.）作：「慈和而後能安靖其國家。」（卷38，頁14）《說文》：「靖，立竫也。」段《注》：「謂立容安靖也。安而後能慮，故〈釋詁〉、《毛傳》皆曰：『靖，謀也。』[47]」（10篇下，頁20）「竫」字之意《說文》謂「亭安也。」段《注》：「亭者，民所安定也，故安定曰亭安。……凡安靜字宜作竫，靜其叚借字也。靜者，審也。」（10篇下，頁20）依段《注》則為安靜意時，其字宜作「竫」，「靜」為通假字。《說文》又言：「靜，寀也。」段《注》：「按靚者，靜字之假借，采色詳寀得其宜謂之靜。……分布五色，疏密有章，則雖絢爛之極而無淟涊不鮮，是曰靜。人心寀度得宜，一言一事必求理義之心，然則雖繁勞之極而無紛亂，亦曰靜，引伸假借之義也。安靜本字當从立部之竫。」（5篇下，頁1）由是亦知「靜」本義謂色彩紛呈而得其安宜，引申為「安靜」時則當用本字「竫」。《定聲》則言「靖」之意「與竫略同」，常以「靜」假之；於「竫」字亦言「與靖略同」，「凡動竫字，經傳皆以靜為之。」（卷17，頁3、8）「安靖」一詞於《左傳》三見，除上引襄公二十七年（546B.C.）《傳》，尚見昭公元年（541B.C.）《傳》：「將恃大國之安靖己」（卷41，頁4）；又哀公十六年（479B.C.）《傳》：「王孫若安靖楚國。」（卷60，頁5）「靖」既與「安」字連言，《說文》又言「靖」與「竫」皆有「安」意，《定聲》復言二字意義相近，則「靜」當視為「靖」之通假，《治要》引錄逕以通假字「靜」代「靖」。

（九）《治要》卷五：「刈王之體」（頁26），《左傳》襄公三十年（543B.C.）作：「艾王之體。」（卷40，頁10）《說文》：「艾，仌臺也。」段《注》：「張華《博物志》曰：『削冰令圓，舉以向日，以艾於後承其影，則得火。』[48]」（1篇下，頁21）依段《注》所引《博物志》之意，則「艾」猶如後世凸透鏡功能，係古時引火之器。又《說文》：「乂，芟艸也。……刈，乂或从刀。」段《注》：「〈周頌〉曰：『奄觀銍艾』，[49]艾者，乂之假借字。」（12篇下，頁31）依段《注》知「艾」乃「乂」之通假，而「刈」為「乂」之或體，[50]則《治要》引錄逕以「艾」本字「艾」之或體「刈」代換。

---

47 原句見《爾雅・釋詁》，晉・郭璞注，宋・邢昺疏：《爾雅注疏》，卷1，頁8。原句見《毛詩・小雅・小明》：「靖共爾位」，毛《傳》：「謀，靖也。」見漢・毛亨傳，漢・鄭玄注，唐・孔穎達正義：《毛詩注疏》，卷13之1，頁25。

48 原句見晉・張華：《博物志》（北京：中華書局，1985），頁11。

49 漢・毛亨傳，漢・鄭玄注，唐・孔穎達正義：《毛詩注疏》（臺北：藝文印書館，1993，據清嘉慶二十年〔1815〕江西南昌府學版影印），卷19之2，頁17。

50 「教育部異體字字典」認為「刈」為「乂」之異體，檢索日期：2018年12月25日，網址：http://dict.variants.moe.edu.tw/variants/rbt/word_attribute.rbt?quote_code=QTAwMzMz

（十）《治要》卷六：「庶人罷弊」（頁2），《左傳》昭公三年（539B.C.）作：「庶民罷敝。」（卷42，頁11）《說文》：「敝，帗也，一曰敗衣。」段《注》：「引伸為凡敗之偁。」（7篇下，頁58）《說文》無「弊」字而見「獘」，其意為「頓仆也，……《春秋傳》曰：『與犬，犬獘。』[51]」段《注》：「獘本因犬仆製字，叚借為凡仆之偁。俗又引伸為利弊，字遂改其字作弊，訓困也、惡也。」（10篇上，頁32）《定聲》亦謂「獘」「字亦作弊，按：誤為大，又作廾也。」（卷12，頁81）依段《注》與《定聲》，則「弊」乃「獘」之俗體。《定聲》又言「弊」為「敝」之通假（卷12，頁82），則《治要》引錄逕以通假字「弊」代「敝」。

（十一）《治要》卷六：「而修德以待其歸」（頁3），《左傳》昭公四年（538B.C.）作：「而脩德以待其歸。」（卷42，頁18）《說文》：「脩，脯也。」段《注》：「脩訓治，治乃成修治之，謂捶而施薑桂，經傳多假脩為修治字。」（4篇下，頁33）《說文》又言：「修，飾也。」段《注》：「修之从彡者，洒刷之也、藻繪之也。修者，治也，引伸為凡治之偁。」（9篇上，頁19）依段《注》之意，凡具修治意者當作「修」，知《左傳》之「脩」乃通假字，《治要》引錄逕以本字「修」代換通假字「脩」。

（十二）《治要》卷六：「何向而不濟」（頁3），《左傳》昭公四年（538B.C.）作：「何鄉而不濟。」（卷42，頁18）《說文》：「鄉，國離邑，民所封鄉也，嗇夫別治。」段《注》：「鄉者，今之向字。漢字多作鄉，今作向。『所封』謂民域其中，『所鄉』謂歸往也。《釋名》曰：『鄉，向也，民所向也』，[52]以同音為訓也。」（6篇下，頁57-58）至於「向」字之意，《說文》：「北出牖也。」段《注》：「引伸為向背字，經傳皆假鄉為之。」（7篇下，頁6）《定聲》亦謂「向」「為向背之向，……經傳與漢書皆以鄉為之。」（卷18，頁17）學者依甲骨文字形，認為「卿、鄉、嚮、饗古本同字。」[53]因是兩人相對之形，而有向背之意。依段《注》與《定聲》可知，《治要》引錄逕以通假字「向」代「鄉」。

（十三）《治要》卷六：「奸大國之盟，凌虐小國。」（頁5）《左傳》昭公五年（537B.C.）作：「奸大國之盟，陵虐小國。」（卷43，頁7）《說文》：「陵，大阜也。」段《注》：「《釋名》曰：『陵，隆也，體隆高也。』[54]按：引伸之為乘也、上也、躐也。侵陵也、夷陵也，皆夌字之叚借也。〈夊部〉：『夌，越也』；『一曰夌徲也。』[55]夌徲即

---

51 原句見僖公四年（656 B.C.）《左傳》：「與犬，犬斃」（卷12，頁15）；字作「斃」而與《說文》所引有異。

52 原句作「鄉，向也，眾所向也。」見漢．劉熙著，任繼昉校：《釋名匯校》（濟南：齊魯書社，2006），頁91。

53 于省吾主編，姚孝遂按語編撰：《甲骨文字詁林》（北京：中華書局，1996），頁378。

54 原句見漢．劉熙著，任繼昉校：《釋名匯校》，頁46。

55 原句見漢．許慎著，清．段玉裁注：《說文解字注》，5篇下，頁35。

陵夷也。」(14篇下，頁1)「淩」字之意，《說文》:「胬，仌出也。……淩，胬或从夌」(11篇下，頁8)；知「淩」本是表冰出之「胬」字或體。上引段《注》提及「夌」字，段《注》謂「凡夌越字當作此，今字或作淩、或作凌而夌廢矣。」(5篇下，頁35)《定聲》謂「陵」可通假「夌」(卷2，頁17)，而「陵」又假「淩」表之，則《治要》引錄逕以通假字「淩」代「陵」。

(十四)《治要》卷六:「上所以供神也」(頁8)，《左傳》昭公七年(535B.C.)作:「上所以共神也。」(卷44，頁3)《說文》:「共，同也。」段《注》:「《周禮》、《尚書》『供給』、『供奉』字皆借共字為之。」(3篇上，頁38)《說文》又言:「供，設也。」段《注》:「設者，施陳也。〈釋詁〉:『供、峙、共，具也。』[56]按：峙即儲偫字，共即供之假借。……總之，古經用共為供之假借。」(8篇上，頁13)《定聲》亦言「共」可通假為「供」，謂「經傳多以共為之。」(卷1，頁38-39)則《治要》引錄逕以「供」代通假字「共」。

(十五)《治要》卷六:「文、武、成、康之建母弟，以藩屏周」(頁10)；《左傳》昭公九年(533B.C.)作:「文、武、成、康之建母弟，以蕃屏周。」(卷45，頁4)《說文》:「蕃，艸茂也」(1篇下，頁52)；又言:「藩，屏也。」段《注》:「屏蔽也。」(1篇下，頁44)《定聲》認為「藩」因釋為屏蔽，謂「藩」「實楙字之異文。」(卷14，頁97)姑且不論「藩」是否為「楙」之異構，《說文》既已區分二字意義，《定聲》又言「蕃」可通假為「藩」(卷14，頁92)，知《治要》引錄乃捨通假字「蕃」而以「藩」代換。

(十六)《治要》卷六:「翼戴天子而加之以恭」(頁11)《左傳》昭公九年(533B.C.)作:「翼戴天子而加之以共。」(卷45，頁6)上文已引《說文》釋「共」之意，段《注》:「《尚書》、《毛詩》、《史記》恭敬字皆作恭，不作共。」(3篇上，頁38)《說文》另錄「恭」字，其意為「肅也。」(10篇下，頁27)《定聲》謂「共」可通假為「恭」(卷1，頁38)，知《治要》引錄乃捨通假字「共」而以「恭」代換。

(十七)《治要》卷六:「饑者食之」(頁13)，《左傳》昭公十三年(529B.C.)作:「飢者食之。」(卷46，頁3)《說文》:「飢，餓也。」段《注》:「與饑分別，蓋本古訓，諸書通用者多有，轉寫錯亂者亦有之。」(5篇下，頁15)《說文》又言:「饑，穀不孰為饑」(5篇下，頁14)，其意實與「飢」有別。《定聲》亦謂「飢」字「經傳或以饑為之」(卷12，頁37)，知《治要》引錄逕以通假字「饑」代「飢」。

(十八)《治要》卷六:「吾智不逮」(頁16)，《左傳》昭公二十年(522B.C.)作:「吾知不逮。」(卷49，頁3)《釋文》:「知，音智。」[57]《說文》:「知，詞也」(5篇下，頁25)；「㮚，識詞也。」(4篇上，頁16)段《注》謂「㮚」「與矢部知音義皆同，

56 原句見《爾雅・釋詁》，見晉・郭璞注，宋・邢昺疏:《爾雅注疏》，卷2，頁14。
57 唐・陸德明著，黃焯斷句:《經典釋文》，卷19，頁21。

故二字多通用。」（4篇上，頁16）《定聲》亦謂「知」、「智」二字具通假關係（卷11，頁4），故《治要》引錄逕以「智」代「知」。

（十九）《治要》卷六：「暴虐淫縱」（頁17），《左傳》昭公二十年（522B.C.）作：「暴虐淫從。」（卷49，頁12）《說文》：「從，隨行也。」段《注》：「引伸為主從、為從橫、為操從，假縱為之。」（8篇上，頁43）又《說文》：「縱，緩也，一曰捨也。」段《注》：「後人以為從衡字者，非也。」（13篇上，頁6）依段《注》則後世縱橫之字當作「從」，「縱」乃通假字。《定聲》亦謂「從」、「縱」具通假關係（卷1，頁33、35），知《治要》引錄逕以通假字「縱」代「從」。

（二十）《治要》卷六：「不侮鰥寡」（頁 24），《左傳》定公四年（506B.C.）作：「不侮矜寡。」（卷 54，頁 25）此句實出《毛詩・大雅・烝民》，原文亦作「不侮矜寡。」[58]《說文》不見「矜」而有「矜」，其意為「矛柄也。」段《注》：今音之大變於古也，矛柄之字改而為穜，云古作矜，他義字益皆作矜；从今聲，又古今字形之大變也。」（14 篇上，頁 36-37）依段《注》則「矜」本應作「矜」，爾後因音聲之變而作「矜」。實則唐人顏元孫（？-？）《干祿字書》謂「矜」為「正」而「矜」為「通」，[59]遼人釋行均（？-？）《龍龕手鑑》謂「矜」為「正」而「矜」為「今」，[60]故「教育部異體字字典」列「矜」為「矜」之異體。[61]《說文》：「鰥，鰥魚也。」段《注》：「鰥多叚借為鰥寡字，鰥寡字蓋古祇作矜，矜即憐之叚借。」（11 篇下，頁 18-19）段《注》所言「矜」實乃「矜」，則「鰥」之本意乃魚類之名，而通假為「矜寡」之「矜」。元人吾丘衍（1272-1311）《六書正譌》謂「鰥」「古通用矜，俗作鰥。」[62]明人張自烈（1597-1673）著、清人廖文英（？-？）續《正字通》謂「矜」、「鰥」「二字通聲互用也」，[63]清人顧藹吉（？-？）《隸辨》：「經典鰥通用矜」，[64]《定聲》亦謂二字具通假關係。（卷 15，頁 49）知《治要》引錄逕以通假字「鰥」代「矜」。

（二十一）《治要》卷六：「逢猾當公而進」（頁26），《左傳》哀公元年（494B.C.）

---

58 漢・毛亨傳，漢・鄭玄注，唐・孔穎達正義：《毛詩注疏》，卷18之3，頁15。

59 唐・顏元孫：《干祿字書》（北京：中華書局，1985，據夷門廣牘小學彙函影印），平聲，頁15。

60 遼・釋行均：《龍龕手鑑》，收入《辭書集成》編輯委員會：《辭書集成》第3冊（北京：團結出版社，1993，據董氏誦芬室本影印），卷1，矛部第二十六。

61 「教育部異體字字典」，檢索日期：2019年1月3日，網址：http://dict.variants.moe.edu.tw/variants/rbt/word_attribute.rbt?quote_code=QTAyODE1LTAwMQ。

62 元・吾丘衍：《六書正譌》，收入清・永瑢、紀昀等：《景印文淵閣四庫全書》（臺北：臺灣商務印書館，1986，影印文淵閣四庫全書），冊228，卷1，頁25。

63 明・張自烈著、清・廖文英續：《正字通》，收入《續修四庫全書》編輯委員會：《續修四庫全書》冊235（上海：上海古籍出版社，2002，據湖北省圖書館藏清康熙二十四年〔1685〕清畏堂刻本影印），午集中矛部，頁80。

64 清・顧藹吉：《隸辨》，收入楊家駱：《樸學叢書》第三集（臺北：世界書局，1984），卷1，頁85。

作：「逢滑當公而進。」（卷57，頁5）《說文》：「滑，利也」（11篇上2，頁11），不見「猾」字。《左傳》昭公二十六年（516B.C.）：「無助狡猾」（卷52，頁10），《釋文》謂「猾」「又作滑。」[65]哀公元年（494B.C.）《傳》雖不見版本異文之證，然由上引昭公二十六年（516B.C.）《傳》之例可知，「滑」、「猾」既有版本異文之例，二字同从骨聲，符合「通假的必要條件是音同、音近」條件，[66]故《治要》引錄逕以「猾」代「滑」。

（二十二）《治要》卷六：「天有灾癘」（頁27），《左傳》哀公元年（494B.C.）作：「天有菑癘。」（卷57，頁6）《說文》：「菑，不耕田也。」段《注》謂「菑」「又假為烖害字。」（1篇下，頁41）段《注》所言「烖」，《說文》釋其意為「天火曰烖。……灾，或从宀、火。」（10篇上，頁49）知「烖」乃今日所言火災之意，而「灾」乃「烖」之或體。《毛詩．大雅．生民》：「無菑無害。」漢人毛亨（？-？）《傳》：「菑，害。」[67]《定聲》乃謂以「菑」假借為「烖」。（卷5，頁68）知《治要》引錄逕以「烖」之或體「灾」代換通假字「菑」。

本節臚列《治要》引錄《左傳》，而以具通假關係之字代換原字之例總計二十二則。縱觀上引諸例可知，《治要》所用通假字，絕大多數皆較《左傳》原字符合今日該字於其語境之用法。如第（一）則本字「御」於原文乃表防禦意，《治要》所用通假字「禦」，同於今日防禦之意。又如第（二）則《左傳》原字「辟」，《治要》逕以表示躲避意之「避」代換，使上下文意更明朗清楚，且「避」字亦符合今日詞語用法。又如第（三）則今日詞語表示強壯意之「強」，《治要》亦取代《左傳》原文之「彊」。然須注意者為，本節所舉例證又見《治要》捨棄《左傳》所用通假字，而逕用符合造字本義之「本字」之例。如第（十一）則《治要》以表示整飾、修治意之「修」，取代《左傳》表原意為肉脯之原字「脩」。由是可知，《治要》以通假字代換原文之目的主要是文意清晰，故以唐代通行文字取代原字，使讀者能一目了然而貫通上下文意。

四　以具異體與俗體關係之字代換

裘錫圭《文字學概要》定義「異體字」為「彼此音義相同而外形不同的字。」然裘氏又言：「嚴格地說，只有用法完全相同的字，也就是一字的異體，才能稱為異體字。但是一般所說的異體字往往包括只有部分用法相同的字。嚴格意義的異體字可以稱為『狹義異體字』，部分用法相同的字可以稱為『部分異體字』。」[68]簡言之，異體字即音

---

65 唐．陸德明著，黃焯斷句：《經典釋文》，卷19，頁31。

66 林慶勳、竺家寧、孔仲溫：《文字學》，頁477。

67 漢．毛亨傳，漢．鄭玄注，唐．孔穎達正義：《毛詩注疏》，卷17之1，頁6。

68 裘錫圭：《文字學概要》（臺北：萬卷樓圖書公司，1995），頁233。

義與該字相同而字形不同者，乃該字之他種寫法。至於「俗體字」之意，《干祿字書》序中即言：「所謂俗者，例皆淺近，唯藉帳文按，券契藥方，非涉雅言，用亦無爽，倘能改革，善不可加。」[69]近人蔣禮鴻（1916-1995）〈中國俗文字學研究導論〉：「俗字者，就是不合六書條例的，大多是在平民中日常使用的，被認為不合法的、不合規範的文字。應該注意的，是『正字』的規範既立，俗字的界限才能確定。」[70]又張湧泉《漢語俗字研究》：「所謂俗字，是區別於正字而言的一種通俗字」；[71]張湧泉《敦煌俗字研究・上編》又言：「漢字史上各個時期與正字相對而言的主要流行於民間的通俗字體稱為俗字。」[72]又蔡忠霖《敦煌漢文寫卷俗字及其現象》：「寫法有別於官方制定之正字，乃經約定俗成而通行於當時社會，且隨時、地不同而遷變之簡便字體。」[73]又黃征《敦煌俗字典・前言》：「漢語俗字是漢字史上各個時期流行與各社會階層的不規範的異體字。一切俗字都是異體字，俗字是異體字中的主體。」[74]縱合諸家之說，「俗體字」乃指與正字寫法有異，且約定俗成而通行於民間之文字。若依黃征之見，則俗體字亦是異體字之一類，甚或是異體字之主體與大宗。今依黃征之見，本節不細分異體與俗體，將《治要》引錄《左傳》而以具異體與俗體關係之字代換之例合併於本節，以下依卷帙次第為序說明。

（一）《治要》卷五：「晉靈公不君，失君道。厚斂以雕牆。」（頁1）《左傳》宣公二年（607B.C.）作：「晉靈公不君，厚斂以彫牆。」《集解》：「彫，畫也。」（卷21，頁9）《釋文》：「彫，本亦作雕。」[75]知《左傳》之「彫」另有他本作「雕」。《說文》：「彫，琢文也。」段《注》謂「彫」乃「治玉成文」（9篇上，頁19），故從「彡」部。《治要》以「雕」易《左傳》之「彫」，裘氏以「雕」、「彫」二字為例，謂「鵰」之本義為猛禽之名，可假借為雕刻、雕飾，亦可假借為雕零，「彫」字僅在第二、第三義時與「雕」為異體字，故二字為「部分異體字」。[76]如裘氏之舉證，屬部分異體字代換之例。

（二）《治要》卷五：「亡不越境，反不討賊。」（頁2）《左傳》宣公二年（607B.C.）作：「亡不越竟，反不討賊。」（卷21，頁12）《說文》：「竟，樂曲盡為竟。」段《注》：「曲之所止也，引伸之凡事之所止、土地之所止皆曰竟。……俗別製『境』字，非。」（3篇上，頁33）《定聲》亦謂「竟」「字亦變作境。」（卷18，頁95）

---

69 唐・顏元孫：《干祿字書》，序，頁3。

70 蔣禮鴻：〈中國俗文字學研究導論〉，《杭州大學學報》第3期（1959），頁129-140。

71 張湧泉：《漢語俗字研究》（長沙：嶽麓書社，1995），頁1-2。

72 張湧泉：《敦煌俗字研究・上編》（上海：上海教育出版社，1996），頁1。

73 蔡忠霖：《敦煌漢文寫卷俗字及其現象》（臺北：文津出版公司，2002），頁55。

74 黃征：《敦煌俗字典》（上海：上海教育出版社，2005），頁5。

75 唐・陸德明著，黃焯斷句：《經典釋文》，卷16，頁21。

76 裘錫圭：《文字學概要》，頁233。

《說文》既不見「境」字，當如段《注》所言為別製俗體。「境」雖是後世俗體卻廣為使用，且《釋文》屢見《左傳》「竟」下言「音境」，[77]故《治要》引錄逕以「境」代「竟」。

（三）《治要》卷五：「魑魅罔兩，莫能逢之。」（頁2）《左傳》宣公三年（606B.C.）作：「螭魅罔兩，莫能逢之。」《集解》：「螭，山神獸形。」（卷21，頁16）《說文》：「螭，若龍而黃，北方謂之地螻。」（13篇上，頁54）《說文》不見「魑」字而有「离」，其意為「山神也，獸形。」段《注》：「按：山神之字本不从虫，从虫者乃許所謂『若龍而黃』者也。今《左傳》作『螭魅』，乃俗寫之譌。〈東京賦〉作『魑』，亦是俗字。徐鉉於〈鬼部〉增『魑』字，誤矣。」（14篇下，頁17）清人鄭珍（1806-1864）《說文新附攷》亦云：「按：《眾經引義》卷六云『魑』，《說文》作『离』，〈三蒼〉諸書作『螭』，近作『魑』是齊梁已來俗字。……當作『离』，從《說文》。」[78]《左傳詳解詞典》謂「螭」「同『魑』，螭魅，傳說指山林中能害人的怪物。」[79]然依段《注》與《說文新附攷》之見，無論《左傳》之「螭」或《治要》之「魑」皆「离」之俗字。《治要》引錄逕以「魑」代「螭」，皆「离」之俗字相互代換。又《治要》卷六：「以禦螭魅」（頁10），《左傳》昭公九年（533B.C.）亦如是（卷45，頁4），此處仍用「螭」而未易為「魑」。

（四）《治要》卷五：「會聞用師，觀釁而動。」《治要》原注謂：「釁，罪也。」（頁4）《左傳》宣公十二年（597B.C.）作：「會聞用師，觀釁而動。」《集解》：「釁，罪也。」《正義》：「釁訓為罪者，釁是間隙之名，今人謂瓦裂、龜裂皆為釁。既有間隙，故為得罪也。」（卷23，頁4）《說文》：「釁，血祭也，象祭竈也。」段《注》：「凡坼罅謂之釁。」（3篇上，頁40）《說文》雖不見「舋」字，然《周禮．春官．大卜》：「大卜：掌三兆之法，一曰玉兆，二曰瓦兆，三曰原兆。」漢人鄭玄（127-200）《注》：「兆者，灼龜發於火，其形可占者，其象似玉、瓦原之舋罅，是用名之焉。」唐人賈公彥（？-？）《疏》：「云『象似玉、瓦原之舋罅』，謂破而不相離也。」[80]又《戰國策．韓策三．或謂公仲》：「韓息士民以待其舋。」《注》：「舋，罅也。」[81]《說文》：「罅，裂也。」（5篇下，頁21）則「舋」有破裂、縫隙意。至於「釁」與「舋」關係，

77 如《左傳》隱公十一年（712 B.C.）：「鄭伯與戰于竟」（卷4，頁25），《釋文》：「于竟，音境。」（卷15，頁7）又《左傳》莊公二十七年（667 B.C.）：「卿非君命不越竟」（卷10，頁10），《釋文》：「越竟，音境。」（卷15，頁18）又《左傳》文公六年（621 B.C.）：「送致諸竟」（卷19上，頁11），《釋文》：「諸竟，音境。」（卷16，頁14）

78 清．鄭珍：《說文新附攷》（上海：商務印書館，1936），頁159。

79 陳克炯：《左傳詳解詞典》，頁1055。

80 漢．鄭玄注，唐．賈公彥疏：《周禮注疏》（臺北：藝文印書館，1993，據清嘉慶二十年〔1815〕江西南昌府學版影印），卷24，頁10。

81 漢．劉向：《戰國策》（臺北：里仁書局，1990），頁1006。

明人梅膺祚（？-？）《字彙》：「舋，許愼切，欣去聲，與釁同。龜瓦裂皆曰舋，又爭端。」[82]又《正字通》：「舋，舊註與釁同。……舋，隙罅也，通作釁，皆合舋、釁為一，獨以《集韻》以舋為俗。」[83]然考諸宋人丁度（990-1053）《集韻》，「舋」字下僅言「罅拆也」，[84]未如《正字通》所言「以舋為俗。」《正字通》所言《集韻》應是《廣韻》之誤，「舋」置於「釁」之下言「俗」，[85]乃謂「舋」是「釁」之俗體。今依《廣韻》為說，「舋」為「釁」之俗體，則《治要》引錄逕以俗體「舋」代「釁」。

（五）《治要》卷五：「今我使二國曝骨，暴矣。」（頁6）《左傳》宣公十二年（597B.C.）作：「今我使二國暴骨，暴矣。」（卷23，頁21）《釋文》：「暴骨，蒲卜反，本或作曝。」[86]《說文》：「㬥，晞也，從日出廾米。」（7篇上，頁11）《說文》又言：「晞，乾也」（7篇上，頁12）；知「㬥」本義為日曬以乾燥之意。《說文》另有「暴」字，其意為「疾有所趣也，从日出夲廾之。」（10篇下，頁15）段《注》：「此與㬥二篆形義皆殊，而今隸不別。此篆主謂疾，故為夲之屬。㬥主謂日晞，故為日之屬。」（10篇下，頁15-16）段《注》又謂二字「而今隸一之，經典皆作暴，難於諟正。」（7篇上，頁11）「㬥」今日通寫作「暴」，易與釋為迅疾之「暴」混同。《龍龕手鑑》卷三見「㬥、杲、曝」三字，下言「三俗」；三字之下為「暴」，言「正，蒲木滿報二反，曰乾也，四。」[87]《定聲》亦謂「暴」「俗字作曝」（卷7，頁40），知「曝」乃「暴」之俗體。《左傳》「暴骨」一本既作「曝骨」，且「曝」為「暴」之俗體，則《治要》引錄逕以「曝」代「暴」。

（六）裘氏《文字學概要》解釋異體字時，又以「女」、「汝」為例，說明異體字有一類為「非包含式」異體字，即「彼此既有共同的用法，又各有不同的用法。」裘氏云：「『女』和『汝』在當古漢語裡的第二人稱代詞講的時候可以通用，但男女的『女』不能用『汝』代替，汝水的『汝』不能用『女』代替。」[88]《治要》卷五：「非我無信，汝則棄之。」（頁7-8）《左傳》宣公十五年（594B.C.）作：「非我無信，女則棄之。」（卷24，頁8）因此處之「女」釋為第二人稱代詞，故《治要》引錄時逕以異體字「汝」代之。

---

82 明・梅膺祚：《字彙》，收入《續修四庫全書》編輯委員會：《續修四庫全書》冊233（上海：上海古籍出版社，2002，據華東師範大學圖書館藏明萬曆四十三年〔1615〕刻本影印），頁193。

83 明・張自烈著、清・廖文英續：《正字通》，收入《續修四庫全書》編輯委員會：《續修四庫全書》冊235，頁324。

84 宋・丁度：《集韻》（北京：中華書局，1988，據北京圖書館藏宋本影印），去聲七，頁49。

85 宋・陳彭年等：《新校正切宋本廣韻》（臺北：黎明文化事業公司，1976，據張士俊澤存堂為底本校正），韻去聲，頁28。

86 唐・陸德明著，黃焯斷句：《經典釋文》，卷17，頁3。

87 遼・釋行均：《龍龕手鑑》，收入《辭書集成》編輯委員會：《辭書集成》第3冊，卷3，日部第六。

88 裘錫圭：《文字學概要》，頁234。

（七）《治要》卷五：「羊舌職悅是賞也」（頁9），《左傳》宣公十五年（594B.C.）作：「羊舌職說是賞也。」（卷24，頁12）《釋文》：「說是，音悅。」[89]《說文》：「說，說釋也，一曰談說。」段《注》：「說釋即悅懌，說、悅、釋、懌，皆古今字，許書無悅、懌二字也。說釋者，開解之意，故為喜悅。」（3篇上，頁15）至於「說」釋為「談說」，段《注》認為「此本無二義二音，疑後增此四字。」（3篇上，頁15）《說文》雖無「悅」字，然「說」字所謂喜悅之意乃由「兌」字而得。《說文》：「兌，說也。」段《注》：「說者，今之悅字。」（8篇下，頁8）宋人陳彭年（961-1017）等人編《廣韻》「悅」字下言：「喜也、脫也、樂也、服也，經典通用說。」[90]知先秦典籍本無「悅」字，皆以「說」字表之，故段《注》乃言二字為「古今字」。林慶勳、竺家寧、孔仲溫《文字學》釋「古今字」為「古時候用某字，後世別造另一字代之。古今字形雖不同，在語言上實是一詞。」[91]然《定聲》認為「兌」「今字作悅」（卷13，頁3），依其見則「兌」、「悅」是古今字，「說」乃假借為「悅」為宜。今從《定聲》之見，視「說」、「悅」為假借關係，則《治要》引錄逕以「悅」代「說」。

（八）《治要》卷五：「晉侯命士會將中軍，且為太傅。」（頁9）《左傳》宣公十六年（593B.C.）作：「以黻冕命士會將中軍，且為大傅。」（卷24，頁13-14）《釋文》：「大傅，音泰。」[92]又《治要》卷五：「昔周辛甲之為太史也」（頁15），《左傳》襄公四年（569B.C.）作：「昔周辛甲之為大史也。」（卷29，頁24）二處《治要》引錄《左傳》皆以「太」字代「大」。《左傳》「大」字常見，可讀為「大」或「泰」聲。[93]《釋文》注明此處之「大」應讀為「泰」聲，乃以區別讀音。《說文》無「太」字而有「泰」，其言：「泰，滑也。……夳，古文泰如此。」段《注》：「後世凡言大，而以為形容未盡則作太，如大宰俗作太宰、大子俗作太子、周大王俗作太王，是也。謂太即《說文》夳字，夳即泰，則又用泰為太。展轉貤繆，莫能諟正。」（11篇上2，頁39）《集韻》：「夳、太、大、泰」合為一處說明，[94]《廣韻》於「太」字下言：「甚也、大也、通也。……經典本作大。」[95]《定聲》：「疑泰、太、汏、汰，四形實同字」；又言「泰」常假借為「大」。（卷13，頁2）則典籍「大」作「太」，應如段《注》所言視為俗體，故《治要》引用《左傳》而逕以俗體字「太」代替「大」字。

（九）《治要》卷五：「皆晉之耻也」（頁13），《左傳》成公十六年（575B.C.）作：

---

89 唐・陸德明著，黃焯斷句：《經典釋文》，卷17，頁4。

90 宋・陳彭年等：《新校正切宋本廣韻》，韻入聲，頁26。

91 林慶勳、竺家寧、孔仲溫：《文字學》，頁547。

92 唐・陸德明著，黃焯斷句：《經典釋文》，卷17，頁4。

93 陳克炯：《左傳詳解詞典》，頁494-495。

94 宋・丁度：《集韻》，去聲七，頁34。

95 宋・陳彭年等：《新校正切宋本廣韻》，韻去聲，頁21。

「皆晉之恥也。」（卷28，頁6）《說文》：「恥，辱也」（10篇下，頁50）；然未見「耻」字。《隸辨》收錄「耻」字，見於漢中平四年（184）譙敏碑，[96]清人顧靄吉（？-？）按語謂：「《說文》『恥』從耳、從心，碑變從止。」[97]此外，《龍龕手鑑》見「耻」列為「恥」之俗體，[98]《字彙》與《正字通》皆謂「耻」「俗恥字」。[99]知《治要》引錄逕以俗體之「耻」代正體之「恥」。

（十）《治要》卷五：「茫茫禹跡」，《注》：「茫茫，遠貌。」（頁15）《左傳》襄公四年（569B.C.）作：「芒芒禹跡」，《集解》：「芒芒，遠貌。」（卷29，頁24）《說文》：「芒，艸耑也」（1篇下，頁35）；然未見「茫」字。「芒芒」除見上引襄公四年（569B.C.）《傳》，《毛詩．商頌．玄鳥》：「宅殷土芒芒。」毛《傳》：「芒芒，大貌。」[100]又〈商頌．長發〉：「洪水芒芒，禹敷下土方。」[101]《定聲》亦謂此處「芒芒」亦當釋為「大貌」。（卷18，頁63）又《淮南子．俶真訓》：「其道昧昧芒芒然。」漢人高誘（？-？）《注》：「芒芒，廣大貌。」[102]知「芒芒」皆有廣大之意，故《定聲》認為「芒」乃「荒」之假借，「即今茫字。」（卷18，頁63）此外，《集韻》於「芒」、「茫」言：「芒芒，廣大貌，或從水」；[103]謂「茫」乃「芒」之或體。又清人畢沅（1730-1797）《經典文字辨證書》謂「芒」為「正」而「茫」與「忙」「並俗」，[104]明確指出「茫」係「芒」之俗體。知《治要》引錄逕以俗體之「茫」代正體之「芒」。

（十一）《治要》卷五：「四隣震動」（頁15），《左傳》襄公四年（569B.C.）作：「四鄰震動。」（卷29，頁26）《說文》：「鄰，五家為鄰」（6篇下，頁24）；將邑旁置於右側。《干祿字書》並列「鄰」與「隣」二字，謂「竝上通下正。」[105]又唐人唐玄度（？-？）《新加九經字樣》謂「作隣者訛」，[106]《集韻》謂「鄰」「或從阜」，[107]《隸辨》謂上述二說為非，認為「除阝於左，是謂隸行。」[108]此外，《廣韻》謂「鄰」「俗

96 清．顧藹吉：《隸辨》，收入楊家駱：《樸學叢書》第3集，卷7，頁76-77。

97 清．顧藹吉：《隸辨》，收入楊家駱：《樸學叢書》第3集，卷3，頁16。

98 遼．釋行均：《龍龕手鑑》，收入《辭書集成》編輯委員會：《辭書集成》第3冊，卷3，耳部十九。

99 明．梅膺祚：《字彙》，收入《續修四庫全書》編輯委員會：《續修四庫全書》冊233，頁179。明．張自烈著、清．廖文英續：《正字通》，收入《續修四庫全書》編輯委員會：《續修四庫全書》冊235，頁293。

100 漢．毛亨傳，漢．鄭玄注，唐．孔穎達正義：《毛詩注疏》，卷23，頁14。

101 漢．毛亨傳，漢．鄭玄注，唐．孔穎達正義：《毛詩注疏》，卷24，頁2。

102 漢．劉安編，何寧集釋：《淮南子集釋》（北京：中華書局，1998），頁136。

103 宋．陳彭年等：《新校正切宋本廣韻》，韻平聲三，頁39。

104 清．畢沅：《經典文字辨證書》（北京：中華書局，1985，據經訓堂叢書本影印），卷1，頁4。

105 唐．顏元孫：《干祿字書》，平聲，頁9。

106 唐．唐玄度：《新加九經字樣》（北京：中華書局，1985，據後知不足齋叢書影印），頁24。

107 宋．丁度：《集韻》，平聲二，頁29。

108 清．顧藹吉：《隸辨》，收入楊家駱：《樸學叢書》第三集，卷1，頁62。

作隣」，[109]又《正字通》謂「隣」為「俗鄰字」，[110]咸謂「鄰」乃「鄰」之俗體。周小萍於「教育部異體字字典」謂「今不論其從俗訛或隸行左右易形非訛」，將「隣」「故收為異體可也。」[111]今依「教育部異體字字典」之見，知《治要》引錄乃逕以異體之「隣」代「鄰」。

（十二）《治要》卷六：「殷是以殞」（頁4），《左傳》昭公四年（538B.C.）作：「殷是以隕。」（卷42，頁20）《說文》不見「殞」字，至於「隕」之意為「從高下也。」段《注》：「〈釋詁〉曰：『隕、下，落也。』[112]毛《傳》曰：『隕，墮也。』[113]」（14篇下，頁5）《龍龕手鑑》卷三錄「殞」字，其意為「歿也、終也。」[114]《正字通》：「殞，……歿也，別作隕。」[115]認為「隕」乃「殞」之別體。《定聲》認為「隕」「亦作殞」，[116]未再申言二字關係。考慮「殞」乃晚出之字，應即自「隕」分化之異體。《治要》引錄《左傳》為表現「歿」、「終」之意，故以異體字「殞」代「隕」。

（十三）《治要》卷六：「皆所以示諸侯汰也，……今君以汰，……汰而愎諫。」（頁4）《左傳》昭公四年（538B.C.）作：「皆所以示諸侯汏也，……今君以汏，……汏而愎諫。」（卷42，頁28）《說文》：「汏，淅灡也。」段《注》：「〈釋詁〉曰：『汏，墜也。』[117]汏之則沙礫去矣，故曰墜也。……凡沙汏、淘汏用淅米之義引伸之，或寫作汰多點者，誤也。《左傳》『汏侈』、『汏輈』，[118]字皆即泰字之假借，寫法汰者亦誤。」

---

109 宋・陳彭年等：《新校正切宋本廣韻》，韻上聲，頁48。

110 明・張自烈著、清・廖文英續：《正字通》，收入《續修四庫全書》編輯委員會：《續修四庫全書》冊235，戌集中阜部，頁26。

111 「教育部異體字字典」，檢索日期：2018年12月17日，網址：http://dict.variants.moe.edu.tw/variants/rbt/word_attribute.rbt?quote_code=QTA0MjIwLTAwMg。

112 原句見《爾雅・釋詁》，晉・郭璞注，宋・邢昺疏：《爾雅注疏》，卷1，頁15。

113 原句見《毛詩・豳風・七月》：「十月隕蘀」，毛《傳》：「隕，墮。」見漢・毛亨傳，漢・鄭玄注，唐・孔穎達正義：《毛詩注疏》，卷8之1，頁16。

114 遼・釋行均：《龍龕手鑑》，收入《辭書集成》編輯委員會：《辭書集成》第3冊，卷3，歹部第二十二。

115 明・張自烈著、清・廖文英續：《正字通》，收入《續修四庫全書》編輯委員會：《續修四庫全書》冊235，辰集下歹部，頁24。

116 清・朱駿聲：《說文通訓定聲》，屯部第十五，頁70。

117 《爾雅・釋詁》原句作「汱、渾、隕，墜也」，不見「汏」字。見晉・郭璞注，宋・邢昺疏：《爾雅注疏》，卷2，頁16。

118 「汏侈」三見《左傳》，襄公三十年（543 B.C.）《傳》：「罕、駟、豐同生，伯有汏侈，故不免。」（卷40，頁7）又昭公五年（537 B.C.）《傳》：「大叔謂叔向曰：『楚王汏侈已甚，子其戒之！』叔向曰：『汏侈已甚，身之災也，焉能及人？……道之以訓辭，奉之以舊法，考之以先王，度之以二國，雖汏侈，若我何？』」（卷43，頁8）又昭公二十一年（521 B.C.）《傳》：「汏侈，無禮已甚，亂所在也。」（卷49，頁2）「汏輈」二見《左傳》，宣公四年（605 B.C.）《傳》：「又射，汏輈，以貫笠轂。」（卷21，頁22）又昭公二十六年（516 B.C.）《傳》：「齊子淵捷從洩聲子，射之，中楯瓦，繇朐汏輈，匕入者三寸。」（卷52，頁4）

（11篇上2，頁31-32）依段《注》知「汏」乃「泰」之假借，然後世又誤「汏」為「汰」。《定聲》則認為「今沙汰、淘汰字亦作汰」（卷13，頁2），謂「汰」乃「汏」之另體。「汰」字从「太」聲而「汏」字从「大」聲，上文已述「太」為「大」之俗體，故可視「汰」亦為「汏」之俗體。[119]知《治要》引錄《左傳》時，逕以俗體之「汰」代換「汏」字。

（十四）《治要》卷六：「莅之以彊」（頁7），《左傳》昭公六年（536B.C.）作：「涖之以彊。」（卷43，頁17）《說文》不見「莅」、「涖」而有「竦」，其意為「臨也。」段《注》：「臨者，監也，經典蒞字或作涖，注家皆曰臨也。《道德經》《釋文》云：『古無莅字，《說文》作竦。』[120]按：莅行而竦廢矣，凡有正字而為叚借字所敓者類此。」（10篇下，頁20）依段《注》則「竦」本是正字，後世常用通假字「莅」而正字卻廢棄不行。「涖」見《龍龕手鑑》卷二：「涖，……與莅同。」[121]《集韻》：「竦、莅、蒞、位，《說文》：『臨也』，或作莅、蒞、位。」[122]不唯「涖」為「蒞」之或體，季旭生認為「『蒞』本從『涖』聲，故俗字通用耳。據此，『涖』為『蒞』之異體，可從。」[123]則「涖」、「莅」本具異體關係，或許唐代「涖」字較為通行，故《治要》引錄逕以「莅」代「涖」。

（十五）《治要》卷六：「石不能言，或憑焉」（頁9）；《左傳》昭公八年（534B.C.）作：「石不能言，或馮焉。」（卷44，頁21）《說文》：「馮，馬行疾也。」段《注》：「按：馬行疾馮馮然，此馮之本義也，展轉他用而馮之本義廢矣。……或叚為凭字，凡經傳云馮依，其字皆當作凭。……俗作憑，非是。」（10篇上，頁12-13）《說文》不見「憑」而見「凭」，其意為「依几也。……〈周書〉曰：『凭玉几。』[124]」段《注》：「依者，倚也。凭几亦作馮几，叚借字。……〈顧命〉今文《尚書》作『憑』，衛包所改俗字也，古叚借衹作馮，凡馮依皆用之。」（14篇上，頁28）依段《注》知「凭」於先秦典籍常以「馮」假借之，至於「憑」係後世俗字。《正字通》亦言「凭」「今借用馮，俗作憑」；[125]《經典文字辨證書》卷四謂「馮」為正字而「憑」為俗字。[126]雖《左

---

119 「教育部異體字字典」，檢索日期：2018年12月26日，網址：http://dict.variants.moe.edu.tw/variants/rbt/word_attribute.rbt?quote_code=QTAyMTQ3。

120 原句作「無此字，《說文》作竦。」見唐・陸德明著，黃焯斷句：《經典釋文》，卷25，頁6。

121 遼・釋行均：《龍龕手鑑》，收入《辭書集成》編輯委員會：《辭書集成》第3冊，卷2，水部第三。

122 宋・丁度：《集韻》，去聲七，頁11。

123 「教育部異體字字典」，檢索日期：2018年12月26日，網址：http://dict.variants.moe.edu.tw/variants/rbt/word_attribute.rbt?quote_code=QTAzNTM4LTAwMQ。

124 《尚書・顧命》原句作「皇后憑玉几」，見題漢・孔安國傳，唐・孔穎達正義：《尚書注疏》（臺北：藝文印書館，1993，據清嘉慶二十年〔1815〕江西南昌府學版影印），卷18，頁27。

125 明・張自烈著、清・廖文英續：《正字通》，收入《續修四庫全書》編輯委員會：《續修四庫全書》冊235，子集下几部，頁39。

傳》之「馮」乃「凭」之假借，然《治要》引錄又逕以「憑」代「馮」。

（十六）《治要》卷六：「亦其廢墜是為」（頁10），《左傳》昭公九年（533B.C.）作：「亦其廢隊是為。」（卷45，頁4）《說文》：「隊，從高隊也。」段《注》：「隊、墜，正俗字，古書多作隊，今則墜行而隊廢矣。」（14篇下，頁4）《定聲》亦謂「隊」「俗字作墜」（卷12，頁103），俗字「墜」通行以表「隊」之墜落意。故《治要》引錄逕以俗字之「墜」代「隊」。

（十七）《治要》卷六：「使逼我諸姬」（頁10），《左傳》昭公九年（533B.C.）作：「使偪我諸姬。」（卷45，頁5）《說文》不見「偪」、「逼」而有「畐」，其意為「滿也。」段《注》：「畐、偪，正俗字也。《釋言》曰：『逼，迫也』；[127]本又作偪，二皆畐之俗字。」（5篇下，頁30）《集韻》：「畐」「或作偪」，[128]《定聲》亦言「畐」「字亦作偪、作偪。」（卷5，頁133）依諸家之見，則「偪」、「逼」皆「畐」之俗體，或唐時「逼」較「偪」通行，故《治要》引錄逕以「逼」代「偪」。

（十八）《治要》卷六：「木水之有本源，……拔本塞源。」（頁10）《左傳》昭公九年（533B.C.）作：「木水之有本原，……拔本塞原。」（卷45，頁5）《說文》列「原」為「𠫐」之篆文，段《注》：「後人以原代『高平曰邍』之邍，[129]而別製源字為本原之原，積非成是久矣。」（11篇下，頁5）《隸辨》謂「按：《說文》原為原泉之原，邍為為邍野之邍，隸既以原為邍，因加水以別之。」[130]《定聲》亦言「原」「俗字作源」（卷14，頁39），知「源」乃「原」之俗體，知《治要》引錄逕以俗體之「源」代「原」。

（十九）《治要》卷六：「左史倚相趍過」（卷6，頁12），《左傳》昭公十二年（530B.C.）作：「左史倚相趨過。」（卷45，頁36）《說文》：「趨，走也」（2篇上，頁31）；又言：「趍，趍趙，夂也。」段《注》：「趍，行遲曳夂夂也。……趍趙，雙聲字，與峙䠱、篙箸、蹢躅，字皆為雙聲轉語。」（2篇上，頁34-35）知「趍」與「趙」合為雙聲連綿詞，即後世躊躇、躑躅等詞，皆有徘徊之意。然《龍龕手鑑》卷二謂「趍」通「趨」，[131]《集韻》謂「趨」「俗作趍」；[132]《廣韻》謂「趍」又為「趨」之俗字；[133]《經典文字辨正書》謂「趨」為「正」而「趍」為「別」。[134]知《治要》引錄《左傳》

126 清．畢沅：《經典文字辨證書》，卷4，頁2。

127 原句見《爾雅．釋言》，見晉．郭璞注，宋．邢昺疏：《爾雅注疏》，卷3，頁19。

128 宋．丁度：《集韻》，入聲十，頁27。

129 原句見《說文》：「邍，高平曰邍。」段《注》：「邍字後人以水泉本之原代之。」（2篇下，頁12-13）

130 清．顧藹吉：《隸辨》，收入楊家駱：《樸學叢書》第3集，卷1，頁73。

131 遼．釋行均：《龍龕手鑑》，收入《辭書集成》編輯委員會：《辭書集成》第3冊，卷2，走部。

132 宋．丁度：《集韻》，平聲二，頁5。

133 宋．陳彭年等：《新校正切宋本廣韻》，韻上平，頁35。

134 清．畢沅：《經典文字辨證書》，卷1，頁8。

逕以俗體「趍」代「趨」。

（二十）《治要》卷六：「陳信不媿」（頁16），《左傳》昭公二十年（522B.C.）作：「陳信不愧。」（卷49，頁11）《經典釋文》：「不媿，九位反，本又作愧。」[135]知《左傳》「愧」字另有版本作「媿」。然該段後文《左傳》作「無愧心也」（卷49，頁11），《治要》卷六又不改其字而仍作「無愧心矣。」（頁17）《說文》：「媿，慙也。……愧，媿或从恥省。」段《注》：「按：即謂从心可也。」（12篇下，頁29）知《說文》已列「愧」為「媿」之或體，唯後世「愧」字較為通行，《治要》引錄逕以「媿」代「愧」。

（二十一）《治要》卷六：「以泄其過」（頁18），《左傳》昭公二十年（522B.C.）作：「以洩其過。」（卷49，頁14）《說文》：「泄，泄水受九江博安洵波北入氐。」（11篇上1，頁38）又《說文》：「渫，除去也。」段《注》：「按：凡泄漏者，即此義之引伸，變其字為泄耳。」（11篇上2，頁37-38）知「泄」本為水名，「渫」為除去意，後世乃以「泄」假借「渫」。南朝梁人顧野王（519-581）《玉篇》並列「泄」、「洩」，於「洩」字下謂該字意同「泄」；[136]《廣韻》亦如是言。[137]《集韻》將「渫」、「㴸」、「泄」、「洩」同置，謂後三字乃「渫」之或體。[138]清人邢澍（1759-1823）《金石文字辨異》言「泄作洩，則承唐《開成石經》之舊，避唐諱也。」時建國云：「唐人避太宗世民諱而改作『洩』。……自此以後，洩、泄二字互備假借之音義。」[139]《正字通》亦謂「二字互通正譌」，[140]《定聲》謂「泄」「字亦作洩」（卷13，頁35），「教育部異體字字典」將「洩」列為「泄」之異體。[141]知《治要》引錄逕以異體「洩」代「泄」。

（二十二）《治要》卷六：「藍尹亹涉其帑」（頁25），《左傳》定公五年（505B.C.）作：「藍尹亹涉其帑。」（卷55，頁3）《說文》不見「亹」，《毛詩・大雅・文王》：「亹亹文王，令聞不已。」毛《傳》：「亹亹，勉也。」[142]「亹」、「釁」關係上文已述，《正字通》：「亹、亹與衅之互通，如《左傳》『觀釁』省作『亹』，[143]《禮記》車服衅興器用幣，與『釁』音義同。南仲改亹作釁，合亹、釁為一，尤非。」[144]其所言「南仲」為

135 唐・陸德明著，黃焯斷句：《經典釋文》，卷19，頁22。

136 南朝梁・顧野王：《大廣益會玉篇》（北京：中華書局，1987，據張氏澤存堂本影印），篇中，頁73。

137 宋・陳彭年等：《新校正切宋本廣韻》，韻去聲，頁20-21。

138 宋・丁度：《集韻》，入聲十七，頁42。

139 清・邢澍著，時建國校釋：《金石文字辨異校釋》（蘭州：甘肅人民出版社，2000），頁1126。

140 明・張自烈著、清・廖文英續：《正字通》，收入《續修四庫全書》編輯委員會：《續修四庫全書》冊235，巳集上水部，頁21。

141 「教育部異體字字典」，檢索日期：2019年1月3日，網址：http://dict.variants.moe.edu.tw/variants/rbt/word_attribute.rbt?quote_code=QTAyMTcxLTAwMg。

142 漢・毛亨傳，漢・鄭玄注，唐・孔穎達正義：《毛詩注疏》，卷16之1，頁7。

143 「觀釁」一詞二見於《左傳》，宣公十二年（597 B.C.）《傳》：「觀釁而動」（卷23，頁4），襄公二十二年（551 B.C.）《傳》：「先大夫子蟜又從寡君以觀釁於楚。」（卷35，頁2）

144 明・張自烈著、清・廖文英續：《正字通》，收入《續修四庫全書》編輯委員會：《續修四庫全書》

宋人耿南仲（？-1129），誤改「亹」為「斖」，當因「亹」為「斖」之俗，又「亹」與「亹」字形相近而訛誤。「教育部異體字字典」收錄《廣碑別字》，載「唐陽平郡路府君及夫人陳氏墓誌」之「亹」字作「亹」，[145]則自唐朝已見「亹」俗寫為「亹」之例，知《治要》引錄逕以「亹」代「亹」。

（二十三）《治要》卷六：「勾踐能親而務施」（頁26），《左傳》哀公元年（494B.C.）作：「句踐能親而務施。」（卷57，頁4）《說文》：「句，曲也。」段《注》謂後人「改句曲字為勾，此淺俗分別，不可與道古也。」（3篇上，頁4）依段《注》則「勾」乃「句」之俗體。《干祿字書》謂「勾」為「俗」而「句」為「正」，[146]《經典文字辨證書》亦言「句」為「正」而「勾」為「俗」，[147]《定聲》亦謂「勾」為「句」之俗體。（卷8，頁13）《隸辨》言「句」「譌從ㄙ，句、勾本一字。……今俗相承，以從口者為章句之句，從ㄙ者為勾曲之勾。」[148]知《治要》引錄逕以俗體「勾」代「句」。

本節臚列《治要》引錄《左傳》而以具異體或俗體關係之字代換原字之例總計二十三則，除第（五）則「亹」代「斖」、第（九）則「耻」代「恥」、第（十一）則「隣」代「鄰」、第（十九）則「趍」代「趨」與第（二十）則「媿」代「愧」等五例與今日常用文字有異，其餘皆合於現代通行文字用法。整體而言，《治要》引錄《左傳》或係以當時通行文字取代原文，方便讀者了解上下文意。即使上引五例有異於今日常用字體，或可由是推測該五字於唐代較為流通，故援以代換原字。

五　訂正與錯訛用字

上二節說明《治要》引錄《左傳》或以通假關係之字代換，或以異體與俗體文字更易，筆者認為其目的乃明了句意以便閱讀。此外，《治要》更易《左傳》原文亦見訂正用字之例，然亦有誤解字義而錯訛改字者。今先述訂正用字者第（一）至第（三）總計三則，後敘第（四）至第（九）錯訛用字之例六則，各依卷帙次第為序說明如下。

（一）《治要》卷五：「於是軍帥之欲戰者眾」（頁11），《左傳》成公六年（585B.C.）作：「於是軍師之欲戰者眾。」（卷26，頁14）《釋文》：「軍帥，所類反，下注同。」[149]則《傳》之「軍師」另有版本作「軍帥」。《春秋左傳注》：「『帥』阮刻本作

冊235，子集上亠部，頁48。

145 「教育部異體字字典」，檢索日期：2019年1月3日，網址：http://dict.variants.moe.edu.tw/variants/rbt/word_attribute.rbt?quote_code=QjAwMDE2。

146 唐・顏元孫：《干祿字書》，去聲，頁1。

147 清・畢沅：《經典文字辨證書》，卷1，頁12。

148 清・顧藹吉：《隸辨》，收入楊家駱：《樸學叢書》第3集，卷6，頁10。

149 唐・陸德明著，黃焯斷句：《經典釋文》，卷17，頁9。

『師』，據《釋文》，當作『帥』，今從金澤文庫本及他本訂正。」[150]檢諸《左傳》原文，作「軍師」者僅見上揭成公六年（585B.C.）《傳》，餘者如宣公十二年（597B.C.）《傳》「命為軍帥，而卒以非夫，唯群子能，我弗為也」（卷23，頁8）；又成公十七年（574B.C.）《傳》：「以東師之未至也，與軍帥之不具也」（卷28，頁24）；又昭公十二年（530B.C.）《傳》：「吾軍帥強禦，卒乘競勸」（卷45，頁28）等皆作「軍帥」，故當以「軍帥」為確。《治要》引錄逕以「帥」代「師」，依正確版本為據而修訂。

（二）《治要》卷六：「求婚而薦女」（頁6），《左傳》昭公五年（537B.C.）作：「求昏而薦女。」（卷43，頁11）《說文》：「昏，日冥也。」段《注》：「士娶妻之禮以昏為期，因以名焉。」（7篇上，頁7）又《說文》：「婚，婦家也。禮：娶婦以昏時，婦人，侌也，故曰婚。」段《注》：「〈釋親〉曰：『婦之父為婚』，『婦之黨為婚兄弟。』[151]」（12篇下，頁5）《定聲》：「按：女之親屬名曰婚，經傳多以昏為之。」（卷15，頁34）知「婚」之意本指女子原生家庭之父親與其親屬，依《定聲》之見，則典籍多寫作「昏」，知二字具通假關係。《左傳》原文「求昏以薦女」乃謂請求締結婚姻關係，故其意應作「婚」而以「昏」代之。《治要》引錄乃捨通假字「昏」而以「婚」代之，乃彰顯其上下文句之本意。

（三）《治要》卷六：「邇無極也」（頁22），《左傳》昭公二十七年（515B.C.）作：「邇無及也。」（卷52，頁21）依《傳》文上下句意，此處「無及」乃指楚國大夫費無極。《春秋左傳注》：「『極』原作『及』，依金澤文庫本正。」[152]則《治要》引錄逕改「及」為「極」，訂正版本之誤。

（四）《治要》卷五：「大史書曰：『趙盾殺其君』，以示於朝。」（頁2）《左傳》宣公二年（607B.C.）作：「大史書曰：『趙盾弒其君』，以示於朝。」（卷21，頁11）知《治要》易「弒」為「殺」。又《治要》卷五：「驟如崔氏，崔杼殺莊公。晏子立於崔氏之門外。」（頁21）此段節略《左傳》襄公二十五年（548B.C.）原文甚長，大致作：「驟如崔氏，以崔子之冠賜人。……（崔杼）欲弒公以說于晉。……侍人賈舉止眾從者而入，閉門。……遂弒之。」（卷36，頁4-5）《左傳》連用二「弒」字，《治要》則省併原句而用「殺」字。《說文》：「殺，戮也」；「弒，臣殺君也。」段《注》：「按：述其實則曰殺君，正其名則曰弒君。《春秋》正名之書也，故言弒不言殺。」（3篇下，頁28）若依《左傳》二處原句與文意，應仍用「弒」字為宜。此外，《治要》卷五：「王使讓之，曰：『夏徵舒為不道，弒其君。』……對曰：夏徵舒弒其君，其罪大矣。」（頁3）《左傳》宣公十一年（598B.C.）作：「王使讓之，曰：『夏徵舒為不道，弒其君。』……曰：『夏徵舒弒其君，其罪大矣。』」（卷22，頁17）知《治要》仍用《左

150 楊伯峻：《春秋左傳注》，頁830。

151 原句見《爾雅．釋詁》，晉．郭璞注，宋．邢昺疏：《爾雅注疏》，卷4，頁19。

152 楊伯峻：《春秋左傳注》，頁1488。

傳》原文「弒」字。又《治要》卷六：「鄖公辛之弟懷將弒王」（頁24），《左傳》定公四年（506B.C.）作：「鄖公辛之弟懷將弒王」（卷54，頁25），亦沿用原文作「弒」。其他如《治要》卷三十六引《申子・大體》：「今夫弒君而取國者，非必逾城郭之險而犯門閭之閉也。」（頁25）又卷四十六引《中論》：「晉有趙宣孟、范武子而靈公被弒，魯有子家羈、叔孫婼而昭公野死，齊有晏平仲、南史氏而莊公不免弒。」（頁19）《中論・亡國》原文作「晉有趙宣子、范武子、太史董狐而靈公被殺，魯有子家羈、叔孫婼而昭公野死，齊有晏平仲、南史氏而莊公不免弒。」[153]知《治要》仍見用「弒」字之例。且上揭《中論・亡國》之句述及晉靈公與齊莊公被弒之事，《治要》更改「被殺」為「被弒」，反觀徵引《左傳》二文卻易「弒」為「殺」，應有錯訛之疑。

（五）《治要》卷五：「晉討趙同、趙括，武從姬氏畜于公宮。」（頁12）《左傳》成公八年（583B.C.）作：「晉討趙同、趙括，武從姬氏畜于公宮。」《集解》：「趙武，莊姬之子。莊姬，晉成公之女。畜，養也。」（卷26，頁21）《春秋左傳注》：「公宮，晉景公之宮，晉景公為趙武之舅。」[154]《左傳詳解詞典》釋「公宮」之意為「國君的宮殿」，謂「公室」為「諸侯的家族，常代指諸侯的政權。」[155]朱鳳瀚《商周家族形態研究》：「公室內所含的親屬組織規模較小，只包括在位的國君即時君與其直系子孫。在一般情況下，當有國君、公子兩代或國君、公子、公孫三代時，則屬於人類學中所謂核心家族或小型伸展家族中的直系家族。」[156]知「公室」乃與國君相關之親屬組織，而「公宮」為國君起居之建築物。《國語・晉語九》：「昔先主文子少釁于難，從姬氏于公宮。」三國吳人韋昭（204-273）《注》：「文子，簡子之祖趙武。」[157]此處亦作「公宮」而非「公室」。近似成公八年（583B.C.）《傳》文句者，又見哀公二十六年（469B.C.）《傳》：「宋景公無子，取公孫周之子得與啟畜諸公宮，未有立焉。」（卷60，頁23）《左傳》「諸」字常是「之于」二字合音，[158]故「畜諸公宮」實言「畜之于公宮」。「畜」既是養育之意，「公宮」因是具體空間，遠較親屬關係之「公室」合理。至於《治要》引錄何以易「宮」為「室」？《爾雅・釋宮》：「宮謂之室，室謂之宮。」晉人郭璞（276-324）《注》：「皆所以通古今之異語，明同實而兩名。」宋人邢昺（932-1010）《疏》：「古者貴賤所居皆得稱宮。……至秦漢以來，乃定為至尊所居之稱。」[159]或因「宮」、「室」本皆居室之稱，且「宮」爾後乃尊貴者專稱，推測《治要》引錄乃易「宮」為

153 漢・徐幹著，徐湘霖校注：《中論校注》（成都：巴蜀書社，2007），頁266。
154 楊伯峻：《春秋左傳注》，頁839。
155 陳克炯：《左傳詳解詞典》，頁147。
156 朱鳳瀚：《商周家族形態研究（增訂本）》（天津：天津古籍出版社，2004），頁444。
157 三國・韋昭：《國語韋昭註》（臺北：藝文印書館，1974，影印天聖明道本・嘉慶庚申〔1800年〕讀未見書齋重雕本），卷15，頁4。
158 陳克炯：《左傳詳解詞典》，頁1102。
159 晉・郭璞注，宋・邢昺疏：《爾雅注疏》，卷5，頁1。

「室」以別貴賤。

（六）《治要》卷五：「民生敦龐」，《注》：「龐，大。」（頁12）《左傳》成公十六年（575B.C.）作：「民生敦厖。」《集解》：「厖，大也。」（卷28，頁4）《說文》：「厖，石大也。」段《注》：「石大，其本義也，引伸之為凡大之偁。」（9篇下，頁21）《說文》又言：「龐，高屋也。」段《注》：「謂屋之高也者也，故字从广，引伸之為凡高大之偁。」（9篇下，頁16）知「龐」亦引申為高大意，與「厖」引申意相近。更重要者為，依劉復共、李家瑞《宋元以來俗字譜》所載，《三國志平話》、《太平樂府》、《目連記》、《嶺南逸事》之「龐」俗體作「厖」；[160]顧雄藻《字辨》亦列「厖」為「龐」俗體。[161]《左傳》原文既作「厖」，因該字引申本有大意，且「厖」乃「龐」俗體，故《治要》引錄逕以「龐」代之。實則「厖」、「龐」本不相涉，《治要》因俗體之混同而改易，故視為文字錯訛之例。

（七）《治要》卷五：「若困民之主，匱神之祀。」（頁18）《左傳》襄公十四年（559B.C.）作：「若困民之主，匱神乏祀。」（卷32，頁18）《釋文》：「本亦作『之祀』，誤也。」[162]清人阮元（1764-1849）《十三經注疏校勘記》：「沈彤云：『主當作生，乏當作之。』按：《國語》亦有此文。」（卷32，《校勘記》頁7）阮氏所言「《國語》亦有此文」，見〈周語上〉：「匱神乏祀而困民之財」，[163]亦作「匱神乏祀」。《釋文》既謂「乏祀」另見版本作「之祀」，知《治要》引錄逕以該版本為據。「匱神」既與「乏祀」對舉，「之祀」於此難通上下文意，顯然「之」應是「乏」之誤，知《治要》於此乃引用誤字。

（八）《治要》卷五：「室老聞之，曰：『欒王鮒言於君，無不行，求救君子，吾子不許。』」（頁20）《左傳》襄公二十一年（552B.C.）作：「室老聞之，曰：『欒王鮒言於君，無不行，求赦君子，吾子不許。』」（卷34，頁16）《說文》：「赦，置也。」段《注》：「〈网部〉曰：『置，赦也』，[164]二字互訓。赦與捨音義同，非專謂赦罪也。後捨行而赦廢，赦專為赦罪矣。」（3篇下，頁36）至於「救」之意，《說文》：「救，止也。」段《注》：「《論語》：『子謂冉有曰：「女弗能救與？」』馬曰：『救猶止也。』[165]馬意救與止稍別，許謂凡止皆謂之救。」（3篇下，頁36）知「赦」本意為「捨置」，後專指「赦罪」。《左傳》襄公二十一年（552B.C.）所載原委，係叔向因其弟叔虎遭罪而牽連，晉大夫欒王鮒主動求見叔向，表達欒於向晉平公說明，且願代為疏通以助叔向。

---

160 劉復共、李家瑞：《宋元以來俗字譜》（臺北：文海出版社，1978），頁114。

161 顧雄藻：《字辨》（臺北：臺灣商務印書館，1978），頁132。

162 唐・陸德明著，黃焯斷句：《經典釋文》，卷17，頁27。

163 三國・韋昭：《國語韋昭註》，卷1，頁8。

164 漢・許慎著，清・段玉裁注：《說文解字注》，7篇下，頁43。

165 魏・何晏注，宋・邢昺疏：《論語注疏》，卷3，頁3。

依《傳》文之意，室老乃謂欒王鮒可「言於君」，請求晉平公「赦」叔向，故「赦」之主詞為晉君。若依《治要》之文，則「求救君子」主詞為欒王鮒而非晉平公。雖《治要》亦通上下文意，然畢竟與《左傳》原文有異，故列於此處以為讀者參考。

（九）《治要》卷六：「太子建走宋」（頁15），《左傳》昭公二十年（522B.C.）作：「大子建奔宋。」（卷49，頁3）《說文》：「奔，走也。……與走同意，俱从夭。」段《注》：「渾言之則奔、走、趨不別也，引伸之凡赴急曰奔，凡出亡曰奔。」（10篇下，頁9）依《說文》之見，則「走」、「奔」之意相近，故《治要》引錄逕以「走」代「奔」。然《春秋左傳詞典》釋《左傳》「走」之意有「跑」、「往祭名山大川」二意，「奔」釋為「奔逃，出走」、「軍敗逃散」二意；[166]《左傳詳解詞典》釋「走」為「跑」、「逃奔」、「去、往」三意，「奔」為「奔逃，急跑」、「被迫逃亡他處或他國」、「女子未通過正式結婚手續與男子自相結合」三意。[167]雖《左傳詳解詞典》釋「走」、「奔」皆有奔逃之意，然檢諸《左傳》，「走」之受詞絕無國名之例。至於「奔」之受詞為國名者，於《左傳》俯拾即是，其意則如《左傳詳解詞典》所釋「被迫逃亡他處或他國」。《左傳》「奔」、「走」用法既別，《治要》引錄卻以「走」易「奔」，應視為不當代換之例。

《治要》引錄《左傳》代換文字雖有訂正文字之例，然因誤解而錯訛者亦有之。尤其第（四）則「弒」與「殺」之混同，基本有違傳統經學通例。推測《治要》雖經當時學者選摘典籍文句而謄錄，然似未縝密核覆而致使訛錯仍存。

六　結語

《治要》因唐太宗李世民「欲覽前王得失」需求，故蒐羅經、史、諸子與治國相關篇卷予以節錄編輯而成。經部典籍以《左傳》卷帙最繁而達三卷之多，唯其中一卷已佚，僅存引錄《左傳》宣公二年（607B.C.）至哀公二十四年（471B.C.）內容。本文校對天明本《治要》與《左傳》內容，見《治要》引錄《左傳》多有改易文字之例。經本文分析，《治要》代換文字可分「以意義相當之字代換」、「以具通假關係之字代換」、「以具異體與俗體關係之字代換」、「訂正與錯訛用字」等四種類型。第一種類型雖因原字與代換文字意義相當而代換，然《治要》引錄《左傳》時又未具一致性與標準化要求，應是隨機而改易文字。推測其由，或因刻工之便宜行事而校對者未能細察，致使偶見以意義相當之字代換原文之例。至於第二種與第三種類型，絕大多數皆較所代換《左傳》原字更符合今日該字於其語境之用法。推測代換之字應於唐代較為通行，其目的是

166 楊伯峻：《春秋左傳詞典》，頁339、449。
167 陳克炯：《左傳詳解詞典》，頁1138、523。

使文意清晰，讓讀者能一目了然而貫通上下文意。《治要》引錄《左傳》雖有訂正文字之例，然因誤解而錯訛者亦有之；尤其混同「弒」與「殺」，有違傳統經學之通例。推測《治要》引錄似未縝密核覆，致使代換文字偶有疏漏。

徵引文獻

一　原典文獻（依四部分類排序）

題漢．孔安國傳，唐．孔穎達正義：《尚書注疏》，臺北：藝文印書館，1993，據清嘉慶二十年（1815）江西南昌府學版影印。

漢．毛　亨傳，漢．鄭玄注，唐．孔穎達正義：《毛詩注疏》，臺北：藝文印書館，1993，據清嘉慶二十年（1815）江西南昌府學版影印。

漢．鄭　玄注，唐．賈公彥疏：《周禮注疏》，臺北：藝文印書館，1993，據清嘉慶二十年（1815）江西南昌府學版影印。

漢．公羊壽傳，漢．何休解詁，唐．徐彥疏：《春秋公羊傳注疏》，臺北：藝文印書館，1993，據清嘉慶二十年（1815）江西南昌府學版影印。

晉．杜　預集解，唐．孔穎達正義：《春秋左傳注疏》，臺北：藝文印書館，1993，據清嘉慶二十年（1815）江西南昌府學版影印。

魏．何　晏注，宋．邢昺疏：《論語注疏》，臺北：藝文印書館，1993，據清嘉慶二十年（1815）江西南昌府學版影印。

晉．郭　璞注，宋．邢昺疏：《爾雅注疏》，臺北：藝文印書館，1993，據清嘉慶二十年（1815）江西南昌府學版影印。

唐．陸德明著，黃焯斷句：《經典釋文》，北京：中華書局，1983。

漢．許　慎著，清．段玉裁注：《說文解字注》，臺北：黎明文化事業公司，1994，據經韵樓藏版影印。

漢．劉　熙著，任繼昉校：《釋名匯校》，濟南：齊魯書社，2006。

魏．張　揖輯，清．王念孫疏證，鍾宇訊點校：《廣雅疏證》，北京：中華書局，2004，據嘉慶年間王氏家刻本影印。

南朝梁．顧野王：《大廣益會玉篇》，北京：中華書局，1987，據張氏澤存堂本影印。

唐．顏元孫：《干祿字書》，北京：中華書局，1985，據夷門廣牘小學彙函影印。

唐．唐玄度：《新加九經字樣》，北京：中華書局，1985，據後知不足齋叢書影印。

宋．陳彭年等：《新校正切宋本廣韻》，臺北：黎明文化事業公司，1976，據張士俊澤存堂為底本校正，韻去聲，頁28。

宋．丁　度：《集韻》，北京：中華書局，1988，據北京圖書館藏宋本影印。

遼．釋行均：《龍龕手鑑》，收入《辭書集成》編輯委員會：《辭書集成》第3冊，北京：團結出版社，1993，據董氏誦芬室本影印。

元・吾丘衍：《六書正譌》，收入清・永瑢、紀昀等：《景印文淵閣四庫全書》，臺北：臺灣商務印書館，1986，影印文淵閣四庫全書。

明・張自烈著、清・廖文英續：《正字通》，收入《續修四庫全書》編輯委員會：《續修四庫全書》冊235，上海：上海古籍出版社，2002，據湖北省圖書館藏清康熙二十四年（1685）清畏堂刻本影印。

明・梅膺祚：《字彙》，收入《續修四庫全書》編輯委員會：《續修四庫全書》冊233，上海：上海古籍出版社，2002，據華東師範大學圖書館藏明萬曆四十三年（1615）刻本影印。

清・朱駿聲：《說文通訓定聲》，北京：中華書局，1984，據臨嘯閣刻本影印。

清・鄭　珍：《說文新附攷》，上海：商務印書館，1936。

清・畢　沅：《經典文字辨證書》，北京：中華書局，1985，據經訓堂叢書本影印。

清・邢　澍著，時建國校釋：《金石文字辨異校釋》，蘭州：甘肅人民出版社，2000。

清・顧藹吉：《隸辨》，收入楊家駱：《樸學叢書》第三集，臺北：世界書局，1984。

三國・韋　昭：《國語韋昭註》，臺北：藝文印書館，1974，影印天聖明道本・嘉慶庚申（1800）讀未見書齋重雕本。

漢・劉　向：《戰國策》，臺北：里仁書局，1990。

宋・王　溥：《唐會要》，收入商務印書館四庫全書出版工作委員會：《文津閣四庫全書》，北京：商務印書館，2005。

漢・劉　安編，何寧集釋：《淮南子集釋》，北京：中華書局，1998。

漢・徐　幹著，徐湘霖校注：《中論校注》，成都：巴蜀書社，2007。

晉・張　華：《博物志》，北京：中華書局，1985。

唐・魏　徵等：《群書治要》，收入安懷沙：《四部文明》，西安：陝西人民出版社，2007，景印清阮元輯《宛委別藏》日本天明刊本。

二　近人論著（依作者姓名筆劃排序）

于省吾主編，姚孝遂按語編撰：《甲骨文字詁林》，北京：中華書局，1996。

牛曉坤：《金澤本《群書治要》子書（卷三一至三七）研究》，保定：河北大學漢語言文字學碩士論文，2018。

王文暉：〈《群書治要》對今本《孔子家語》的整理價值〉，收入復旦大學漢語言文字學科《語言研究集刊》編委會：《語言研究集刊》第15輯，上海：上海辭書出版社，2015，頁331-338。

王叔岷：〈《群書治要》節本《慎子》義證〉，《國立臺灣大學文史哲學報》第32期（1983.12），頁1-11。

王維佳：《《群書治要》的回傳與嚴可均的輯佚成就》，上海：復旦大學歷史學碩士論文，2013。

古國順：《司馬遷尚書學》，臺北：中國文化大學中國文學研究所博士論文，1985。

朱鳳瀚：《商周家族形態研究（增訂本）》，天津：天津古籍出版社，2004。

何家歡：〈《後漢書》校勘記──以《群書治要》為底本〉，《青年文學家》第12期（2018），頁75。

吳金華：〈略談日本古寫本《群書治要》的文獻學價值〉，《文獻》第3期（2003.7），頁118-127。

吳媛援：《古寫本《群書治要・三國志》異文研究》，南寧：廣西大學歷史漢語言文字學碩士論文，2018。

沈　蕓：《古寫本《群書治要・後漢書》異文研究》，上海：復旦大學漢語言文字學博士論文，2010。

周少文：《《群書治要》研究》，新北市：國立臺北大學古典文獻學研究所碩士論文，2007。

林溢欣：〈《群書治要》引《賈誼新書》考〉，《雲漢學刊》第21期（2010.6），頁62-90。

林溢欣：〈從《群書治要》看唐初《孫子》版本系統──兼論《孫子》流傳、篇目次序等問題〉，《古籍整理研究學刊》第3期（2011.5），頁62-68。

林溢欣：〈從日本藏卷子本《群書治要》看《三國志》校勘及其版本問題〉，《中國文化研究所學報》第53期（2011.7），頁193-216。

林慶勳、竺家寧、孔仲溫：《文字學》，新北市：國立空中大學，1995。

金光一：《《群書治要》研究》，上海：復旦大學中國古代文學博士論文，2010。

耿振東：〈淺談《群書治要》、《通典》、《意林》對《管子》的輯錄〉，《湘南學院學報》第30卷第3期（2009.6），頁25-30。

張湧泉：《漢語俗字研究》，長沙：嶽麓書社，1995。

張湧泉：《敦煌俗字研究・上編》，上海：上海教育出版社，1996。

張蓓蓓：〈略論中古子籍的整理──從嚴可均的工作談起〉，《漢學研究》第32卷第1期（2004.3），頁39-72。

陳克炯：《左傳詳解詞典》，鄭州：中州古籍出版社，2004。

陳東輝、王坤：〈《十三經注疏校勘記》與《七經孟子考文補遺》之關係探微〉，《國學學刊》第1期（2015），頁18-33。

黃　征：《敦煌俗字典》，上海：上海教育出版社，2005。

楊伯峻：《春秋左傳詞典》，臺北：漢京文化事業公司，1987。

楊伯峻：《春秋左傳注》，北京：中華書局，2000。

楊春燕：《《群書治要》保存的散佚諸子文獻研究》，天津：天津師範大學中國古代文學碩士論文，2015。
裘錫圭：《文字學概要》，臺北：萬卷樓圖書公司，1995。
劉佩德：〈《群書治要》、《說郛》所收《鬻子》合校〉，《管子學刊》第4期（2014），頁88-90。
劉復共、李家瑞：《宋元以來俗字譜》，臺北：文海出版社，1978。
潘基銘：〈日藏平安時代九条家本《群書治要》研究〉，《中國文化研究所學報》第67期（2018.7），頁1-40。
蔡忠霖：《敦煌漢文寫卷俗字及其現象》，臺北：文津出版公司，2002。
蔣禮鴻：〈中國俗文字學研究導論〉，《杭州大學學報》第3期（1959），頁129-140。
鞏曰國、張豔麗：〈《群書治要》所見《管子》異文考〉，《管子學刊》第3期（2015），頁12-16、34。
鍾　焓：〈《黃石公三略》西夏譯本注釋來源初探——以與《群書治要》本注釋的比較為中心〉，《寧夏社會科學》總第144期（2007.9），頁90-93。
教育部異體字字典，網址：http://dict.variants.moe.edu.tw/variants/rbt/home.do。

唐見本《孔子家語》面貌考論

——兼論其校勘及輯佚問題

林溢欣

〔香港〕遵理學校中文科導師

摘要

前人學者罕有以一專書所引《家語》作整體研究。今見唐《群書治要》共錄《家語》凡二十二篇，又魏徵領修《治要》，其亦同時參與編撰《隋志》，兩者淵源自有可考。惟前人對《家語》的校勘未為全面，亦未嘗措意於《治要》所引之原文、版本問題，誠為可惜。

本文即以此發端，約有數點：一、略論唐本《治要》所引《家語》面貌。二、校勘今傳本《家語》。今見《治要》鎌倉時代寫本最為近古，此本於一九八九年出版，然學者罕見留意。其書與通行之天明本多有異同，故取之校勘今傳本之訛誤，並以證成卷子本的校勘價值。三、《家語注》明是王肅之作，然因其攻鄭玄之學，又涉嫌造偽，留意者亦在少數。本文據之《治要》，對於輯佚王注，以至董理漢魏人注解之例，亦能有所裨益。

關鍵詞：群書治要、卷子本、孔子家語、校勘

An Investigation into the Tang Version of *Kongzi jia yu* and Issues of Textual Analysis and Document Recovery

Lam Yat Yan

Lecturer, Chinese Language and Literature

Abstract

There is a small body of literature offering a comprehensive examination of *jia yu* 家語 by basing on a specialised study of it. It is observed that the Tang version of *Qunshu zhiyao* 群書治要 contains twenty-two chapters of *jia yu*, and since the editor-in-chief of *zhiyao* was Wei zheng 魏徵, who co-edited *Sui Zhi* 隋志, it is worth examining the connections between the two texts. It is, however, unfortunate that researchers have not undertaken thorough textual analysis of *jia yu*, nor intended to look at issues relating to its quotations from the original or other versions of *jia yu*.

Based on this, here are several objectives of this paper: (1) to sketch out the version of *jia yu* quoted in the Tang version of *zhiyao*; (2) to textually analyse currently circulated versions of *jia yu*. It is observed that the Kamakura manuscript of *zhiyao* owned by the Japanese Imperial Household Agency is the oldest version, which was reproduced and published in 1989. However, it has attracted scant scholarly attention. Since this ancient version of *zhiyao* is largely comparable to the widely circulated Tenmei version, this paper uses that as the basis for a textual analysis of the inaccuracies of the currently circulated versions, which shall prove the value of analysing the manuscript. Thirdly, it is apparent that *Jia yu zhu* 家語注 is Wang su's 王肅 work, but since he critcises the work of Zheng xuan 鄭玄, and has been suspected of forgery, his studies are largely ignored. The versions of *zhiyao* which this paper is based on should help recover Wang's *zhu* and examine examples of annotations made during Han and Wei.

Keywords: Qunshu zhiyao, Kongzi jia yu, manuscript edition, textual analysis

一 前言

唐初對《孔子家語》的看法，可以從《隋書・經籍志》與《群書治要》切入作側面考論。《隋志》於高宗顯慶二年（656）呈上，而《治要》成為貞觀五年（631），並皆由魏徵領撰。考《隋志》於「經部論語類」著錄《家語》，廁於《孔叢》、《孔子正言》之間，其〈小序〉云：

> 《論語》者，孔子弟子所錄……其《孔叢》、《家語》，並孔氏所傳仲尼之旨。[1]

《隋志》視《家語》為孔子意旨的傳承，大抵反映了編撰者對《家語》的態度。林保全《宋以前《孔子家語》流傳考述》亦云：「蓋〈隋志〉若以《家語》為王肅所加，則斷不敢直謂此書是仲尼之旨，而〈隋志〉於此皆未提及並以『仲尼之旨』言之，則當視此書非王肅所增加。」[2]《隋志》於著錄形式上不需涉及經義旨歸，故於王肅是否增加《家語》一事置之不理，亦屬無可厚非。《治要》成書稍前，今觀其卷一至卷十並錄經部典籍，《家語》廁於經部最末，《史記》、《漢書》之前。前於《家語》分別為《孝經》、《論語》，情況與《隋志》相類。魏徵不將其退居子部之中，而恰恰與《隋志》一樣放於經部之末，當非隨意所為。周少文云：「《隋書》為魏徵所編，並去《群書治要》編成未遠，故分類觀點當有所因襲。」[3]關於《治要》引錄《家語》概況，屈直敏、林保全皆曾排列篇名，惜未有深論。下文即以《治要》所錄篇目、卷數問題探討唐見本《家語》流傳梗概。為便於論述，先取《治要》卷十所錄《家語》篇目較之今本，列次如下：[4]

	《治要》	叢刊本		《治要》	叢刊本
1	〈始誅〉	〈始誅〉第二	12	〈六本〉	〈六本〉第十五
2	〈王言〉	〈王言解〉第三	13	〈哀公問政〉	〈哀公問政〉第十七
3	〈大婚〉	〈大婚解〉第四	14	〈顏回〉	〈顏回〉第十八
4	〈問禮〉	〈問短〉第六	15	〈困誓〉	〈困誓〉第二十二
5	〈五儀〉	〈五儀解〉第七	16	〈執轡〉	〈執轡〉第二十五
6	〈致思〉	〈致思〉第八[5]	17	〈五刑〉	〈五刑解〉第三十

1 唐・魏徵等：《隋書》（北京：中華書局，1973），卷32，頁939。

2 林保全：《宋以前《孔子家語》流傳考述》（臺北：花木蘭文化出版社，2009），頁226。

3 周少文：《《群書治要》研究》（臺灣：國立臺北大學古典文獻研究所碩士論文，2007），頁54。

4 《群書治要》所據為東京汲古書院據日本宮內廳書陵部藏手抄本影印本（1989），《孔子家語》所據為叢刊本（《四部叢刊》本）據江南圖書館藏明翻宋刊本影印（1919）。

5 〈致思〉宋蜀本作〈觀思〉。案《治要》及叢刊本是，宋蜀本作〈觀思〉當非。致思猶言集中於思考，文中有「於斯致思」句，正合篇題。

	《治要》	叢刊本		《治要》	叢刊本
7	〈三恕〉	〈三恕〉第九	18	〈政刑〉[6]	〈刑政〉第三十一
8	〈好生〉	〈好生〉第十	19	〈問王〉[7]	〈問玉〉第三十二
9	〈觀周〉	〈觀周〉第十一	20	〈屈節〉	〈屈節解〉第三十三
10	〈賢君〉	〈賢君〉第十三	21	〈正論〉	〈正論解〉第四十一
11	〈辨政〉	〈辨政〉第十四	22	〈子夏問〉	〈曲禮子夏問〉第四十三

準上，可得而論者凡四：

（一）今傳本《家語》篇目總數凡四十四篇，《治要》所錄二十二篇，已佔一半之數。[8]林保全《宋以前《孔子家語》流傳考述》統計《治要》所錄《家語》字數，其結論云：「如〈始誅〉、〈王言〉、〈大婚〉、〈五儀〉、〈觀周〉、〈賢君〉、〈哀公問政〉、〈刑政〉等八篇，所採擷之字數已將近今本各篇一半以上。」[9]林氏僅據天明本《治要》（《四部叢刊》本）統計，未檢卷子本《群書治要》（日藏卷子本），然而實際數字亦相去不遠。是知《治要》所錄《家語》數量頗為可觀。

（二）《治要》引書多有節引，魏徵等人所見，篇幅數量當不止於此。

（三）《隋志》與《治要》並視《家語》為經部附庸，前者視《家語》為《論語》後續，明是採信孔安國〈序〉所言，以《家語》為《論語》分支，故附於其後。又《治要》亦列《家語》於經部，對其多加摘錄，足其魏徵等對《家語》的重視。

（四）考其篇目，《治要》所引大致與傳本相合。然而，傳本《家語》中多有篇目作「某某解」者，例如〈大婚解〉、〈五儀解〉等，《治要》則題〈大婚〉、〈五儀〉，並無「解」字。屈直敏乃謂「《群書治要》卷十引《孔子家語》不僅在篇目有刪節，內容也多有節略。」[10] 據《隋志》著錄「《孔子家語》二十一卷，王肅解」，[11]是「解」字或是王肅自題，以別於無注單傳本。考「解」一體，非只一見。《隋志》「子部兵家」著錄《太公陰謀》，注云梁有三卷，「魏武帝解」。[12]曹操亦漢魏人，其書《通志・藝文略》錄云：「三卷，曹操注。」[13]是「解」、「注」義同。今檢敦煌寫本 S.1891殘卷中題「五

6 駿河版、天明本並作「刑政」，與叢刊本同。駿河版《群書治要》（東京大學東洋文化研究所：漢籍善本全文影象資料庫，網址：http://shanben.ioc.u-tokyo.ac.jp/）；天明本《群書治要》，《續修四庫全書》（上海：上海古籍出版社據宛委別藏日本天明〔1781-1788〕刻本影印，1995。）

7 天明本作「問玉」。

8 霍婉雯云：「《群書治要》本僅有三十餘篇。」非是。霍婉雯：《《孔子家語》及王肅《注》研究》（香港：香港中文大學哲學碩士學位論文，2008），頁4。

9 林保全：《宋以前《孔子家語》流傳考述》，頁243。

10 屈直敏：〈敦煌寫本《孔子家語》校考〉，《敦煌學》第27輯（2008），頁75。

11 唐・魏徵等：《隋書》，卷32，頁937。

12 唐・魏徵等：《隋書》，卷34，頁1012。

13 鄭樵：《通志》（上海：商務印書館，1935），卷68，頁798中。

刑解第卅，孔子家語，王氏注」，此本《敦煌古籍敘錄》定為六朝寫本，足知唐前篇名有題「解」字者。又檢得《春秋左傳正義》兩引《家語·本命篇》，無「解」字；《春秋公羊傳》徐彥疏亦引《家語·政論篇》，無「解」字。疑古本《家語》篇題當從《治要》，無「解」字，自王注後始附，唐代引用則多沿舊題。

二 《家語》唐代面貌概論

自宋代開始，疑經風氣漸盛，王柏《家語考》首謂《家語》為王肅偽造，影響所及，後代學者多從此說。考《家語》真偽問題，其中管鍵在於其卷數、篇目著錄相差甚大。《漢志》著錄二十七卷，《隋志》則為二十一卷，後者為王肅所注本。至若兩《唐志》則錄為王注本《孔子家語》十卷。漢、隋流傳相差六卷，有學者謂「一」或是「七」之誤。[14] 進而論之，《隋志》所錄的二十一卷本與《唐志》的十卷本相差之數更大，力斥《家語》為偽書者每每以此為論據。

且唐顏師古注於《漢志》下注云：「非今所有《家語》。」[15]則《家語》流傳似曾經歷改動。姚際恆《古今偽書考》承顏說並加以發揮。[16]四庫館臣又云：「近世妄庸所刪削。」[17]附議此說者不在少數，例如李傳軍〈《孔子家語》辨疑〉一文，先引上述四庫館臣之語，復云：

「這個論斷基本上是正確的，但如果說對今本《家語》作出刪削是『近世』之所為，則似乎仍有未達之處。因為《舊唐書·經籍志》所載《家語》已是十卷（《新唐書·經籍志》同），所以，刪削《家語》之事，最遲也應該發生在唐宋之際，這是前賢所忽略的地方。其原因大概是晉代以後，王學衰微，學者於其義理未安之處，多有所抉擇去取，因此《家語》的卷數才日益減少，在唐宋時期成為今天的十卷本。」[18]

寧鎮疆於2006年先後發表〈英藏敦煌寫本《孔子家語》的初步研究〉、〈《孔子家語》佚文獻疑及辨正〉兩文，前者據英藏S.1891寫本所引〈五刑解〉末後有「卷十」，而今本〈五刑解〉在卷七，「其實只是分卷方法的不同，並不意味著它們各自包含的篇數有所增減。」[19]後者則據唐時注疏極少《家語》佚文，復云：「可能只是意味著每卷所含篇

14 周洪才：《孔子故里著述考》（濟南：齊魯書社，2004），頁306。楊朝明甚疑，謂：「從音韻和訓詁方面來看它們也不會混誤。」楊朝明主編：《孔子家語通解》（臺北：萬卷樓圖書公司，2005），頁599。

15 漢·班固撰，顏師古注：《漢書》（北京：中華書局，1962），卷30，頁1717。

16 「今世所傳《家語》，又非師古所謂今之《家語》也。」姚際恒：《古今偽書考》，《知不足叢書》（臺北：興中書局，1964），頁11b，總頁6001上。

17 永瑢等撰；紀昀總纂：《四庫全書總目》（北京：中華書局，1981），卷91，頁769下。

18 李傳軍：〈《孔子家語》辨疑〉，《孔子研究》第2期（2004），頁77。

19 寧鎮疆：〈英藏敦煌寫本《孔子家語》的初步研究〉，《故宮博物院院刊》第2期（2006），頁137。

數有異，並不代表今本《家語》存在類似篇目缺失這樣的結構性損傷。」[20]寧氏透過六朝寫本、唐人注疏論證流傳卷數雖異，然而篇目結構則基本無別。事實上，透過考查《治要》所錄《家語》，則更能體現唐時《家語》面貌，並能對卷數問題有一深入了解。今傳本《家語》共十卷，內有四十四篇，每卷所佔篇數不同，如下：

卷一：七篇；卷二：三篇；卷三：四篇；卷四：三篇；卷五：六篇；卷六：四篇；卷七：五篇；卷八：五篇；卷九：四篇；卷十：三篇。

由此可知每卷最少有三篇，多至七篇，分佈不甚平均。而傳本《家語》既與兩《唐志》所錄卷數相合，則唐、宋以後傳本除文字脫落之外，結構基本無別。考唐初《治要》所錄既有二十二篇，較之今本《家語》，已足一半之數。此外，《治要》為大宗下詔官修，編撰嚴謹，引書序次皆據所本依次順序摘鈔。今細看《治要・家語》二十二篇，雖只標明篇目而未題篇數，然而其中序次皆與今本一致，未有出入。

其所錄首篇為〈始誅〉、最末為〈子夏問〉（今本作〈曲禮子夏問〉），對照今本《家語》，〈始誅〉為第二篇，〈子夏問〉為第四十三。兩篇中間，《治要》引凡二十篇，與今傳十卷本相較，則每卷皆有摘錄，例如卷一摘取五篇，卷十摘一篇，無一例外。由此觀之，最大可能是《治要》所見《家語》，與今傳本一致，並足四十四篇之數。值得一提的是，《治要》引錄以有助治國為取捨原則，摘錄與否皆有準繩，是知魏徵等見《家語》的篇幅比《治要》所載為多。

《治要》所錄《家語》約八千五百字，佔《治要》五十卷其中一卷，其量甚多。既知其所見本當為四十四篇本，則其卷數亦可考知。《隋志》據之《隋大業正御書目錄》，呈於高宗顯慶二年（656），成書時間與《治要》相前後，相距不遠。魏徵統領兩書之編撰，所見《家語》亦當於《隋志》所錄一致。關於《隋志》與《治要》所據版本相符的說法，可參考拙文兩篇。[21]然則《治要》所據亦當即二十一卷王肅注本《家語》。

此本卷數雖異於今本，惟篇數同有四十四篇，益證卷數不同只是每卷所佔篇目數量不同，而非流傳過程中有所刪減。前文已述今本每卷所佔篇目不均，可知一卷有多少篇，僅是編輯者據每卷（文字載體）而斟酌，並不代表篇目、內容的增減。又檢得明何孟春注本《家語》，足有四十四篇，然其亦僅止八卷，足為明證。[22]

---

20 寧鎮疆：〈《孔子家語》佚文獻疑及辨正〉，《中國典籍與文化》第4期（2006），頁18。

21 林溢欣：〈《群書治要》引《吳越春秋》探微——兼論今傳《吳越春秋》為皇甫遵本〉，《古籍整理研究學刊》第1期（2019），頁19-23；林溢欣：〈從日本藏卷子本《群書治要》看《三國志》校勘及其版本問題〉，《中國文化研究所學報》第53期（2011），頁193-215。

22 何本篇目如下：

卷數	篇目
卷之一	相魯第一，始誅第二，王言解第三，大婚解第四，儒行解第五

至於顏注「非今所有《家語》」一語，亦不宜據以疑《家語》真偽。考顏師古奉太子李承乾之命註釋《漢書》，時在貞觀十一年（637），成書於貞觀十五年（641）。其所見本《家語》，亦當為四十四篇本，卷數亦極可能同乎《隋志》所錄。所謂「非今所有《家語》」，旨在說明漢本與唐本有異，這種差異可以是卷數分別（《漢志》二十七卷，《隋志》二十一卷），亦可以是注文有別（漢見本無注，隋唐見本有王注）。且清人陳士珂《孔子家語疏證》又云：「夫事必兩證而後是非明。小顏既未見安國舊本，即安知今本之非是乎！」[23]陳說亦足證顏注之不足據。此外，筆者詳細取卷子本、駿河版、天明本較以叢刊本（明覆宋本）、備要本（宋蜀本）兩《家語》，《治要》所錄每字每句皆可與《家語》尋繹比對，《治要》雖稍有節引，且文字偶有異同，但實際文字刊落則為數不多，可知唐見本《家語》內容，除個別訛脫之外，極大可能與今本無甚差異。

三　校勘《家語》例

清人標榜漢學，尤重鄭玄，自宋以來疑古者多斥《家語》為王肅偽造，四庫館臣於何孟春《孔子家語注》下直云：「古本《家語》久佚，今本《家語》撰自王肅，其註亦肅所作。」[24]真偽問題幾成定讞，學者既視之為偽作，因而罕有對是書進行校理。今可計者有盧文弨校何孟春本《家語》、孫詒讓《孔子家語校記》、[25]齊召南校本《家語》等，每家所校條目皆少。此外，前人校理，未見據《治要》作證。樸學大家王念孫校理

卷數	篇目
卷之二	問禮第六，五儀解第七，致思第八，三恕第九，好生第十
卷之三	觀周第十一，弟子行第十二，賢君第十三，辯證第十四，六本第十五
卷之四	辯物第十六，哀公問政第十七，顏回第十八，子路初見第十九，在厄第二十，入官第二十一
卷之五	困誓第二十二，五帝德第二十三，五帝第二十四，執轡第二十五，本命解第二十六
卷之六	論禮第二十七，觀鄉射第二十八，郊問第二十九，五刑解第三十，刑政第三十一，禮運第三十二
卷之七	冠頌解第三十三，廟制解第三十四，辯樂第三十五，問玉第三十六，屈節解第三十七，正論解第三十八
卷之八	子夏問第三十九，子貢問第四十，公西赤問第四十一，本始解第四十二，終記解第四十三，七十二弟子解第四十四

23 陳士珂：〈序〉，《孔子家語疏證》（臺北：臺灣商務印書館，1968）。

24 《四庫全書總目》，卷95，頁800中。

25 孫詒讓著《札迻》十二卷，校釋古籍共七十七種。《孔子家語校記》沒有收入《札迻》，沈文倬云：「可能因創見不多，沒有錄入《札迻》。」雪克輯：《籀廎遺著輯存》（濟南：齊魯書社，1987），頁254。孫氏所據校勘底本為汲古閣本《家語》，勝義紛見，可惜數量甚少。

史、子典籍，常據《治要》立論，而未及《家語》，亦甚可惜。

至於近人所校，有劉殿爵《孔子家語逐字索引》。此書以互見文獻及劉世珩《孔子家語札記》為校勘依據，可惜未及王注。王利器有遺稿《孔子家語疏證》，依其《文子疏證》之例，則此書亦當有校釋，惜仍未見出版。日人校理此書者，計有太宰春臺，宇野精一、藤原正等人。著作雖多，惟絕少有影本普及，校例亦不詳細。西方學者有 R.P. Kramers "*K'ung Tzu Chia Yu*"一書，雖主翻譯，其校記則創見紛陳，可惜僅止於首十篇。

此外，今人注釋此書之作，校語似亦未達至善。例如楊朝明主編《孔子家語通解》一書，學界以為精善，侯乃峰撰文稱其參考了十二種底本，「最大限度地保障了校勘成果的精良」。[26]惟《孔子家語通解》一書參校時明顯過份相信底本（《四部叢刊》影明翻宋本），未有擇善而從，而且未有細檢前人注疏、類書，致使注釋未當。他書如張濤《孔子家語注譯》、羊春秋《新譯孔子家語》等書，亦罕有比對不同版本。林保全總結前人校注成果，云：「反觀與《家語》關係密切之《禮記》、《大戴禮記》、《說苑》、《新序》、《韓詩外傳》等書，皆已有集注、集釋等相關研究成果出現，故《家語》於此項研究上，仍亟待研究者加以開拓。」[27]林說誠是。

本文校勘《家語》所採底本為《四部叢刊》所收黃魯曾刊明覆宋本。寧鎮疆分析宋本《家語》來源，云：「將其〔引者案：即黃氏刊明覆宋本〕與汲古閣刊本比較也是大同小異，甚至有些地方黃本還要優於汲古閣本。孫詒讓曾校汲古閣本，有不少地方明確指出汲古閣本之誤，但我們看在這些地方黃本卻每每不誤，即是黃本價值的絕佳證明。」[28]文中校勘亦兼及其他《家語》版本、唐人注疏及類書，以及與《家語》重見的先秦兩漢典籍。[29]當中校勘皆以《治要》作切入點，[30]採卷子本、駿河版、天明本互校，以得其實。值得一提的是，學者所據多為《四部叢刊》影日本天明本《治要》

---

26 侯乃峰：〈研究普及兩相宜的『預流』之作——楊朝明等《孔子家語通解》書後〉，《管子學刊》第4期（2009），頁128。又王德成云此書：「以商務印書館《四部叢刊》影印明黃魯曾覆宋本為底本，擇善而從，於注中據各本出注。」王德成：〈《孔子家語》研究的里程碑——讀楊朝明主編的《孔子家語通解》〉，《管子學刊》第1期（2007），頁126。

27 林保全：《宋以前《孔子家語》流傳考述》，頁32。又金鎬搜羅不同地區所藏版本，結語云：「因此筆者認為，《家語》一書確實需要校勘工作。」金鎬：〈《孔子家語》版本源流考略〉，《故宮學術季刊》第2期（2002），頁167、頁194。

28 寧鎮疆：〈今傳宋本《孔子家語》源流考略〉，《中國典籍與文化》第71期（2009），頁8。

29 王承略〈論《孔子家語》的真偽及其文獻價值〉舉多例以證《家語》的文獻價值，其云：「他書文字有誤而《家語》或不誤，這就不徒有助校勘而已，其保存正確的史料之功，尤應給予足夠的重視。」王承略：〈論《孔子家語》的真偽及其文獻價值〉，《煙台師範學院學報》第3期（2001），頁18。《家語》既多與先秦兩漢典籍互見，不但可據以校理其他古籍，反過來說，亦可取之他書重出之文校理《家語》。

30 金鎬云：「雖然在《群書治要》中所載的《家語》是節抄本，但仍在校勘方面頗有價值。」金鎬：〈《孔子家語》版本源流考略〉，頁167。為使行文醒目，校勘《治要》的版本一律不復出注。

（1787）而已。考舊藏金澤文庫的卷子本《治要》抄於鎌倉時代（1192-1333），洵《治要》之舊，最為近古，彌足珍貴。然自一九八九年經日本古典研究會刊出後，二十多年間學術界鮮有論及，其重要性不容忽視。[31]

（一）單項錯誤

1 訛誤例

例一：〈始誅〉

卷子本：夫慢令謹誅，賊也；徵斂無時，暴也；不誡責成，虐也。

駿河版：夫慢令謹誅，賊也；徵斂無時，暴也；不誡責成，虐也。

天明本：夫慢令謹誅，賊也；徵斂無時，暴也；不誡責成，虐也。

家　語：夫慢令謹誅，賊也；徵斂無時，暴也；不試責成，虐也。

案：「不試責成」，「試」當作「誡」，兩字形近而誤。楊朝明《孔子家語通解》釋作「在不經試行便責令成功。」[32]於義雖通，惟當非原貌。考前文云：「上教之不行，罪不在民故也。」[33]意謂當先本諸教化，方能責之於民。故後文又云：「言必教而後刑也。」[34]王德明《孔子家語譯注》云：「不試責成：指不教化百姓而苛求百姓守法。」[35]此乃據諸文意而譯作「教化」，可謂有識。Kramers譯作“warning”[36]，亦通。是知「誡」訓作「教」，正是其義。考《荀子．疆國》云：「發誡布令而敵退」，楊注云：

---

31 「如果我們能夠利用前人不曾利用的古寫本《群書治要》對古籍異文做進一步的研究，必將有許多新的發現。」詳參吳金華：〈略談日本古寫本《群書治要》的文獻學價值〉，載《海峽兩岸古典文獻學學術研討會論文集》（上海：上海古籍出版社，2002），頁88-99。至於不同《治要》的版本關係，可參拙文兩篇：〈從日本藏卷子本《群書治要》看《三國志》校勘及其版本問題〉，《中國文化研究所學報》第53期（2011），頁193-215；〈從《群書治要》看唐初《孫子》版本系統——兼論《孫子》流傳、篇目序次等問題〉，《古籍整理研究學刊》第3期（2011），頁62-68。又本文底稿為2011年碩士論文的章節（全文可於線上查閱），所論距今已有一段時間。近年見復旦大學王文暉教授曾撰文討論《治要》所引《家語》問題，旁及校勘，其中校勘條目可與本文相發明。

32 楊朝明主編：《孔子家語通解》（臺北：萬卷樓圖書公司，2005），頁24。

33 《孔子家語》，卷1，頁6a。

34 《孔子家語》，卷1，頁6b。

35 王德明主編：《孔子家語譯注》（桂林：廣西師範大學出版社，1998），頁16。

36 “Without warning beforehand [yet] to demand the completion {of tasks}, —this means cruelty.” Robert P. Kramers, *K'ung Tzu Chia Yu: the school sayings of Confucius*. (Leidon: E. J. Brill, 1950), pp. 206.又校記謂：but this is probably a sribal error for 誡 ‘to give due warning’, which is the reading preserved in CSCY〔引者案：即《群書治要》的縮寫〕.” K'ung Tzu Chia Yu. pp.268

「誠，教也。」[37]是其例。「不誡責成」意謂未有教化而責令成功，是虐民之政也。《荀子・宥坐》與此文互見，其文云：「不教而責成功，虐也。」[38]是其明證。諸本《治要》、《長短經》並作「不誡責成」，[39]是唐本亦不誤也。

例二：〈王言解〉

卷子本：上好德，則下無隱；上惡貪，則下恥爭；上廉讓，則下知節。

駿河版：上好德，則下無隱；上惡貪，則下恥爭；上廉讓，則下知節。

天明本：上好德，則下無隱；上惡貪，則下恥爭；上廉讓，則下知節。

家　語：上好德，則下不隱；上惡貪，則下恥爭；上廉讓，則下恥節。

案：「上廉讓，則下恥節」句，「恥」字乃涉上句而誤，當作「知」。考上句「上惡貪，則下恥爭」，[40]乃謂在上者厭惡貪婪，百姓亦當恥於爭奪。此句如作「上廉讓，則下恥節」，然則百姓「恥於節用」？王引之《經義述聞》引《家語》此句，小注云：「節字有誤。」[41]王氏深明此句難解，惟其推斷亦誤。楊朝明猶釋作「在上位的人清廉禮讓，百姓也會以不講禮節為恥」，[42]是亦為之曲解。考諸本《治要》引作「則下知節」，意謂百姓懂得節用，其義方通。《長短經》卷三引亦同，[43]是唐本仍不誤也，當據改。

例三：〈大婚解〉

卷子本：夫婦別、父子親、君臣信，三者正，則庶物從之矣。

駿河版：夫婦別、父子親、君臣信，三者正，則庶物從之矣。

天明本：夫婦別、父子親、君臣信，三者正，則庶物從之矣。

家　語：夫婦別、男女親、君臣信，三者正，則庶物從之　。

案：今本作「夫婦別、男女親、君臣信，三者正，則庶物從之」，張濤《孔子家語注譯》云：「此處疑有誤。」[44]楊朝明則據《禮記》、《大戴禮記》云「男女親」當作「父子親」，[45]是也。諸本《治要》引此無誤，今檢之證成楊說。又檢得齊召南校本

---

37 《荀子》，《四部叢刊》（上海：商務印書館據古逸叢書本影印，1919），卷11，頁3b。

38 《荀子》，卷20，頁3b。

39 趙蕤：《長短經》，《叢書集成初編》（長沙：商務印書館，1937），卷1，頁32。

40 《孔子家語》，卷1，8b。

41 王引之：《經義述聞》，《續修四庫全書》（上海：上海古籍出版社華東師範大學圖書館藏清道光7年〔1827〕王氏京師刻本影印，1995），卷11，頁3b，總頁514上。

42 楊朝明主編：《孔子家語通解》，頁31。

43 趙蕤：《長短經》，卷3，頁87。

44 張濤：《孔子家語注譯》（西安：三秦出版社，1998），頁31。又《孔子家語譯注》云：「男女之間要講親情。」《孔子家語譯注》，頁31。甚為牽合。

45 《孔子家語通解》，頁38。

《家語》亦作「父子親」，[46]並是明證。

例四：〈五儀解〉

卷子本：日出聽政，至乎中仄（中，日中也；仄，日昳也）。
駿河版：日出聽政，至乎中昃（中，日中也；昃，日昳也）。
天明本：日出聽政，至乎中昃（中，日中也；昃，日昳也）。
家　語：日出聽政，至于中冥（中，日中　；冥，昳中　）。

案：「日出聽政，至于中冥」句，「冥」當作「昃」。日人宇野精一據卷子本《治要》列出異文，云「『中冥』は、『群書治要』では『中仄』に作る。『中』は正午。『仄』は、日が傾く午後。」[47]考以「中冥」指時辰單位，文獻罕見。[48]且此句與《荀子・哀公篇》互見，其作：「日昃而退」，[49]是也。又《家語》此句下王肅注云：「冥，昳中。」[50]案此「冥」字亦當為「昃」，正文既誤，注文復訛。考「冥」字不解作「昳中」之意。檢鄭玄嘗注云：「日昃，昳中」，[51] 正中此意。諸本《治要》引正文及王注兩字並作「昃」（「仄」通「昃」），是唐本猶不誤之塙證。

例五：〈五儀解〉

卷子本：桑穀生朝，七日大拱。
駿河版：桑穀生朝，七日大拱。
天明本：桑穀生朝，七日大拱。
家　語：桑穀于朝，七日大拱。

案：「桑穀于朝」，義不甚明。宋蜀本《家語》「于」前有「並生也」三字小注，甚怪。楊朝明謂作「桑楮在朝堂上長出」，[52]據諸文意而釋之，是也。考諸本《治要》引此「于」作「生」，於義稍長。下文云：「蚤桑穀野木而不合生朝」，[53]是其證也。「桑穀生朝」乃漢、唐習語，多用以喻天象警示國家。《論衡・感類》臚列天象災害，亦有「桑穀生朝，七日大拱；太戊思政，桑穀消亡」之語。[54]他書如《北史》等史籍，亦多

---

46 齊召南批改：《孔子家語》（杭州：華寶齋古籍書社據康熙間曲阜孔氏刻本，2009），卷上，頁8b。
47 宇野精一著，古橋紀宏編：《孔子家語》（東京：明治書院，2004），頁33。
48 《孔子家語注譯》云：「中冥：午後。」張濤：《孔子家語注譯》，頁59。未詳何據。
49 《荀子》，卷20，頁21b。
50 《孔子家語》，卷1，頁25b。
51 王與之：《周禮訂義》（臺北：大通書局，1969），卷23，頁12a，總頁15952下。
52 《孔子家語通解》，頁78。
53 《孔子家語》，卷1，頁28a。
54 《論衡》，《四部叢刊》（上海：商務印書館據上海涵芬樓藏明通津草堂本影印，1919），卷18，頁11b。

用此語，足以為塙證。《太平御覽．木部》、《事類賦注．木部》引亦作「桑穀生朝」，[55]並是其證。

例六：〈觀周〉

卷子本：人皆或惑，我獨不徙（惑或，東西轉移之貌）。

駿河版：人皆惑　，我獨不徙（惑　，東西轉移之貌）。

天明本：人皆惑惑，我獨不徙（惑惑，東西轉移之貌）。

家　語：人皆或之，我獨不徙（或之，東西轉移之貌）。

案：「人皆或之」句，下注云：「或之，東西轉移之貌」。「或之」不詞，楊朝明釋作「到某處去」，[56]乃據王注反推此義，未有他證。張濤釋作「迷惑」，[57]亦與正文、王注不合。考《說苑．敬慎》與此文互見，其作「眾人惑惑」，[58]當據改。古書重文多以「=」表示，其形與「之」相近，傳鈔遂訛作「之」。正文既誤，其注復訛。考天明本作「惑惑」，卷子本作「或惑」（或，古「惑」字），並是其證。又檢得賈生〈鵩鳥賦〉有「眾人惑惑」一語，裴駰《史記集解》引李奇之說云：「或或，東西也。」[59]與王肅注「東西轉移之貌」可互相發明，是知其所訓與李氏相類而有所發揮，足為塙證。注文既作「或或」，則正文亦作「或或」無疑也。又案「惑惑」既訓作「東西」，則字當作「或或」，不定之辭也，今本《家語》作「或」字是，惟字當疊。

例七：〈賢君〉：佞臣諂諛，窺導其心，忠士折口，逃罪不言（折口，杜口）。

案：「忠志折口」句，王肅注云「折口，杜口。」竊疑兩「折」字當作「鉗」。「鉗」、或作「拑」，「折」、「拑」形近而訛。考「折口」一詞罕見，且解「折」作「杜」，亦僅此一例。考諸本《治要》引《家語》正文及注並作「鉗口」，是也。「鉗口」或作「拑口」，兩漢文獻習用此語。檢《荀子．解蔽》「案彊鉗而利口」句，楊倞注云：「鉗，鉗人口也。」[60] 是即箝制人口之意，與王注「杜口」之意同，足為明證。

例八：〈六本〉

卷子本：生財有時矣，而力為本。置本不固，無務豐末。

---

55 吳淑撰注；冀勤、王秀梅、馬蓉校點：《事類賦注》（北京：中華書局，1989），卷25，頁504。

56 《孔子家語通解》，頁136。

57 《孔子家語注譯》，頁128。

58 《說苑》，《四部叢刊》（上海：商務印書館據平湖葛氏傳樸堂藏明鈔本影印，1919），卷10，頁17a。

59 司馬遷撰：《史記》（北京：中華書局，1963），卷84，頁2502。

60 《荀子》，卷15，頁17b。

駿河版：生財有時矣，而力為本。置本不固，無務農桑。

天明本：生財有時矣，而力為本。置本不固，無務豐末。

家　語：生財有時矣，而力為本。置本不固，無務農桑。

案：劉世珩《孔子家語札記》云當作「豐末」，「末」與「本」對，「蓋以字形相近致誤。」[61]劉說極是。《說苑・建本》與此文互見，作「無務豐末」。[62]《墨子・脩身》亦有「無務豐末」一語。[63]考卷子本、天明本《治要》引《家語》同，[64]並是其證。齊召南校本《家語》亦作「豐末」，是其明證。[65]

例九：〈刑政〉：悉其聰明，正其忠愛以盡之。

案：「正其忠愛」當作「致其忠愛」。「正」字涉下句「正刑明辟以察獄」句而衍。此文「悉其聰明，致其忠愛，以盡之」，「悉」、「致」並有「盡」之意，「致」者，《後漢書・荀爽傳》：「人未有自致者」，李賢注云：「致，猶盡也。」；[66]「悉」者，《漢書・元帝紀》云：「各悉意對」，顏注云：「悉，盡也。」[67]正與「以盡之」句合，此其證。「致」之用例，亦可與〈屈節解〉「致忠信，百姓化之」句互參。[68]又《禮記・王制》與此互見，亦作「致其忠愛」，[69]是也。齊校正作「致其忠愛」，極是，惟齊召南校改作「正」，實考之未詳。[70]《新譯孔子家語》注作「正，純一」，[71]然其又譯全句作「竭盡自己的聰明和忠誠仁愛之心以全部掌握它的情況。」[72]則亦以「竭盡」串講文意。諸本《治要》並作「致」，是唐本猶不誤。

2 脫文例：

例一：〈始誅〉：曩告余曰：國家必先以孝。

案：此文作「國家必先以孝」，《荀子・宥坐》作「為國家必以孝」，[73]於義較長。

---

61 劉世珩：《孔子家語札記》，載《影宋蜀本孔子家語》（臺北：臺灣中華書局，1968），頁6b。

62 《說苑》，《四部叢刊》卷3，頁2a。

63 《墨子》，《四部備要》（上海：中華書局據鎮洋畢氏靈巖山館校本校刊，1936），卷1，頁3a。

64 卷子本「末」字難辨，惟作「豐」字無可疑。

65 齊召南批改：《孔子家語》，卷上，頁30b。

66 范曄撰，李賢注：《後漢書》（北京：中華書局，1962），卷62，頁2051-52。

67 《漢書》，卷9，頁290。

68 《孔子家語》，卷8，頁18b。

69 《十三經注疏》整理委員會整理：《禮記正義》（北京：北京大學出版社，2000），卷13，頁481下。

70 齊校本《家語》，卷下，頁17a。

71 羊春秋注釋，周鳳五校閱：《新譯孔子家語》（臺北：三民書局，1996），頁425。

72 《新譯孔子家語》，頁426。

73 《荀子》，卷20，頁3b。

諸本《治要》引此作「為國家者，必先以孝」，意思與《荀子》同，則原文似有「為」字為是。[74] Kramers 譯作"in governing the state and families, always go by filial piety first."[75]於文始通。《太平御覽．刑法部》引《家語》作「為國家必先以孝」，[76]並是明證。考得齊校本亦有「為」字，[77]是傳本亦有不脫，足為塙證。

例二：〈王言解〉

卷子本：其禮可守，其言可復，其跡可履。其於信也，如四時；

駿河版：其禮可守，其言可覆，其跡可履。其於信也，如四時；

天明本：其禮可守，其言可覆，其跡可履。其於信也，如四時；

家　語：其禮可守，其言可覆，其跡可履。

卷子本：其博有萬民也，如飢而食，如渴而飲。

駿河版：其博有萬民也，如飢而食，如渴而飲。

天明本：其博有萬民也，如饑而食，如渴而飲。

家　語：　　　　　　　如飢而食，如渴而飲。

案：今本脫「其於信也如四時其博有萬民也」凡十三字，當據補。諸本《治要》引不缺。又此文與《大戴禮記．主言》互見，其文作：「其於信也，如四時春秋冬夏，其博有萬民也」，[78]多十七字。《治要》較之《大戴禮記》無「春秋冬夏」四字，惟其義同。又《長短經》卷三亦有「其於信也，如四時」七字。[79]檢王樹枏《校正孔氏大戴禮記補注》疑《大戴禮記》所引「春秋冬夏」或是注文誤入正文，[80]是也。

例三：〈王言解〉

卷子本：故曰：所謂天下之至仁者，能合天下之至親者也；

駿河版：故曰：所謂天下之至仁者，能合天下之至親者也；

---

74 張濤《孔子家語注譯》雖據叢刊本，惟其亦知此句難譯，故增「治理」一詞於句前，譯文：「治要國家一定要把孝道放在首位」。《孔子家語注譯》，頁17。又《孔子家語譯注》亦添「治理」兩字。《孔子家語譯注》，頁16。

75 K'ung Tzu Chia Yu. pp.206.

76 李昉等：《太平御覽》（北京：中華書局，1960），卷653，頁6b，總頁2914下。

77 齊校本《家語》，卷上，頁4b。

78 《大戴禮記》，《四部叢刊》（上海：商務印書館據無錫孫氏小淥天藏明吳郡袁氏嘉趣堂刊本影印，1919），卷1，頁3b。

79 趙蕤：《長短經》，卷3，頁88。

80 王樹枏：《校正孔氏大戴禮記補注》，《續修四庫全書》（上海：上海古籍出版社據清光緒9年〔1883〕陶廬叢刻本影，1995），卷1，頁3b，總頁4上。

天明本：故曰：所謂天下之至仁者，能合天下之至親者也；
家　語：故曰：所謂天下之至仁者，能合天下之至親者也；
卷子本：所謂天下之至智者，能用天下之至和；所謂天下之至明者，
駿河版：所謂天下之至智者，能用天下之至和；所謂天下之至明者，
天明本：所謂天下之至智者，能用天下之至和；所謂天下之至明者，
家　語：　　　　　　　　　　　　　　　　；所謂天下之至明者，

卷子本：能舉天下之至賢　　。此三者咸通〔……〕
駿河版：能舉天下之至賢　　。此三者咸通〔……〕
天明本：能舉天下之至賢　　。此三者咸通〔……〕
家　語：能舉天下之至賢者也。此三者咸通〔……〕

案：今本脫「所謂天下之至智者，能用天下之至和」凡十五字。此段每句排比敘列，井然有序，故後文云：「此三者咸通」。所謂「三者」，今本止有二，知其當有脫文。又《大戴禮記‧主言》此文作：「所謂天下之至知者，能用天下之至和者也」，[81]句義完備，足為參證。諸本《治要》引有此十五字，當據補。《長短經》卷三注引同乎《治要》。[82]

例四：〈大婚解〉：出以治直言之禮，以立上下之敬。

案：「以立上下之敬」句前當有「足」字。考前文云：「內以治宗廟之禮，足以配天地之神」，[83]句法與此一律，則此當有「足」字。且《禮記‧哀公問》、《大戴禮記‧哀公問於孔子》與此段文字互見，亦作「足以立上下之敬」，[84]是其證。考諸本《治要》引《家語》亦有「足」字，是唐本猶不缺，當據。且宋蜀本亦有「足」字，[85]可從。

例五：〈五儀解〉

卷子本：馬服而後求良焉，士必愨信而後求智能　焉。
駿河版：馬服而後求良焉，士必愨而信後求智能　焉。
天明本：馬服而後求良焉，士必愨　　後求智能　焉。
家　語：馬服而後求良焉，士必愨　而後求智能者焉。

案：「士必愨而後求智能者焉」句，「愨」後當有信字。天明本後出且有回改，不可

---

81 《大戴禮記》，卷1，頁4b。
82 趙蕤：《長短經》，卷3，頁88。
83 《孔子家語》，卷1，頁13a。
84 《禮記正義》，卷50，頁1607上；《大戴禮記》，卷1，頁9b。
85 宋蜀本《家語》，卷1，頁13a。

從。檢卷子本、駿河版並有「愨信」二字，是其明證也。且檢《臣軌》引此亦有「信」字，[86]知唐見本並不脫也。此句下王肅注云：「雖性愨信，不能為大惡，不愨信而有智，然後乃可畏也。」[87]亦足推論正文脫「信」字。

例六：〈致思〉

卷子本：　稟焉如以腐索御扞馬（稟稟焉，誡懼之貌；扞　，突之馬也）。

駿河版：懍懍焉如以腐索御扞馬（懍懍焉，誡懼之貌；扞馬，突　馬也）。

天明本：懍懍焉如以腐索御扞馬（懍懍焉，誡懼之貌；扞馬，突　馬也）。

家　語：懍懍焉若持腐索之扞馬（懍懍　，戒懼之貌；扞馬，突　馬　）。

案：「懍懍焉若持腐索之扞馬」句，日人太宰春臺云：「『若持』以下七字不成語，恐有脫誤。」[88]楊朝明不以為誤，釋作：「扞，御。扞馬，王肅注：『扞馬，突馬。』」[89]考楊說先訓「扞」為「御」，又引王注「突馬」以釋「扞馬」，則「扞」字究當作何解？「扞」前當有「御」字，太宰春臺疑有脫字，極是。《說苑・政理》載此事作「以腐索御奔馬」，[90]亦有「御」字。《古文尚書・五子之歌》又云：「懍乎若朽索之馭六馬」，[91]並是其例。《太平御覽・工藝部》有「御」一類，下引《家語》此句，作「御」字，《雜物部》並同，[92]是知宋初見本或有未誤之本。

例七：〈賢君〉

卷子本：又有士曰王林國者，見賢必進之，而退與分其祿。

駿河版：又有士曰王林國者，見賢必進之，而退與分其祿。

天明本：又有士曰王林國者，見賢必進之，而退與分其祿。

家　語：又有士　　林國者，見賢必進之，而退與分其祿。

案：「又有士林國者」句，脫「曰王」兩字。宋蜀本有「曰」字，亦脫「王」字。此士姓王，名林國，《說苑・尊賢》作「又有士曰王林國」，[93]是也。諸本《治要》亦不誤，今人不細考他書重出之文，竟以為此人叫林國，斯亦誤也。[94]黃宗魯《說苑校證》

---

86 武則天撰：《臣軌》（揚州：江蘇廣陵古籍刻印社，1992），卷下，頁81。

87 《孔子家語》，卷2，頁26a。

88 太宰春臺：《孔子家語》（江都：嵩山房，1742），卷2，頁12b。

89 《孔子家語通解》，頁101。《孔子家語譯注》亦注：「扞馬：駕馭馬。」《孔子家語譯注》，頁90。

90 《說苑》，卷7，頁3b。

91 《十三經注疏》整理委員會整理：《尚書正義》（北京：北京大學出版社，2000），卷7，頁212下。

92 《太平御覽》，卷746，頁4a，總頁3312下；卷766，頁8b，總頁3401下。

93 《說苑》，卷8，頁16b。

94 楊朝明《孔子家語通解》云：「又有個叫林國的人〔……〕林國又將自己〔……〕」《孔子家語通解》，頁159。《孔子家語注譯》並同。說詳《孔子家語注譯》，頁147；《孔子家語譯注》，頁144。

以「王林」為人名，以國字屬下，欲與下文相對，亦無塙證。[95]考柳宗元〈答貢士元公瑾論仕進書〉有云：「雖王林國、韓長孺復生，不能為足下抗手而進。」[96]則可證有王林國此人，而其必姓「王」無疑。諸本《治要》引此皆有「曰王」兩字，當據補。

例八：〈辨政〉

卷子本：不知為吏者，枉法以侵民，此怨　所由生也。
駿河版：不知為吏者，枉法以侵民，此怨　所由生也。
天明本：不知為吏者，枉法以侵民，此怨　所由生也。
家　語：不知為吏者，枉法以侵民，此怨之所由　也。

案：「此怨之所由也」句，宋蜀本亦脫，劉殿爵據《說苑》補「生」字，[97]極是。考諸本《治要》亦有「生」字，是其證。齊校本亦有「生」字，足為明證。[98]

例九：〈哀公問政〉：教以慈睦，而民貴有親；教以敬，而民貴用命。

案：「教以敬」句下，當脫一「長」字。《禮記・祭義》云：「教以敬長，而民貴用命。」[99]是其證。考上文作「教以慈睦，而民貴有親」，此句作「教以敬長，而民貴用命」正與之相對。諸本《治要》引《家語》亦有「長」字，是其明證。

例十：〈執轡〉：無德法而用刑，民必流，國必亡。

案：「無德法而用刑」，末句脫一「辟」字。考上文云：「棄其德法，專用刑辟」，[100]是其證。且上句作「無銜勒而用箠策」，[101]與此句「無德法而用刑辟」相對為文。諸本《治要》亦作「刑辟」，《繹史》卷九十五引亦有「辟」字，[102]並是其證。

例十一：〈正論〉

卷子本：不錯則隨（錯，鴈行也，父黨隨行，兄黨鴈行　），
駿河版：不錯則隨（錯，鴈行也，父黨隨行，兄黨鴈行　），
天明本：不錯則隨（錯，鴈行也，父黨隨行，兄黨鴈行　），
家　語：不錯則隨（錯，鴈行　，父黨隨行，兄黨鴈行也），

---

95 向宗魯：《說苑校證》（北京：中華書局，1987），頁192。
96 董誥輯：《全唐文》（臺南：經緯書局，1965），卷575，頁16a，總頁7384下。
97 劉殿爵、陳方正主編：《孔子家語逐字索引》（香港：商務印書館，1992），頁27。
98 齊校本《家語》，卷上，頁29a。
99 《禮記正義》，卷47，頁1541上。
100 《孔子家語》，卷6，頁5a。
101 《孔子家語》，卷6，頁5a。
102 馬驌撰；王利器整理：《繹史》（北京：中華書局，2002），卷95，頁2368。

卷子本：見老者，則車徒避。

駿河版：見老者，則車從避。

天明本：見老者，則車從避。

家　語：

案：卷子本《治要》引有「見老者，則車徒避」，今本《家語》脫。此文《禮記·王制》重見，有「見老者則車徒辟」七字，[103]足為參證。案卷子本作「徒」為是，「徒」指徒步之人也，駿河版、天明本作「從」因形而誤。

3 衍文例

例一：〈五儀解〉：君子入廟如右，登自阼階。

案：「君子入廟如右」句，「子」字涉上句而衍。日人太宰春臺持此說，是也。[104]考下文多次明云「君」之職責，又云「聽政」云云，是特指君主也。《荀子·哀公》無「子」字，[105]是其證。諸本《治要》引亦作「君入廟而右」，是唐本猶未羼入「子」字。又檢得宋蜀本《家語》亦無「子」字，齊校本同，[106]是傳本亦有不誤者，足為憑據。

（二）兩重錯誤

既訛且脫例：

例一：〈大婚解〉

卷子本：孔子遂言曰：「為政而不能愛人，則不能成其身；不能成其身，

駿河版：孔子遂言曰：「為政而不能愛人，則不能成其身；不能成其身，

天明本：孔子遂言曰：「為政而不能愛人，則不能成其身；不能成其身，

家　語：孔子遂言曰：「愛政而不能愛人，則不能成其身；不能成其身，

卷子本：則不能安其土；不能安其土，則不能樂天（不能樂天　道也）；

駿河版：則不能安其土；不能安其土，則不能樂天（不能樂天　道也）；

天明本：則不能安其土；不能安其土，則不能樂天（不能樂天　道也）；

家　語：則不能安其土；不能安其土，則不能樂天（　　　　天，道也）；

---

103 《禮記正義》，卷48，頁1562上。

104 太宰春臺注：《孔子家語》，卷1，頁29a。

105 《荀子》，卷20，頁21b。

106 宋蜀本《家語》，卷1，頁25a；齊校本《家語》卷上，頁14a。

卷子本：不能樂天，則不能成身。」公曰：「敢問何謂成身？」

駿河版：不能樂天，則不能成身。」公曰：「敢問何謂成身？」

天明本：不能樂天，則不能成身。」公曰：「敢問何謂成身？」

家　語：　　　　　　　　　　　　　　公曰：「敢問何能成身？」

案：今本作「愛政而不能愛人，則不能成其身；不能成其身，則不能安其土；不能安其土，則不能樂天」，「成其身」當作「有其身」。「有」當訓作「保」，孫志祖《家語疏證》云：「案二《戴》竝作『不能有其身』，下云『則不能成其身』。此處作『有』為是。」[107]孫說極是，保其身而安其土乃合文義，《禮記》、《大戴禮記》可從。《治要》引此作「成」，是唐本已誤。

又諸本《治要》引「樂天」後尚有兩句，作：「不能樂天，則不能成身。」此當以《治要》所引為是，傳本《家語》脫此九字。考此文遞言人與道之關係，首言「不能有其身」，復接「不能安其土」、「不能樂天」，後云：「不能成身」，井然有序。《大戴禮記・哀公問於孔子》引作「不能樂天，不能成身」，《禮記・哀公問》作：「不能樂天，不能成其身」，[108]其義皆同，皆有此兩句。關於「樂天」始能「成身」一說，清人任啟運《禮記章句》足參，其云：「不能安土，則欲日肆，理日亡，視一切禮法如桎梏，而又安能樂循天理哉？此身之所以必不成也。」[109]是知「樂天」後方達「成身」。且《家語》後文接云：「公曰：『敢問何能成身？』」既明言「何能成身」，則知此當有脫文，當據《治要》補。又檢得宋蜀本作「不能樂天，則不成其身」，[110]句小異而義同，亦為明證。

例二：〈執轡〉

卷子本：凡治國而無德法，則民無所法循；民無所法循，則迷惑矣　。

駿河版：凡治國而無德法，則民無所法修；民無所法修，則迷惑失道。

天明本：凡治國而無德法，則民無所法修；民無所法修，則迷惑失道。

家　語：　治國而無德法，則民無　　脩；民無　　脩，則迷惑失道。

案：「則民無脩，民無脩」句，「修」當作「循」，兩字形近而誤。「循」意謂遵循，故後句云「則迷惑失道」。駿河版、天明本作「修」並誤，卷子本作「循」，是也。考《大戴禮記・盛德》與此文互見，其作：「無所法循」，[111]是其證。又諸本《治要》有「所法」兩字，於義較長，當從之。

---

107 孫志祖：《家語疏證》，《續修四庫全書》（上海：上海古籍出版社據天津圖書館藏清嘉慶刻本影印，1995），卷1，頁5b，總頁196下。

108 《禮記正義》，卷50，頁1611上。

109 任啟運：《禮記章句》，《續修四庫全書》（上海：上海古籍出版社清乾隆刻本影印，1995），卷十之四，頁6a，總頁402上。

110 宋蜀本《家語》，卷1，頁14a。

111 《大戴禮記》，卷8，頁8a。

例三：〈刑政〉

卷子本：析言破律（巧賣法令者也），亂名改作（變易官與物名　）。

駿河版：析言破律（巧賣法令者也），亂名改作（變易官與物名　）。

天明本：析言破律（巧賣法令者也），亂名改作（變易官與物名　）。

家　語：巧言破律（巧賣法令者也），遁名改作（變言　與物名也）。

案：「遁名改作」句下，王注云：「變言與物名也。」遁、循古通，臧琳《經義雜記》云：「謂隱遁名物也。」[112]「改作」即擅改、妄作之意，考此文《禮記・王制》作「亂名改作」，鄭注云：「變易官與物之名。」[113]今本《家語》王注作「變言與物名也」，與正文不類，於義扞格。楊朝明《孔子家語通解》乃謂王肅誤注。[114]王氏經學大儒，當不致誤注，此句本亦當作「變易官與物名」，與鄭注同。「官」、「言」形近，脫落而成「言」字，又脫「易」字，以成「變言與物名也」。考上句「巧言破律」又見於《禮記・王制》，《家語》「巧」作「析」，然王、鄭並注作「巧賣法令者也。」[115]兩人所訓亦同。且諸本《治要》引《家語》作「變易與物名也」，足為明證。

綜上多例，可知《治要》所錄《家語》之文甚多，足為校勘的根據。中、港、臺學者對此未見留意，日人如宇野精一雖採卷子本《治要》作參照，然僅引出異文，不下案語，亦甚為可惜。此外，《治要》與傳本《家語》亦有其意並通、文字迥異之處，此等異文亦可助詞義訓詁、文字學、版本學等方面的研究。舉例而言，〈始誅〉云：「又從而制之，故刑彌繁而盜不勝也。」[116]考駿河版、天明本《治要》並作「盜」，[117]同乎今本《孔子家語》。惟卷子本《治要》作「衺」。[118]案「衺」、「衺」形近，「衺」者，與「邪」通。此例甚多，例如《周禮・天官》「禁其奇衺」句，《釋文》云：「衺，本亦作邪」。[119]又細考《淮南子》作「邪」字者，《文子》每每作「衺」，此證二也。《荀子・宥坐》與此文互見，正作「是以刑彌繁而邪不勝」。[120]據此則雖於文皆通，然作「邪」者語義較長。又如〈五刑〉：「凡治君子以禮義御其心，所以屬之以廉恥之節也」句，[121]《孔子

---

112 臧琳：《經義雜記》，《續修四庫全書》（上海：上海古籍出版社所據上海辭書出版社圖書館藏清嘉慶4年〔1799〕臧氏拜經堂刻本影印，1995），卷16，頁16b-17a，總頁160。

113 《禮記正義》，卷13，頁482上。

114 《孔子家語通解》，頁364。

115 《禮記正義》，卷13，頁482上。

116 《孔子家語》，卷1，頁7a。

117 駿河版《治要》，卷10，頁307a；天明本《治要》，卷10，頁2b，總頁121上。

118 卷子本《治要》，卷10，頁595。

119 《十三經注疏》整理委員會整理：《周禮注疏》（北京：北京大學出版社，1999），卷7，頁211下。

120 《荀子》，卷20，頁4b。

121 《孔子家語》，卷7，頁8b。

家語扎記》云：「陸校本『屬』作『厲』，當從。」[122]未詳何據。卷子本、天明本作「厲」，駿河版作「屬」，[123]未知孰是。

本文據諸《治要》，參以他證，詳舉顯例如上，冀能略正《家語》訛誤，並引起學界對校釋此書的重視。其他方面的研究工作，則猶待學界補足。

四　王肅佚注輯證

歷代著錄《家語》的卷帙數目不同，其中全書內容是否曾遭刪削，學者多有討論。寧鎮疆云：「我們認為相對於《家語》本文，今本《家語》佚失更多的其實是王肅的注。」[124]寧氏透過比較《史記》與《家語》互見之文，檢出《集解》、《索隱》所引王肅之語而不見於今本《家語》者，而論定為《家語》佚注。然而，這種推論方式實有漏洞，其自云：

> 今之《家語》內容有很多又見於《左傳》、《禮記》等書，而王肅作為一代經學宗師對很多典籍又多有注訓，因此《集解》、《索隱》所引的「王肅曰……」，從嚴格的意義上講，也存在是其它典籍注文的可能。[125]

事實上，《家語》歷經傳鈔流傳，文句自有脫落。清人孫志祖輯《家語逸文》，數量僅有三條，所輯既有錯誤，[126]而且亦未見輯錄王肅佚注。學者於此亦未見措意。考之敦煌寫本，則可證今本《家語》與唐前所見王注稍有異同。今所見敦煌寫本共二，編號是S.1891和Дχ10464，分別藏於英國倫敦博物院圖書館和俄羅斯科學院東方研究所聖彼得堡分所。前者引錄〈效問〉、〈五刑解〉，有王肅注；後者引〈賢君〉、〈辨政〉，無注文。

考S.1891寫本抄錄《家語．郊問》王注云：「掃也，清路，以新土覆故土上也。蹕止，無複行也。」今本《家語》則作：「汜，遍也。清路以新土，無複行之。」比較之下，知今本雖多「汜，遍也」三字，然脫「覆故土上也。蹕止」共七字。屈直敏〈敦煌寫本《孔子家語》校考〉據此例云：「由此可見，唐宋時人抄刻古籍，不但改經文，而且改注語。」[127]案屈說改注文並不符合事實，真正的情況是寫本有脫文，今本所脫則更多。而其主因當是歷經傳鈔脫落所致，寫本較為近古，所以脫文情況未算嚴重。可惜S.1891寫本僅存七十三行，當中王注寥寥可數，未能有效作輯佚工作。

---

122 《孔子家語札記》，頁14a。

123 卷子本《治要》，卷10，頁650；駿河版《治要》，卷10，頁25a，總頁132下；駿河版《治要》，卷10，頁334a。

124 寧鎮疆：〈《孔子家語》佚文獻疑及辨正〉，頁18。

125 寧鎮疆：〈《孔子家語》佚文獻疑及辨正〉，頁18。

126 可參寧鎮疆：〈《孔子家語》佚文獻疑及辨正〉，頁14-19。

127 屈直敏：〈敦煌寫本《孔子家語》校考〉，《敦煌學》第27輯（2008），頁68。

《治要》編成於唐貞觀五年（631），年代既早，而且引錄《家語》共二十二篇，字數逾八千，當中不乏王注。筆者取諸不同版本《治要》與傳本《家語》作詳細比對，可輯王肅佚注共八條，列次如下：

（一）〈五儀解〉：「不慤而多能，譬之豺狼，不可邇也」，注云：「言人無智能者，雖不慤信；不能為大惡也，不慤信而有智能者，然後乃可畏也。」諸本《治要》引此句並王注，於「言人無智能者」句前，有「邇，近也。」三字，當是王肅佚注。

（二）〈三恕〉云：「士能明於三恕之本，則可謂端身矣。」楊朝明《孔子家語通解》引《廣雅》云：「端，正也。」[128]楊氏未考《治要》，故引《廣雅》解釋端字。檢諸本《治要》下正有注云：「端，正也。」當是王肅佚注，當據補。

（三）〈觀周〉云：「孔子觀於明堂，覩四門墉。」諸本《治要》引「墉」下有注云：「墉，牆。」，當是王肅佚注。

（四）〈哀公問政〉：「嘉善而矜不能，所以綏遠人也。」句下無注。考諸本《治要》引有「綏，安也」三字，當是王肅佚注。

（五）〈哀公問政〉云：「事前定則不困，行前定則不疚。」諸本《治要》引此句下有「疚，病」，當是王肅佚注。

（六）〈困誓〉「汝置屍牖下，於我畢矣」句下，下注云：「禮，餅含於牖下，小斂於戶內，大斂於阼，殯於客位也。」諸本《治要》引作「畢，猶足也，禮，殯於客位。」此句「禮，殯於客位。」以解釋「汝置屍牖下」，明顯是節引王注。「畢，猶足也」則當是佚注，今本脫落。

（七）〈執轡〉云：「故口無聲而馬應轡，策不舉而極千里」，諸本《治要》引此句下有「極，至也」三字，當是王肅佚注。

（八）《家語・正論》「不錯則隨」句後脫「見老者，則車徒避」，說詳脫文例第十一。《治要》「見老者，則車徒避」句下有注云：「見老者在道，車與步皆避之也。」乃王肅佚注。此文與《禮記・祭義》重見，鄭注亦云：「車、徒辟，乘車、步行，皆辟老人也。」[129]足以參照。

仔細分析上舉八條佚注，除最末一條之外，或是以「A，B」的句式出現，如例四「墉，牆」；或是以「A，B 也」的句式，如例五「綏，安也」，或是以「A，猶 B 也」的句式，如例六「畢，猶足也」。可知這些佚文都偏重於訓詁釋詞，乃漢人訓釋字詞常用的句法。大致而言，這些疏解都是容易理解而且重要性不大，例如例三「端，正也」，即或不出注，亦不會對理解文義造成困難，此當是後來逐漸脫落的主要原因。

---

128 《孔子家語通解》，頁105。

129 《禮記正義》，卷48，頁1562上。

五　結論

（一）前人對《家語》卷數遞減曾有不少討論，以為是書曾遭刪削。但據《治要》所引首有〈始誅〉，未有〈曲禮子夏問〉的情況看來，唐初見本雖只是二十一卷本（《隋志》所錄本），但篇數仍與今傳十卷本同有四十四篇。而且《治要》所錄字句皆可與今傳本對應，十卷本《家語》未有嚴重的脫文情況，則篇目、內容刪削一說，仍有重商的必要。

（二）前人校勘《家語》者可謂少數。較之其他經、子著作，《家語》的校勘整理工作亦遠遠不及，究其原因，則因學者多疑《家語》為王肅偽造。1973年河北定州八角廊漢墓《儒家者言》竹簡出土，後又有阜陽雙古堆簡牘、《上海博物館藏戰國楚竹書》等《家語》相關材料陸續發表，已從根本上推翻王肅造書之說。近年學界對《家語》日益重視，因此，最基礎的校釋工作實是刻不容緩。今日所見，前人著作多側重於對校法，取不同版本《家語》互校，如劉世衍、劉殿爵等，[130]並有創獲。筆者在前人的基礎之下，取唐初《治要》重作校釋，所得近三十例，冀能有助回復《家語》原貌，亦以證明《治要》的校勘價值。

（三）王肅攻鄭玄之學，又涉嫌造偽顯明己說，後代學者多因人廢書。《家語注》明是王肅之作，留意者亦在少數。相較而言，與王肅同時的何晏，後人對其的研究著作則頗為可觀。事實上，自漢而訓詁明物之學大盛，三國魏王肅既為經學大家，又通小學，所注所議足可窺見其學風。本文據之《治要》，輯得《家語注》佚文八條，對於了解王注，以至漢魏人注解之例，當不無裨益。

130 金鎬稱劉殿爵《孔子家語逐字索引》一書是現階段關於校勘的較完整作品，「不過，從其校勘時所使用的文獻來看，我們不難看出此本亦難免有不足的地方……但是其中亦有所缺的對校版本，例子……『群書治要本』」。金鎬：〈《孔子家語》版本源流考略〉，頁195。

徵引文獻

一　原典文獻

《荀子》，《四部叢刊》，上海：商務印書館據古逸叢書本影印，1919。

《論衡》，《四部叢刊》，上海：商務印書館據上海涵芬樓藏明通津草堂本影印，1919。

《孔子家語》，《四部叢刊》據江南圖書館藏明翻宋刊本影印，上海：商務印書館，1919。

漢．班　固撰，顏師古注：《漢書》，北京：中華書局，1962。

南朝宋．范　曄撰，唐．李賢注：《後漢書》，北京：中華書局，1962。

南朝梁．蕭　統撰，唐．李善注：《文選》，北京：中華書局，1974。

唐．武則天撰：《臣軌》，揚州：江蘇廣陵古籍刻印社，1992。

唐．趙　蕤：《長短經》，《叢書集成初編》，長沙：商務印書館，1937。

唐．魏　徵等：《隋書》，北京：中華書局，1973。

宋．吳　淑撰注，冀勤、王秀梅、馬蓉校點：《事類賦注》，北京：中華書局，1989。

宋．李　昉等編：《太平御覽》，北京：中華書局，1960。

清．王引之：《經義述聞》，《續修四庫全書》，上海：上海古籍出版社華東師範大學圖書光緒9年（1883）陶廬叢刻本影，1995。

清．王樹枏：《校正孔氏大戴禮記補注》，《續修四庫全書》，上海：上海古籍出版社據清

清．永　瑢等撰，紀昀總纂：《四庫全書總目》，北京：中華書局，1981。

清．姚際恒：《古今偽書考》，《知不足叢書》，臺北：興中書局，1964。

清．孫詒讓，雪克輯：《籀廎遺著輯存》，濟南：齊魯書社，1987。

清．馬　驌撰，王利器整理：《繹史》，北京：中華書局，2002。

清．陳士珂：《孔子家語疏證》，臺北：臺灣商務印書館，1968。

清．董　誥輯：《全唐文》，臺南：經緯書局，1965。

清．劉世珩：《孔子家語札記》，載《影宋蜀本孔子家語》，臺北：臺灣中華書局，1968。

王德明主編：《孔子家語譯注》，桂林：廣西師範大學出版社，1998。

向宗魯：《說苑校證》，北京：中華書局，1987。

羊春秋注釋，周鳳五校閱：《新譯孔子家語》，臺北：三民書局，1996。

周洪才：《孔子故里著述考》，濟南：齊魯書社，2004。

林保全：《宋以前《孔子家語》流傳考述》，臺北：花木蘭文化出版社，2009。

張　濤：《孔子家語注譯》，西安：三秦出版社，1998。

楊朝明主編：《孔子家語通解》，臺北：萬卷樓圖書公司，2005。

齊召南批改：《孔子家語》，杭州：華寶齋古籍書社據康熙間曲阜孔氏刻本，2009。

劉殿爵、陳方正主編：《孔子家語逐字索引》，香港：商務印書館，1992。

日・太宰春臺增註：《孔子家語》，江都：嵩山房，1742。

日・尾崎康、日・小林芳規解題：卷子本《群書治要》，東京：汲古書院據日本宮內廳陵部藏手抄本影印本，1989。

日・宇野精一著；古橋紀宏編：《孔子家語》，東京：明治書院，2004。

Kramers, Robert P, *K'ung Tzu Chia Yu: the school sayings of Confucius*. Leidon: E.J. Brill, 1950.

平安時代手抄本《治要》卷26、卷33，東京：東京國立博物館收藏。

天明本《群書治要》，《續修四庫全書》，上海：上海古籍出版社據宛委別藏日本天明（1781-1788）刻本影印，1995年。

駿河版《群書治要》東京大學東洋文化研究所，漢籍善本全文影象資料庫，網址 http://shanben.ioc.u-tokyo.ac.jp/

二　近人論著

王文暉：〈從古寫本《群書治要》看通行本《孔子家語》存在的問題〉，《中國典籍與文化》第4期（2018），頁113-119。

王承略：〈論《孔子家語》的真偽及其文獻價值〉，《煙台師範學院學報》第3期（2001），頁14-18。

金　鎬：〈《孔子家語》版本源流考略〉，《故宮學術季刊》第2期（2002），頁165-201。

屈直敏：〈敦煌寫本《孔子家語》校考〉，《敦煌學》第27輯（2008），頁63-75。

侯乃峰：〈研究普及兩相宜的『預流』之作——楊朝明等《孔子家語通解》書後〉，《管子學刊》第4期（2009），頁126-128。

寧鎮疆：〈英藏敦煌寫本《孔子家語》的初步研究〉，《故宮博物院院刊》第2期（2006），頁135-140。

寧鎮疆：〈《孔子家語》佚文獻疑及辨正〉，《中國典籍與文化》第4期（2006），頁14-19。

寧鎮疆：〈今傳宋本《孔子家語》源流考略〉，《中國典籍與文化》第71期（2009），頁4-9。

霍婉雯：《《孔子家語》及王肅《注》研究》，香港：香港中文大學哲學碩士學位論文，2008。

《群書治要》所錄《漢書》及其注解研究

——兼論其所據《漢書》注本[*][**]

潘銘基

〔香港〕香港中文大學中國語言及文學系副教授

摘要

魏徵等所編《群書治要》五十卷，遍引經、史、子三部典籍，以治要為目的，用意乃在「昭德塞違，勸善懲惡」，希望君主可以史為鑒，從典籍所載治國之要道以見有國者之所為與不為。其中引用《漢書》最夥，計及8卷。今《群書治要》各本實存47卷，有3卷佚失，其中兩卷即為《漢書》之文。因此，《治要》實存6卷《漢書》之文。

《漢書》自書成以後，「當世甚重其書，學者莫不諷誦焉」。然《後漢書．班昭傳》云：「時《漢書》始出，多未能通者。同郡馬融伏於閣下，從昭受讀。」馬融已是當時重要經師，卻無師不能自通《漢書》。另一方面，《漢書》注釋者亦眾。就《漢書．敘例》所見，唐前《漢書》重要注解約有數家，然而師古注出以後，因其精深獨到而大盛，他家注解漸微。

清人趙翼以為六朝至唐初有三大顯學，《漢書》即其一；《群書治要》引用《漢書》篇幅極多，便是明證。此外，《治要》成書在顏師古注解《漢書》以前，則其所採注釋必為師古以前舊注。另一方面，敦煌吐魯番地區所見《漢書》寫本，亦有與顏注本不盡相同者。本篇之撰，以《治要》所引《漢書》及其注釋為本，輔以其他唐寫本《漢書》，探析當時所見《漢書》之貌，並據以勘正今本《漢書》，以及此討論《治要》所採之《漢書》注本。

關鍵詞：群書治要、漢書、顏師古、互見文獻、敦煌文獻

---

* 本篇文章經《成大中文學報》審核通過，已刊登於第68期，經《成大中文學報》授權，收入本論文集。

** 本文蒙兩位匿名評審人予以寶貴意見，謹此致謝！

A Study of *Han Shu* and its Annotations Quoted by *Qun Shu Zhi Yao*

Poon Ming Kay

Associate Professor, Department of Chinese Language and Literature,

The Chinese University of Hong Kong

Abstract

Wei Zheng and other editors compiled a total of 50 volumes of *Qun Shu Zhi Yao*. Wei Zheng and other editors compiled a total of 50 volumes of *Qun Shu Zhi Yao*. This Book quotes Confucius Classics, Historical Records, philosophical writings for the purpose of governing the country. The purpose is to hope that the monarch can learn from the history and experience what the monarch should and shouldn't do from the way of governing the country recorded in the classics. *Qun Shu Zhi Yao* cites *Han Shu* at most, with a total of eight volumes. There are only forty-seven volumes of *Qun Shu Zhi Yao*, three of which have been lost, two of which are the articles of *Han Shu*. Therefore, there are six volumes of *Han Shu* in *Qun Shu Zhi Yao*.

Han Shu has attracted the attention of scholars since it was written. But this book is not easy to understand, many people have commented on the "*Han Shu*". Before the Tang Dynasty, there were several important annotations to *Han Shu*, but after Yan Shi Gu's annotations, because Yan's annotations were profound and original, other annotations gradually disappeared.

Zhao Yi of the Qing Dynasty thought that there were three important knowledge from the Six Dynasties to the early Tang Dynasty, among which *Han Shu* was one of them; the fact that *Qun Shu Zhi Yao* quoted eight volumes of *Han Shu* was obvious evidence. In addition, before Yan Shi Gu annotated *Han Shu*, the annotation of *Qun Shu Zhi Yao* must be the old annotation before Shi Gu. On the other hand, the handwritten manuscripts of *Han Shu* seen in the Dun-Huang Area are not exactly the same as those printed by Yan Shi Gu. This essay is based on the *Han Shu* and its annotations quoted by *Qun Shu Zhi Yao*, supplemented by other Tang manuscripts of *Han Shu*, to explore the features of *Han Shu* seen at that time, and to collate and correct the present version of *Han Shu*, and to discuss the annotated version of *Han Shu* adopted by *Qun Shu Zhi Yao*.

Keywords: *Qun Shu Zhi Yao, Han Shu*, Yan Shi Gu, Parallel Passages, *Dun*-Huang Literature

一 《群書治要》述略

隋末唐初，天下方定，唐太宗李世民欲以古為鑑，明治亂之道。彼以為類書如《皇覽》等，「隨方類聚，名目互顯，首尾淆亂，文義斷絕，尋究為難」[1]，因而命魏徵、虞世南、褚亮、蕭德言等，博采群書，以治要為目的，編撰《群書治要》一書五十卷。

魏徵等遂於群籍之中，擇其「務乎政術」者，「以備勸戒，爰自六經，訖乎諸子，上始五帝，下盡晉年，凡為五袠，合五十卷，本求治要，故以治要為名」。[2]《群書治要》所引典籍，包括經、史、子三部共65種。今考全書，卷1至卷10為經部，卷11至卷30為史部，卷31至卷50為子部。經部引書12種，史部6種，子部47種，其中又以《漢書》所被徵引最多，共8卷。全書本50卷，今缺第4卷、第13卷、第20卷，實存47卷。

《群書治要》自書成以後，兩唐書俱有載錄。及後漸有佚失，南宋時陳騤所編《中興館閣書目》云「十卷」[3]，《宋史・藝文志六》所載亦為「十卷」。[4]阮元謂「《宋史・藝文志》即不著錄，知其佚久矣」[5]，其說可商。《宋志》以後，公私書目俱不載《群書治要》，蓋已散佚。魏徵《群書治要》雖在國內久佚，惟在日本卻有流傳。其中日藏重要版本，包括平安時代九条家本（殘本，今僅餘7卷可供閱讀）、鎌倉時代金澤文庫本（47卷）、元和活字刊本駿河版（47卷），以及天明本（47卷）。[6]本文所用《治要》原文，以駿河版為主，輔以金澤文庫本及天明本，擇善而從。

《群書治要》所引史部典籍概況如下：

卷11	史記上		卷21	後漢書一
卷12	史記下　吳越春秋		卷22	後漢書二

1 唐・魏徵奉敕撰，尾崎康、小林芳規解題：《群書治要》第1冊（東京：汲古書院，1989），序頁10。本文所載《群書治要》，除非特別注明，否則悉據此本。

2 唐・魏徵：《群書治要》第1冊，序頁5、7、10。

3 陳騤《中興館閣書目》今佚，趙士煒有輯本。此條據王應麟《玉海》所引《中興書目》，云：「十卷，祕閣所錄唐人墨蹟。乾道七年寫副本藏之，起第十一，止二十卷，餘不存。」見宋・王應麟：〈藝文〉，《玉海》（臺北：華文書局，1964），卷54，頁29上。

4 元・脫脫等：《宋史》（北京：中華書局，1977），卷270，頁5301。譚樸森云："The last catalogue in which it was listed, the *Chung Hsing Kuan Ke Shu Mu* (1178), knew only a fragment (*chüan* nos. 11–20)" (P.M.Thompson. *The Shen Tzu Fragments*. London: Oxford University Press, 1979, p. 65).《宋史》雖成於元代，然其〈藝文志〉所據乃宋代《國史藝文志》，故譚樸森以為《群書治要》於宋代載錄漸少，並謂《中興館閣書目》為《群書治要》於中國本土之最後著錄，其說是也。

5 清・阮元撰，鄧經元點校：〈群書治要五十卷提要〉，《揅經室集》（北京：中華書局，1993），外集，卷2，頁1216。

6 有關《群書治要》各本之流傳，可參拙作：〈日藏平安時代九条家本《群書治要》研究〉，《中國文化研究所學報》67（2018.7），頁1-40。

卷13	漢書一	闕	卷23	後漢書三
卷14	漢書二		卷24	後漢書四
卷15	漢書三		卷25	魏志上
卷16	漢書四		卷26	魏志下
卷17	漢書五		卷27	蜀志・吳志上
卷18	漢書六		卷28	吳志下
卷19	漢書七		卷29	晉書上
卷20	漢書八	闕	卷30	晉書下

其中包括《史記》一卷半[7]、《吳越春秋》半卷、《漢書》8卷、《後漢書》4卷、《三國志》4卷、《晉書》2卷。此中所引《三國志》，未必是魏、蜀、吳三志之合訂本，當時可能為各自獨行。[8]又，《治要》時代較早，故其所引《晉書》並非唐人所撰，而是房玄齡等所撰《晉書》以前的產物。至於《漢書》，原引8卷，因卷13、卷20均闕，故實存6卷而已。

二　《群書治要》所引《漢書》述略

《群書治要》引《漢書》8卷，今存6卷。所引遍及《漢書》之「志」與「傳」，其具體援引篇目如下：

	篇題	存佚	《漢書》篇目	人物
卷13	漢書一	佚		
卷14	漢書二	存	卷22〈禮樂志〉 卷23〈刑法志〉 卷24〈食貨志〉 卷30〈藝文志〉	
卷15	漢書三	存	卷34〈韓彭英盧吳傳〉 卷34〈韓彭英盧吳傳〉 卷36〈楚元王傳〉 卷37〈季布欒布田叔傳〉	韓信 黥布 劉向 季布

7　有關《群書治要》引用《史記》之狀況，可參拙作：〈論《群書治要》去取《史記》之敘事方法〉，《國文天地》411（2019.8），頁24-32。

8　詳參林溢欣：〈從日本藏卷子本《群書治要》看《三國志》校勘及其版本問題〉，《中國文化研究所學報》53（2011.7），頁193-216。

	篇題	存佚	《漢書》篇目	人物
卷15	漢書三	存	卷37〈季布欒布田叔傳〉	欒布
			卷39〈蕭何曹參傳〉	蕭何
			卷39〈蕭何曹參傳〉	曹參
			卷40〈張陳王周傳〉	張良
			卷40〈張陳王周傳〉	陳平
			卷40〈張陳王周傳〉	周勃
			卷40〈張陳王周傳〉	周亞夫
			卷41〈樊酈滕灌傅靳周傳〉	樊噲
			卷41〈樊酈滕灌傅靳周傳〉	周昌
			卷41〈張周趙任申屠傳〉	申屠嘉（14）
卷16	漢書四	存	卷43〈酈陸朱劉叔孫傳〉	酈食其
			卷43〈酈陸朱劉叔孫傳〉	陸賈
			卷43〈酈陸朱劉叔孫傳〉	婁敬
			卷43〈酈陸朱劉叔孫傳〉	叔孫通
			卷45〈蒯伍江息夫傳〉	蒯通
			卷48〈賈誼傳〉	賈誼
			卷49〈爰盎鼂錯傳〉	爰盎
			卷49〈爰盎鼂錯傳〉	晁錯（8）
卷17	漢書五	存	卷50〈張馮汲鄭傳〉	張釋之
			卷50〈張馮汲鄭傳〉	馮唐
			卷50〈張馮汲鄭傳〉	汲黯
			卷51〈賈鄒枚路傳〉	賈山
			卷51〈賈鄒枚路傳〉	鄒陽
			卷51〈賈鄒枚路傳〉	枚乘
			卷51〈賈鄒枚路傳〉	路溫舒
			卷54〈李廣蘇建傳〉	蘇建
			卷54〈李廣蘇建傳〉	蘇武
			卷52〈竇田灌韓傳〉	韓安國
			卷56〈董仲舒傳〉	董仲舒（11）
卷18	漢書六	存	卷57〈司馬相如傳〉	司馬相如
			卷58〈公孫弘卜式兒寬傳〉	公孫弘
			卷58〈公孫弘卜式兒寬傳〉	卜式
			卷64上〈嚴朱吾丘主父徐嚴終王賈傳上〉	嚴助
			卷64上〈嚴朱吾丘主父徐嚴終王賈傳上〉	吾丘壽王
			卷64上〈嚴朱吾丘主父徐嚴終王賈傳上〉	主父偃

	篇題	存佚	《漢書》篇目	人物
卷18	漢書六	存	卷64上〈嚴朱吾丘主父徐嚴終王賈傳上〉 卷64下〈嚴朱吾丘主父徐嚴終王賈傳下〉 卷64下〈嚴朱吾丘主父徐嚴終王賈傳下〉 卷65〈東方朔傳〉	徐樂 嚴安 賈捐之 東方朔（10）
卷19	漢書七	存	卷67〈楊胡朱梅云傳〉 卷67〈楊胡朱梅云傳〉 卷71〈雋疏于薛平彭傳〉 卷71〈雋疏于薛平彭傳〉 卷71〈雋疏于薛平彭傳〉 卷71〈雋疏于薛平彭傳〉 卷72〈王貢兩龔鮑傳〉 卷72〈王貢兩龔鮑傳〉 卷72〈王貢兩龔鮑傳〉 卷74〈魏相丙吉傳〉 卷74〈魏相丙吉傳〉 卷75〈眭兩夏侯京翼李傳〉 卷77〈蓋諸葛劉鄭孫毋將何傳〉 卷77〈蓋諸葛劉鄭孫毋將何傳〉 卷77〈蓋諸葛劉鄭孫毋將何傳〉 卷77〈蓋諸葛劉鄭孫毋將何傳〉 卷78〈蕭望之傳〉	朱雲 梅福 雋不疑 疏廣 于定國 薛廣德 王吉 貢禹 鮑宣 魏相 丙吉 京房 蓋寬饒 諸葛豐 劉輔 鄭崇 蕭望之（17）
卷20	漢書八	佚		

據上表所載推敲，《群書治要》卷13《漢書一》所引當為《漢書》之「紀」和「表」。林羅山（1583-1657）輯補此卷，援引《漢書・高帝紀》、〈高后紀〉、〈文帝紀〉、〈景帝紀〉、〈武帝紀〉、〈昭帝紀〉、〈宣帝紀〉、〈元帝紀〉、〈成帝紀〉、〈哀帝紀〉、〈平帝紀〉、〈功臣表序〉、〈古今人表序〉、〈律歷志〉。[9]林氏輯載《漢書》之「紀」，蓋亦有識；及於「表」，尚亦有理；至於〈律歷志〉，則不似《群書治要》此卷所當援引矣。觀乎《群書治要》卷14引《漢書》之「志」，始於〈禮樂志〉，雖非《漢書》「志」之首篇。然而《治要》援引《漢書》，不必追求遍及各篇，則十「志」引其四，包括第二篇〈禮樂志〉、第三篇〈刑法志〉、第四篇〈食貨志〉、第十篇〈藝文志〉，蓋亦足矣，不必在上一卷之末仍在援引〈律歷志〉之文。今人蕭祥劍亦嘗據《漢書》補錄《群書治要》卷13之文，與林羅山所輯有異。蕭氏所輯，包括《漢書・高帝紀》、〈文帝紀〉、〈景帝紀〉、〈武

9　可參日・尾崎康：〈群書治要とその現存本〉，《斯道文庫論集》25（1990.3），頁184。

帝紀〉、〈昭帝紀〉、〈宣帝紀〉、〈元帝紀〉、〈成帝紀〉、〈百官公卿表〉、〈古今人表〉、〈律曆志〉。[10]

今《漢書》一百卷，《群書治要》引《漢書》所存六卷包括「志」4篇，「傳」28篇，合共32篇，佔《漢書》三分之一。至於所引「傳」32篇之中，不少為《漢書》合傳之撰，因此，《群書治要》據《漢書》而載其事跡者共有60人。[11]《群書治要》取捨典籍文字，其目的在於「務乎政術」、「以備勸戒」，上文已述，此不贅陳。然則，就《漢書》各傳主，《治要》有用有不用，其取捨標準，肯定與「務乎政術」、「以備勸戒」等原則相關，此待另文詳論；本篇所重則在以《治要》所載《漢書》與今本《漢書》作比對，以見其異同。

班氏父子共撰《漢書》，自書成以後，學者莫不諷誦，廣受歡迎。在魏晉六朝時代，較諸《史記》，《漢書》更為世人所重。觀乎當時學術傳播，《漢書》之授受過程，在在可考。及至初唐，形勢依然，清人趙翼嘗論唐初三大顯學，其云：

> 六朝人最重三《禮》之學，唐初猶然。……次則《漢書》之學，亦唐初人所競尚。……顏師古為太子承乾注《漢書》，解釋詳明，承乾表上之，太宗命編之秘閣，時人謂杜征南、顏秘書為左邱明、班孟堅忠臣。……至梁昭明太子《文選》之學，亦自蕭該撰《音義》始。入唐則曹憲撰《文選音義》，最為世所重，江淮間為《選》學者悉本之。又有許淹、李善、公孫羅相繼以《文選》教授，由是其學大行。[12]

此言三《禮》、《漢書》、《文選》為唐初三大顯學，其中《漢書》之學乃「唐初人所競尚」。據《隋書・經籍志》、《舊唐書・經籍志》、《新唐書・藝文志》所載，注解《漢書》之學者亦遠遠超過注《史記》者，此可見當時二書重要性之異同。因此，《群書治要》引用《漢書》甚夥，不但多於《史記》，更是全書引用最多之典籍。考《群書治要》亦唐初之作，益證趙翼以為《漢書》之學為「唐初人所競尚」之說法。

在《群書治要》所引史部文獻之中，引用《史記》僅一卷半，引用《漢書》達八卷

---

10 唐・魏徵、褚亮、虞世南、蕭德言撰：《群書治要》（北京：團結出版社，2016），頁319-339。又，頁4之「出版說明」云：「原缺三卷，由釋淨空老教授依現行《左傳》經文補錄卷四《春秋左氏傳》（上），蕭祥劍依現行《漢書》補錄卷十三《漢書》（一）、卷二十《漢書》（八），以補缺憾。」其實，林羅山早有重輯本，雖未可謂必得《群書治要》原貌之真，然而必可作參考，而不至於重新創造。案：蒙本校陳煒舜教授於關西大學圖書館複印泊園文庫《群書治要》尾張藩鈔本之卷4、卷13，謹此致謝！

11 案：《群書治要》卷15載錄14人，卷16載錄8人，卷17載錄11人，卷18載錄10人，卷19載錄17人。合共60人。

12 清・趙翼撰，王樹民校證：《廿二史劄記校證》（北京：中華書局，1984），卷20，「唐初三禮漢書文選之學」條，頁440-441。

之多。《史記》載三千年史事於一書，共五十二萬六千五百字；《漢書》僅錄西漢二百年史事，有八十萬字。驟眼看來，《史記》精簡而《漢書》繁瑣，其實不然。自《漢書》書成以後，天下甚重其書，學者莫不諷誦。《漢書》較《史記》更為重要，至唐代初年依舊。《漢書》歷紀西漢史事，始自高祖，終於王莽，其中武帝太初以前史事，悉本《史記》。然而，《群書治要》採錄《史記》與《漢書》時，武帝以前史事並不採《史記》，而一用《漢書》。《群書治要》採《史記》，只及於秦；漢代史事，悉本《漢書》。趙翼嘗言《漢書》多載有用之文，即使同一傳主，《漢書》或多載其文學作品及奏疏[13]，致其篇幅遠超《史記》。

三　敦煌吐魯番本《漢書》述略

在敦煌、吐魯番地區，發現不少唐寫卷《漢書》，此等寫卷既屬唐代，較宋刻《漢書》近古，又與《群書治要》之成書年代較為接近。因此，取《群書治要》所引《漢書》及其注解，與敦煌、吐魯番《漢書》加以比較，則可見同為手鈔本，二者有互相補足之處。敦煌、吐魯番地區所見《漢書》雖為殘本，仍彌足珍貴。據王重民《敦煌古籍敘錄》所載，共有六個《漢書》寫卷，分別是「P.3669漢書刑法志　蔡謨注」、「P.3557刑法志」、「S.2053蕭望之傳　蔡謨注」、「P.2485蕭望之傳　顏師古注」、「P.2513王莽傳顏師古注」「P.2973漢書注」等。[14]復據近世以來考察，結合王重民所載，傳世的《漢書》敦煌寫本有11件，吐魯番唐寫本3件，以及日藏寫本殘卷6件。今具錄如下：

1 P.2485《漢書．蕭望之傳》，顏師古注，抄寫於唐高宗時。*

2 P.2513《漢書．王莽傳》，顏師古注，抄寫於唐高宗時。

3 S.2053《漢書．蕭望之傳》，蔡謨《集解》，抄寫於唐初武德時。*

4 P.3557和 P.3669《漢書．刑法志》，蔡謨《集解》，抄寫於唐玄宗開元4年或其後。*

5 P.5009《漢書．項籍傳》，蔡謨《集解》，抄寫於歸義軍時期（晚唐五代）。

6 S.0020《漢書．匡衡傳》，蔡謨《集解》，抄寫於唐玄宗開元4年以前。

7 敦煌石室碎金本《漢書．匡衡張禹孔光傳》，蔡謨《集解》，抄寫於唐太宗貞觀時期。

8 P.2973B《漢書．蕭何曹參張良傳》，顏遊秦注，抄寫於歸義軍時期（晚唐五代）。*

9 S.10591《漢書．王商史丹傅喜傳》，抄寫於唐前期。

10 дх.3131《漢書．天文志》，當為蔡謨《集解》，可能抄寫於唐前期。[15]

---

13 詳參清．趙翼撰，王樹民校證：《廿二史劄記校證》，卷2，頁29-31。

14 王重民：《敦煌古籍敘錄》（北京：商務印書館，1958），頁76-82。

15 詳參姚軍：〈敦煌《漢書》唐寫本的校勘價值〉，《寶雞文理學院學報（社會科學版）》33：3（2013.6），頁77。案：有「*」者為王重民《敦煌古籍敘錄》嘗加著錄。

11 大谷文書《漢書・張良傳》(殘文)。

12 ch.938《漢書・張良傳》(殘文)。

13 阿斯塔那二一六號墓唐寫本劉向〈諫營昌陵疏〉。[16]

14 伯孜克里克石窟吐魯番本《漢書・西域傳》殘片(80TBI:001[a])。

15 滋賀縣石山寺《漢書・高帝紀下》、〈韓彭英盧吳傳〉。奈良時代。(日本國寶)

16 名古屋大須觀音寶生院《漢書・食貨志》,見《古典保存會複製書》第26冊(1928年)。奈良時代。(日本國寶)

17 名古屋大須觀音寶生院《漢書・地理志》,見《古典保存會複製書》。

18 高野山大明王院藏《漢書・周勃傳》殘本。奈良後期。(日本重要文化財)

19 不忍文庫藏《漢書・申屠嘉傳》,見《古逸叢書》。

20 兵庫縣蘆屋市上野氏家藏《漢書・揚雄傳上》。(日本國寶)

在以上諸鈔本中,能與《群書治要》所引《漢書》詳加比較者,包括 P.3557《漢書・刑法志》、P.2973B《漢書・蕭何曹參張良傳》、S.2053《漢書・蕭望之傳》、P.2485《漢書・蕭望之傳》等四項。

P.2973B 漢書蕭何曹參傳、張良傳(國際敦煌項目網上資源)

P.2973漢書蕭何曹參傳、張良傳所引注解亦與今本《漢書》顏師古注不盡相同。王重民進而推論,「舊謂師古注《漢書》,掠大顏之說以為已注,據《索隱》所引,尚能得其一二。余茲更欲進而獻疑,此殘卷既非小顏注,殆為大顏注歟?」[17]所謂「大顏」者,即顏師古叔父顏遊秦。顏遊秦著《漢書決疑》,「為學者所稱,後師古注《漢書》,

16 案:劉向〈諫營昌陵疏〉見載於《漢書・劉向傳》,故視此本亦屬可與《漢書》比較之文。

17 王重民:《敦煌古籍敘錄》,頁82。

亦多取其義耳」。[18]據楊明照〈《漢書》顏注發覆〉所載，顏師古每多掩前人之功，以他注為己注。如顏師古叔父顏遊秦，世稱「大顏」，撰有《漢書決疑》，亦為《漢書》注解。惟今遍尋《漢書》顏注各條，並不見師古引用「顏遊秦」之說。然而，若將《史記》、《漢書》二書比而讀之，則可見師古其實隱其叔父之名，襲用舊說於己注當中。後來學者亦多據王重民此言，以此篇為顏遊秦注解，如姚軍〈敦煌《漢書》唐寫本的校勘價值〉即是。[19]

至於利用敦煌、吐魯番地區唐寫本《漢書》與《群書治要》相關條目作比較，用以校勘今本《漢書》，則詳見下文討論。此不贅述。

四　以《群書治要》所引校勘《漢書》[20]

王念孫校勘古籍，成就卓越，其校讎古籍之法眾多，其一為比勘唐宋類書徵引典籍與今本之異同。就《讀書雜志．讀漢書雜志》而言，王念孫即用《初學記》、《北堂書鈔》、《群書治要》、《藝文類聚》、《白帖》、《太平御覽》等類書作為旁證，其中用《群書治要》者約有26次。《讀書雜志》利用《群書治要》校理古籍，多所創獲。王念孫《讀書雜志》云：「凡《治要》所引之書，於原文皆無所增加，故知是今本遺脫也。」[21]此可證《群書治要》於校勘之作用也。又，誠如前文所言，敦煌本P.3557《漢書．刑法志》、P.2973B《漢書．蕭何曹參張良傳》、S.2053《漢書．蕭望之傳》、P.2485《漢書．蕭望之傳》等四項皆有與《群書治要》所引《漢書》可比擬的文字，下文亦將取之一併討論。據上王念孫所言，《群書治要》引文可證今本典籍之衍文，加之以校正字之誤寫，此乃《群書治要》用以校勘今傳典籍之兩大功能。本文所用《漢書》原文，悉以北京中華書局1962年校點本為據。此本以王先謙《漢書補注》為底本，並以北宋景祐本、明末毛氏汲古閣本、清乾隆武英殿本、清同治金陵書局本等為校本，並參考了王念孫、錢大昕等校勘學家之校勘成果，乃現存《漢書》最佳之整理本。

---

18 後晉．劉昫等撰：《舊唐書》（北京：中華書局，1975），卷73，頁2596。

19 姚軍：〈敦煌《漢書》唐寫本的校勘價值〉，頁77。

20 案：本文所引《漢書》及顏師古注，悉據北京中華書局校點本《漢書》（1962年版）；《群書治要》之文則以駿河版為底本，復校之以金澤文庫本、天明本，不另出注。

21 清．王念孫撰，徐煒君等校點：《讀書雜志》（上海：上海古籍出版社，2015），「淮南內篇第九」，頁2158。案：《群書治要》在中國本土久佚，日本卻有流傳，至清嘉慶年間，回流中國。王念孫所見亦僅為嘉慶年間回傳中國的天明本，並非平安時代九条家本、金沢文庫本、駿河版等善本，卻仍能據此校勘典籍，改正誤衍，其功甚大。

（一）補今本《漢書》及顏注脫文

例1：《漢書・禮樂志》「常欲善治」句（卷22，頁1032）

案：諸本《治要》皆作「常欲以善治」，有「以」字而文義更為圓足，可補今本《漢書》之闕。

例2：《漢書・禮樂志》「禮樂未具」句（卷22，頁1035）

案：諸本《治要》皆作「以其禮樂未具」，較今本《漢書》多「以其」二字。觀乎《後漢書》梁代劉昭注補引《前書・禮樂志》，亦作「以其禮樂未具」[22]，此言「《前書》」即《前漢書》，則知當時《漢書》原有「以其」二字，而《治要》能存舊本《漢書》之真，故亦保留此二字。

例3：《漢書・刑法志》顏師古引如淳注「所有象刑之言者」句（卷23，頁1111）

案：諸本《治要》皆作「所以有象刑之言者」，伯3557引如淳注亦皆有「以」字。今本《漢書》無「以」字，於義未安，《治要》所引是矣。考唐代杜佑《通典》卷186〈刑六〉亦援引此注，未題撰者姓名，同作「所以有象刑之言者」[23]，與《治要》同。大抵唐本《漢書》此注原有「以」字，及後脫失，今本《漢書》可據補。

例4：《漢書・食貨志下》「及王恢謀馬邑」句（卷24下，頁1157）

案：諸本《治要》皆作「及王恢設謀馬邑」，有「設」字。考《史記・平準書》有「及其恢設謀馬邑」云云[24]，乃《漢書》此文所本，而仍有「設」字，則知是今本《漢書》之誤脫。《治要》所載是矣，今本《漢書》可據補「設」字。王念孫《讀書雜志》云：「《群書治要》引此『謀』上有『設』字，是也。漢伏兵馬邑旁，誘單于而擊之，王恢實設此謀，故曰『設謀馬邑』。今本脫去『設』字，則文義不明，《史記》亦有『設』字。」[25]王說是也。

例5：《漢書・食貨志下》「遂取河南地，築朔方」句（卷24下，頁1158）

案：諸本《治要》皆作「築朔方郡」，有「郡」字，可補今本《漢書》。考相關文字

---

22 劉宋・范曄撰，唐・李賢注：〈禮儀上〉，《後漢書》（北京：中華書局，1965），卷14，頁3110。案：今《後漢書》「志」之部由晉・司馬彪所撰，梁・劉昭注補。

23 唐・杜佑：《通典》（北京：中華書局，1988），卷168，頁4333。

24 漢・司馬遷：《史記》（北京：中華書局，1982），卷30，頁1421。

25 清・王念孫：《讀書雜志》，「漢書第四」，頁573。

在《漢書》凡三見，一在此，二在〈衛青霍去病傳〉，三在〈匈奴傳上〉。《漢書・衛青霍去病傳》云：「明年，青復出雲中，西至高闕，遂至於隴西，捕首虜數千，畜百餘萬，走白羊、樓煩王。遂取河南地為朔方郡。」[26]此可見言衛青擊打匈奴而取河南之地為朔方郡。又，《漢書・匈奴傳上》云：「其明年，衛青復出雲中以西至隴西，擊胡之樓煩、白羊王於河南，得胡首虜數千，羊百餘萬。於是漢遂取河南地，築朔方，復繕故秦時蒙恬所為塞，因河而為固。」[27]所述衛青擊匈奴事與衛青本傳相同，卻只言「朔方」而無「郡」字。「築朔方」雖於義可通，但不及「築朔方郡」之圓足，故今本《漢書・食貨志下》此文可補「郡」字。

例6：《漢書・食貨志下》「衛青比歲十餘萬眾擊胡」句（卷24下，頁1159）

案：諸本《治要》皆作「衛青比歲將十餘萬眾擊胡」，有「將」字，可補今本《漢書》。《史記・平準書》云：「其後四年，而漢遣大將將六將軍，軍十餘萬，擊右賢王，獲首虜萬五千級。」[28]乃《漢書》所本，其中有謂衛青「將六將軍」云云，亦有「將」字。王念孫《讀書雜志》云：「《群書治要》引此『十餘萬眾』上有『將』字，是也。脫去『將』字則文義不明。《史記》亦有『將』字。」[29]王說是也。據此可補「將」字，使今本《漢書》文義可通。

例7：《漢書・食貨志下》「於是以東郭咸陽、孔僅為大農丞」句（卷24下，頁1164）

案：諸本《治要》皆作「於是以東郭咸陽、孔僅為大司農丞」，有「司」字，可補今本《漢書》。王先謙《漢書補注》引宋祁云：「『為大』下當添『司』字。」宋祁以為當增「司」字，因此官名為「大司農丞」，無「司」字而義不通。王氏復云：「〈百官表〉『大農令，太初元年更名大司農』，史文元不必過泥，若以例相繩，元狩中尚可不添『司』字也。〈平準書〉亦作『大農』，《通鑑》同。」[30]王先謙以為不必拘泥於是否加上「司」字。今見諸本《治要》皆引作「大司農丞」，是《漢書》本有「司」字之證。又，《漢紀・前漢孝武皇帝紀》亦嘗謂「於是孔僅為大司農丞」云云[31]，是「司」字《漢書》本應有之。

---

26 漢・班固撰，唐・顏師古注：《漢書》（北京：中華書局，1962），卷55，頁2473。

27 漢・班固撰，唐・顏師古注：《漢書》，卷94上，頁3766。

28 漢・司馬遷：《史記》，卷30，頁1422。

29 清・王念孫：《讀書雜志》，「漢書第四」，頁573。

30 清・王先謙：《漢書補注》（上海：上海古籍出版社，2008），卷24下，頁1627。

31 漢・荀悅撰，張烈點校：〈孝武皇帝紀四〉，《前漢紀》（北京：中華書局，2002），卷13，頁219。

例8：《漢書·藝文志》「是故用日少而畜德多」句（卷30，頁1723）

案：諸本《治要》皆作「是故用日約少而蓄德多」，有「約」字，可補今本《漢書》。考「用日約少」典出《急就篇》「用日約少誠快意」[32]，意指不用花太多時間。「用日約少」四字成詞，文義較佳，《治要》能存其舊，《漢書》文可據補。

例9：《漢書·藝文志》「此君人南面之術也」句（卷30，頁1732）

案：諸本《治要》皆作「此君人南面者之術也」，有「者」字，可補今本《漢書》。王念孫云：「『君人』當為『人君』。《穀梁傳·序》疏、《爾雅·序》疏引此皆不誤。」[33]今諸本《治要》所引《漢書》皆作「君人」，則彼時或有異本流傳，亦未可知。又，《長短經》卷3引此文亦有「者」字[34]，則是唐本《漢書》或有此字，亦未可知。言「君人南面之術」，蓋指人君管治之方；言「君人南面者之術」，「君人」與「南面」二字並列，君人者與南面者所指相同，蓋言人君之方。二者意義微異，《治要》所引多一「者」字可作參考。

例10：《漢書·藝文志》「因以非禮」句（卷30，頁1738）

案：諸本《治要》皆作「因以非禮樂」，有「樂」字，可補今本《漢書》。王念孫《讀書雜志》云：「《群書治要》引此『禮』下有『樂』字，是也。《墨子》有〈節用〉、〈節葬〉、〈非樂〉三篇，故曰『見儉之利，因以非禮樂』。《穀梁·序》疏引此已脫『樂』字。」[35]王念孫據《群書治要》所引校勘《漢書》，誠為卓識，以為墨家非禮亦非樂，故當有「樂」字，其言是也。朱一新《漢書管見》云：「志言『見儉之利，因以非禮』，蓋譏其儉不中禮也。《群書治要》誤衍『樂』字。」[36]王先謙補充：「《穀梁·序》疏引，是也。」[37]可知朱一新、王先謙俱不同意王念孫所言，以為不當據《治要》而改《漢書》。在《漢書補注》中，王先謙遍引王念孫所言，多表贊同，此處雖不同意王念孫所言，卻又不加指責，而只臚列事實，態度可取。總之，諸本《治要》皆作「禮樂」，則此說傳之已久，且就文義而論亦非不通，因「禮樂」連言多以「禮」為重而不影響文義，且《墨子》亦有〈非樂〉之篇。因此，仍以《治要》有「樂」字者為較是。

---

32 漢·史游撰，唐·顏師古注：《急就篇》（上海：商務印書館，1936），卷1，頁34。

33 清·王念孫：《讀書雜志》，「漢書第七」，頁700。

34 唐·趙蕤：《長短經》（北京：中華書局，2017），卷3，頁170-171。

35 清·王念孫：《讀書雜志》，「漢書第七」，頁700。

36 清·朱一新：《漢書管見》，收入張舜徽主編：《二十五史三編》第3冊（長沙：岳麓書社，1994），頁419。

37 清·王先謙：《漢書補注》，卷30，頁2991。

例11：《漢書・韓彭英盧吳傳》「盛其醢以徧賜諸侯」句（卷34，頁1887）

案：諸本《治要》皆作「盛其醢以偏賜諸侯王」，有「王」字，義較圓足。今本《漢書》可據補「王」字。

例12：《漢書・楚元王傳》「小人道長，君子道消，君子道消，則政日亂，故為否。否者，閉而亂也。君子道長，小人道消，小人道消，則政日治，故為泰」句（卷36，頁1943）

案：諸本《治要》於「小人道長」後有「則」字，作「小人道長，則君子道銷」；於「君子道長」後有「則」字，作「君子道長，則小人道銷」。考《治要》有兩「則」字，則兩句句子之轉折關係更為明確，亦不會與下句相混，故有兩「則」字是矣，而今本《漢書》可據補。

例13：《漢書・楚元王傳》「故治亂榮辱之端，在所信任；信任既賢，在於堅固而不移」句（卷36，頁1943）

案：諸本《治要》皆作「所信任既賢」，在「信」上有「所」字，可補今本《漢書》。《漢書》原文上句「在所信任」，接之以「信任既賢」。《漢書》此言國家之安定與混亂、榮和辱，首先在於皇上所信任的人；如果皇帝所信任的已經是賢人，就要堅持而不動搖。因此，如有「所」字則意思較為圓足，今本《漢書》可據補。

例14：《漢書・楚元王傳》「如此類甚眾，皆陰盛而陽微，下失臣道之所致也」句（卷36，頁1959）

案：金澤文庫本《治要》作「皆陰盛而陽微行」，駿河版、天明本「盛」作「感」。又「行」，天明本、今本《漢書》皆無，金澤文庫本、駿河版皆有之。天明本《治要》多據所引原典更改《治要》原文，失卻《治要》存舊之真，此亦一例。《長短經》南宋初年杭州淨戒院刊本引此文，作「皆陰勝而陽行」，亦作「行」字；四庫全書本作「微」。[38]觀乎《治要》作「陽微行」，大抵本當如此，《長短經》脫「微」字，今《漢書》脫「行」字，唯有金澤文庫本、駿河版《治要》能存其舊。「陰」之盛與「陽」之微行可對比，不必只以「盛」與「微」相對，故今本《漢書》可補「行」字。

例15：《漢書・楚元王傳》「二世委任趙高，專權自恣」句（卷36，頁1959）

案：諸本《治要》皆作「二世委任趙高，趙高專權自恣」，重「趙高」二字，分屬

38 唐・趙蕤：《長短經》，卷7，頁373。

上下句，可補今本《漢書》之缺。如不重「趙高」二字，則「專權自恣」所指為秦二世，重之則可知實乃趙高。就史實所見，二世昏庸無能，委任趙高，趙高專權自恣，終致秦之覆亡。因此，《治要》重之為是，今本《漢書》可據補。

例16：《漢書・季布欒布田叔傳》「朱家心知其季布也，買置田舍」句（卷37，頁1975）

案：金澤文庫本、駿河版《治要》作「買置田舍上」，天明本《治要》、今本《漢書》無「上」字。天明本眉校：「舊『舍』下有『上』字，刪之。」天明本好以《治要》所引原典更改原文，不能存《治要》之舊，此亦一例。此言朱家將季布置於田舍之上，有「上」字者義較圓足，可據補《漢書》。

例17：《漢書・季布欒布田叔傳》「此伍子胥所以鞭荊平之墓也」句（卷37，頁1975）

案：諸本《治要》皆作「此伍子胥所以鞭荊平王之墓也」，有「王」字，今本《漢書》無。《漢書》此文本諸《史記・季布欒布列傳》「此伍子胥所以鞭荊平王之墓也」句[39]，《史記》於「荊平」後有「王」字，與《治要》引《漢書》相同，則「王」字蓋為今本《漢書》脫文。宋祁云：「『荊平』字下當有『王』字。」指出應作「荊平王」為是。王先謙復云：「《史記》有『王』字。」[40]王氏蓋取《史記》相比較，以見有「王」字者意義較為明確。大抵《漢書》此文當據《治要》所引，以及《史記》所載補「王」字。

例18：《漢書・張陳王周傳》「將軍亞夫揖」句（卷40，頁2058）

案：諸本《治要》皆作「將軍亞夫持兵揖」，有「持兵」二字，今本《漢書》無。《漢書》此文本諸《史記・絳侯周勃世家》「將軍亞夫持兵揖曰」句，可見《史記》有「持兵」二字，與《治要》所引《漢書》同。大抵《漢書》原有「持兵」二字，後誤脫，唯《治要》所引《漢書》能存其舊。今《漢紀》亦作「將軍亞夫持兵揖曰」[41]，考《漢紀》雖有參考其他典籍，但仍以《漢書》所載為主。此有「持兵」二字，大抵可見《漢書》本有之。沈欽韓《漢書疏證》云：「《史記》作『持兵揖』，此脫兩字也。」[42]沈說是也。可知今本《漢書》當據補「持兵」二字。

---

39 漢・司馬遷：《史記》，卷100，頁2729。
40 清・王先謙：《漢書補注》，卷100，頁3314。
41 漢・荀悅撰，張烈點校：〈孝文皇帝紀下〉，《前漢紀》，卷8，頁126。
42 清・沈欽韓：《漢書疏證》（上海：上海古籍出版社，2006），卷27，頁58a。

例19：《漢書・蒯伍江息夫傳》「漢遇我厚，吾豈可見利而背恩乎」句（卷45，頁2163）

案：諸本《治要》皆作「漢王遇我厚」，有「王」字，今本《漢書》無。考諸《後漢書・皇甫嵩朱儁列傳》「昔韓信不忍一餐之遇，而弃三分之業，利劒已揣其喉，方發悔毒之歎者，機失而謀乖也」句，章懷太子李賢注：「《前書》，項羽使武涉說韓信，信曰：『漢王解衣衣我，推食食我，背之不祥。』又蒯通說信，令信背漢，參分天下，鼎足而立。信曰：『漢王遇我厚，豈可背之哉？』後信謀反，為呂后所執，歎曰：『吾不用蒯通計，為女子所詐，豈非天哉！』」[43]可見其引《漢書》正作「漢王遇我厚」。又，《長短經》卷7〈懼戒第二十〉引此文亦作「漢王遇我厚」[44]，宋代類書《太平御覽》卷463「人事部」亦然。[45]準此，唐代注解、唐宋類書引此文皆作「漢王遇我厚」，加之以韓信以為漢王劉邦厚待之，所指當為人而非漢，故《治要》所引是矣，今本《漢書》可據補「王」字。

例20：《漢書・賈誼傳》「商君遺禮義，棄仁恩，并心於進取，行之二歲，秦俗日敗」句（卷48，頁2244）

案：金澤文庫本、駿河版《治要》作「并心放於進取」，天明本《治要》、今本《漢書》無「放」字。考此文亦見賈誼《新書・時變》，作「并心於進取」[46]，無「放」字。此言商鞅違逆禮義，背棄倫理，將心思全部用在耕戰之事上，行之兩年，秦國的習俗一天比一天敗壞。如據金澤文庫本、駿河版《治要》，增一「放」字，放者置也，「并心放於進取」之句意更為鮮明。《漢書》、《新書》之文皆可據補。天明本《治要》每據所引原典更改《治要》之文，失卻《治要》存舊之真，此亦一例。

例21：《漢書・爰盎鼂錯傳》「非有城郭田宅之歸居，如飛鳥走獸於廣壄」句（卷49，頁2285）

案：諸本《治要》皆作「如飛鳥走獸放於廣野」，有「放」字，今本《漢書》無。宋祁曰：「浙本『居』字下有『也』字。『獸』字下有『放』字。若去『也』、去『放』，語迫而不文。『放』字猶害於義。」宋祁以為如無「放」字，有害於義，不好解釋。王先謙曰：「《治要》引有『放』字，浙本是也。此奪文。」[47]王先謙認同宋祁所言，援引《治

---

43 劉宋・范曄：《後漢書》，卷71，頁2303。

44 唐・趙蕤：《長短經》，卷7，頁10a。

45 宋・李昉等撰：《太平御覽》（北京：中華書局，1960），卷463，頁5b。

46 漢・賈誼撰，鍾夏、閻振益校注：《新書校注》（北京：中華書局，2000），卷3，頁97。

47 清・王先謙：《漢書補注》，卷49，頁3730。

要》為據，以為浙本有「放」者為是。王說是也。可知今本《漢書》當據補「放」字。

例22：《漢書・張馮汲鄭傳》「嗟乎！吾獨不得廉頗、李牧為將，豈憂匈奴哉」句（卷50，頁2313）

案：諸本《治要》皆作「吾獨不得廉頗、李牧時為將」，有「時」字，今本《漢書》無。考《漢書》此文實本《史記・張釋之馮唐列傳》而《史記》原有「時」字。[48]《藝文類聚》卷59「武部」引《漢書》此文已無「時」字[49]，是唐本《漢書》久脫之矣。宋代《太平御覽》卷483亦然。[50]王若虛《史記辨惑》嘗謂《史記》有「時」字者云：「『時』字甚悖。」[51]梁玉繩《史記志疑》云：「『時』字衍，《漢書》無。」[52]可見王若虛以為有「時」字不合理，而梁玉繩竟直據《漢書》而以為乃衍文。王念孫持見相異，以為「時」非衍文，其《讀書雜志》云：

> 《群書治要》引此「牧」下有「時」字，是也。今本無「時」字者，後人不解其義而刪之耳。「時」讀為「而」，言吾獨不得廉頗李牧而為將也。「而」、「時」聲相近，故字相通。〈賈誼傳〉「故自為赤子而教固已行矣」，《大戴記・保傅篇》「而」作「時」。〈聘義〉曰「然而用財如此其厚者」，《大戴記・朝事篇》「而」作「時」。《史記・太史公自序》「專決於名而失人情」，《漢書・司馬遷傳》「而」作「時」。是其證。《史記》亦有「時」字。[53]

王念孫以為「時」與「而」聲近相通，且援引大量書證以明「時」與「而」之可通，持之有故，論之有據，王說是也。《群書治要》亦王氏之依據，可知今本《漢書》當補「時」字。考究文義，文帝慨嘆不得廉頗、李牧而為將，如果有這樣的將領，便不用憂慮匈奴，亦當以有「時」字方可通讀。

例23：《漢書・賈鄒枚路傳》「係絕於天不可復結，隊入深淵難以復出」句（卷51，頁2359）

案：金澤文庫本、駿河版《治要》皆作「係絕於天下不可復結」，有「下」字則義較圓足，天明本《治要》與今本《漢書》同。天明本《治要》每據所引原典更改《治要》之文，失卻《治要》存舊之真，此亦一例。考《漢書》此文下既有「深淵」，則上

48 漢・司馬遷：《史記》，卷102，頁2757。

49 唐・歐陽詢撰，汪紹楹校：《藝文類聚》（上海：上海古籍出版社，1999），卷59，頁1060。

50 宋・李昉等撰：《太平御覽》，卷483，頁3b。

51 金・王若虛：《史記辨惑》，《滹南遺老集》（四部叢刊影印舊鈔本），卷19，頁7b。

52 清・梁玉繩：《史記志疑》（北京：中華書局，1981），卷33，頁1361。

53 清・王念孫：《讀書雜志》，「漢書第九」，頁775。

作「天下」正可相比對，故今本《漢書》可補「下」字。

例24：《漢書・李廣蘇建傳》「武聞之，南鄉號哭，歐血，旦夕臨。數月，昭帝即位」句（卷54，頁2465）

案：諸本《治要》於「數月」下緊接「卒得全歸」四字，此四字乃今本《漢書》所無。《治要》所引亦無「昭帝即位」四字。蘇武持漢節滯留匈奴19年，一直繫心漢室，其始出於武帝天漢元年（前100），在昭帝始元6年（前81）方得歸漢。《治要》此言「卒得全歸」，蓋指蘇武等九人終於得以在昭帝一朝全身歸漢。考此四字今本《漢書》無，亦不見於《史記》以至於其他典籍，蓋為《漢書》佚文。此乃《治要》存唐代《漢書》舊貌之一例，可見彼時文字與今本有相異也。

例25：《漢書・董仲舒傳》「臣聞堯受命，以天下為憂，而未以位為樂也」句（卷56，頁2508）

案：諸本《治要》皆作「而未聞以位為樂也」，有「聞」字，今本《漢書》無。宋人袁說友《東塘集》卷11載其「講義」，其中有〈子曰賢哉回也一簞食一瓢飲在陋巷人不堪其憂回也不改其樂賢哉回也〉篇，援引董仲舒所言亦作「而未聞以位為樂」。[54]可知《漢書》原有「聞」字。又，王念孫《讀書雜志》云：「《群書治要》引此『未』下有『聞』字，語意較完。」[55]王說是也，今本《漢書》可據補「聞」字。

例26：《漢書・公孫弘卜式兒寬傳》「得其要，則天下安樂，法設而不用；不得其術，則主蔽於上，官亂於下」句（卷58，頁2616）

案：諸本《治要》皆作「得其要術」，有「術」字，今本《漢書》無。觀乎《漢書》下文有「不得其術」句，則「得其要」自當與「不得其術」相對，故《治要》作「得其要術」者是矣。又，《漢紀》作「得其要術，則天下安樂，法設而不用；不得其術，則主昏於上，官亂於下」[56]，「得其要」下亦有「術」，蓋《漢書》本亦有之。宋祁云：「浙本云：『得其要術。』」王念孫《讀書雜志》云：「『術』字承上文『謂之術』而言，下文『不得其術』，又對『得其要術』而言，則有『術』字者是也。《群書治要》引此亦有『術』字，《漢紀》同。」[57]宋祁指出浙本《漢書》有「術」字，王念孫援引《治要》，以為有「術」字者是矣；則今本《漢書》當據補。

---

54 宋・袁說友：〈子曰賢哉回也一簞食一瓢飲在陋巷人不堪其憂回也不改其樂賢哉回也〉，《東塘集》（上海：上海古籍出版社，1987），卷11，頁13b。

55 清・王念孫：《讀書雜志》，「漢書第十」，頁804。

56 漢・荀悅撰，張烈點校：〈孝武皇帝紀二〉，《前漢紀》，卷11，頁188。

57 清・王念孫：《讀書雜志》，「漢書第十」，頁821。

例27：《漢書・公孫弘卜式兒寬傳》「孝宣承統，纂修洪業，亦講論六藝，招選茂異，而蕭望之、梁丘賀、夏侯勝、韋玄成、嚴彭祖、尹更始以儒術進，劉向、王褒以文章顯，將相則張安世、趙充國、魏相、丙吉、于定國、杜延年，治民則黃霸、王成、龔遂、鄭弘、召信臣、韓延壽、尹翁歸、趙廣漢、嚴延年、張敞之屬，皆有功跡見述於世」句（卷58，頁2634）

案：諸本《治要》皆作「皆有功跡見述於後世」，有「後」字，今本《漢書》無。考《文選》引〈公孫弘傳贊〉此句亦作「皆有功跡見述於後世」[58]，有「後」字，與《治要》所引同，是唐本《漢書》有「後」字之明證。今本《漢書》可據補「後」字。

例28：《漢書・楊胡朱梅云傳》「及後當治檻，上曰：勿易！因而輯之，以旌直臣」句（卷67，頁2915）

案：諸本《治要》皆作「及後當治殿檻」，有「殿」字，今本《漢書》無。檻即欄干，殿檻即宮殿之欄干。《漢書》前文有「御史將雲下，雲攀殿檻，檻折」句，意謂御史將朱雲拉下朝堂，朱雲攀住殿上的欄干，欄干最終為朱雲所拉斷。後來理應修葺，可是成帝以為當維持原貌，以此為鑒。因此，承上文「殿檻」二字，此處亦當據《治要》並《漢書》上文補一「殿」字。王先謙云：「官本『治』下有『殿』字。」[59]官本有「殿」字者是也。《太平御覽》卷427「人事部」引此文亦有「殿」字[60]，鄭樵《通志》卷100所引亦然。[61]

例29：《漢書・王貢兩龔鮑傳》「豪強大姓蠶食亡厭」句（卷72，頁3088）

案：金澤文庫本、駿河版《治要》皆作「豪強大姓家蠶食無厭」，有「家」字，義較圓足，天明本《治要》與今本《漢書》同。天明本眉校云：「『姓』下舊有『家』字，刪之。」天明本《治要》每據所引原典更改《治要》之文，失卻《治要》存舊之真，此亦一例。宋祁云：「『大姓』下疑有『家』字。」[62]宋氏疑之有理，今據金澤文庫本、駿河版《治要》即可知《漢書》原有「家」字，今本《漢書》可據補。

---

58 梁・蕭統編，唐・李善注：《文選》（上海：上海古籍出版社，1986），卷49，頁2173。

59 清・王先謙：《漢書補注》，卷67，頁4592。

60 宋・李昉等撰：《太平御覽》，卷427，頁3a。

61 宋・鄭樵：《通志》（上海：上海古籍出版社，1987），卷100，頁74b。

62 清・王先謙：《漢書補注》，卷72，頁4793。

（二）證今本《漢書》及顏注之異文

例30：《漢書・禮樂志》「漢承秦之敗俗，廢禮義，捐廉恥」句（卷22，頁1030）

案：諸本《治要》作「棄禮義」，今本《漢書》「棄」作「廢」。考《漢書・禮樂志》此文，實出賈誼《新書・俗激》，其文作「今世以侈靡相競，而上無制度，棄禮義，捐廉醜」。[63]然而，《新書》之文亦作「棄」，與《治要》引《漢書》同，可知「廢」本作「棄」。考俗寫「棄」字多从「世」，如「弃」、「弃」等，故在唐代便因避改唐太宗李世民之名諱而缺筆或改形[64]；此外，改用義項相同的代用字亦是另一方法。因此，《漢書》傳鈔時遂改「棄」為「廢」，因成異文。

例31：《漢書・禮樂志》「顯宗即位」句（卷22，頁1035）

案：諸本《治要》作「明帝即位」，今本《漢書》「明帝」作「顯宗」。李奇曰：「明帝即顯宗。」[65]據李奇所言，《漢書》原作「明帝」，今所見本卻改作「顯宗」，遂與注釋不符。大抵《漢書》歷經唐代傳鈔，因避唐中宗李顯名諱，故不用「顯宗」而改稱「明帝」。

例32：《漢書・刑法志》「唐虞之際，至治之極」句（卷23，頁1081）

案：諸本《治要》作「唐虞之隆」，今本《漢書》「隆」作「際」。考究文義，言「唐虞之隆」與「至治之極」，取「隆」與「極」作對比，意義明確。如作「唐虞之際」，則稍有不及，故《治要》作「隆」者較是。《漢書・藝文志》、〈東方朔傳〉、〈匡張孔馬傳〉皆有「唐虞之隆」句，是《漢書》有此句式之證。唐人李德裕〈宰相與盧鈞書〉引作「雖唐虞之際，至理之極」[66]，引「治」字作「理」，避高宗李治名諱，顯為唐本之遺。此中作「際」，與《治要》異，是唐本《漢書》異文之證。

例33：《漢書・刑法志》「竄三苗」句（卷23，頁1081）

案：諸本《治要》作「殺三苗」，今本《漢書》「殺」作「竄」。二者文字雖異而意義實同。王引之《經義述聞》云：

---

63 漢・賈誼撰，鍾夏、閻振益校注：《新書校注》，卷3，頁91。案：《漢書》作「廉恥」，《新書》作「廉醜」，清・王念孫：《讀書雜志》，「漢書第九」，頁760云：「『廉醜』即『廉恥』，語之轉耳。」

64 詳參竇懷永：〈唐代俗字避諱試論〉，《浙江大學學報（人文社會科學版）》39：3（2009.5），頁172。

65 漢・班固撰，唐・顏師古注：《漢書》，卷22，頁1035。

66 唐・李德裕：《李文饒集》（上海：商務印書館，1919），文集，卷9，頁9b。

> 「殺三苗于三危，以變西戎」。孔曰：「殺，『竄』字之誤。《古文尚書》曰：『竄三苗。』竄之言竄也。」家大人曰：孔說非也。「殺」非「殺戮」之「殺」，乃「䊮」之借字，謂放流之也。字亦通作「蔡」。《說文》：「䊮，⿰米悉䊮，散之也，從米殺聲。」昭元年《左傳》「周公殺管叔而蔡蔡叔」，杜注曰：「蔡，放也。」釋文：「上『蔡』字音素葛反，放也。《說文》作『䊮』，音同。下『蔡叔』如字。」正義曰：「䊮為放散之義，故訓為放也。」又《說文》：「竄，讀若《虞書》『竄三苗』之『竄』。」今《書》作「竄」，《字林》「竄，七外反」，與「竄」同音。「竄」、「竄」、「䊮」、「殺」、「蔡」五字聲近而義同，皆謂放流之也。然則「殺三苗」即竄三苗，故《孟子．萬章篇》亦云「殺三苗於三危」，非「竄」字之誤。[67]

王引之援引王念孫所言，以為「『竄』、『竄』、『䊮』、『殺』、『蔡』五字聲近而義同，皆謂放流之也」，則五字皆可通。王說是也。上引《治要》作「殺三苗」，今本《漢書》「殺」作「竄」，字雖有異而實可相通。

例34：《漢書．刑法志》「是猶以鞿而御馯突」句（卷23，頁1112）

案：《治要》作「是猶以鞿羈而御馯馬」，「鞿羈」，今《漢書》無「羈」，而伯3557有之，是唐本如此。又，考今《漢書》此句有注，孟康曰：「以繩縛馬口之謂鞿。」晉灼曰：「鞿，古羈字也。」如淳曰：「馯音捍。突，惡馬也。」師古曰：「馬絡頭曰羈也。」觀顏師古所援引孟康、晉灼、如淳，以及己注，知「鞿」字之義，以及「鞿」為「羈」之古字。準此，是《治要》之「鞿」、「羈」本一字，「羈」本為旁校之文，後傳鈔者誤入正文，因衍一字。今並存二字，旨在見《治要》與唐寫本《漢書》相同。

例35：《漢書．食貨志上》「財者，帝王所以聚人守位，養成群生，奉順天德，治國安民之本也」句（卷24上，頁1117）

案：諸本《治要》作「治國安人之本也」，今本《漢書》「人」作「民」，唐寫本「民」缺末筆。[68]大抵典籍歷經傳鈔，自當據當時情況避諱。《治要》作「人」，自是避唐太宗李世民名諱之明證。《漢書》嘗經唐代傳鈔；唐人顏師古注解《漢書》，周廣業所云：「顏師古注《漢書》，凡舊注所有『世』字、『民』字皆仍之，至己說則易『世』以『代』、易『民』以『人』。」[69]是《漢書注》遇上唐太宗李世民名諱，在二十三家前人

---

67 清．王引之撰，虞思徵、馬濤、徐煒君校點：《經義述聞》（上海：上海古籍出版社，2016），「述十二」，頁701-702。

68 本文舉例所言「唐寫本《漢書》」，乃指《古逸叢書》所收《漢書．食貨志》。

69 清．周廣業：《經史避名彙考》（上海：上海古籍出版社，2015），卷15，頁405。

舊注當中不避，師古已說則易「世」為「代」、「民」為「人」矣。[70]陳垣指出避諱常用之法有三，曰改字，曰空字，曰缺筆。[71]觀乎上引文獻，《治要》乃屬改字避諱，唐寫本則屬缺筆避諱。至於《漢書》，當時必有所避，及至後世而回改，鈔本最能保存典籍舊貌，故《治要》、唐寫本《漢書》皆有所存焉。

例36：《漢書．食貨志下》「師古曰：言皆采銅鑄錢，廢其農業，故五穀不多也。為音於偽反。不為多，猶言為之不多也」句（卷24下，頁1155）

案：金澤文庫本、駿河版《治要》作「民采劍鑄錢」，天明本《治要》、今本《漢書》「劍」作「銅」。考鑄錢之物料，乃係銅而非劍，故今本《漢書》所載較是。又，天明本《治要》好以原典回改，失卻《治要》存舊之作用。此亦一例。又案：《治要》成書之時，顏師古未嘗注釋《漢書》，觀此注今題師古所撰，必有所本而沒其名。楊明照〈《漢書》顏注發覆〉嘗以互見文獻之法，臚列顏師古注解之所本，以見其文獻來源。《治要》此注，楊明照雖未知注者，仍有予以收錄。[72]

例37：《漢書．食貨志下》「及王恢謀馬邑，匈奴絕和親，侵優北邊，兵連而不解，天下共其勞」句（卷24下，頁1157）

案：金澤文庫本《治要》作「天下苦其勞」，天明本、駿河版《治要》、今本《漢書》「苦」作「共」。《治要》於中國久佚，至清嘉慶初年天明本始回傳中國，清人無緣得見金澤文庫本、駿河版等。張文虎《舒藝室隨筆》云：「〈平準書〉作『天下苦其勞』，或疑『共』乃『苦』字爛文。」[73]今據金澤文庫本《治要》，知其所引《漢書》正作「苦」，則今本《漢書》作「共」者當誤，益證張文虎所疑誠是。考師古注：「共猶同。」[74]是其所見《漢書》已作「共」。《治要》之成書時代與《漢書》顏注相若，則是當時所見《漢書》或有異文，亦未可知。

例38：《漢書．食貨志下》「莽以私鑄錢死，及非沮寶貨投四裔，犯法者多，不可勝行，乃更輕其法」句（卷24下，頁1184）

案：諸本《治要》作「不可勝計」，今本《漢書》「計」作「行」。就文義而論，前

---

70 有關鈔本避諱之情況，詳參拙作：〈論避諱與兩漢典籍之傳鈔〉，收入中國典籍與文化編輯部編：《中國典籍與文化論叢》第19輯（北京：中華書局，2018），頁16-30。

71 陳垣：《史諱舉例》（上海：上海書店出版社，1997），卷1，頁1。

72 楊明照：〈《漢書》顏注發覆〉，《學不已齋雜著》（上海：上海古籍出版社，1985），頁109。

73 清．張文虎：《舒藝室隨筆》（清同治刻本），卷5，頁27a。

74 漢．班固撰，唐．顏師古注：《漢書》，卷24下，頁1157。

謂「犯法者多」，則下文似為「不可勝計」，故作「計」較為合理。

例39：《漢書・韓彭英盧吳傳》「王失職之蜀，民亡不恨者」句（卷34，頁1864）

案：諸本《治要》作「今失職之蜀」，今本《漢書》「今」作「王」。考《漢紀》亦作「王失職之蜀」[75]，《長短經》卷4亦然。[76]可知《漢書》之文本當作「王」，《治要》作「今」者乃「王」之訛。汪辟疆云：「書鈔在六朝唐初最盛，但鈔而不類，故與類書不同。今存者如《群書治要》、《意林》，皆可看。亦因其保存古書至多也。」[77]然而，類書書鈔仍有其本身之問題，汪紹楹云：「古類書可用以來校理古籍，但是它的本身也有待於校理。」[78]就此例而言，《漢書》作「王」更為正確。

例40：《漢書・韓彭英盧吳傳》「若燕不破，齊必距境而以自彊」句（卷34，頁1871）

案：金澤文庫本、駿河版《治要》作「弱燕不破」，天明本《治要》、今本《漢書》「弱」作「若」。宋祁云：「『若』，一作『弱』。」[79]指出《漢書》有一本作「羽」，與金澤文庫本、駿河版《治要》同。天明本《治要》每據所引原典更改《治要》之文，失卻《治要》存舊之真，此亦一例。作「若」、「弱」在文義上俱可通，惟金澤文庫本、駿河版《治要》時為近古，較今本《漢書》可信。

例41：《漢書・韓彭英盧吳傳》「反書聞，上乃赦赫，以為將軍。召諸侯問：布反，為之柰何」句（卷34，頁1888）

案：諸本《治要》作「上召諸將問」，今本《漢書》「將」作「侯」。王先謙云：「官本『侯』作『將』，是。」[80]王氏指出官本《漢書》作「諸將」，恰與《治要》所引相同，王說是也。《史記・黥布列傳》亦作「召諸將問」[81]，唐代類書《長短經》卷6[82]引此文亦作「諸將」，皆與《治要》所引《漢書》相同。總之，高祖召問，當為諸將而非諸侯，今本《漢書》當誤。

---

75 漢・荀悅撰，張烈點校：〈高祖皇帝紀〉，《前漢紀》，卷2，頁19。

76 唐・趙蕤：《長短經》，卷4，頁4a。

77 汪辟疆：〈讀書說示中文系諸生〉，《汪辟疆文集》（上海：上海古籍出版社，1988），頁48。

78 唐・歐陽詢撰，汪紹楹校：〈前言〉，《藝文類聚》，頁13。

79 清・王先謙：《漢書補注》，卷34，頁3187。

80 清・王先謙：《漢書補注》，卷34，頁3208。

81 漢・司馬遷：《史記》，卷91，頁2604。

82 唐・趙蕤：《長短經》，卷6，頁12b。

例42：《漢書・楚元王傳》「言號令如汗，汗出而不反者也。今出善令，未能踰時而反，是反汗也」句（卷36，頁1944）

案：諸本《治要》作「今出號令」，今本《漢書》「號」作「善」。《資治通鑑》錄漢紀、《崇古文訣》載劉向言封事等引此文皆作「善」，與《漢書》同。[83]《治要》所引作「號令」，或涉上文「號令如汗」。其實，「號令」與「善令」皆可通，或乃唐代《漢書》之異本也。

例43：《漢書・楚元王傳》「內有管、蔡之萌，外假周公之論，兄弟據重，宗族磐互」句（卷36，頁1960）

案：諸本《治要》作「宗族磐牙」，今本《漢書》「牙」作「互」。《漢書》顏師古注：「磐結而交互也。字或作牙，謂若犬牙相交入之意也。」[84]此言「字或作牙」，是《治要》所引正與師古所言之「或本」相同。考歷代典籍引及此文皆作「宗族磐互」，只有《治要》引「互」作「牙」，據顏師古所言，是其時所見唐本《漢書》有作「牙」者，與《治要》所據相同。

例44：《漢書・賈誼傳》「然而湯武廣大其德行，六七百歲而弗失，秦王治天下，十餘歲則大敗」句（卷48，頁2253）

案：諸本《治要》作「秦王持天下」，今本《漢書》「持」作「治」。疑《治要》傳鈔時避改唐高宗李治名諱。唐高宗李治，陳垣《史諱舉例》以為「治」字，「改為持，為理，或為化。稚改為幼」。[85]是典籍如遇「治」字，則必需避改，是諸本《治要》保持唐初舊貌也。《漢書》理應在唐代傳鈔時亦避改，然出於後世回改，今已使用「治」字，與《治要》不同。

例45：《漢書・張馮汲鄭傳》「繇此言之，陛下雖得李牧，不能用也」句（卷50，頁2314）

案：諸本《治要》作「陛下雖得頗、牧」，今本《漢書》「頗」作「李」。觀乎上文言「廉頗、李牧」，則諸本《治要》作「頗、牧」是也。王先謙云：「上文數處皆言廉頗、李牧，因唐大父獨善牧，故但言牧事。然舉牧即以例頗。此處總結上文，仍應頗、牧並稱，『李』當為『頗』字之誤也。《治要》引此，正作『陛下雖得頗、牧』，《漢紀》

---

83 宋・司馬光：《資治通鑑》（北京：中華書局，1956），卷28，頁911；宋・樓昉：《崇古文訣》（明刻本），卷6，頁4b。

84 漢・班固撰，唐・顏師古注：《漢書》，卷36，頁1960。

85 陳垣：《史諱舉例》，卷8，頁108。

同。《史記》、《通鑑》竝作『陛下雖得廉頗、李牧』。本傳贊：『曷為不能用頗、牧？』以頗、牧二字並稱，亦其證。」[86]王氏遍引《漢紀》、《史記》、《通鑑》等，證當作「頗、牧」，其言是也。今本《漢書》此文殆誤。

例46：《漢書・賈鄒枚路傳》「下垂不測之淵」、「隊入深淵難以復出」句（卷51，頁2359）

案：諸本《治要》作「下垂之不測之深」，今本《漢書》「深」作「淵」。《治要》避唐高祖李淵名諱，故改為「深」。又諸本《治要》作「墜入深泉難以復出」，今本《漢書》「泉」作「淵」。《治要》避唐高祖李淵名諱，故改為「泉」。《史諱舉例》指出，唐高祖名諱淵，「淵改為泉，或為深」。[87]據上兩例，可知《治要》鈔本能存舊，而《漢書》想必當時避諱，後世回改，故不復相同。[88]

例47：《漢書・賈鄒枚路傳》「夫繼變化之後，必有異舊之恩，此賢聖所以昭天命也」句（卷51，頁2368）

案：諸本《治要》作「必有異舊之德」，今本《漢書》「德」作「恩」。王念孫云：

> 「夫繼變化之後，必有異舊之恩」。《漢紀・孝宣紀》「變化」作「變亂」，「異舊之恩」作「雋異之德」。念孫案：上文曰「禍亂之作，將以開聖人」，下文曰「深察禍變之故，迺皇天之所以開至聖」，則作「變亂」者是也。宣帝繼昌邑王之後，故曰「繼變亂之後」，作「變化」則非其義矣。「異舊」亦當依《漢紀》作「雋異」，今本「雋」誤為「舊」，又誤在「異」字之下耳。宣十五年《左傳》注曰：「雋，絕異也。」雋異之恩，謂非常之恩，下文曰「滌煩文，除民疾，存亡繼絕，以應天意」，所謂「雋異之恩」也。若作「異舊之恩」，則非其義矣。《群書治要》所引已誤。[89]

王念孫以《漢紀》為據，以為當作「雋異之德」。[90]王氏復以為《漢書》當依《漢紀》作「雋異」，今《漢書》將「雋」誤為「舊」，復誤置於「異」字之下。王氏所言大抵有理，然尚可作補充。《漢書》引作「恩」，《漢紀》作「德」，此未尚討論。又，王氏謂「《群書治要》所引已誤」，所針對在於乃「異舊」而非「雋異」；至於《治要》所引亦

86 清・王先謙：《漢書補注》，卷50，頁3767。

87 陳垣：《史諱舉例》，卷8，頁108。

88 有關典籍傳鈔與避諱之關係，詳參拙作：〈論避諱與兩漢典籍之傳鈔〉，收入中國典籍與文化編輯部編：《中國典籍與文化論叢》第19輯，頁16-30。

89 清・王念孫：《讀書雜志》，「漢書第十」，頁786-787。

90 漢・荀悅撰，張烈點校：〈孝宣皇帝紀一〉，《前漢紀》，頁297。

作「德」而非「恩」，王氏並未注意。大抵《治要》所引作「德」者，亦屬《漢書》異文，未必為誤。

例48：《漢書・董仲舒傳》「其心欲盡滅先王之道，而顓為自恣苟簡之治」句（卷56，頁2504）

案：諸本《治要》作「其心欲盡滅先聖之道」，今本《漢書》「聖」作「王」。《漢紀》引此文亦作「先聖」[91]，不作「先王」，與《治要》所引同。殿本《漢書》亦作「先聖」，與《漢書補注》本相異。考究文義，「先王」與「先聖」俱可通，但以「先聖」較佳矣。

（三）《群書治要》所引《漢書》佚注

《群書治要》成書於貞觀10年（636），顏師古奉太子李承乾勅命撰《漢書注》，始於貞觀11年（637），貞觀15年（641）而書成。是魏徵撰《群書治要》之時，顏師古《漢書注》尚未成書。楊明照〈《漢書》顏注發覆〉嘗指出師古注多有所本而隱其名，楊文將師古注所本37種，其中第三十六種為「漢書舊注」，當中有四條注釋乃《治要》所引，而後來為師古所襲取。[92]今考《治要》成書在《漢書》顏注以前，則其注解自不可能本諸顏師古。《群書治要》引注，不明撰者，其引用《漢書》舊注亦然。《群書治要》所引注解，部分未有為顏師古《漢書注》所采，因而未知撰者誰屬，成為佚注。今舉例如下：

例49：《治要》卷14注「所緩則賤，所急則貴」[93]

案：《漢書・食貨志下》「令有緩急，故物有輕重」句，李奇曰：「上令急於求米則民重米，緩於求米則民輕米。」[94]《群書治要》所引注未知出自何書，蓋《漢書》佚注。唐代杜佑《通典・食貨》援引《漢書・食貨志》此文並及注解，其所引亦作「所緩則賤，所急則貴」[95]，與《治要》相同。顏師古《漢書注》所引乃李奇注，與《群書治要》不同。《漢書》注解眾多，此魏徵與顏師古所引注解未必一致。

---

91 漢・荀悅撰，張烈點校：〈孝武皇帝紀二〉，《前漢紀》，頁175。

92 詳參楊明照：〈《漢書》顏注發覆〉，《學不已齋雜著》，頁109-110。

93 此部分所引《治要》除非特別說明，否則悉據金澤文庫本。

94 漢・班固撰，唐・顏師古注：《漢書》，卷24下，頁1150。

95 唐・杜佑：《通典》，卷12，頁275。

例50：《治要》卷14注「鍾六石四斗」

案：《漢書．食貨志下》「率十餘鍾致一石」句，師古曰：「言其勞費用功重。」[96]考《治要》所引「鍾六石四斗」云云，亦見裴駰《史記集解》。[97]裴駰《史記集解》引《漢書音義》為解，未明作者為誰。自《漢書》成書後，注者甚眾，其中題為「《漢書音義》」而為裴駰所及見者，至少包括東漢延篤《漢書音義》、胡廣《漢書音義》、蔡邕《漢書音義》、應劭《漢書集解音義》、三國伏儼《漢書音義》、鄭氏《漢書音義》、李斐《漢書音義》、孟康《漢書音義》9卷[98]、韋昭《漢書音義》7卷[99]、兩晉司馬彪《漢書音義》、劉兆《漢書音義》、晉灼《漢書音義》、臣瓚《漢書集解音義》、呂忱《漢書音義》、徐廣《漢書音義》等共15家。[100]及至顏師古注釋《漢書》，不取《治要》此注，此乃二書注解相異之例。

例51：《治要》卷17注「陶人作瓦器謂之甄」

案：《漢書．董仲舒傳》「猶泥之在鈞，唯甄者之所為」句，師古曰：「甄，作瓦之人也。鈞，造瓦之法其中旋轉者。甄音吉延反。」[101]今本《漢書》師古注與《治要》所引注解相異。《文選》卷6左思〈魏都賦〉「玄化所甄」句，張載注引《漢書音義》如淳曰：「陶人作瓦器謂之甄。」[102]可知此條並非佚注，然而顏師古及後不在此處援引如淳此注，故與《治要》所載相異。

例52：《治要》卷19注「墜，物欲墜落也」

案：《漢書．王貢兩龔鮑傳》「易於決流抑隊」句，師古曰：「決欲流之水，抑將隊之物，言其便易。」[103]《群書治要》所引注解，未知孰為，蓋亦《漢書》佚注而已。顏師古《漢書注》不用此注，自別施行。

例53：以下三句，今本《漢書》同一位置無注，只有《治要》有相關注解。

1.《治要》卷16引《漢書．賈誼傳》「六親有紀」句下有注「父母兄弟妻子」。今

---

96 漢．班固撰，唐．顏師古注：《漢書》，卷24下，頁1158。
97 漢．司馬遷：《史記》，卷30，頁1422。
98 後晉．劉昫等撰：《舊唐書》，卷46，頁1988。
99 唐．魏徵、令狐德棻等撰：《隋書》（北京：中華書局，1973），卷28，頁953。
100 裴駰以前注《漢書》而題曰「《漢書音義》」約有15家，說參張儐生：〈漢書著述目錄攷〉，收入陳新雄、于大成主編：《漢書論文集》（臺北：木鐸出版社，1976），頁75-141。
101 漢．班固撰，唐．顏師古注：《漢書》，卷56，頁2501。
102 梁．蕭統編，唐．李善注：《文選》，卷6，頁271。
103 漢．班固撰，唐．顏師古注：《漢書》，卷72，頁3079。

《漢書》無此注，蓋為《漢書》佚注。細考《治要》所引《漢書》，取今本《漢書》作比較，可知今本《漢書》於「以奉六親，至孝也」句下援引應劭曰：「六親，父母兄弟妻子。」[104]準此，則此注殆非《漢書》注解之佚文，然而《漢書》與《治要》之注解位置有所不同，蓋亦《治要》所本《漢書》注者與今本《漢書》顏師古注的差異。

2.《治要》卷16引《漢書．賈誼傳》「步中〈采齊〉，趍中〈肆夏〉」句下有注「詩樂也。步則歌之以中節」。今《漢書》無此注，蓋為《漢書》佚注。《文選》卷48揚雄〈劇秦美新〉「揚和鸞肆夏以節之」句，李善注援引此注「步則歌之以中節」，題作「《漢書音義》」。[105]

3.《治要》卷16引《漢書．賈誼傳》「若其服習積貫」句下有注「貫，習也」，今《漢書》無此注，蓋為《漢書》佚注。

五　《群書治要》所據《漢書》注本蠡測

《群書治要》成書於《漢書》顏師古注以前，書中所引《漢書》注釋即不明言出處，亦知不可能本諸顏注。《漢書》在顏師古注以前，注釋者眾，據顏師古〈《漢書》敘例〉所言，有所謂23家注解，包括荀悅、服虔、應劭、伏儼、劉德、鄭氏、李斐、李奇、鄧展、文穎、張揖、蘇林、張晏、如淳、孟康、項昭、韋昭、晉灼、劉寶、臣瓚、郭璞、蔡謨、崔浩等。此等注解，大抵皆為顏師古編撰《漢書注》時所本，且各人生活時代之次序，即如〈敘例〉所置。

今考《群書治要》所引《漢書》，兼錄注釋，雖沒有具名，然而取今本《漢書》作比較，可見其所出。今具列如下：

	《漢書》	《群書治要》						
	原注	卷14	卷15	卷16	卷17	卷18	卷19	總數
荀悅	21	0	0	0	1	0	1	2
服虔	584	1	0	6	1	1	1	10
應劭	1117	0	3	5	1	2	1	12
伏儼	9	0	0	0	0	0	0	0
劉德	49	0	0	0	0	0	1	1
鄭氏	120	1	2	1	1	0	0	5
李斐	22	0	0	0	0	0	0	0

104 漢．班固撰，唐．顏師古注：《漢書》，卷48，頁2231。

105 梁．蕭統編，唐．李善注：《文選》，卷48，頁2153。

	《漢書》	《群書治要》						
	原注	卷14	卷15	卷16	卷17	卷18	卷19	總數
李奇	347	8	2	0	0	2	1	13
鄧展	81	0	0	0	0	0	0	0
文穎	271	1	1	0	0	2	0	4
張揖	189	0	0	0	0	0	0	0
蘇林	421	0	0	0	2	2	0	4
張晏	663	0	2	5	6	1	2	16
如淳	945	10	3	10	4	0	2	29
孟康	839	7	3	3	3	0	1	17
項昭	2	0	0	0	0	1	0	1
韋昭	175	0	0	0	1	0	0	1
晉灼	650	0	2	1	1	0	2	6
劉寶	1	0	0	0	0	0	0	0
臣瓚	338	1	1	2	3	0	0	7
郭璞	141	0	0	0	0	0	0	0
蔡謨	4	0	0	0	0	0	0	0
崔浩	4	0	0	0	0	0	0	0
（顏師古）		4	3	2	2	1	0	12
佚注		2	0	6	0	3	2	13
總數		35	22	41	26	15	14	

就上表所見，《群書治要》所引《漢書》舊注共15家。依引用次數多寡，排序如下：

1 如淳29次	5 應劭12次	9 鄭氏5次
2 孟康17次	6 服虔10次	10 文穎4次、蘇林4次
3 張晏16次	7 臣瓚7次	11 荀悅2次
4 李奇13次	8 晉灼6次	12 韋昭1次、項昭1次、劉德1次

就《治要》所引《漢書》注，可知其出眾家，雖未有明引注者姓名，然其乃據《漢書》集注或集解本為主，則殆無可疑。在顏師古〈《漢書》敘例〉之中，嘗言前代嘗有「集注」或「集解」之作，其文如下：

> 《漢書》舊無注解，唯服虔、應劭等各為音義，自別施行。至典午中朝，爰有晉

> 灼，集為一部，凡十四卷，又頗以意增益，時辯前人當否，號曰《漢書集注》。[106]

此言服虔、應劭嘗就《漢書》撰有「音義」，各自流傳。至晉代學者晉灼之時，終將前代《漢書》注解集合為一部，並有己注，討論舊注之正誤，此書名為《漢書集注》。今考《隋書．經籍志》載錄此書13卷[107]，《舊唐書．經籍志》、《新唐書．藝文志》俱載錄此書14卷[108]，後者又兼載晉灼《音義》17卷。[109]高似孫《史略》亦載為13卷。[110]此書自後書志即不復載錄，蓋已早佚。又，〈敘例〉復云：

> 有臣瓚者，莫知氏族，考其時代，亦在晉初，又總集諸家音義，稍以己之所見，續廁其末，舉駮前說，喜引《竹書》，自謂甄明，非無差爽，凡二十四卷，分為兩帙。今之《集解音義》則是其書，而後人見者不知臣瓚所作，乃謂之應劭等《集解》。王氏《七志》，阮氏《七錄》，並題云然，斯不審耳。學者又斟酌瓚姓，附著安施，或云傅族，既無明文，未足取信。[111]

此可見有臣瓚《漢書集解音義》之書。臣瓚之個人資料，大抵闕如，只知其人約在晉代。與晉灼《集注》相若，臣瓚之書亦是臚列眾家，並下己見，以論定諸家舊注是非。王儉《七志》、阮孝緒《七錄》今皆佚，據顏師古所言，二書皆誤以為臣瓚此書乃應劭所撰。臣瓚《漢書集解音義》，《隋志》、新舊《唐書》俱不載，唯有高似孫《史略》錄之為24卷。[112]除了晉灼《漢書集注》、臣瓚《漢書集解音義》以外，蔡謨《漢書集解》亦屬另一部匯聚《漢書》舊注而其時代亦在顏師古以前的著述。〈敘例〉復云：

> 蔡謨全取臣瓚一部散入《漢書》，自此以來始有注本。但意浮功淺，不加隱括，屬輯乖舛，錯亂實多，或乃離析本文，隔其辭句，穿鑿妄起。職此之由，與未注之前大不同矣。謨亦有兩三處錯意，然於學者竟無弘益。[113]

此可見蔡謨之書大抵本諸臣瓚《漢書集解音義》，而此書與前二者最大相異之處，乃是其注釋散落《漢書》正文之中，與晉灼、臣瓚之將注解音義另成一書，其處理方法有所不同。蔡謨《漢書集解》在《隋書．經籍志》、《舊唐書．經籍志》、《新唐書．藝文志》

---

106 漢．班固撰，唐．顏師古注：〈漢書敘例〉，《漢書》，頁1。

107 唐．魏徵、令狐德棻等撰：《隋書》，卷33，頁953。

108 後晉．劉昫等撰：《舊唐書》，卷46，頁1988；宋．歐陽修、宋祁：《新唐書》（北京：中華書局，1975），卷58，頁1454。

109 宋．歐陽修、宋祁：《新唐書》，卷58，頁1454。

110 宋．高似孫：《史略》（古逸叢書本），卷2，頁11a。

111 漢．班固撰，唐．顏師古注：〈漢書敘例〉，《漢書》，頁1-2。

112 宋．高似孫：《史略》，卷2，頁9a-9b。

113 漢．班固撰，唐．顏師古注：〈漢書敘例〉，《漢書》，頁2。

俱不載，蓋其注解併入《漢書》正文之中，與其他注家「音義」獨立成書者有所不同。當然，顏師古對蔡謨注本也不全然滿意，其中「意浮功淺，不加隱括，屬輯乖舛，錯亂實多，或乃離析本文，隔其辭句，穿鑿妄起」，問題頗多。據顏意，則蔡謨注本與今所見師古注本，其注釋位置當不盡相同，用以補足蔡本之失。

《群書治要》所用各書注本，如《詩》主毛、鄭，《書》用偽孔，《論語》採《集解》，俱有單一專屬，並不兼採諸本。因此，《治要》所用《漢書》注本，既及十五注家，但不採用十五人之單注本明矣。在此前提下，晉灼《漢書集注》、臣瓚《漢書音義集解》、蔡謨《漢書集解》皆有可能成為《群書治要》摘引所據。然而，《治要》所引有及於臣瓚注釋，則非晉灼《漢書集注》明矣。《治要》所引，嘗8次及於臣瓚注解，而無蔡謨注。另一方面，今《漢書》顏注在全書之中引用臣瓚338次，引及蔡謨僅4次。據此，《治要》所採《漢書》注本似屬臣瓚《漢書集解音義》。然而，誠如上文所論，顏師古嘗言「蔡謨全取臣瓚一部散入《漢書》，自此以來始有注本」，則臣瓚之本並不包括《漢書》正文，而蔡謨《漢書集解》則為兼附正文和注釋的《漢書》注本。如取今《漢書》顏注與《治要》所引《漢書》舊注比較，可見二者下注的位置雖不盡相同，大抵即師古所言蔡謨本「離析本文，隔其辭句」。惟二者注解位置其實相去不遠，因此《治要》編撰之時理應參考蔡謨注本，而非採用臣瓚本並將逐條舊注重置《漢書》正文之下。

就上表所見，《群書治要》所引《漢書》舊注，其中有12條不在二十三家舊注之列，而在今《漢書》中直接題為「師古曰」。有關顏師古《漢書注》的特色，前賢論之詳矣，如王錦貴云：

> 「顏注」的形式是集注。所謂「集注」，就是博引唐代以前二十三家注釋，然後在「師古曰」以下，或肯定，或否定，以申述個人見解。顏師古徵引前人注釋最多的是服虔、應劭、晉灼、如淳、臣瓚和蔡謨等各家，顏氏正是在前人基礎上，或補充遺漏，糾正錯誤，或取長補短，折中潤色。[114]

顏師古注理應先援引諸家眾說，然後施以已注，申述個人見解，形式上與晉灼、臣瓚、蔡謨等頗為相類。楊明照〈《漢書》顏注發覆〉嘗指出師古注多有所本而隱其名，其中包括一種為「漢書舊注」，當中有4條注釋乃《治要》所引，而後來為師古所襲取。[115]如上文所論，《治要》所採《漢書》注本當為蔡謨《漢書集解》，此12條注解雖未必全出蔡謨自注，但既屬唐前舊注，吉光片羽，彌足珍貴。

---

114 王錦貴：《《漢書》與《後漢書》》（北京：人民出版社，1987），頁92。
115 楊明照：〈《漢書》顏注發覆〉，《學不已齋雜著》，頁109-110。

六　結語

本文分析唐人魏徵等所編《群書治要》引用《漢書》及其注釋的情況，並嘗討論《群書治要》之校勘價值。今總之如下：

（一）《群書治要》50卷，今餘47卷，遍引經、史、子等共65種典籍，且當時乃初唐之本，保其舊貌，彌足珍貴。就本文討論之重點《漢書》而言，《治要》成書早於顏師古之注《漢書》，所見本有與顏師古不盡相同者，其重要性可見一斑。

（二）《群書治要》自宋以後在中國久佚，在日本卻有流傳。自清嘉慶初年回傳中國以後，校勘學家如高郵王氏父子便對《群書治要》多番引用，勘正許多文本傳鈔之誤。在王念孫《讀書雜志·讀漢書雜志》之部，可見王念孫多用《群書治要》作為推論的佐證。可是，王念孫雖極具卓識，然其所據《群書治要》僅為天明本，並不見其他善本，誠為憾事。

（三）今所存《群書治要》有四個重要本子，一為平安時代九条本（殘本，只餘七卷可讀），二為鎌倉時代金澤文庫卷子本，三為元和活字駿河版，四為天明刻本。由於清代校勘學家無緣參考金澤文庫本等，致使部分推論存有可補充的空間；甚或可用金澤文庫等本，糾正清代校勘家的校勘失誤。

（四）《漢書》地位遠較《史記》為高，就《群書治要》所引用達八卷之多已可知，《史記》則僅為一卷半矣。《群書治要》載錄漢事，只用《漢書》而不用《史記》，採錄《史記》僅為秦或以前史事，則《史記》、《漢書》孰為輕重於此可見矣。

（五）《群書治要》在唐代中晚期已傳至日本，較能保存典籍舊貌。此外，敦煌、吐魯番之《漢書》，亦可取與《群書治要》，以及今本《漢書》作一對比，以見唐本《漢書》之風貌。

（六）《群書治要》所採諸書，必用單一注本，如《詩》主毛、鄭，《書》用偽孔，《論語》採《集解》，故其採錄《漢書》亦然。《治要》引《漢書》注有十四家，自當採之「集解」而非單行注本。晉灼《漢書集注》、臣瓚《漢書音義集解》、蔡謨《漢書集解》皆有可能成為《群書治要》摘引所據。然而，三本之中唯有蔡謨注本乃兼附正文和注釋的《漢書》注本，當為《治要》所據。

徵引文獻

一　原典文獻

漢・史　游撰，唐・顏師古注：《急就篇》，上海：商務印書館，1936。

漢・司馬遷：《史記》，北京：中華書局，1982。

漢・班　固撰，唐・顏師古注：《漢書》，北京：中華書局，1962。

漢・荀　悅撰，張烈點校：《前漢紀》，北京：中華書局，2002。

漢・賈　誼撰，鍾夏、閻振益校注：《新書校注》，北京：中華書局，2000。

劉宋・范　曄撰，唐・李賢注：《後漢書》，北京：中華書局，1965。

梁・蕭　統編，唐・李善注：《文選》，上海：上海古籍出版社，1986。

唐・李德裕：《李文饒集》，上海：商務印書館，1919。

唐・杜　佑：《通典》，北京：中華書局，1988。

唐・趙　蕤：《長短經》，北京：中華書局，2017。

唐・歐陽詢撰，汪紹楹校：《藝文類聚》，上海：上海古籍出版社，1999。

唐・魏　徵、令狐德棻等撰：《隋書》，北京：中華書局，1973。

唐・魏　徵、褚亮、虞世南、蕭德言撰：《群書治要》，北京：團結出版社，2016。

唐・魏　徵奉敕撰，尾崎康、小林芳規解題：《群書治要》，東京：汲古書院，1989。

後晉・劉　昫等撰：《舊唐書》，北京：中華書局，1975。

宋・王應麟：《玉海》，臺北：華文書局，1964。

宋・司馬光：《資治通鑑》，北京：中華書局，1956。

宋・李　昉等撰：《太平御覽》，北京：中華書局，1960。

宋・袁說友：《東塘集》，上海：上海古籍出版社，1987。

宋・高似孫：《史略》，古逸叢書本。

宋・樓　昉：《崇古文訣》，明刻本。

宋・歐陽修、宋祁：《新唐書》，北京：中華書局，1975。

宋・鄭　樵：《通志》，上海：上海古籍出版社，1987。

金・王若虛：《史記辨惑》，《滹南遺老集》，四部叢刊影印舊鈔本。

元・脫　脫等：《宋史》，北京：中華書局，1977。

清・王引之撰，虞思徵、馬濤、徐煒君校點：《經義述聞》，上海：上海古籍出版社，2016。

清・王先謙：《漢書補注》，上海：上海古籍出版社，2008。

清・王念孫撰，徐煒君等校點：《讀書雜志》，上海：上海古籍出版社，2015。

清・朱一新：《漢書管見》，收入張舜徽主編：《二十五史三編》第3冊，長沙：岳麓書社，1994。
清・沈欽韓：《漢書疏證》，上海：上海古籍出版社，2006。
清・阮　元撰，鄧經元點校：《揅經室集》，北京：中華書局，1993。
清・周廣業：《經史避名彙考》，上海：上海古籍出版社，2015。
清・張文虎：《舒藝室隨筆》，清同治刻本。
清・梁玉繩：《史記志疑》，北京：中華書局，1981。
清・趙　翼撰，王樹民校證：《廿二史劄記校證》，北京：中華書局，1984。

二　近人論著

王重民：《敦煌古籍敘錄》，北京：商務印書館，1958。
王錦貴：《《漢書》與《後漢書》》，北京：人民出版社，1987。
汪辟疆：《汪辟疆文集》，上海：上海古籍出版社，1988。
林溢欣：〈從日本藏卷子本《群書治要》看《三國志》校勘及其版本問題〉，《中國文化研究所學報》53（2011.7），頁193-216。
姚　軍：〈敦煌《漢書》唐寫本的校勘價值〉，《寶雞文理學院學報（社會科學版）》33：3（2013.6），頁77-79、83。
張儐生：〈漢書著述目錄攷〉，收入陳新雄、于大成主編：《漢書論文集》，臺北：木鐸出版社，1976，頁75-141。
陳　垣：《史諱舉例》，上海：上海書店出版社，1997。
楊明照：〈《漢書》顏注發覆〉，《學不已齋雜著》，上海：上海古籍出版社，1985，頁51-114。
潘銘基：〈日藏平安時代九条家本《群書治要》研究〉，《中國文化研究所學報》67（2018.7），頁1-40。
潘銘基：〈論避諱與兩漢典籍之傳鈔〉，收入中國典籍與文化編輯部編：《中國典籍與文化論叢》第19輯，北京：中華書局，2018，頁16-30。
潘銘基：〈論《群書治要》去取《史記》之敘事方法〉，《國文天地》411（2019.8），頁24-32。
竇懷永：〈唐代俗字避諱試論〉，《浙江大學學報（人文社會科學版）》39：3（2009.5），頁165-174。
日・尾崎康：〈群書治要とその現存本〉，《斯道文庫論集》25（1990.3），頁121-210。
P.M.Thompson. *The Shen Tzu Fragments*. London: Oxford University Press, 1979.

論《新編諸子集成續篇》所用《群書治要》底本

潘永鋒

〔香港〕香港中文大學中國語言及文學系博士生

摘要

2009年，中華書局《新編諸子集成》叢書全數出版後，隨即開始出版《新編諸子集成續篇》(下稱《續編》)，至今已出版二十六種，涉及二十七種古籍，可謂反映學界近年來古籍整理的最新研究成果。《續編》諸書，多有取資《群書治要》(下稱《治要》)作校勘古籍之用，其所據《治要》底本，為清代嘉慶年間自日本流傳回國的天明刻本，即今《四部叢刊》本。考《治要》一書，日本國內尚存有三種年代更早的本子，分別是九条家本（現藏東京國立博物館）、金澤文庫本（現藏日本宮內廳書陵部）和駿河版，三種《治要》俱已影印出版或供線上瀏覽多時，然《續編》諸書卻未有據此作整理古籍之用，誠為憾事。本文以此發端，取三種《治要》對《續編》諸書的校勘問題作一考論，以見三種《治要》的重要性。本文所論，約有以下兩者：其一以《治要》所引《政論》、《昌言》及《中論》為例，分析其篇名問題。其二以《治要》所引《司馬法》、《鶡冠子》、《申鑒》為例，整理三書文字。

關鍵詞：新編諸子集成續篇、群書治要、篇名、校勘

Editions of the *Qunshu zhiyao* used in the *Xinbian zhuzi jicheng xubian* Series

Poon, Weng Fong Alex

PhD student, Department of Chinese Language & Literature,

The Chinese University of Hong Kong

Abstract

Since the release of all volumes of the *Xinbian zhuzi jicheng* 新編諸子集成 series in 2009, Zhonghua shuju 中華書局 has published 26 volumes of the supplementary series *Xinbian zhuzi jicheng xubian* 新編諸子集成續編, representing the latest efforts at the collation of 27 ancient Chinese texts, including the *Sima fa* 司馬法, *Heguanzi* 鶡冠子, Xun Yue's 荀悅 *Shenjian* 申鑒, Cui Shi's 崔寔 *Zhenglun* 政論, Zhong Changtong's 仲長統 *Changyan* 昌言, and Xu Gan's 徐幹 *Zhonglun* 中論. While often referring to the *Qunshu zhiyao* 群書治要 as a source of textual variants for emendation, the *Xubian* series has only attended to the Japanese Tenmei 天明 edition delivered back to China during the Jiaqing 嘉慶 era of the Qing 清 dynasty, overlooking three important earlier editions of the epitome, namely the Kujo Clan 九条家 manuscript of the Heian 平安 era (now preserved in the Tokyo National Museum 東京國立博物館), the Kanazawa Archive 金澤文庫 manuscript of the Kamakura 鎌倉 era (now preserved in the Archives and Mausolea Department 書陵部 of the Imperial Household Agency 宮內廳 of Japan), and the Suruga 駿河 woodblock print of the Genna 元和 era, all of which have been digitized and uploaded to online archives, allowing public and convenient perusal. This paper examines chapter title (pian ming 篇名) variants denoted in earlier editions of the *Qunshu zhiyao* and that in the *Zhenglun*, *Changyan* and *Zhonglun* variora of the *Xubian* series, then proceeds to evaluate the series' emendation of the Sima fa, Heguanzi and Shenjian, as well as their utilization of *Qunshu zhiyao* editions.

Keywords: *Xinbian zhuzi jicheng xubian* Series, *Qunshu zhiyao*, chapter title, textual analysis

一　引言

2009年，中華書局《新編諸子集成》叢書全數出版後，隨即開始出版《新編諸子集成續篇》（下稱《續編》），至今已出版二十六種，涉及二十七種古籍，可謂反映學界近年來古籍整理的最新研究成果。《續編》諸書，多有取資《群書治要》作校勘古籍之用，其所據《治要》底本，為清代嘉慶年間自日本流傳回國的天明刻本，即今《四部叢刊》本。考《群書治要》一書，日本國內尚存有三種年代更早的本子，分別是現藏於東京國立博物館的九条家本、現藏於日本宮內廳書陵部的金澤文庫本和現藏於東京大學東洋文化研究所的駿河版，三種《群書治要》俱已影印出版或供線上瀏覽多時，然《續編》諸書卻未有據此作整理古籍之用，誠為憾事。本文以此發端，首先就《續編》諸書作一簡單論述，復對《群書治要》一書的成書與流傳情況作一略論，接著則以《群書治要》所引《政論》、《昌言》及《中論》為例，分析《續編》中《政論校注》、《昌言校注》及《中論解詁》三書的篇名。最後，據《群書治要》所引《司馬法》、《鶡冠子》、《申鑒》為例，對《續編》中《司馬法集釋》、《鶡冠子校注》及《申鑒注校補》三書的校勘問題作一考論，以見三種《群書治要》的重要性。

二　《新編諸子集成續篇》概述

自2009年至今，中華書局《新編諸子集成續篇》已經出版了二十七種古籍整理本，詳見下表：

儒　家	《晏子春秋校注》、《曾子輯校》、《荀子簡釋》、《新序校釋》、《太玄校釋》、《新輯本桓譚新論》、《政論校注》、《昌言校注》、《申鑒注校補》、《中論解詁》、《孔叢子校釋》、《中說校注》、《孔子集語校注》（附補錄）
道　家	《鬻子校理》、《莊子補正》、《鶡冠子校注》
法　家	《慎子集校集注》、《韓子淺解》
縱橫家	《鬼谷子集校集注》
兵　家	《司馬法集釋》、《李衛公問對校注》
雜　家	《論衡校讀箋識》、《風俗通義校注》、《意林校釋》、《長短經》
農　家	《四民月令校注》
小說家	《山海經箋疏》

當中共有儒家典籍十三種、道家典籍三種、法家典籍兩種、縱橫家典籍一種、兵家

典籍兩種、雜家典籍四種、農家典籍一種及小說家典籍一種。[1]此二十七種古籍整理本，既有單行出版，今收入《續編》重新出版者，如梁啟雄所撰《荀子簡釋》及《韓子淺解》、劉文典《莊子補正》、石聲漢《四民月令校注》等；亦有首次出版者，如傅亞庶《孔叢子校釋》、吳如嵩及王顯臣校注《李衛公問對校注》、梁運華校注《長短經》等。細考《續編》諸書，多有取《群書治要》作參校本，惜《續編》諸書所用之《群書治要》，俱為清代嘉慶年間自日本流傳回國的天明刻本，即今《四部叢刊》本。

誠如前文所言，《群書治要》一書，日本國內尚存有三種年代更早的本子：九条家本、金澤文庫本和駿河版。此三種本子，所載內容往往與天明刻本相異，實可取資作整理古籍之用。今考《續編》諸書，若為重新出版者，未能利用此三種《群書治要》本子亦屬正常，惟《續編》當中首次出版的古籍整理本，當中取資《群書治要》作參校本者，有《司馬法集釋》、《鶡冠子校注》、《慎子集校集注》、《政論校注》、《昌言校注》、《申鑒注校補》及《中論解詁》七種，然參其校釋書目，所據僅為天明本《群書治要》，實未可稱善。

考學界所論，潘銘基〈《群書治要》所載《慎子》研究〉一文據九条家本、金澤文庫本和駿河版三種《群書治要》本子整理《慎子》一書，[2]誠有卓見。然其餘六種《續編》著作，學界暫未見有利用此三種《群書治要》本子作進一步討論者，是故下文將從《政論校注》、《昌言校注》及《中論解詁》三書的篇名，以及《司馬法集釋》、《鶡冠子校注》及《申鑒注校補》三書的校勘問題切入，以見三種《治要》的重要性。

三　《群書治要》的成書與流傳

《群書治要》五十卷，唐代魏徵等奉敕撰。考《唐會要》所載：「貞觀五年九月二十七日，祕書監魏徵撰《群書政要》，上之。」[3]是知《群書治要》一書，成於太宗朝貞觀五年。及自宋代，《群書治要》一書漸有佚失，《宋史・藝文志》有載：「《群書治要》十卷。」[4]陳騤《中興館閣書目》亦載：「十卷，秘閣所錄唐人墨蹟。乾道七年寫副本藏之，起第十一，止二十卷，餘不存。」[5]據此，譚樸森（P. M. Thompson）有云：

The last catalogue in which it was listed, the Chung Hsing Kuan Ke Shu Mu (1178),

---

1 案：有關以上典籍的分類，悉據《新編諸子集成續篇》已出書目。

2 潘銘基：〈《群書治要》所載《慎子》研究〉，收入查屏球編：《梯航集——日藏漢籍中日學術對話錄》（上海：上海古籍出版社，2018），頁210-230。

3 宋・王溥：《唐會要》（北京：中華書局，1955），卷36，頁651。

4 元・脫脫等：《宋史》（北京：中華書局，1977），卷207，頁5301。

5 案：《中興書目》已佚，相關資料轉引自王應麟《玉海》一書。宋・王應麟撰，武秀成、趙庶洋校證：《玉海藝文校證》（南京：鳳凰出版社，2013），卷20，頁961。

knew only a fragment (chüan nos. 11-20).[6]

譚樸森認為《中興館閣書目》乃《群書治要》在中國本土最後的著錄，其說是也。[7]

自宋代以後，《群書治要》已經完全散佚，然考日人藤原良房《續日本後記》「承和五年六月壬子」下有云：「天皇御清涼殿、令助教正六位上直道宿禰廣公讀《群書治要》第一卷。」[8]當中「承和」為日本仁明天皇年號，而《續日本後記》中承和五年（838）此條記載，蓋現存《群書治要》此書見載於日本的最早紀錄。據此，最晚在公元838年，唐文宗之時，《群書治要》已經流傳至日本。

清代嘉慶年間，《群書治要》自日本回流中國，此本為日人尾張藩主家大納言宗睦在日本光格天皇天明七年（1787）所刊刻之版本，然據日人細井德民〈刊《群書治要》考例〉有云：

> 我孝昭二世子好學，及讀此書，有志校刊。幸魏氏所引原書，今存者十七八，乃博募異本於四方，日與侍臣照對是正。[9]

是知此本實經日人據其時所見之《群書治要》所引原書回改，已非該書原貌，殆未可稱善。

細考各家文獻，《群書治要》一書，除天明本外，日本國內尚存三種年代更早的本子。其一為原藏於東京赤板之九条公爵府內，現收入東京國立博物館之平安時代（794-1185）寫本（下稱九条家本），合計十三卷，惟破損情況嚴重，今完成修復，可見者僅七卷，分別為卷二十二、卷二十六、卷三十一、卷三十三、卷三十五、卷三十六及卷三十七。[10]其二為舊藏金澤文庫，現藏於日本宮內廳書陵部之鐮倉時代（1192-1333）寫本（下稱金澤文庫本）。[11]其三為元和二年（1616）以銅活字刊印的活字本（下稱駿河版）。[12]三本年代俱早於天明本，且未經時人回改，當更接近《群書治要》原書舊貌。

---

6 P. M. Thompson, *The Shen Tzu Fragments* (Oxford: Oxford University Press, 1979), p. 65.

7 案：林溢欣《〈群書治要〉引書考》亦據《中興館閣書目》所載，指出《群書治要》在南宋後方完全散佚。林溢欣：《〈群書治要〉引書考》（香港：香港中文大學中國語言及文學系哲學碩士論文，2011），頁25。潘銘基〈日藏平安時代九条家本《群書治要》研究〉一文亦認同譚樸森所論。潘銘基：〈日藏平安時代九条家本《群書治要》研究〉，《中國文化研究所學報》67（2018.7），頁2。

8 藤原良房奉敕撰，伴信友校訂：《續日本後記》（東京：佚存書坊，1883），葉4下。

9 細井德民：〈刊《群書治要》考例〉，載唐．魏徵等撰：《群書治要》，收入《四部叢刊初編》第443冊（上海：商務印書館，1919，據上海涵芬樓景印日本天明7年刊本影印），考例，葉1下-2上。

10 案：東京國立博物館已經將完成修復的九条家本《群書治要》透過「e-Museum」網站發表。

11 案：日本古典研究會早在1989年已經將此本影印出版，而日本宮內廳書陵部在2016年更將其透過網絡發表。

12 案：考日人沓掛伊左吉〈曝書史稿〉有云：「元和二年（1616）《群書治要》五十卷を開板した。世にこれを駿河版という。」沓掛伊左吉：〈曝書史稿〉，收入金澤文庫編：《金澤文庫研究紀要》第7

至於九条家本、金澤文庫本、駿河版及天明本四種《群書治要》本子的關係，學界已有論及。尾崎康〈群書治要とその現存本〉及潘銘基〈日藏平安時代九条家本《群書治要》研究〉兩文，[13]據九条家本及金澤文庫本的訓點、抄寫形式，乃至兩本並見相同錯誤之處，指出九条家本當為金澤文庫本所據之底本。

至於金澤文庫本及駿河版之關係，考董康《書舶庸譚》「《群書治要》四十七卷」條，有云：「古寫卷子本。缺第四、第十三、第廿，慶長紀州活字本即從此出。」[14]當中「古寫卷子本」即金澤文庫本，是知駿河版源自金澤文庫本。林溢欣〈《群書治要》引書考〉一文，進一步從兩本行款切入，指出「此本（即駿河版）行款與卷子本（即金澤文庫本）並同，敬闕一格，每卷如是」。[15]是知林氏所論，可謂的論。

又，金澤文庫本及天明本之關係，考天明本《治要》所錄序跋，當中日人細井德民〈刊《群書治要》考例〉有云：「我孝昭二世子好學，及讀此書，有志校刊。」[16]又，日人林信敬〈校正《群書治要》序〉亦云：「使世子命臣僚校正而上之木。」[17]當中論及「校刊」「校正」的對象，即指金澤文庫本，而「上之木」即為刊刻已經完成校正的《治要》，亦即天明本，是知天明本的祖本亦為金澤文庫本。

綜括而言，九条家本為金澤文庫本所據之底本，而駿河版及天明本，即據金澤文庫本校刊而成，後者可謂前兩者的祖本。

四　論《政論校注》、《昌言校注》及《中論解詁》三書篇名

考金澤文庫本《群書治要》所錄典籍，每節文字開首處，欄上或有若干文字，取之與今本典籍比對，當為所錄典籍之篇名。[18]以《群書治要》所錄《鹽鐵論》為例：

號（京都：臨川書店，1989，復刻版），頁92-133。故本文稱元和二年以銅活字刊印的活字本為「駿河版」。在2009年，東京大學東洋文化研究所將其透過網絡發表。

13 案：相關論述參尾崎康：〈群書治要とその現存本〉，《斯道文庫論集》25（1990），頁135；潘銘基：〈日藏平安時代九条家本《群書治要》研究〉，《中國文化研究所學報》67（2018.7），頁30-35。

14 清・董康撰：《書舶庸譚》，收入賈貴榮輯：《日本藏漢籍善本書志書目集成》第2冊（北京：北京圖書館出版社，2003，據民國28年自刻本影印），卷3，頁187。案：原文作「第廿三」誤，當作「第廿」為是。

15 林溢欣：《《群書治要》引書考》（香港：香港中文大學中國語言及文學系哲學碩士論文，2011），頁36-37。

16 細井德民：〈刊《群書治要》考例〉，載唐・魏徵等撰：《群書治要》，收入《四部叢刊初編》第443冊（上海：商務印書館，1919，據上海涵芬樓景印日本天明7年刊本影印），考例，葉1下。

17 林信敬：〈校正《群書治要》序〉，載唐・魏徵等撰：《群書治要》，收入《四部叢刊初編》第443冊（上海：商務印書館，1919，據上海涵芬樓景印日本天明7年刊本影印），序，葉4上。

18 案：日人小林芳規〈金澤文庫本群書治要の訓點〉根據金澤文庫本《群書治要》各卷卷末跋文，指出是書各卷分別由清原教隆、藤原茂範、藤原俊國、藤原敦周、藤原敦綱、藤原敦經和清原賴業校勘。小林芳規：〈金澤文庫本群書治要の訓點〉，收入尾崎康、小林芳規解題：《群書治要》第7冊

金澤文庫本《群書治要》所錄《鹽鐵論》篇名	貧富、相刺、後刑、授時、水旱、崇禮、取下、擊之、刑德、申韓、周秦、詔聖
今本《鹽鐵論》篇名	本議、力耕、通有、錯幣、禁耕、復古、非鞅、晁錯、刺權、刺復、論儒、憂邊、園池、輕重、未通、地廣、貧富、毀學、褒賢、相刺、殊路、訟賢、遵道、論誹、孝養、刺議、利議、國疾、散不足、救匱、箴石、除狹、疾貪、後刑、授時、水旱、崇禮、備胡、執務、能言、取下、擊之、結和、誅秦、伐功、西域、世務、和親、繇役、險固、論勇、論功、論鄒、論菑、刑德、申韓、周秦、詔聖、大論、雜論[19]

可見《群書治要》所錄《鹽鐵論》之欄上文字，正是今本《鹽鐵論》一書之篇名，而其中各篇排序，亦與今本《鹽鐵論》相同。

然而，當中亦存有未見於今本典籍之篇名，以《群書治要》所錄《新序》為例：

金澤文庫本《群書治要》所錄《新序》篇名	雜事、諫乞、猛政、和政
今本《新序》篇名	雜事、刺奢、節士、義勇、善謀[20]

當中〈諫乞〉、〈猛政〉及〈和政〉三篇篇名，未見於今本《新序》。《四庫全書總目提要》有云：

> 《隋書・經籍志》「《新序》三十卷，《錄》一卷」。《唐書・藝文志》其目亦同。曾鞏校書序則云「今可見者十篇」。鞏與歐陽修同時，而所言卷帙懸殊，蓋《藝文志》所載據唐時全本為言，鞏所校錄則宋初殘闕之本也。[21]

是知《新序》一書，唐代時猶見全本，至宋初時已見殘缺。根據卷末跋文，此卷經清原教隆校勘，欄上篇名亦當由清原教隆所追加，是故《群書治要》所錄《新序》，當中今本未見的篇目文字，可反映日本鎌倉時期所流傳《新序》之篇名面貌。

又，金澤文庫本《群書治要》所錄典籍，亦有各篇排序與今本相異者，以《群書治要》所錄《荀子》為例：

（東京：汲古書院，1989），頁480-483。故欄上篇名，當為該卷校勘者所追加。是故相關篇名或非《群書治要》一書原有，然仍可反映校勘者所見日本鎌倉時期所流傳諸書之篇名面貌。

19 王利器：《鹽鐵論校注》（定本）（北京：中華書局，1992），目錄，頁1-3。

20 漢・劉向編著，石光瑛校釋，陳新整理：《新序校釋》（北京：中華書局，2017），目錄，頁1-8。

21 清・永瑢等：《四庫全書總目》（北京：中華書局，1965，據清乾隆60年浙江刻本影印），卷91，頁722。

金澤文庫本《群書治要》所錄《荀子》篇名	勸學、修身、不苟、榮辱、非十二子、仲尼、儒效、王制、富國、王霸、君道、臣道、致士、議兵、天論、正論、子道、性惡、哀公、大略、君子
今本《荀子》篇名	勸學、修身、不苟、榮辱、非相、非十二子、仲尼、儒效、王制、富國、王霸、君道、臣道、致士、議兵、強國、天論、正論、禮論、樂論、解蔽、正名、性惡、君子、成相、賦、大略、宥坐、子道、法行、哀公、堯問[22]

明顯可見，金澤文庫本《群書治要》所錄《荀子》次第，當中末五篇與今本次第相異。考今本《荀子》，當中唐代楊倞〈荀子序〉有云：

> 以文字繁多，故分舊十二卷三十二篇為二十卷。又改《孫卿新書》為《荀卿子》。其篇第亦頗有移易，使以類相從云。[23]

是知今本《荀子》各篇次第，實經楊倞更易，殆非原書舊貌。若將金澤文庫本《群書治要》所錄《荀子》次第與劉向〈孫卿新書書錄〉所記《荀子》篇次比較：

劉向〈孫卿新書書錄〉[24]	金澤文庫本《群書治要》所錄《荀子》
勸學篇第一	勸學
脩身篇第二	修身
不苟篇第三	不苟
榮辱篇第四	榮辱
非相篇第五	
非十二子篇第六	非十二子
仲尼篇第七	仲尼
成相篇第八	
儒效篇第九	儒效
王制篇第十	王制
富國篇第十一	富國
王霸篇第十二	王霸
君道篇第十三	君道

22 清・王先謙撰，沈嘯寰、王星賢點校：《荀子集解》（北京：中華書局，1988），目錄，頁1-3。

23 唐・楊倞：〈荀子序〉，收入清・王先謙撰，沈嘯寰、王星賢點校：《荀子集解》，序，頁52。

24 漢・劉向、漢・劉歆撰，清・姚振宗輯錄，鄧駿捷校補：《七略別錄佚文・七略佚文》（上海：上海古籍出版社，2008），頁41-43。

劉向〈孫卿新書書錄〉[24]	金澤文庫本《群書治要》所錄《荀子》
臣道篇第十四	臣道
致仕篇第十五	致士
議兵篇第十六	議兵
彊國篇第十七	
天論篇第十八	天論
正論篇第十九	正論
樂論篇第二十	
解蔽篇第廿一	
正名篇第廿二	
禮論篇第廿三	
宥坐篇第廿四	
子道篇第廿五	子道
性惡篇第廿六	性惡
法行篇第廿七	
哀公篇第廿八	哀公
大略篇第廿九	大略
堯問篇第三十	
君子篇第三一	君子
賦篇第三二	

據上可見，《群書治要》所錄，雖僅及《荀子》其中的二十一篇，然其次第大抵與劉向所編《荀子》一書的次第相合。是知《群書治要》所錄《荀子》，其編次保存了初唐本子舊貌。

綜上所論，金澤文庫本《群書治要》經校勘者保充了相關篇名後，全書不但保存了所錄典籍之篇名，其中各篇排序，亦存群書初唐舊貌。然而，考《續篇》中《政論校注》、《昌言校注》及《中論解詁》三書，篇名有以「闕題」或「佚篇」為名者，金澤文庫本《群書治要》所錄《政論》、《昌言》及《中論》三書，每節文字開首處，其欄上實載有篇題，[25]下文將細加分述：

25 案：金光一：《《群書治要》研究》一文亦有論及金澤文庫本《群書治要》所錄《政論》及《昌言》兩書，每節文字開首處之欄上，所錄文字即為該書之篇題。詳參金光一《《群書治要》研究》（上海：復旦大學中國語言文學系博士論文，2010），頁87-88。

(一)《政論校注》

《政論》一書，為後漢崔寔所撰。是書北宋時已經散佚，據孫啟治《政論校注・凡例》有云：

> 嚴氏（案：嚴可均）從《群書治要》卷四十五、《後漢書・崔寔傳》、《通典》卷一輯出九篇，復從唐宋類書、《文選》李善注、《意林》卷三等輯出短文不成篇者三十節附後。……正文九篇本無篇目，前後相銜……（今）於各篇之前補加「闕題一」至「闕題九」標目。[26]

然參金澤文庫本《群書治要》，當中收錄《政論》內容為卷四十五，考卷末識文，知此卷為清原教隆所校，故欄上〈制度〉、〈足信〉、〈足兵〉、〈用臣〉、〈內恕〉及〈去煞〉六篇篇名，當為清原教隆所追加。透過比勘《群書治要》所錄《政論》及《政論校注》之文字，「闕題三」為〈制度〉、「闕題四」為〈足信〉、「闕題五」為〈足兵〉、「闕題六」為〈用臣〉、「闕題七」為〈內恕〉、「闕題八」為〈去煞〉。準此，今本《政論》一書的部分篇名，可透過金澤文庫本及其校語補足。

(二)《昌言校注》

《昌言》一書，為後漢仲長統所撰。據孫啟治《昌言校注・凡例》有云：

> 今以《後漢書》本傳〈理亂〉等有篇題者三篇列前，以《治要》闕題九篇列後，凡整文十二段，是為正篇。[27]

然參金澤文庫本《群書治要》，當中收錄《昌言》內容為卷四十五，考卷末識文，知此卷為清原教隆所校，故〈德教〉、〈損益〉、〈法誡〉、〈教禁〉、〈中制〉、〈拾遺〉、〈性行〉及〈議難〉八篇篇名，當為清原教隆所追加。透過比勘《群書治要》所錄《昌言》及《昌言校注》之文字，「闕題一」為〈德教〉、「闕題二」為〈損益〉、「闕題三」及「闕題四」同屬〈法誡〉一篇、「闕題五」為〈教禁〉、「闕題六」為〈中制〉、「闕題七」為〈拾遺〉、「闕題八」為〈性行〉、「闕題九」為〈議難〉。準此，今本《昌言》一書的篇名，實可透過金澤文庫本《群書治要》及其校語補足。

---

26 漢・崔寔撰，孫啟治校注：《政論校注》（北京：中華書局，2012），凡例，頁19-20。

27 漢・仲長統撰，孫啟治校注：《昌言校注》（北京：中華書局，2012），凡例，頁253。

（三）《中論解詁》

《中論》一書，為三國魏徐幹所撰。馬端臨《文獻通考・經籍考》「《中論》二篇」條下有載：

> 曾子固嘗序其書，略曰：「始見館閣《中論》二十篇，以為盡於此。及觀《貞觀政要》，太宗稱嘗見幹《中論・復三年喪》篇，而今書闕此篇。因考之《魏志》，見文帝稱幹著《中論》二十餘篇，於是知館閣本非全書也。」……李獻民云別本有〈復三年〉、〈制役〉二篇，乃知子固時尚未亡，特不見之爾。[28]

是知今本《中論》二十卷並非全書。對此，清人錢培名根據文意，認為《群書治要》所錄《中論》，當中未見於今本《中論》的兩段文字，即為〈復三年〉及〈制役〉兩篇。[29]孫啟治《中論解詁》一書則將此兩段文字訂為「佚篇一」及「佚篇二」。[30]考金澤文庫本《群書治要》，當中收錄《中論》內容為卷四十六，據卷末跋文，知此卷為清原賴業所校，故欄上〈復三年〉及〈制役〉的篇名，當為清原賴業據當時所見的《中論》補上。準此，《群書治要》所載此兩段《中論》文字，分別即為〈復三年〉及〈制役〉，故錢培名所論，可謂無誤。據此，《中論解詁》一書，當中「佚篇一」可定名為〈復三年〉，而「佚篇二」則定名為〈制役〉。

五　據《群書治要》所載典籍校勘《新編諸子集成續篇》用例

汪辟疆〈讀書說示中文系諸生〉有云：「書鈔在六朝唐初最盛，但鈔而不類，故與類書不同。今存者如《群書治要》、《意林》，皆可看。亦因其保存古書至多也。」[31]故日人島田翰《古文舊書考》有云：「是書所載，皆初唐舊本，可藉以訂補今本之訛誤者，亦復不鮮。」[32]考《續篇》諸書，雖有取資《群書治要》作參校之用，然所據僅為經時人回改之天明本，未有採用九条家本、金澤文庫本及駿河版三種《群書治要》。蓋諸本《群書治要》所載文字實有歧異，如島田翰《古文舊書考》有云：「以元和活字刊本對校秘府卷子本，稍有異同。」[33]楊守敬《日本訪書志》亦云：「《治要》有鈔本、活

---

28 宋・馬端臨著，上海師範大學古籍研究所、華東師範大學古籍研究所點校：《文獻通考》（北京：中華書局，2011），卷209，頁5905。

29 清・錢培名：《中論札記》，收入《小萬卷樓叢書》（光緒戊寅年重刊本），葉8下、10上。

30 三國・徐幹撰，孫啟治解詁：《中論解詁》（北京：中華書局，2014），頁374、383。

31 汪辟疆：〈讀書說示中文系諸生〉，收入《汪辟疆文集》（上海：上海古籍出版社，1988），頁70。

32 島田翰撰，杜澤遜、王曉娟點校：《古文舊書考》（上海：上海古籍出版社，2014），卷1，頁79。

33 島田翰撰，杜澤遜、王曉娟點校：《古文舊書考》，卷1，頁77。

字二種，……彼國亦別本互出，異同疊見，則亦何可略之？」[34]

及至現代，林溢欣〈從日本藏卷子本《群書治要》看《三國志》校勘及其版本問題〉一文更進一步指出：

> 卷子本為鈔本，偶有筆誤；駿河版以卷子本作底本，故其文字可與卷子本互為參證。晚出之天明本嘗經回改，……惟恐非《治要》之舊。……因此諸本宜參伍比度，方能有效利用《治要》作校勘、輯佚之用。[35]

潘銘基〈日藏平安時代九条家本《群書治要》研究〉一文亦云：

> 倘用《群書治要》勘證古籍，必須以九条家本（最古）、金澤文庫本（最全）為主，天明刻本為輔。[36]

據此，取《群書治要》作校勘者，當兼取九条家本、金澤文庫本、駿河版及天明本四種《群書治要》本子為是。下文將以《續篇》中《司馬法集釋》、《鶡冠子校注》及《申鑒注校補》三書為例，以此說明兼取諸本《群書治要》本子校勘古籍的重要性。[37]

（一）《司馬法集釋》

例一

九条家本：	民有一善，處一事故，故能盡民之善。
金澤文庫本：	民有一善，處一事故，故能盡民之善。
駿河版：	民有一善，處一事　，故能盡民之善。
天明本：	民有一善，處一事　，故能盡民之善。
《續編》：	民有一善，處一事　，故能盡民之善。[38]

案：上文為《司馬法．天子之義》「古者賢王明民之德，盡民之善，故無廢德，無簡民，賞無所生，罰無所試」一句的注文。[39]從上述對讀中，可見九条家本及金澤文庫本

34 清．楊守敬：〈日本訪書志緣起〉，載清．楊守敬：《日本訪書志》，收入《續修四庫全書》第930冊（上海：上海古籍出版社，1995，據清光緒鄰蘇園刻本影印），葉6上，總頁473。

35 林溢欣：〈從日本藏卷子本《群書治要》看《三國志》校勘及其版本問題〉，《中國文化研究所學報》53（2011.7），頁199。

36 潘銘基：〈日藏平安時代九条家本《群書治要》研究〉，《中國文化研究所學報》67（2018.7），頁26。

37 案：九条家本據日本國立博物館「e-Museum」網站、金澤文庫本據東京汲古書院1989年影宮內廳書陵部所藏本、駿河版據東京大學東洋文化研究所漢籍善本全文影像資料庫、天明本據《四部叢刊初編》本。援引諸本時，為省行文，不另出注。

38 王震：《司馬法集釋》（北京：中華書局，2018），卷上，頁83。

39 王震：《司馬法集釋》，卷上，頁83。

較駿河版、天明本及《續編》多一「故」字，作「處一事故」。究之文義，「處一事」與「處一事故」相差無幾，然兩者終有所別。

然細考九条家本及金澤文庫本所錄：

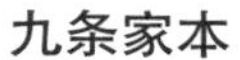
九条家本　　金澤文庫本

從上圖中，明顯可見兩本「故」字下有一重文符號，然而，金澤文庫本卻在重文符號旁加上一個小圈，示意此為衍文，理當刪去。據此，駿河版及天明本刊刻之時，當為誤據此處校改，故刪去一「故」字。《續編》僅參校天明本《群書治要》，故未有發現相關脫文。準此，《續編》此句當補上「故」字，作「處一事故」。

例二

九条家本：	賞功不移暴。罰罪不轉列。
金澤文庫本：	賞功不移時。罰罪不轉列。
駿河版：	賞功不移時。罰罪不轉列。
天明本：	賞功不移時。罰罪不轉列。
《續編》：	賞功不移旹。罰罪不轉列。[40]

40 王震：《司馬法集釋》，卷上，頁86。

案：上文為《司馬法・天子之義》「賞不逾時，欲民速得為善之利也；罰不遷列，欲民速覩為不善之害也」一句的注文。[41]從上述對讀中，可見九条家本作「暴」，金澤文庫本、駿河版及天明本俱作「時」，而《續編》則作「晷」。當中「暴」、「晷」兩字字形相近，故九条家本作「暴」，當為形近而訛所致，其所據底本當作「晷」。究其文義，「晷」本為測量時間的工具，此處當借代作時間之義，據此，則「賞功不移時」與「賞功不移晷」實相差無幾，然終有所別。準此，《續編》與九条家本所本相同，而與金澤文庫本、駿河版及天明本所本文字不盡相同。

（二）《鶡冠子校注》

例三

金澤文庫本：　心雖欲之而弗敢言……
駿河版：　心雖欲之而弗敢言……
天明本：　心雖欲之而弗敢信……
《續編》：　心雖欲之而弗敢信……[42]

案：上文為《鶡冠子・著希》文字。就對讀所見，金澤文庫本及駿河版俱作「言」，而天明本及《續編》作「信」。黃懷信《鶡冠子校注》有云：「《治要》『信』作『言』，……孫詒讓曰：『當據《治要》補正，陸本「信」字已誤。』……按：作『言』是，『信』乃『言』之誤。」[43]考孫詒讓及黃懷信兩人所本雖為天明本，然相關改動蓋以眉批形式表示，故兩人得見此句舊貌。今考金澤文庫本及駿河版，亦作「言」字，可謂替孫氏及黃氏補充更有力的書證。

例四

金澤文庫本：　魏文侯曰：「善，使管子行醫術以扁鵲之道，
駿河版：　魏文侯曰：「善，使管子行醫術以扁鵲之道，
天明本：　文侯曰：「善，使管子行醫術以扁鵲之道，
《續編》：　魏文侯曰：「善，使管子行醫術以扁鵲之道，

---

41 王震：《司馬法集釋》，卷上，頁83。

42 黃懷信：《鶡冠子校注》（北京：中華書局，2014），卷上，頁16。

43 黃懷信：《鶡冠子校注》，卷上，頁16。

金澤文庫本： 則桓公幾能成其霸乎。」
駿河版： 則桓公幾能成其霸乎。」
天明本： 則桓公幾能成其霸乎。」
《續編》： 則桓公幾能成其霸乎。」

案：上文為《鶡冠子・世賢》文字。就對讀所見，金澤文庫本、駿河版及《續編》俱作「魏文侯」，而天明本作「文侯」。黃懷信《鶡冠子校注》有云：「《治要》無『魏』字，……孫詒讓曰：『《治要》引是，當據正。』」[44]今考金澤文庫本及駿河版，是知孫氏及黃氏所論蓋非，《群書治要》所載亦為「魏文侯」。

（三）《申鑒注校補》

例五

金澤文庫本： 人臣之患，常立於二罪之間，在職而不盡忠直之道，罪也。
駿河版： 人臣之患，常立於二罪之間，在職而不盡忠直之道，罪也。
天明本： 大臣之患，常立於二罪之間，在職而不盡忠直之道，罪也。
《續編》： 大臣之患，常立於二罪之間，在職而不盡忠直之道，罪也。[45]

案：上文為《申鑒・雜言上》文字。從上述對讀中，可見金澤文庫本、駿河版俱作「人臣」，而天明本及《續編》則作「大臣」。究其文義，「人臣」與「大臣」相差無幾，然兩者終有所別。況檢《申鑒・雜言上》此段文字，其餘論及臣子處，俱作「人臣」，如「人臣之義」、「人臣有三罪」。[46]今考金澤文庫本及駿河版既作「人臣」，即《續編》「大臣之患」當作「人臣之患」為是。

六　結論

綜上所論，可得以下三點：

其一、天明本《群書治要》所載《政論》、《昌言》及《中論》三書，俱未錄篇名。是故據天明本整理的《政論校注》、《昌言校注》及《中論解詁》三書，相關篇名亦只能以「闕題」或「佚篇」為名。然而，金澤文庫本《群書治要》，在引錄《政論》、《昌

44 黃懷信：《鶡冠子校注》，卷下，頁324。
45 漢・荀悅撰，明・黃省曾注，孫啟治校補：《申鑒注校補》（北京：中華書局，2012），頁155。
46 漢・荀悅撰，明・黃省曾注，孫啟治校補：《申鑒注校補》，頁155。

言》及《中論》三書文字時，各節文字欄上俱題有該卷校勘者所補充的篇名，此實可補《續編》中《政論校注》、《昌言校注》及《中論解詁》三書之部分篇名。

其二、《續編》諸書，雖有取資《群書治要》校勘文字，然所據僅為天明本，猶有未備。本文以《續編》中《司馬法集釋》、《鶡冠子校注》及《申鑒注校補》三書為例，列舉九条家本、金澤文庫本、駿河版及天明本四種《群書治要》為證，以證取《群書治要》勘證古籍，當兼取諸本《群書治要》為是。

其三、考《續編》諸書，其所錄文字間有與諸本《群書治要》所載稍有不同，然相關異文於義無礙。對此，若考慮到《群書治要》所載典籍，其所據底本俱為初唐時代的本子，即諸本《群書治要》所錄異文，或存唐本舊貌。故《續編》諸書編者，宜收錄諸本《群書治要》之異文，以供研究者參考。

徵引文獻

一　原典文獻

漢・司馬遷撰，南朝宋・裴駰集解，唐・司馬貞索隱，唐・張守節正義：《史記》，北京：中華書局，1959。

漢・仲長統撰，孫啟治校注：《昌言校注》，北京：中華書局，2012。

漢・荀　悅撰，明・黃省曾注，孫啟治校補：《申鑒注校補》，北京：中華書局，2012。

漢・崔　寔撰，孫啟治校注：《政論校注》，北京：中華書局，2012。

漢・劉　向、漢・劉歆撰，清・姚振宗輯錄，鄧駿捷校補：《七略別錄佚文・七略佚文》，上海：上海古籍出版社，2008。

漢・劉　向編著，石光瑛校釋，陳新整理：《新序校釋》，北京：中華書局，2017。

三國・徐　幹撰，孫啟治解詁：《中論解詁》，北京：中華書局，2014。

唐・魏　徵等撰：《群書治要》，收入《四部叢刊初編》第443冊，上海：商務印書館，1919，據上海涵芬樓景印日本天明7年刊本影印。

唐・魏　徵等奉敕撰，尾崎康、小林芳規解題：《群書治要》，東京：汲古書院，1989，據日本宮內廳書陵部藏鎌倉時代鈔本影印。

唐・魏　徵等撰：《群書治要》，日本東京大學東洋文化研究所藏元和2年銅活字本。

唐・魏　徵等撰：《群書治要》，日本國立博物館藏平安時代寫本。

宋・王　溥：《唐會要》，北京：中華書局，1955。

宋・王應麟撰，武秀成、趙庶洋校證：《玉海藝文校證》，南京：鳳凰出版社，2013。

宋・馬端臨著，上海師範大學古籍研究所、華東師範大學古籍研究所點校：《文獻通考》，北京：中華書局，2011。

元・脫　脫等：《宋史》，北京：中華書局，1977。

清・王先謙撰，沈嘯寰、王星賢點校：《荀子集解》，北京：中華書局，1988。

清・永　瑢等：《四庫全書總目》，北京：中華書局，1965，據清乾隆60年浙江刻本影印。

清・楊守敬：《日本訪書志》，收入《續修四庫全書》第930冊，上海：上海古籍出版社，1995，據清光緒鄰蘇園刻本影印。

清・董　康撰：《書舶庸譚》，收入賈貴榮輯：《日本藏漢籍善本書志書目集成》第2冊，北京：北京圖書館出版社，2003，據民國28年自刻本影印。

清・錢培名：《中論扎記》，收入《小萬卷樓叢書》，光續戊寅年重刊本。

王利器：《鹽鐵論校注》（定本），北京：中華書局，1992。

王　震：《司馬法集釋》，北京：中華書局，2018。
黃懷信：《鶡冠子校注》，北京：中華書局，2014。
日・島田翰撰，杜澤遜、王曉娟點校：《古文舊書考》，上海：上海古籍出版社，2014。
日・藤原良房奉勅撰，日・伴信友校訂：《續日本後記》，東京：佚存書坊，1883。
P. M. Thompson, The Shen Tzu Fragments, Oxford: Oxford University Press, 1979.

二　近人論著

汪辟疆：《汪辟疆文集》，上海：上海古籍出版社，1988。
林溢欣：〈《群書治要》引書考〉，香港：香港中文大學中國語言及文學系哲學碩士論文，2011。
林溢欣：〈從日本藏卷子本《群書治要》看《三國志》校勘及其版本問題〉，《中國文化研究所學報》53（2011.7），頁193-216。
金光一：〈《群書治要》研究〉，上海：復旦大學中國語言文學系博士論文，2010。
潘銘基：〈《群書治要》所載《慎子》研究〉，收錄於查屏球編：《梯航集——日藏漢籍中日學術對話錄》，上海：上海古籍出版社，2018，頁210-230。
潘銘基：〈日藏平安時代九条家本《群書治要》研究〉，《中國文化研究所學報》67（2018.7），頁1-38。
日・尾崎康：〈群書治要とその現存本〉，《斯道文庫論集》25（1990），頁121-210。
日・沓掛伊左吉：〈曝書史稿〉，收入金澤文庫編：《金澤文庫研究紀要》，京都：臨川書店，1989，復刻版，第7號，頁92-133。

金澤文庫本《群書治要》所載《呂氏春秋》章目考*

鄭楸鋈

〔香港〕香港中文大學中國語言及文學系哲學碩士生

摘要

今本《呂氏春秋》由〈十二紀〉、〈八覽〉、〈六論〉構成，每〈紀〉、〈覽〉、〈論〉之下再分多章，全書合共百六十章。原書為各章冠以章目，而部分章目存在異文。今見各傳世本《呂氏春秋》均以「一作某」形式，於目錄或相關章目之下標注所見章目異文，惟出注指明異文之後，多無續論相關問題。又近世學者出版《呂氏春秋》校本夥頤，然其參《群書治要》以校《呂氏春秋》，多僅注意清嘉慶元年（1796）自日本回流中土之天明七年（1787）尾張藩刻本，而並未考慮日本鎌倉時代（1192-1333）金澤文庫藏舊鈔本。今考金澤文庫本《群書治要》所載《呂氏春秋》四十二章章目，或可反映日本鎌倉時期流傳古本《呂氏春秋》面貌，其較今見最早傳世本之元至正六年（1346）嘉興路儒學刻本《呂氏春秋》更為近古。是以本文比對金澤文庫本《群書治要》與諸傳世本《呂氏春秋》所載章目，說明傳世本《呂氏春秋》部分章目異文早見於金澤文庫本《群書治要》，可證傳世本《呂氏春秋》舊注不誤；惟《群書治要》抄錄《呂氏春秋》章目，亦非盡善。本文復將董理相關問題，冀可裨益學界相關研究。

關鍵詞：群書治要、呂氏春秋、章目、金澤文庫

* 本文首發於2019年6月4日於國立成功大學舉辦之「第一屆《群書治要》國際學術研討會」，並經兩位學者匿名評審，得以收入大會文集出版，不勝榮幸。兩位學者隱名抒見，中的剖微，洞見癥結，俾使筆者完善拙作，謹申謝忱。又本文之寫作，承蒙石立善教授提點針砭，筆者受益匪淺。詎料立善教授年底卒然離世，天妒英才，令人惋惜，謹此誌念。

Citation of The *Lüshi chunqiu* Sub-Chapter Titles in the Japanese Kanazawa *Qunshu zhiyao* Manuscript

Zheng Qiu Jun

Department of Chinese Language and Literature

The Chinese University of Hong Kong

Abstract

One of the few currently extant pre-Qin 先秦 Syncretist (za jia 雜家) magnum opus, the Lüshi chunqiu 呂氏春秋 comprises 26 chapters (pian 篇), including the twelve Almanacs (shi'er ji 十二紀), eight Examinations (ba lan 八覽), and six Discourses (liu lun 六論), which are further subdivided into multiple sub-chapters (zhang 章), each with a designated title (zhang mu 章目). Different editions of the Lüshi chunqiu dating from Yuan 元 to Qing 清 have denoted textual variants (yi wen 異文) in 13 sub-chapter titles in the form of "yi zuo 一作". The present academe tends to accept such variants without further investigation, and only little attention has been given to the 42 Lüshi chunqiu sub-chapter titles cited in the Japanese Qunshu zhiyao 群書治要 manuscript of the Kamakura era 鎌倉時代 (1192-1333) once stored in the Kanazawa archive 金澤文庫. This paper traces the transmission of such textual differences by comparing the sub-chapter titles inscribed in the Qunshu zhiyao Kanazawa manuscript to that in the received editions of the Lüshi chunqiu, thus revealing that some of the textual variants could possibly date back to periods prior to the Yuan Lüshi chunqiu print, the earliest extant transmitted edition.

Keywords: Qunshu zhiyao, Lüshi chunqiu, Sub-chapter titles, Kanazawa archive

一　引言

今本《呂氏春秋》由〈十二紀〉、〈八覽〉、〈六論〉構成，每篇〈紀〉、〈覽〉、〈論〉之下再分多章，全書合共百六十章。現存最古《呂氏春秋》刻本，當為元至正六年（1346）嘉興路儒學刻本（下稱「元刻本」）；又清代畢沅取諸所見《呂》書刻本八種參以校勘，[1]於乾隆五十四年（1789）刻成《呂氏春秋新校正》（下稱「畢校本」），是為今日大多《呂氏春秋》點校本所據底本。此外，民國《四部叢刊初編》亦曾影印明萬曆（1573-1620）雲間宋邦乂等校刻本（下稱「宋校本」），於今亦為《呂》書之通行本。

按上述諸本《呂氏春秋》，均見舊校以「一作某」形式於目錄或章目之下標注章目異文，共達十三處之多；惟各本出注之後，多無續論相關問題。又近世學者出版《呂氏春秋》點校本夥頤，以許維遹《呂氏春秋集釋》（下稱「《集釋》」）、蔣維喬等《呂氏春秋彙校》（下稱「《彙校》」）、王叔岷《呂氏春秋校補》（下稱「《校補》」）、王利器《呂氏春秋注疏》（下稱「《注疏》」）及陳奇猷《呂氏春秋新校釋》（下稱「《新校釋》」）五種最得學界留意。惟上述點校本據《群書治要》校勘《呂氏春秋》，僅王利器《注疏》嘗參日本鎌倉時代（1192-1333）金澤文庫藏舊鈔卷子本，其餘則僅注意清嘉慶元年（1796）自日本回流中土之天明七年（1787）尾張藩刻本。今考金澤文庫本《群書治要》載錄《呂氏春秋》四十二章章目，或可反映日本鎌倉時期古本《呂氏春秋》面貌，其較今見最早之元刻本更為近古。準此，本文首先辨析《呂》書「篇」、「章」之概念，而後比對《群書治要》所載《呂氏春秋》以及上述三種《呂》書傳世刻本所見章目，望能釐清《呂氏春秋》部分章目異文之紊亂，並見金澤文庫本《群書治要》所載《呂氏春秋》之文獻價值；然金澤文庫本《群書治要》徵引《呂》書章目，亦非盡善。本文復將董理相關問題，以明《群書治要》對於研究《呂氏春秋》之限制。

二　《呂氏春秋》「篇」、「章」概念辨析

論《群書治要》所載《呂氏春秋》章目之前，須先釐清《呂》書「篇」、「章」之概念。《漢書・藝文志》著錄「《呂氏春秋》二十六篇」，[2]學界或謂其訛，如張舜徽《漢書藝文志通釋》：

1　包括「元人大字本」（即元至正六年〔1346〕嘉興路儒學刻本）、「李瀚本」、「許宗魯本」、「宋啟明本」（即翻刻明萬曆〔1573-1620〕雲間宋邦乂等校刻本）、「劉如寵本」、「汪一鸞本」、「朱夢龍本」以及「陳仁錫奇賞彙編本」。詳見東漢・高誘注，清・畢沅輯校：《呂氏春秋新校正》（清乾隆五十四年〔1789〕靈巖山館刻本），新校呂氏春秋所據舊本，頁1a。

2　東漢・班固撰，唐・顏師古注：《漢書》（北京：中華書局，1964），卷30，頁1741。

此乃我國成於秦世，眾手撰述之一部大書，共有一百六十篇之多，而《漢志》但舉〈紀〉、〈覽〉、〈論〉之大數題為二十六篇，與實不符，似不如隋、唐、宋《志》稱二十六卷為勝。[3]

其稱每〈紀〉、〈覽〉、〈論〉之下文字為「篇」，故曰全書「共有一百六十篇之多」。實則現當代學者研究《呂氏春秋》，亦慣稱每〈紀〉、〈覽〉、〈論〉之下文字為「篇」，如余嘉錫《四庫提要辨證》：

其〈孟春紀〉五篇，一曰〈孟春〉、二曰〈本生〉、三曰〈重己〉、四曰〈貴公〉、五曰〈去私〉。〈仲春紀〉五篇，一曰〈仲春〉、二曰〈貴生〉、三曰〈情欲〉、四曰〈當染〉、五曰〈功名〉。〈季春紀〉五篇，一曰〈季春〉、二曰〈盡數〉、三曰〈先己〉、四曰〈論人〉、五曰〈圜道〉。[4]

以及近代學者之《呂氏春秋》點校本：

（1）許維遹《集釋》	維遹案：《群書治要》引作「沈尹筮」，與〈察傳篇〉同。至《渚宮舊事》作「沈尹華」，攷之〈去宥篇〉乃楚威王臣，當是二人，不得誤並為一也。[5]
（2）蔣維喬等《彙校》	〈本生篇〉「能養天之所生而勿攖之」，宋刊《御覽》七七「生」誤「生」。[6]
（3）王叔岷《校補》	〈音初篇〉：「是故聞其聲而知其風。」聞猶聽也，可為旁證。[7]
（4）王利器《注疏》	又案：〈貴直論・過理篇〉「齊湣王亡居衛，謂公玉丹云云」〔……〕尋〈季冬紀・審己篇〉「齊湣王亡居於衛，謂公玉丹云云」。[8]
（5）陳奇猷《新校釋》	〈十二月紀〉的六十篇，呂不韋在〈序意篇〉中已明確命名為〈十二紀〉。遷蜀後所作的〈八覽〉六十四篇（今本缺一篇）即名〈八覽〉〔……〕〈六論〉的三十六篇自然就該稱〈六論〉了。[9]

3 張舜徽：《漢書藝文志通釋》（武漢：湖北教育出版社，1990），頁84。
4 余嘉錫：《四庫提要辨證》（北京：中華書局，1986），卷14，頁818。
5 許維遹：《呂氏春秋集釋》（北京：中華書局，2010），頁92。
6 蔣維喬等合著：《呂氏春秋彙校》（上海：中華書局，1937），補校宋本太平御覽，頁673。
7 王叔岷：《呂氏春秋校補》（臺北：中央研究院歷史語言研究所，1950），頁7。
8 王利器注疏：《呂氏春秋注疏》（成都：巴蜀書社，2002），序，頁10。
9 陳奇猷：《呂氏春秋新校釋》（上海：上海古籍出版社，2002），附錄，頁1888。

今嘗論證秦漢古本《呂》書各〈紀〉、〈覽〉、〈論〉本身當稱為「篇」，其下文字則當稱「章」。茲以〈十二紀〉首三篇〈孟春紀〉、〈仲春紀〉、〈季春紀〉為例，將相關概念圖示於下：

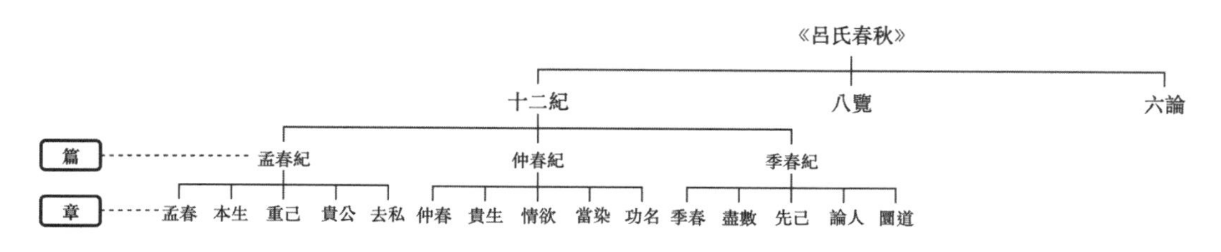

圖一：《呂氏春秋》「篇」、「章」結構圖示

復次，下表羅列自漢徂清對於《呂》書「篇」、「章」稱述之重要記載：

朝代	出處	記載
東漢	班固《漢書・藝文志》	《呂氏春秋》二十六篇。[10]
	鄭玄《三禮目錄》	名曰「月令」者，以其紀十二月政之所行也。本《呂氏春秋・十二月紀》之首章也。[11]
三國魏	《漢書》蘇林注	《呂氏春秋》篇名「八覽」、「六論」。[12]
唐	孔穎達《禮記正義》	按呂不韋集諸儒士著為〈十二月紀〉，合十餘萬言，名為《呂氏春秋》，篇首皆有〈月令〉。[13]
南宋	元刻本《呂氏春秋》賀鑄按語	右《呂氏春秋》摠二十六卷，凡百六十篇。[14]
	王應麟《玉海》引《中興館閣書目》	是書凡百六十篇，以〈月紀〉為首，故以《春秋》名書。[15]

---

10 東漢・班固撰，唐・顏師古注：《漢書》，卷30，頁1741。

11 孔穎達《禮記正義》引。詳見東漢・鄭玄注，唐・孔穎達正義：《禮記正義》（北京：北京大學出版社，2000），卷14，頁512。

12 《漢書・司馬遷傳》原文：「不韋遷蜀，世傳《呂覽》。」詳見東漢・班固撰，唐・顏師古注：《漢書》，卷62，頁2736。

13 東漢・鄭玄注，唐・孔穎達正義：《禮記正義》，卷14，頁512。

14 東漢・高誘注：《呂氏春秋》，《中華再造善本・金元編》（北京：北京圖書館出版社，2006，影印元至正六年〔1346〕嘉興路儒學刻本），呂氏春秋總目，頁10b。

15 南宋・王應麟撰，武秀成、趙庶洋校證：《玉海藝文校證》（南京：鳳凰出版社，2013），卷7，頁288。

朝代	出處	記載
元	元刻本《呂氏春秋》〈呂氏春秋總目〉	孟春紀第一凡五篇〔……〕有始覽第一凡八篇〔……〕 開春論第一凡六篇[16]
明	方孝孺《遜志齋集・讀呂氏春秋》	《呂氏春秋》〈十二紀〉、〈八覽〉、〈六論〉，凡百六十篇。[17]
	梅鷟《南廱志・經籍考》	秦呂不韋招延四方辯博之士成此書，凡百六十篇。[18]
清	沈欽韓《漢書疏證・藝文志》	《呂氏春秋》二十六篇，總〈十二紀〉、〈八覽〉、〈六論〉也。〈十二紀〉，紀各五篇；〈八覽〉，覽各（一）〔八〕篇；〈六論〉，論各六篇。凡百六十篇。[19]
	《四庫全書總目》	《漢書・藝文志》載《呂氏春秋》二十六篇。今本凡〈十二紀〉、〈八覽〉、〈六論〉。「紀」所統子目六十一，「覽」所統子目六十三，「論」所統子目三十六，實一百六十篇。《漢志》蓋舉其綱也。[20]

按今本《呂氏春秋》首分〈十二紀〉、〈八覽〉、〈六論〉，次於各〈紀〉、〈覽〉、〈論〉之下再分出文字。實則若論秦漢古本《呂》書面貌，如將相關文字及其上一層之〈紀〉、〈覽〉、〈論〉同稱為「篇」，未免模糊原書結構，難以清楚表述其編排層次。若將〈紀〉、〈覽〉、〈論〉稱為「篇」，而各〈紀〉、〈覽〉、〈論〉之下文字稱為「章」，[21]方可準確區別兩者。「篇」下分「章」相關觀點，早於東漢時期已然論及。《論衡・正說》：

16 東漢・高誘注：《呂氏春秋》（元刻本），呂氏春秋總目，頁1b。

17 明・方孝孺：〈讀呂氏春秋〉，《遜志齋集》（上海：涵芬樓，1922，《四部叢刊初編》影印明嘉靖四十年〔1561〕王可大台州刻本），卷4，頁30a。

18 明・梅鷟：《南廱志》，《叢書集成續編》第67冊（上海：上海書店出版社，1994，縮印清光緒二十八年〔1902〕葉德輝重刻本），頁794。

19 清・沈欽韓：《漢書疏證》，《續修四庫全書》第266冊（上海：上海古籍出版社，2002，縮印清光緒二十六年〔1900〕浙江官書局刻本），頁700b。

20 清・永瑢等：《四庫全書總目》（北京：中華書局縮印浙江杭州刻本，1965），卷117，頁1008。

21 按據現今可見出土材料，其具清晰符號系統區分「篇」、「章」。相關符號遍見於戰國簡（郭店）及漢簡（居延、武威、銀雀山），可見古籍「篇」、「章」觀念截然不同，未可淆亂。詳見陳夢家：〈由實物所見漢代簡冊制度〉，收入陳夢家：《漢簡綴述》（北京：中華書局，1980），頁308-309；李零：《簡帛古書與學術源流》（北京：生活・讀書・新知三聯書店，2004），頁121-122；張顯成：《簡帛文獻學通論》（北京：中華書局，2004），頁179-214。

文字有意以立句，句有數以連章，章有體以成篇。[22]

《文心雕龍・章句》持說亦近。[23]駢宇騫〈出土簡帛書籍題記述略〉闡述箇中涵義云：

這裡講的「章題」，是指低於「篇題」的一級標題。《文心雕龍・章句篇》云：「夫人之立言，因字而生句，積句而為章，積章而成篇。」意謂古人著書立說，「書」內分「篇」，「篇」內分「章」。[24]

按駢宇騫所論極是。余嘉錫《目錄學發微》亦云：「其有雜記言行，積章為篇。」[25]今考劉向〈晏子書錄〉每篇之下注明「凡多少章」，又云「定著八篇，二百一十五章」，[26]可知漢人整理先秦典籍，將其結構單位劃分為「篇」、「章」，當中亦見「篇」、「章」俱備者。而「章」乃屬「篇」之下，為「篇」之構成單位。按《呂氏春秋》編排結構首層為〈十二紀〉、〈八覽〉、〈六論〉，次層為各〈紀〉、〈覽〉、〈論〉之下文字，而每段文字各有名目，乃與《文心雕龍・章句》及余嘉錫所謂「積章為篇」、駢宇騫所謂「『書』內分『篇』，『篇』內分『章』」佈局相符。觀《晏子》一書，《七略》作「八篇」，[27]《漢志》承之，亦作「八篇」，[28]可見《漢志》列篇數而不列章數。是以《漢志》云「《呂氏春秋》二十六篇」，確指〈紀〉、〈覽〉、〈論〉諸「篇」而言，或承《七略》之舊，其實不誤。「百六十」乃為《呂》書章數，故《漢志》不列。又據上表言之，鄭玄《三禮目錄》明言《禮記・月令》本《呂氏春秋・十二紀》之「首章」，[29]則漢人悉視〈孟春紀〉之下〈正月紀〉、〈仲春紀〉之下〈二月紀〉等者為《呂》書「章」也。及至曹魏時期，蘇林注《漢書》云「《呂氏春秋》篇名『八覽』、『六論』」，[30]亦見漢魏時人仍稱各〈紀〉、〈覽〉、〈論〉本身為《呂》書之「篇」，其下文字則稱為「章」，其或亦與秦漢古本《呂氏春秋》以竹簡為載體有關。暨乎唐宋，文獻載體廢竹簡而盛行用紙，《隋書・經籍志》即棄「篇」而用「卷」作為典籍記載單位。惟孔穎達《禮記正義》云「《呂氏春秋》篇首皆有〈月令〉」，[31]是謂〈十二紀〉各篇首章〈正月紀〉、〈二月紀〉等者，亦

---

22 東漢・王充撰，黃暉校釋：《論衡校釋》（北京：中華書局，1990），卷28，頁1129。

23 王利器校箋：《文心雕龍校證》（上海：上海古籍出版社，1980），頁219。

24 駢宇騫：〈出土簡帛書籍題記述略〉，《文史》總65輯（2003.11），頁51。

25 余嘉錫：《目錄學發微》，收入余嘉錫：《余嘉錫說文獻學》（上海：上海古籍出版社，2001），頁31。

26 西漢・劉向、西漢・劉歆撰，清・姚振宗輯錄，鄧駿捷校補：《七略別錄佚文・七略佚文》（上海：上海古籍出版社，2008），頁39-40。

27 西漢・劉向、西漢・劉歆撰，清・姚振宗輯錄，鄧駿捷校補：《七略別錄佚文・七略佚文》，頁39。

28 東漢・班固撰，唐・顏師古注：《漢書》，卷30，頁1724。

29 東漢・鄭玄注，唐・孔穎達正義：《禮記正義》，卷14，頁512。

30 東漢・班固撰，唐・顏師古注：《漢書》，卷62，頁2736。

31 東漢・鄭玄注，唐・孔穎達正義：《禮記正義》，卷14，頁512。

見於《禮記・月令》，是知唐人仍視〈孟春紀〉、〈仲春紀〉等為《呂》書之「篇」；須至南宋賀鑄、陳騤時言《呂氏春秋》「凡百六十篇」起，[32]《呂》書之「篇」遂成為「卷」、[33]「章」遂成為「篇」，可見《呂》書「篇」、「章」概念明顯出現改變。是以明清、民國甚至近代學者續而稱呼各〈紀〉、〈覽〉、〈論〉之下文字為「篇」，源亦久矣。準此，本文以為班固《漢書・藝文志》「《呂氏春秋》二十六篇」記載不誤，故循秦漢古本《呂》書之舊，而稱各〈紀〉、〈覽〉、〈論〉為「篇」，其下文字為「章」，相關名目則分別稱為「篇目」、「章目」。

三　各本《群書治要》記載《呂氏春秋》章目情況述略

《群書治要》，唐代魏徵奉敕所撰書鈔，太宗貞觀五年（631）書成。[34]原書本五十卷，[35]宋元之間於中土逐漸散佚，惟早於唐代已經遣唐使傳入日本，其後續有流傳。[36]今見最古本子為東京國立博物館藏平安時代（794-1192）九条家鈔本，惜殘脫嚴重，現只存十三卷，當中不見抄錄《呂氏春秋》之卷三十九。後有鎌倉時代（1192-1333）舊鈔卷子本，[37]昔藏日本金澤文庫，今藏宮內廳書陵部。是本凡四十七卷，佚卷四、十三及二十，為現今所見最古且全之《群書治要》本子。及後又有慶長年間（1596-1615）

32 東漢・高誘注：《呂氏春秋》（元刻本），呂氏春秋總目，頁10b；南宋・王應麟撰，武秀成、趙庶洋校證：《玉海藝文校證》，卷7，頁288。

33 諸《呂氏春秋》傳世刻本凡二十六卷，正是每〈紀〉、〈覽〉、〈論〉各佔一卷。

34 《唐會要・修撰》：「貞觀五年九月二十七日，秘書監魏徵撰《群書政要》，上之。太宗欲覽前王得失，爰自六經、訖於諸子、上始五帝、下盡晉年，徵與虞世南褚亮蕭德言等始成凡五十卷，上之。諸王各賜一本。」其中改「治」為「政」乃避唐高宗李治諱。詳見北宋・王溥：《唐會要》（北京：中華書局，1955），卷36，頁651。

35 魏徵原序：「凡為五袠，合五十卷」；《舊唐書・經籍志》記「《群書理要》五十卷」，其中改「治」為「理」乃避唐高宗李治諱；《新唐書・藝文志》記「《群書治要》五十卷」。詳見唐・魏徵撰，尾崎康、小林芳規解題：《群書治要》第1冊（東京：汲古書院，1989，影印日本宮內廳書陵部藏鎌倉時代〔1192-1333〕金澤文庫鈔本），序，頁10；後晉・劉昫等：《舊唐書》（北京：中華書局，1975），卷47，頁2035；北宋・歐陽修、宋祁：《新唐書》（北京：中華書局，1975），卷59，頁1536。

36 《群書治要》東傳日本之過程，詳見林溢欣：《群書治要引書考》（香港：香港中文大學中國語言及文學系碩士論文，2011），頁34-40；潘銘基：〈日藏平安時代九条家本群書治要研究〉，《中國文化研究所學報》67期（2018.7），頁1-4。

37 尾崎康云：「金沢文庫本の巻二二は文永中に仙洞御書本を移点したものであるが、本文も訓点等の書入もこの本とほとんど一致する。金沢文庫本の本文には校合の結果で同字となった場合もあり、むしろ書入が眉上の左伝等を引く二、三条が後半に略されているもののよく合い、両本は同系統といっても非常に近い関係にあるといえる。」即九条家本與金澤文庫本訓點及校勘結果極為相近，兩者蓋屬同一版本系統。準此，則金澤文庫本或源出九条家本。詳見尾崎康：〈群書治要とその現存本〉，《斯道文庫論集》25期（1990），頁135。

鈔本四十七冊，今藏日本內閣文庫。其第一冊最末貼有「駿府御文庫本群書治要四十七冊」字樣之紙片，[38]是知其舊藏於駿河國駿府城德川家族之御用文庫。據福井保《江戶幕府刊行物》考證，此本正為幕府大將軍德川家康命五山僧侶重新謄寫金澤文庫本而成，以供日後刊刻「駿河版」銅活字本參照之用，[39]故觀駿府御文庫本及金澤文庫本之旁校、訓點及眉箋，俱多相合。[40]董康《書舶庸譚》嘗論其與金澤文庫本之關係云：「慶長紀州活字本即從此出。」[41]今按駿府御文庫本實為寫本而非活字印本，惟董康曰其源出金澤文庫本，亦無誤也。又學界向來極少關注此本，[42]然於現存《群書治要》古本而言，其年代僅次金澤文庫本之後，堪稱最為完整而第二近古之《群書治要》文本，文獻價值實亦不容忽視。

至日本元和二年（1616），德川家康命林道春等於駿河國駿府城以銅活字重新刊印《群書治要》，[43]是為「駿河版」，亦存四十七冊。嚴紹璗《漢籍在日本的流布研究》云：「此次駿河版刊印的《群書治要》，是以鎌倉僧人謄寫的金澤文庫本為原本的。」[44]乃以駿河版為直接參照金澤文庫本刻成。惟據駿府御文庫本首冊最末「駿府御文庫本群書治要四十七冊」紙片以及福井保之考證，是知駿府御文庫本抄自金澤文庫本，而駿河版當據同樣藏於駿河國駿府城之駿府御文庫本刊刻成書。迨至日本天明七年（1787），德川氏後裔、尾張藩主德川宗睦復對照金澤文庫本及駿河版刊刻《群書治要》四十七卷，乃為「尾張本」。[45]是本於清嘉慶元年（1796）自日本回流中土，[46]得阮元收入《宛

38 唐・魏徵：《群書治要》第1冊（日本內閣文庫藏慶長年間（1596-1615）駿府御文庫鈔本），頁28a。

39 福井保：《江戶幕府刊行物》（東京：雄松堂出版，1985），頁27。

40 尾崎康云：「朱筆の句点、ヲコト点、墨筆の返点、振・送仮名、音訓符、声点、反切等の書入は金沢文庫本にかなり忠実であるが、やや省略したところもあり、音訓符は増えているかにみえる。」詳見尾崎康：〈群書治要とその現存本〉，頁156。

41 董康：《書舶庸譚》，《日本藏漢籍善本書志書目集成》第2冊（北京：北京圖書館出版社，2003，影印民國二十八年（1939）自刻本），頁187。

42 如嚴紹璗、周少文嘗析《群書治要》之版本流傳，然亦未有言及此本。詳見嚴紹璗：《漢籍在日本的流布研究》（南京：江蘇古籍出版社，1992），頁160-162；周少文：《群書治要研究》（臺北：國立臺北大學古典文獻學研究所碩士論文，2007），頁69-72；又蕭祥劍校訂《群書治要》亦未嘗參考是本為校本。詳見唐・魏徵等編撰，蕭祥劍點校：《群書治要校訂本》（北京：團結出版社，2015），出版說明，頁3。

43 宮內廳圖書寮編：《圖書寮漢籍善本書目》（東京：文求堂書店、松雲堂書店，1931），卷3，頁46a。

44 嚴紹璗：《漢籍在日本的流布研究》，頁161。

45 尾崎康云：「天明七年に尾張藩が、元和本を底本に金沢文庫本をもって校正して刊刻したものが，わが国の漢学者にも中国に対しても、大きな影響を与えた。」詳見尾崎康：〈群書治要とその現存本〉，頁122。

46 尾崎康云：「群書治要は天明七年に尾張藩で刊刻され、その寛政三年修本が同八年に清國へ運ば

委別藏》，亦為王念孫、孫星衍、汪繼培等乾嘉學者校勘所據，近世更入《四部叢刊初編》及《續修四庫全書》，乃為諸本《群書治要》之中現最通行者。惟考書前細井德民〈刊群書治要考例〉云：

> 我孝昭二世子好學，及讀此書，有志校刊。幸魏氏所引原書，今存者十七八，乃博募異本於四方，日與侍臣照對是正。[47]

可見尾張本編纂之際曾據其時流傳之典籍原書回改，有損《群書治要》古貌及其保存古本文獻之功用。而清儒所參《群書治要》，亦僅為經日人回改之尾張本。

至於近世《呂氏春秋》校本，實以許維遹《集釋》、蔣維喬等《彙校》、王叔岷《校補》、王利器《注疏》及陳奇猷《新校釋》最獲學界重視，[48]當中王利器《注疏》曾經參考金澤文庫本《群書治要》作為校勘依據，即其所謂「日本古鈔本」；[49]蔣維喬等《彙校》則明言所參《群書治要》版本為「《四部叢刊》影印日本尾張刊本」；[50]至於許維遹《集釋》、王叔岷《校補》及陳奇猷《新校釋》則於校注提及《群書治要》，卻並未注明所用版本，實則亦僅參考尾張本而未採用金澤文庫本及駿河版。[51]

今考《呂氏春秋》抄錄於《群書治要》卷三十九。是卷於九条家本已佚，[52]而仍見於另外四本。又據各本所見，《群書治要》引書，部分於正文之前題錄相應篇章名目，[53]部分則僅抄正文而不題之。[54]惟四本《群書治要》所載《呂氏春秋》章目面貌，各相迥異。現撮四本《群書治要》卷三十九書影如下，以便說明：

れた。」即尾張本《群書治要》於寬政八年（即清嘉慶元年；1796）運返中原。詳見尾崎康：〈群書治要解題〉，載唐．魏徵撰，尾崎康、小林芳規解題：《群書治要》第7冊，頁473。

47 唐．魏徵：《群書治要》（臺北：世界書局，2011，影印日本天明七年（1787）尾張藩刻本），刊群書治要考例，頁19-20。

48 四家《呂氏春秋》校本之中，許維遹《呂氏春秋集釋》成書最早，於1933年完稿、1935年清華大學初版；次以蔣維喬等《呂氏春秋彙校》，1935年完稿、1937年上海中華書局初版；次以王叔岷《呂氏春秋校補》，1948年完稿、1950年中央研究院歷史語言研究所初版；次以王利器《呂氏春秋注疏》，於1995年完稿、2002年成都巴蜀書社初版；次以陳奇猷《呂氏春秋新校釋》，於2001年完稿、2002年上海古籍出版社初版。

49 王利器：《呂氏春秋注疏》，頁832。

50 蔣維喬等合著：《呂氏春秋彙校》，呂氏春秋彙校引書要目，頁2。

51 觀三家《呂氏春秋》點校本參考《群書治要》之校勘記，所引《群書治要》文字俱與尾張本同，而與金澤文庫本、駿府御文庫本及駿河版異，則其僅參尾張本《群書治要》而並未考慮更古版本明矣。

52 今見九条家本僅存十三卷，包括卷廿二、廿六、卅一、卅三、卅五、卅六、卅七、四二、四三、四五、四七、四八、四九。當中首七卷由東京國立博物館完成修復，並上傳至網絡，可供公眾瀏覽。惜剩餘六卷殘損嚴重，修復無期。詳見潘銘基：〈日藏平安時代九条家本群書治要研究〉，頁5。

53 如卷三十六引《商君書》正文之餘，九条家本、金澤文庫本亦題篇目〈六法〉、〈權脩〉、〈定分〉。

54 如卷三十六引《吳子》，九条家本僅錄正文而不題篇目。金澤文庫本書眉所見《吳子》篇目，乃為清原教隆（1199-1265）校點所加。詳見潘銘基：〈日藏平安時代九条家本群書治要研究〉，頁10。

（1）金澤文庫本	

（2）駿府御文庫本

群書治要卷第卅九　秘書監鉅鹿男臣魏徵等奉勅撰
呂氏春秋
貴公
先聖王之治天下也必先公公則天下平（平和）嘗觀
於上志（上志古記）有德天下者衆矣其得之必以公
其失之必以偏（偏私不正）凡主之立也生於公故洪
範曰無偏無黨王道蕩蕩（蕩蕩平易）陰陽之和不長
一類甘露時雨不私一物万民之主不阿一人
桓公行公去私惡用管子而為五伯長行私阿
所愛用豎刀而蟲出於戶
人之少也愚其長也智故智而用私不若
愚而用公（用私則以敗用公則昌）
天無私覆也地無私載也日月無私燭也四時
無私為也行其德而万物得遂長焉（遂成）庖人調
和而不敢食故可以為庖若使庖人調和而食
之則不可以為庖矣伯王之君亦然誅暴而不
私以封天下之賢者故可以為王伯若使伯王
之君誅暴而私之則亦不可以為王伯矣

水泉深則魚鼈歸之樹木盛則飛鳥歸
之庶草茂則禽獸歸之人主賢則豪桀歸之故
聖王不務歸之者而務其所以歸（務人使歸之也務其所行可歸也）
強令之笑不樂強令之哭不悲（不由中心也）
強之為道也可以成小而不可以成大矣塞既
至民煖是利大勢在上民清是走故民無常處
見利之聚無利之去欲為天子民之所走不可
不察

論人

凡論人通則觀其所禮（通達）貴則觀其所進富則
觀其所養聽則觀其所行近則觀
其所好習則觀其所言（好則義也言則道也）窮則觀其
所不受賤則觀其所不為喜之以驗其守（守情也）
樂之以驗其僻（僻邪）怒之以驗其節（節性）懼之以驗
其特（特獨也雖獨不恐也）哀之以驗其仁（仁人見可哀者則不忍之也）
苦之以驗其志八觀六驗此賢主之所以論人
也論人必以六戚四隱（六戚六親也四隱相匿揚長蔽短也）何謂六
戚父母兄弟妻子何謂四隱交友故舊邑里門
庸內則用六戚四隱外則以八觀六驗人之情

（3） 駿河版	羣書治要卷第三十九 秘書監鉅鹿男臣魏徵等奉　勅撰 呂氏春秋 貴公 先聖王之治天下也必先公則天下平平和嘗 觀於上志上志古記有德天下者衆矣其得之必 以公其失之必以偏偏私不正凡主之立也生於 公故洪範曰無偏無黨王道蕩蕩蕩蕩平易陰陽 之和不長一類甘露時雨不私一物萬民之 主不阿一人桓公行公去私惡用管子而爲 五伯長行私阿所愛用豎刀而蟲出於尸尸子 爭立無主喪六十日乃殯至使蟲流出尸也人之少也愚其長也 智故智而用私不若愚而用公用私以敗用公則齊 天無私覆也地無私載也日月無私燭也四 時無私爲也行其德而萬物得遂長焉遂成庖 人調和而不敢食故可以爲庖若使庖人調
（4） 尾張本	本書伯王作王伯下同 羣書治要卷第三十九 秘書監鉅鹿男臣魏徵等奉　勅撰 呂氏春秋 先聖王之治天下也必先公公則天下平平和嘗 觀於上志上志古記有得天下者衆矣其得之必以 公其失之必以偏偏私不正凡主之立也生於公故 洪範曰無偏無黨王道蕩蕩蕩蕩平易陰陽之和不 長一類甘露時雨不私一物萬民之主不阿一 人桓公行公去私惡用管子而爲五伯長行私 阿所愛用豎刁而蟲出於尸五子爭立無主喪六十日乃殯至使 蟲流出尸也人之少也愚其長也智故智而用私不 若愚而用公用私以敗用公則齊 天無私覆也地無私載也日月無私燭也四時 無私爲也行其德而萬物得遂長焉遂成庖人調 和而不敢食故可以爲庖若使庖人調和而食 之則不可以爲庖矣伯王之君亦然誅暴而不 私以封天下之賢者故可以爲伯王若使王伯 之君誅暴而私之則亦不可以爲王伯矣誅暴有所

據上可見，金澤文庫本《群書治要》卷三十九第一紙先以大字於正文部分題錄所引《呂氏春秋》首章章目「貴公」（以方框標示）；至於第二章章目「去私」、第三章章目「論人」（以圓框標示）以至後續四十章章目，悉以小字注於書眉。是卷末有跋文，題藤原敦綱校點此卷之事，[55]則除首章大字章目「貴公」以外，其後全部眉箋章目，當為藤原敦綱追加。而駿府御文庫本乃據金澤文庫本抄成，[56]其亦以大字題寫「貴公」（以方框標示）章目，然而並無標示「去私」章目；及至第三章「論人」章目，則復以眉箋

55 唐・魏徵撰，尾崎康、小林芳規解題：《群書治要》第6冊，頁151。
56 福井保：《江戶幕府刊行物》，頁27。

小字標明（以圓框標示）。考金澤文庫本眉箋所載四十二章章目，駿府御文庫本僅抄其三十八，未見「去私」、「不侵」、「任數」、「勿躬」四者，可見後者移錄前者眉箋章目，實則偶有遺漏。

至若駿河版及尾張本載錄《呂氏春秋》章目之情況，則顯異於金澤文庫本及駿府御文庫本。今觀駿河版僅留首章大字章目「貴公」（以方框標示），不見「去私」及以後各章之章目。而尾張本則連首章大字章目「貴公」亦遭刪去，僅錄《呂氏春秋》正文而全然不題章目。蓋駿河版有取金澤文庫本及駿府御文庫本眉箋篇目或章目者，如卷三十六引《吳子》；[57]亦有逕自不取者，如卷三十八引《孫卿子》，以及卷三十九引《呂氏春秋》。及至天明年間，尾張本刊刻者參考駿河版時，或已不明「貴公」所指，又或為追求體例整齊，遂亦不錄首章大字章目「貴公」於尾張本，使得全卷只載正文，完全不題《呂》書章目。是以藉《群書治要》研究《呂》書章目，蓋僅可從金澤文庫本入手，方臻完備。

四　金澤文庫本《群書治要》所載《呂氏春秋》章目研究

古書斷章分篇，每立名目，以茲識別。[58]余嘉錫《目錄學發微》：

> 古書名篇，有有意義者，《書》、《春秋》、《爾雅》之類是也……故就其篇目，可以窺見文中之大意，古書雖亡而篇目存，猶可以考其崖略。[59]

是以研讀古籍篇目、章目，可得管窺全書梗概脈絡，蓋不失為讀書之首要門徑。今見《呂氏春秋》每〈紀〉下分五章、每〈覽〉下分八章、每〈論〉下分六章，[60]佈局異常整齊，於今傳先秦典籍而言，實屬罕見；每章復又各冠章目，悉乃以義題名。田鳳台《呂氏春秋探微》：

> 細繹《呂》書，諸篇作法，除〈十二紀〉篇首外，皆據題抒論，且有一定章法。[61]

---

57 潘銘基云：「卷卅六引《吳子》，九条家本皆不題篇名，金澤文庫本同。然清原教隆（1199-1265）校點金澤文庫本時，則補上《吳子》各篇篇題，如〈圖國〉、〈論將〉、〈治兵〉、〈勵士〉等。自金澤文庫本校補篇名以後，駿河版、尾張藩本、宛委別藏本（後二者皆據天明本刊印）皆見《吳子》各篇篇名矣。」詳見潘銘基：〈日藏平安時代九条家本群書治要研究〉，頁10。

58 余嘉錫云：「古之經典，書於簡策，而編之以韋或絲，名之為篇。簡策厚重，不能過多，一書既分為若干篇，則各為之名，題之篇首，以為識別。」詳見余嘉錫：《目錄學發微》，收入余嘉錫：《余嘉錫說文獻學》，頁31。

59 余嘉錫：《目錄學發微》，收入余嘉錫：《余嘉錫說文獻學》，頁34。

60 按今本〈十二紀〉末篇〈季冬紀〉連〈序意〉在內共六章，而〈八覽〉首篇〈有始覽〉則僅七章。〈序意〉歸屬相關問題，詳見何志華：《呂氏春秋管窺》（香港：中華書局，2015），頁28-85。

61 田鳳台：《呂氏春秋探微》（臺北：臺灣學生書局，1986），頁340。

此外，現存《呂》書諸傳世刻本，均見舊校於目錄及各章目之下，以「一作某」或「一名某」形式標注章目異文，如〈仲春紀〉末章原題大字「功名」，其下見舊校小字「一作由道」。[62]統計全書百六十章，章目舊校注明異文者凡十三例，值得注意。是以田鳳台《呂氏春秋探微》云：「此其紀、覽、論綱目之區，及所附各篇篇題今有異論者，不可不究之者一也」，[63]可見研讀《呂氏春秋》當須首先考證章目異文正訛，俾能準確體悟各章旨要。

今考金澤文庫本《群書治要》卷三十九載錄《呂》書四十二章章目，其中首章章目「貴公」大字書寫於正文部分，而自次章章目「去私」起餘下四十一者，悉以眉箋標示。據金澤文庫本《群書治要》卷三十九跋文可見，是卷嘗經藤原敦綱校點，時在日本長寬二年（1164）；[64]而卷三十九眉箋所注《呂》書章目，蓋為藤原敦綱校點之際所加。考卷三十九第8紙眉箋「音律」章目旁見注云「本書以『律』作『初』」，[65]是知藤原敦綱校點之時，確曾另行搜覓當時於日本流傳之《呂氏春秋》參校，且有用作補題及校勘章目。而相關《呂》書版本，亦較今存最古之元至正六年（1346）刻本早出近兩百年，其文獻價值不可忽視。準此，藤原敦綱於金澤文庫本《群書治要》卷三十九眉箋補注之《呂》書章目，實可反映日本鎌倉時期流傳之古本《呂》書章目面貌；又駿府御文庫本《群書治要》亦載大部分金澤文庫本《群書治要》之眉箋章目，然學界對此幾無留意，誠為可惜。本文遂取上述兩本《群書治要》所載《呂》書章目，經與元刻本、宋校本及畢校本《呂氏春秋》所載者加以比對，列於下表：[66]

<table>
<tr><th colspan="2">《群書治要》所載章目</th><th colspan="6">通行傳世本《呂氏春秋》所載章目</th></tr>
<tr><td rowspan="2">金本</td><td rowspan="2">駿本</td><td colspan="2">元刻本</td><td colspan="2">宋校本</td><td colspan="2">畢校本</td></tr>
<tr><td>正文章目</td><td>舊校章目</td><td>正文章目</td><td>舊校章目</td><td>正文章目</td><td>舊校章目</td></tr>
</table>

62 本文稱各原章目（即正文大字書寫者）為「正文章目」；各出現在「一作某」或「一名某」舊校之中的章目為「舊校章目」。以〈功名〉為例，其「正文章目」為「功名」、「舊校章目」為「由道」。

63 田鳳台：《呂氏春秋探微》，頁333。

64 唐．魏徵撰，尾崎康、小林芳規解題：《群書治要》第6冊，頁151。

65 唐．魏徵撰，尾崎康、小林芳規解題：《群書治要》第6冊，頁88。

66 下文所引金澤文庫本《群書治要》（表內簡稱「金本」），悉據東京汲古書院1989年影印日本宮內廳書陵部藏鎌倉時代金澤文庫鈔本；引駿府御文庫本《群書治要》（表內簡稱「駿本」），悉據日本內閣文庫藏慶長年間（1596-1615）駿府御文庫鈔本；引諸本《呂氏春秋》，「元刻本」悉據北京圖書館出版社2006年《中華再造善本．金元編》影印元至正六年（1346）嘉興路儒學刻本、「宋校本」悉據《四部叢刊初編》影印明萬曆（1573-1620）雲間宋邦乂等校刻本、「畢校本」悉據清乾隆五十四年（1789）靈巖山館刻本。引《呂氏春秋》未有特指版本者，則悉取「畢校本」。為省行文，不另出注。

《群書治要》所載章目		通行傳世本《呂氏春秋》所載章目					
貴公	貴公	貴公		貴公		貴公	
去私		去私		去私		去私	
		功名	由道	功名	由道	功名	由道
論人	論人	論人		論人		論人	
勸學	勸學	勸學	觀師	勸學	觀師	勸學	觀師
尊師	尊師	尊師		尊師		尊師	
		誣徒	詆沒	誣徒	詆役	誣徒	詆役
		用眾	善學	用眾	善學	用眾	善學
大樂	大樂	大樂		大樂		大樂	
侈樂	侈樂	侈樂		侈樂		侈樂	
和樂	和樂	適音	和樂	適音	和樂	適音	和樂
音律	音律	音律		音律		音律	
制樂	制樂	制樂		制樂		制樂	
義兵	義兵	蕩兵	用兵	蕩兵	用兵	蕩兵	用兵
論威	論威	論威		論威		論威	
慎窮	慎窮	愛士	慎窮	愛士	慎窮	愛士	慎窮
節喪	節喪	節喪		節喪		節喪	
安死	安死	安死		安死		安死	
至忠	至忠	至忠		至忠		至忠	
		八立／介立	立意	八立／介立	立意	介立	立意
不侵		不侵		不侵		不侵	
		序意	廉孝	序意	廉孝	序意	廉孝
		名類		應同	名類		應同
有始覽	有始覽	去尤		去尤		去尤	
謹聽	謹聽	謹聽		謹聽		謹聽	
務本	務本	務本		務本		務本	
孝行覽	孝行覽	孝行		孝行		孝行覽	
		首時	眉時／胥時	首時	眉時／胥時	首時	胥時

《群書治要》所載章目		通行傳世本《呂氏春秋》所載章目					
		慎人	順人	慎人	順人	慎人	順人
		必己	本知不過／不遇	必己	本知不過	必己	本知不遇
慎大覽	慎大覽	慎大		慎大		慎大覽	
順說	順說	順說		順說		順說	
貴國	貴國	貴因		貴因		貴因	
先識覽	先識覽	先識		先識		先識覽	
審分覽	審分覽	審分		審分		審分覽	
任數		任數		任數		任數	
勿躬		勿躬		勿躬		勿躬	
離俗覽	離俗覽	用民		用民		用民	
適威	適威	適威		適威		適威	
恃君覽	恃君覽	知分		知分		知分	
達鬱	達鬱	達鬱		達鬱		達鬱	
行論	行論	行論		行論		行論	
驕恣	驕恣	驕恣		驕恣		驕恣	
開春論	開春論	（佚文）[67]					
慎行論	慎行論	疑似		疑似		疑似	
貴直論	貴直論	貴直		貴直		貴直論	
直諫	直諫	真諫		真諫		直諫	
雍塞	雍塞	壅塞		壅塞		壅塞	
不苟論	不苟論	自知		自知		自知	
貴富	貴富	貴當		貴當		貴當	
似順論	似順論	分職		分職		分職	

67 相關佚文見於《群書治要》:「吳起行，魏武侯自送之，曰：『先生將何以治西河？』對曰：『以忠、以信、以勇、以敢。』武侯曰：『安忠？』曰：『忠君。』『安信？』曰：『信民。』『安勇？』曰：『勇去不肖。』『安敢？』曰：『敢用賢。』武侯曰：『四者足矣。』」詳見唐．魏徵撰，尾崎康、小林芳規解題：《群書治要》第6冊，頁139；何志華、朱國藩編著：《唐宋類書徵引呂氏春秋資料彙編》（香港：中文大學出版社，2006），頁216。

據上可見，金澤文庫本及駿府御文庫本《群書治要》所載《呂》書章目，實與今通行本《呂氏春秋》時有出入。下擇其顯要者分為三類，予以分析：

（一）金澤文庫本及駿府御文庫本《群書治要》所載《呂》書舊校章目例：〈和樂〉、〈慎窮〉

今見《呂》書傳世刻本一百六十章目，有十三者可見舊校標注異文，當中〈勸學〉、〈和樂〉、〈義兵〉、〈慎窮〉四者為金澤文庫本及駿府御文庫本《群書治要》抄錄。按《呂》書傳世刻本舊校注明「勸學」章目一作「觀師」，而兩本《群書治要》所載章目乃作「勸學」，與《呂》書傳世刻本正文章目同。惟兩本《群書治要》所題「和樂」、「慎窮」，悉乃《呂》書傳世刻本舊校章目而非正文章目。如作「和樂」者，三本《呂氏春秋》正文章目俱作「適音」、舊校章目則為「和樂」，[68]是知「和樂」章目源流，實可追溯回日本鎌倉時期流傳的《呂》書版本，較之現存最古之《呂氏春秋》元刻本更為早出。

至於金澤文庫本及駿府御文庫本《群書治要》所載「慎窮」章目，三本《呂氏春秋》正文章目俱作「愛士」、舊校章目則為「慎窮」。[69]王利器《注疏》：

> 舊校云：「一作『慎窮』。」案：日本古鈔本《群書治要》正作「慎窮」。[70]

可見王利器經已注意到金澤文庫本《群書治要》所載章目乃作「慎窮」，惟未指出「慎窮」實以眉箋標示，乃屬藤原敦綱校補所加。又陳奇猷《新校釋》：

> 舊校云：「一作『慎窮』。」奇猷案：……舊校「慎窮」二字，疑係後人注語，謂愛士者，宜謹慎對待困窮之士。[71]

按「慎窮」究竟是否原為《呂》書正文章目「愛士」之注解，實難判斷。惟可肯定在日本鎌倉時期，藤原敦綱據是時所見《呂氏春秋》校勘《群書治要》，章目確有作「和樂」及「慎窮」者，其較現存最古之《呂氏春秋》元刻本早出接近二百年，是知《呂》書自中土傳入日本者，正有章目作「和樂」及「慎窮」之版本，可證今見《呂氏春秋》傳世刻本舊校，良有以也。

---

68 〈仲夏紀〉第四章。

69 〈仲秋紀〉第五章。

70 王利器注疏：《呂氏春秋注疏》，頁832。

71 陳奇猷：《呂氏春秋新校釋》，頁465。

（二）據金澤文庫本及駿府御文庫本《群書治要》所載章目校勘《呂》書傳世刻本章目例：〈義兵〉、〈直諫〉

金澤文庫本及駿府御文庫本《群書治要》所載「義兵」章目，三家傳世刻本《呂氏春秋》正文章目俱作「蕩兵」、舊校章目則作「用兵」。[72]王利器《注疏》：「用兵所以『蕩滌眾故』，即所以明兵之不可偃也。」[73]陳奇猷《新校釋》：「『用兵』非此篇之義，疑『用』為『蕩』音近而訛。」[74]又朱永嘉、蕭木《新譯呂氏春秋》：「蕩兵，篇名一作『用兵』。『蕩兵』之『蕩』，意為萌起，與全篇內容更為貼切。」[75]均以「蕩兵」為原本章目。惟田鳳台《呂氏春秋探微》提出新見：

> 台案：本篇非當世偃兵之說者，「蕩」可作「散」解，其說亦通。然篇中屢云：「古聖王有義兵而無偃兵。」未嘗用「蕩」字……或疑因作「義兵」，而「義」字破損僅留其首，後人以本篇言非去兵之說，而誤作「蕩兵」耳。[76]

今觀陳奇猷《新校釋》嘗析「蕩兵」意蘊：

> 奇猷案：《禮記・月令》「諸生蕩」，鄭注云：「蕩謂物動將萌芽也。」然則蕩兵者猶言兵之萌起，正是此篇之內容。[77]

張雙棣《呂氏春秋譯注》亦云：

> 本篇以「蕩兵」為題，旨在闡述戰爭的緣起。[78]

按《呂》書傳世刻本〈蕩兵〉一章云：

> 兵之所自來者上矣，與始有民俱……兵所自來者久矣，黃、炎故用水火矣，共工氏固次作難矣，五帝固相與爭矣。

此處正可得見「戰爭緣起」論述所在。其又續云：

> 夫兵不可偃也，譬之若水火然，善用之則為福，不能用之則為禍；若用藥者然，得良藥則活人，得惡藥則殺人。

---

72 〈孟秋紀〉第二章。

73 王利器注疏：《呂氏春秋注疏》，頁703。

74 陳奇猷：《呂氏春秋新校釋》，頁389。

75 朱永嘉、蕭木注譯：《新譯呂氏春秋》（臺北：三民書局公司，2009），頁216。

76 田鳳台：《呂氏春秋探微》，頁337。

77 陳奇猷：《呂氏春秋新校釋》，頁389。

78 張雙棣等譯注：《呂氏春秋譯注》（長春：吉林文史出版社，1987），頁185。

此處亦有討論「用兵」之後果。又全章強調戰爭當「義」，以拯救百姓於苛政：

> 義兵之為天下良藥也亦大矣……兵誠義，以誅暴君而振苦民，民之說也，若孝子之見慈親也，若饑者之見美食也。

綜上可見，此章章目，當是以義題之。惟「蕩兵」、「用兵」與「義兵」思想於今《呂》書傳世刻本〈蕩兵〉一章皆有論及，故難從內容義理判斷何者為《呂》書原本章目。至於田鳳台言「蕩兵」或作「義兵」之說，未見元、明、清以來《呂》書諸本出注標明。然金澤文庫本《群書治要》眉箋所標章目正作「義兵」，駿府御文庫本所載亦同，是知今〈蕩兵〉章目於日本鎌倉時代所見古本《呂》書乃作〈義兵〉，可見田氏之灼見。

又金澤文庫本及駿府御文庫本《群書治要》所載「直諫」章目，元刻本及宋校本《呂氏春秋》正文章目俱作「真諫」，惟畢校本與兩本《群書治要》同作「直諫」。[79]三本《呂氏春秋》均無標注舊校章目。蔣維喬等《彙校》僅云「元本『直』誤『真』」，[80]但不言宋校本「直」亦作「真」，疑為漏檢。梁玉繩《呂子校補》：「各本作『真諫』。」[81]陳奇猷《新校釋》：「『直諫』原作『真諫』。」[82]另考日本流傳《呂氏春秋》相關文獻兩種，包括日傳宋邦乂校本[83]與江戶時期（1603-1867）學者戶埼允明[84]《補訂讀呂氏春秋》舊寫本，[85]相關章目亦並作「真諫」而非「直諫」；[86]則除畢校本外，其他《呂》書傳世刻本皆作「真諫」。然畢校本內並未說明校改根據。梁玉繩《呂子校補》：「此（按：指畢校本）[87]依《黃氏日鈔》改。」[88]今考《黃氏日抄》：「〈貴直論〉，謂所以貴

79 〈貴直論〉第二章。

80 蔣維喬等合著：《呂氏春秋彙校》，頁5。

81 清・梁玉繩：《呂子校補》（清光緒十二年〔1886〕《槐廬叢書二編》校刻本），卷2，頁19a。

82 陳奇猷：《呂氏春秋新校釋》，頁1555。

83 蔣維喬云：「日本松皋圓〈畢校呂覽補正序〉稱：『今之所行呂氏春秋百六十卷，後漢高誘注，明宋邦乂、徐益孫同校。』然則此乃日本舊時之通行本也。」詳見蔣維喬等合著：《呂氏春秋彙校》，呂氏春秋板本書錄，頁21。

84 戶埼允明（1724-1806），《大日本人名辭書》作「崎」，今從日本國立公文書館藏《補訂讀呂氏春秋》舊寫本作「埼」。按「戶埼」、「戶崎」日語假名相同（とさき；tosaki），或因而致亂。字哲夫，號淡園。日本江戶時期復古學派漢學家，以治經書著稱。詳見張文朝編譯：《江戶時代經學者傳略及其著作》（臺北：萬卷樓圖書公司，2014），頁161。

85 按戶埼允明《補訂讀呂氏春秋》建基於荻生徂徠《讀呂氏春秋》，惟《讀呂氏春秋》之〈六論〉部分早佚。《補訂讀呂氏春秋・開春論》注云「以下皆屬補」，則其當時已不可見相關內容。詳見戶埼允明補訂：《補訂讀呂氏春秋》（日本國立公文書館藏舊寫本），頁151。

86 東漢・高誘注，明・宋邦乂、明・徐益孫仝訂：《呂氏春秋》（日本函館市中央圖書館藏舊刻本），呂氏春秋總目，頁7a；戶埼允明補訂：《補訂讀呂氏春秋》，頁162。

87 梁玉繩〈呂子校補自序〉：「今年春，畢秋帆尚書校刻《呂氏春秋》。余廁檢讎之末，而會其事者抱經盧先生也。」則《呂子校補》所參《呂》書版本正為畢校本。詳見清・梁玉繩：《呂子校補》，呂子校補自序，頁1a。

88 清・梁玉繩：《呂子校補》，卷2，頁19a。

士為其直言也……次曰『直諫』，載鮑叔奉杯為壽。」[89]按《黃氏日抄》成於南宋，而金澤文庫本《群書治要》藤原敦綱眉箋亦作「直諫」，復可證明早在南宋以及日本鎌倉時期，時人所見《呂》書相關章目尚作「直諫」，至元代則或因「直」、「真」形近而傳刻致訛。準此，畢校改「真」為「直」，雖未說明理據，實則更近《呂》書古貌。

（三）金澤文庫本及駿府御文庫本《群書治要》所載《呂》書章目疑字誤例：〈貴國〉、〈貴富〉

金澤文庫本及駿府御文庫本《群書治要》所載「貴國」章目，三家傳世刻本《呂氏春秋》不見舊校章目，正文章目俱作「貴因」。[90]按《呂氏春秋》全書篇章悉乃「據題抒論」，[91]而今傳世本《呂》書〈貴因〉三見「國」字：

> 舜一徙成邑，再徙成都，三徙成國，而堯授之禪位，因人之心也。
>
> 禹之裸國，裸入衣出，因也。
>
> 因者無敵。國雖大，民雖眾，何益？

惟細閱全文，則知本章所重乃「因」而非「國」也。考「因」字於本章凡十六見，其開章即云：

> 三代所寶莫如因，因則無敵。

按「寶」即「貴」也，是知本章首句即點題而云「貴因」。又觀上引見「國」字三句，可見「國」者云云，純為帶出「因」之重要。按「因」為《呂氏春秋》政治論之重要概念，說本《慎子》。何志華《呂氏春秋管窺》：

> 《呂氏春秋》以為人君治國，當「因而不為」。所謂「因」者，最早見《慎子》……可見《呂氏春秋》所論「因而不為」，本出《慎子》。[92]

又傅武光《呂氏春秋與諸子之關係》：

> 同時，深受老子影響之法家人物慎到，其遺籍殘帙，有〈因循〉之篇。而後之法家，遂以因循為人君南面之術矣。《呂氏春秋》亦盛言「因」之為大用，除散見

89 南宋・黃震：《黃氏日抄》（清乾隆三十二年〔1767〕汪佩鍔校刻本），卷56，頁12a。

90 〈慎大覽〉第七章。

91 田鳳台：《呂氏春秋探微》，頁340。

92 何志華：《呂氏春秋管窺》，頁165。

全書各篇外，又特著〈貴因〉篇以明之。[93]

可見本章核心要義全在於「因」而非「國」。準此，在《呂》書各章「據題抒論」[94]前提之下，傳世刻本章目「貴因」較之金澤文庫本《群書治要》眉箋章目「貴國」更為對應全章要旨。今考日傳宋邦乂校本、荻生徂徠[95]《讀呂氏春秋》以及戶埼允明《補訂讀呂氏春秋》舊寫本等日傳《呂氏春秋》文獻，相關章目俱作「貴因」而非「貴國」，[96]是知日傳《呂氏春秋》各本當亦無作「貴國」者，可見金澤文庫本《群書治要》眉箋或乃抄寫致誤。駿府御文庫本《群書治要》乃據金澤文庫本抄成，[97]而抄手對此亦未予措意，遂亦誤題「貴國」章目。

又金澤文庫本及駿府御文庫本《群書治要》所載「貴冨」章目，三家傳世刻本《呂氏春秋》不見舊校章目，正文章目俱作「貴當」。[98]按「冨」、「富」異體，二字於金澤文庫本《群書治要》卷三十九並皆得見，[99]可見抄手未有刻意追求統一。考「富」字於《呂》書傳世刻本〈貴當〉兩見：

> 齊人有好獵者，曠日持久而不得獸，入則媿其家室，出則媿其知友州里。惟其所以不得之故，則狗惡也。欲得良狗，則家貧無以。於是還疾耕，疾耕則家富，家富則有以求良狗，狗良則數得獸矣，田獵之獲常過人矣。非獨獵也，百事也盡然。

惟「富」實則並非本章重點。原文續云：

> 霸王有不先耕而成霸王者，古今無有……為之必繇其道，物莫之能害，此功之所以相萬也。

可見「齊人好獵」典故，重點全在「先耕」而非「富」，亦即全章所謂「必繇其道」

---

93 傅武光：《呂氏春秋與諸子之關係》（臺北：私立東吳大學中國學術著作獎助委員會，1993），頁255。

94 田鳳台：《呂氏春秋探微》，頁340。

95 荻生徂徠（1666-1728），本姓物部，後仿中國習俗而簡稱「物」，名雙松。以氏號行。日本江戶時期復古學派漢學家，以治經籍及《荀子》聞名。詳見張文朝編譯：《江戶時代經學者傳略及其著作》，頁143。

96 東漢・高誘注，明・宋邦乂、明・徐益孫仝訂：《呂氏春秋》，呂氏春秋總目，頁7a；荻生徂徠：《讀呂氏春秋》第3冊（日本國立公文書館藏舊寫本），頁24；戶埼允明補訂：《補訂讀呂氏春秋》，頁100。

97 福井保：《江戶幕府刊行物》，頁27。

98 〈不苟論〉第六章。

99 如抄錄〈論人〉「冨則觀其所養」則作「冨」；〈謹聽〉「故榮富非自至，緣功伐也」則作「富」。詳見唐・魏徵撰，尾崎康、小林芳規解題：《群書治要》第6冊，頁79、113。

也。按本章起首即云「名號大顯，不可彊求，必繇其道」，首尾呼應，是知「必繇其道」乃為全章要旨。朱永嘉、蕭木《新譯呂氏春秋》：

> 篇名「貴當」，即舉措貴在得當。何謂得當？那就是本篇一開始就提出的「必繇其道」……第二個實例是說齊國的一個好獵者，出現了從「曠日持久而不得獸」到「田獵之穫常過人」的大變化……作者據此認為像這位好獵者那樣經歷一段艱苦奮鬥的準備，亦是創立王霸之業的必由之道之一。[100]

可見「繇其道」即章目所謂「當」者，此為本章所「貴」。準此，則金澤文庫本眉箋補注章目之時，或因「當」、「富」形近而抄寫致訛。駿府御文庫本《群書治要》亦承此誤。

（四）金澤文庫本《群書治要》所載《呂》書章目與正文不對應例

縱觀金澤文庫本《群書治要》所載《呂氏春秋》眉箋章目，時見其與《群書治要》所錄《呂》書正文不對應者，是知此卷章目校補未臻嚴謹，多有殽亂。分類言之，蓋有下列三種：

1 章目與正文全不對應例：〈勿躬〉

此即金澤文庫本《群書治要》眉箋章目作「甲」，其下文字全不見於甲章，反而見於乙章者。金澤文庫本《群書治要》所載「勿躬」章目，[101]其下正文云：

> 人主自智而愚人，自巧而拙人，若此則愚拙者請矣，巧智者詔矣。詔多則請者愈多矣。請者愈多，且無不請也。主雖巧智，未無不知也。以未无不知，應无不請，其道固窮。窮而不知其窮，其患又將反以自多，是之謂重塞。重塞之主，无存國矣。故有道之主，因而不為，責而不詔，不伐之言，不奪之事，督名審實，官使自司。絕江者託於船，致遠者托於驥，霸王者托於賢。伊尹、呂尚、管夷吾、百里奚，此霸王之船驥也。釋父兄與子弟，非疏之也；任庖人釣者，與仇人僕虜，非阿之也。用持社稷立功名之道，不得不然也。

上述文字於今傳世刻本《呂》書〈勿躬〉一章全然不見，反而見於下章〈知度〉，蓋校點者誤以為〈知度〉相關文字出自上一章〈勿躬〉。

100 朱永嘉、蕭木注譯：《新譯呂氏春秋》，頁1032。

101 〈審分覽〉第四章。

2 章目與正文部分不對應例：〈去私〉／〈功名〉、〈義兵〉／〈懷寵〉、〈有始〉／〈聽言〉、〈孝行〉／〈義賞〉、〈先識〉／〈觀世〉、〈審分〉／〈君守〉、〈行論〉／〈驕恣〉

此即金澤文庫本《群書治要》眉箋章目作「甲」，其下文字既有見於甲章，亦有見於乙章者。例如《群書治要》眉箋章目題曰「去私」，[102]其下文字由「天無私覆也」至「若使王伯之君誅暴而私之，則亦不可以為王伯矣」見於今本《呂氏春秋．孟春紀．去私》，惟自「水泉深則魚鱉歸之」至「民之所走，不可不察」則未見，反而見於〈功名〉，[103]而校點者並未注明「功名」章目。

3 以篇目為章目例：〈有始覽〉／〈去尤〉、〈離俗覽〉／〈用民〉、〈恃君覽〉／〈知分〉、〈慎行論〉／〈疑似〉、〈不苟論〉／〈自知〉、〈似順論〉／〈分職〉

此即金澤文庫本《群書治要》眉箋作「甲」，其下文字見於乙章，而乙章實為甲篇之分章者。例如《群書治要》眉箋題曰「有始覽」，其下文字全不見於〈有始覽〉篇之首章〈有始〉，卻見於第三章〈去尤〉。觀《群書治要》所引〈八覽〉、〈六論〉部分，校點者於眉箋追記《呂》書出處，既有題〈謹聽〉、〈務本〉、〈順說〉等章目者，亦有題〈有始覽〉、〈離俗覽〉、〈恃君覽〉等篇目，而不題〈去尤〉、〈用民〉、〈知分〉等章目者，可見對於補題篇目抑或章目，校點者未有刻意追求統一。然若逕判優劣，則《呂》書一篇既下分多章，補題「章目」自較「篇目」更臻精確。

五　《呂氏春秋》篇章序次問題補論——以《群書治要》所載為例

今本《呂氏春秋》編排序次為〈十二紀〉、〈八覽〉、〈六論〉，惟《史記．呂不韋列傳》云「呂不韋乃使其客人人著所聞，集論以為〈八覽〉、〈六論〉、〈十二紀〉」，[104]以至學界對於古本《呂氏春秋》之〈十二紀〉、〈八覽〉、〈六論〉結構序次多有爭議。下表概括學界部分《呂氏春秋》研究著述對於《呂》書〈紀〉、〈覽〉、〈論〉序次問題之主張：[105]

---

102 〈孟春紀〉第五章。

103 〈仲春紀〉第五章。

104 西漢．司馬遷撰，南朝宋．裴駰集解，唐．司馬貞索隱，唐．張守節正義：《史記》（北京：中華書局，2014），卷85，頁3046。

105 據何志華《呂氏春秋管窺》整理。詳見何志華：《呂氏春秋管窺》，頁28-85。相關資料亦詳見田鳳台：《呂氏春秋探微》，頁66-70。

主張序次	學者及其著述
〈十二紀〉、〈八覽〉、〈六論〉	田鳳台《呂氏春秋探微》、陳奇猷《新校釋》、何志華《呂氏春秋管窺》
〈八覽〉、〈六論〉、〈十二紀〉	楊樹達《積微居小學金石論叢・讀呂氏春秋書後》、尹仲容《呂氏春秋校釋》、賀凌虛《呂氏春秋的政治理論》
〈六論〉、〈十二紀〉、〈八覽〉	王利器《注疏》

當中王利器《注疏》立說獨特，復又明言今本《呂氏春秋》嘗經唐人竄改。其〈序〉云：

> 唐人馬總《意林》卷二：「《呂氏春秋》二十六卷。」注云：「呂不韋，始皇時相國，乃集儒士為〈十二紀〉、〈八覽〉、〈六論〉。」與高〈序〉從同；自是以來，《呂氏春秋》目次為〈十二紀〉、〈八覽〉、〈六論〉，遂成定本，其實乃出於唐人改竄，而非高誘所注之本即如是也……余以為《呂氏春秋》以〈十二紀〉為首，蓋受唐明皇刪定《月令》之影響，故馬總率先仰承御旨，改定《呂氏春秋》編次，又從而點竄高〈序〉為「〈十二紀〉、〈八覽〉、〈六論〉」，顛之倒之，以致首尾錯位。[106]

可見王利器以為今本《呂》書〈十二紀〉、〈八覽〉、〈六論〉之序次，乃係始於馬總《意林》篡改而得。按《群書治要》成書於初唐太宗貞觀五年（631），而《意林》成書於中唐德宗貞元二至三年（786-787），[107]可見《群書治要》早出於《意林》百五十餘年，故其所引《呂氏春秋》，自然亦較《意林》所引更為近古。今考《群書治要》引書，體例嚴謹，其乃遵循原書篇章序次抄錄。[108]取子部為例言之，卷三十七載錄《莊子》之〈胠篋〉、〈天地〉、〈天運〉、〈智（知）北遊〉、〈徐無鬼〉五篇，乃與今見傳世本《莊子》篇序相合；[109]又卷四十一載錄《淮南子》之〈原道〉、〈本經〉、〈主術〉、〈繆（繆）稱〉、〈齊俗〉、〈道應〉、〈氾論〉、〈詮言〉、〈人間〉、〈大（泰）族〉凡十篇，序次全與今本《淮南子》同。[110]而參金澤文庫本《群書治要》所標《呂氏春秋》章目，則《群書治要》所載《呂》書〈紀〉、〈覽〉、〈論〉之序次，更是一目了然。雖則金澤文庫本所載章目偶見舛誤，然亦絕多與今本《呂》書對應。下表排列金澤文庫本《群書治要》所載《呂氏春秋》章目，以及各章於今本《呂氏春秋》所屬之〈紀〉、〈覽〉、〈論〉

---

106 王利器注疏：《呂氏春秋注疏》，呂氏春秋注疏序，頁9-10。

107 王天海、王韌：《意林校釋》（北京：中華書局，2014），前言，頁11。

108 潘銘基：〈日藏平安時代九条家本群書治要研究〉，頁11。

109 唐・魏徵撰，尾崎康、小林芳規解題：《群書治要》第5冊，頁486-499。

110 唐・魏徵撰，尾崎康、小林芳規解題：《群書治要》第6冊，頁235-296。

總篇，並據劉殿爵編《呂氏春秋逐字索引》為各章目及所屬總篇篇目標注編號，[111] 以明《群書治要》所載《呂》書之篇章序次：

各章編號	《群書治要》所載章目	各篇編號	今本《呂氏春秋》所屬總篇
1.4	貴公	1	孟春紀
1.5	去私		
3.4	論人	3	季春紀
4.2	勸學	4	孟夏紀
4.3	尊師		
5.2	大樂	5	仲夏紀
5.3	侈樂		
5.4	和樂		
6.2	音律	6	季夏紀
6.4	制樂		
7.2	義兵	7	孟秋紀
8.2	論威	8	仲秋紀
8.5	慎窮		
10.2	節喪	10	孟冬紀
10.3	安死		
11.2	至忠	11	仲冬紀
12.5	不侵	12	季冬紀
13.3	（有始覽）〔去尤〕	13	有始覽
13.5	謹聽		
13.6	務本		
14.1	孝行覽	14	孝行覽
15.1	慎大覽	15	慎大覽
15.5	順説		
15.7	貴（國）〔因〕		
16.1	先識覽	16	先識覽

111 劉殿爵編：《呂氏春秋逐字索引》（臺北：臺灣商務印書館股份有限公司，1996），目次，頁1-6。

各章編號	《群書治要》所載章目	各篇編號	今本《呂氏春秋》所屬總篇
17.1	審分覽	17	審分覽
17.3	任數		
17.5	（勿躬）〔知度〕		
19.4	（離俗覽）〔用民〕	19	離俗覽
19.5	適威		
20.3	（恃君覽）〔知分〕	20	恃君覽
20.5	達鬱		
20.6	行論		
20.7	驕恣		
（佚文）	開春論	21	開春論
22.3	（慎行論）〔疑似〕	22	慎行論
23.1	貴直論	23	貴直論
23.2	直諫		
23.5	壅塞		
24.3	（不苟論）〔自知〕	24	不苟論
24.6	貴（富）〔當〕		
25.4	（似順論）〔分職〕	25	似順論

根據上表，可見《群書治要》所載《呂氏春秋》篇章序次特點如下：

（一）《群書治要》所載《呂氏春秋》乃以〈十二紀〉為先、〈八覽〉居中，而〈六論〉殿末，次序實與今本一致，可見初唐魏徵所見《呂》書，編排序次已與今本同為〈十二紀〉、〈八覽〉、〈六論〉，其較馬總編纂《意林》為早。準此，則王利器所謂「馬總率先仰承御旨，改定《呂氏春秋》編次」，[112]未敢遽信。林溢欣〈群書治要引書考〉云：「考《治要》引書，甚有規律。凡引一書者，其序次皆據原書逐次摘引，如其卷三十九引《呂氏春秋》，依次為〈貴公〉、〈去私〉、〈功名〉、〈論人〉……皆同乎今本《呂》書序次，且《紀》、《覽》、《論》之序次，亦同乎今本。」[113]其言是也。

（二）除〈十二紀〉、〈八覽〉、〈六論〉序次以外，《群書治要》所載《呂氏春秋》之各〈紀〉、〈覽〉、〈論〉篇序，亦與今本相同。舉〈紀〉言之，今本《呂》書序次為

112 王利器注疏：《呂氏春秋注疏》，呂氏春秋注疏序，頁10。

113 林溢欣：《群書治要引書考》，頁165。

「春」、「夏」、「秋」、「冬」搭配「孟」、「仲」、「季」，而《群書治要》所載《呂氏春秋》之〈紀〉文字，排列順序亦同。例如先載〈貴公〉至〈論人〉三章，其於今本《呂》書乃屬〈春紀〉；次以〈勸學〉至〈制樂〉七章，乃屬〈夏紀〉；次以〈義兵〉至〈慎窮〉三章，乃屬〈秋紀〉；最後抄錄〈節喪〉至〈不侵〉四章，乃屬〈冬紀〉，可見《群書治要》所載《呂氏春秋》乃與今本《呂》書〈十二紀〉之「春」、「夏」、「秋」、「冬」順序相合；又以〈夏紀〉為例，《群書治要》先引〈勸學〉、〈尊師〉兩章，相關文字見於今本《呂》書〈夏紀〉首篇〈孟夏紀〉；次引〈大樂〉、〈侈樂〉、〈和樂〉三章，相關文字見於〈夏紀〉次篇〈仲夏紀〉；最後抄錄〈音律〉、〈制樂〉兩章，相關文字見於〈夏紀〉末篇〈季夏紀〉，可見《群書治要》所載《呂氏春秋》之〈紀〉篇序亦為「孟」、「仲」、「季」，復又與今本相同。至於〈八覽〉、〈六論〉部分，除《群書治要》不錄〈覽〉第五篇〈審應覽〉及〈論〉第六篇〈士容論〉，其餘順序亦與今本《呂》書一致。準此，《群書治要》編者所見古本《呂氏春秋》篇序，蓋與今本並無分別。

（三）《群書治要》所載《呂氏春秋》每〈紀〉、〈覽〉、〈論〉之下各章序次，其實亦與今本相合。以〈仲夏紀〉為例，《群書治要》抄錄其中三章，先引〈大樂〉、次引〈侈樂〉，末引〈和樂〉，三者分別為今本《呂氏春秋・仲夏紀》之第二、三及四章；又以〈恃君覽〉四章為例，《群書治要》先引〈知分〉、次以〈達鬱〉、次以〈行論〉、末引〈驕恣〉，其分別為今本《呂氏春秋・恃君覽》之第三、五、六及七章；再參〈貴直論〉三章，《群書治要》先引〈貴直論〉、次引〈直諫〉、末引〈雍（壅）塞〉，其分別為今本《呂氏春秋・貴直論》之第一、二及五章。由此可見，《群書治要》所引古本《呂氏春秋》章序，亦與今本《呂》書一致。

按《群書治要》所引諸書，悉乃初唐所見善本。阮元〈群書治要五十卷提要〉：

> 〔《群書治要》〕即所采各書，并屬初唐善策，與近刊多有不同……近多不傳，亦藉此以存其梗概。洵初唐古籍也。[114]

今按阮元所謂「初唐善策」、「初唐古籍」，未必便指初唐抄成之本子。尾崎康〈群書治要解題〉：

> 初唐に編纂が行われたのであるから、依據した本はそれ以前、おそらくは六朝後期の寫本で、本文に今本と異同があることは當然であろう。[115]

是知《群書治要》編者所見古籍，抄寫年代實可上溯至六朝時期，[116]則《群書治要》

114 清・阮元撰，鄧經元點校：《揅經室集》（北京：中華書局，1993），外集卷2，頁1216-1217。

115 尾崎康：〈群書治要解題〉，收入唐・魏徵撰，尾崎康、小林芳規解題：《群書治要》第7冊，頁473。

116 潘銘基云：「《群書治要》摘錄諸書最為珍貴之部，採用六朝後期寫本（即公元七世紀以前）入文，吉光片羽，彌足珍貴。」詳見潘銘基：〈日藏平安時代九条家本群書治要研究〉，頁2。

所載或可反映群書六朝寫本古貌，其文獻保存價值不可磨滅。今藉金澤文庫本《群書治要》所載《呂》書章目，以見《群書治要》卷三十九所載《呂》書之〈十二紀〉、〈八覽〉、〈六論〉序次、各〈紀〉、〈覽〉、〈論〉之篇序，以及其下各章順序，悉與今見諸傳世刻本《呂氏春秋》相同。準此，似可推斷今本《呂氏春秋》編次結構，當與六朝古本相差無幾。此亦可見《群書治要》保存《呂》書古貌之功。

六　結語

蔣維喬《彙校》嘗云：「類書群籍徵引，雖多節改，不盡可據；然而一鱗一爪，往往足以通鉤棘，正外誤。」[117]金澤文庫本《群書治要》素未受學界廣泛關注，然其年代久遠，多錄古本異文，彌足珍貴。本文研析其卷三十九《呂氏春秋》所載章目，結論如下：

一、《呂氏春秋》「篇」、「章」概念，自南宋時起，漸趨駁亂。惟本文蒐羅書證，說明漢唐時人仍視〈十二紀〉、〈八覽〉、〈六論〉為「篇」，其下文字為「章」。是以本文特循其舊，而以「章目」一語入題。

二、學界對於各本《群書治要》之關注，主要側重於九条家本、金澤文庫本、駿河版及尾張本，而少有措意時代第二近古之慶長駿府御文庫本。按駿府御文庫本之底本即為金澤文庫本，[118]其不僅抄寫金澤文庫本之正文，同時移錄眉箋小字，是以保留大部分金澤文庫本眉箋所載《呂》書章目；惟「去私」、「不侵」、「任數」、「勿躬」四者，則僅獨見於金澤文庫本而不載駿府御文庫本。

三、金澤文庫本《群書治要》所載《呂氏春秋》章目，除首章「貴公」以外，其餘悉屬藤原敦綱校點補題，部分可與今本比對取證。如〈和樂〉、〈慎窮〉可證今本《呂氏春秋》舊校不誤；又有〈義兵〉、〈直諫〉者，前者或存《呂》書古貌，後者可證諸傳世本〈真諫〉章目之未確；惟其他章目偶見錯字之餘，其與正文亦時不對應，是知本卷《群書治要》校點多有疏舛，未臻嚴謹。此亦可見藉助類書研究《呂氏春秋》利弊參半，當須謹慎為之。

四、藉助金澤文庫本《群書治要》所載《呂氏春秋》章目，實是有助研究初唐所見《呂氏春秋》之編排佈局。據本文考證，不論在於〈十二紀〉、〈八覽〉、〈六論〉順序、其下篇序，以及各篇之下章序，《群書治要》所載《呂氏春秋》悉與今本相同，可證六朝隋唐至今，《呂氏春秋》編次結構幾無顛倒，是知千餘年來《呂》書流傳歷程，當亦相對穩定。

---

117 蔣維喬等合著：《呂氏春秋彙校》，呂氏春秋彙校敘例，頁4。

118 福井保：《江戶幕府刊行物》，頁27。

徵引文獻

一　原典文獻

西漢・司馬遷撰，南朝宋・裴駰集解，唐・司馬貞索隱，唐・張守節正義：《史記》，北京：中華書局，2014。

西漢・劉　向、西漢・劉歆撰，清・姚振宗輯錄，鄧駿捷校補：《七略別錄佚文・七略佚文》，上海：上海古籍出版社，2008。

東漢・王　充撰，黃暉校釋：《論衡校釋》，北京：中華書局，1990。

東漢・班　固撰，唐・顏師古注：《漢書》，北京：中華書局，1964。

東漢・高　誘注：《呂氏春秋》，《中華再造善本・金元編》，北京：北京圖書館出版社，2006，影印元至正六年（1346）嘉興路儒學刻本。

東漢・高　誘注，明・宋邦乂等校：《呂氏春秋》，《四部叢刊初編》，上海：涵芬樓，1922，影印明萬曆（1573-1620）雲間宋邦乂等校刻本。

東漢・高　誘注，明・宋邦乂、明・徐益孫仝訂：《呂氏春秋》，日本函館市中央圖書館藏舊刻本。

東漢・高　誘注，清・畢沅輯校：《呂氏春秋新校正》，清乾隆五十四年（1789）靈巖山館刻本。

東漢・鄭　玄注，唐・孔穎達正義：《禮記正義》，北京：北京大學出版社，2000。

唐・魏　徵撰，尾崎康、小林芳規解題：《群書治要》，東京：汲古書院，1989，影印日本宮內廳書陵部藏鎌倉時代（1192-1333）金澤文庫鈔本。

唐・魏　徵：《群書治要》，日本內閣文庫藏慶長年間（1596-1615）駿府御文庫鈔本。

唐・魏　徵：《群書治要》，日本東京大學東洋文化研究所藏元和二年（1616）銅活字印本駿河版。

唐・魏　徵：《群書治要》，臺北：世界書局影印日本天明七年（1787）尾張藩刻本，2011。

唐・魏　徵等編撰，蕭祥劍點校：《群書治要校訂本》，北京：團結出版社，2015。

後晉・劉　昫等：《舊唐書》，北京：中華書局，1975。

北宋・王　溥：《唐會要》，北京：中華書局，1955。

北宋・歐陽修、北宋・宋祁：《新唐書》，北京：中華書局，1975。

南宋・王應麟撰，武秀成、趙庶洋校證：《玉海藝文校證》，南京：鳳凰出版社，2013。

南宋・黃　震：《黃氏日抄》，清乾隆三十二年（1767）汪佩鍔校刻本。

明．方孝孺：《遜志齋集》，《四部叢刊初編》，上海：涵芬樓，1922，影印明嘉靖四十年（1561）王可大台州刻本。
明．梅　鷟：《南廱志》，《叢書集成續編》第67冊，上海：上海書店出版社，1994，縮印清光緒二十八年（1902）葉德輝重刻本。
清．永　瑢等：《四庫全書總目》，北京：中華書局，1965，縮印浙江杭州刻本。
清．沈欽韓：《漢書疏證》，《續修四庫全書》第266冊，上海：上海古籍出版社，2002，縮印清光緒二十六年（1900）浙江官書局刻本。
清．阮　元撰，鄧經元點校：《揅經室集》，北京：中華書局，1993。
清．梁玉繩：《呂子校補》，清光緒十二年（1886）《槐廬叢書二編》校刻本。

二　近人論著

王天海、王韌：《意林校釋》，北京：中華書局，2014。
王利器注疏：《呂氏春秋注疏》，成都：巴蜀書社，2002。
王利器校箋：《文心雕龍校證》，上海：上海古籍出版社，1980。
王叔岷：《呂氏春秋校補》，臺北：中央研究院歷史語言研究所，1950。
田鳳台：《呂氏春秋探微》，臺北：臺灣學生書局，1986。
朱永嘉、蕭木注譯：《新譯呂氏春秋》，臺北：三民書局，2009。
何志華、朱國藩編著：《唐宋類書徵引呂氏春秋資料彙編》，香港：中文大學出版社，2006。
何志華：《呂氏春秋管窺》，香港：中華書局，2015。
余嘉錫：《四庫提要辨證》，北京：中華書局，1986。
余嘉錫：《目錄學發微》，收入余嘉錫：《余嘉錫說文獻學》，上海：上海古籍出版社，2001，頁3-156。
李　零：《簡帛古書與學術源流》，北京：生活．讀書．新知三聯書店，2004。
周少文：《群書治要研究》，臺北：國立臺北大學古典文獻學研究所碩士論文，2007。
林溢欣：《群書治要引書考》，香港中文大學中國語言及文學系碩士論文，2011。
張文朝編譯：《江戶時代經學者傳略及其著作》，臺北：萬卷樓圖書公司，2014。
張舜徽：《漢書藝文志通釋》，武漢：湖北教育出版社，1990。
張雙棣等譯注：《呂氏春秋譯注》，長春：吉林文史出版社，1987。
張顯成：《簡帛文獻學通論》，北京：中華書局，2004。
許維遹：《呂氏春秋集釋》，北京：中華書局，2010。
陳奇猷：《呂氏春秋新校釋》，上海：上海古籍出版社，2002。
陳夢家：〈由實物所見漢代簡冊制度〉，收入陳夢家：《漢簡綴述》，北京：中華書局，1980，頁291-315。

傅武光：《呂氏春秋與諸子之關係》，臺北：私立東吳大學中國學術著作獎助委員會，1993。

董　康：《書舶庸譚》，《日本藏漢籍善本書志書目集成》第2冊，北京：北京圖書館出版社，2003，影印民國二十八年（1939）自刻本。

劉殿爵編：《呂氏春秋逐字索引》，臺北：臺灣商務印書館，1996。

潘銘基：〈日藏平安時代九条家本群書治要研究〉，《中國文化研究所學報》67期（2018.7），頁1-40。

蔣維喬等合著：《呂氏春秋彙校》，上海：中華書局，1937。

駢宇騫：〈出土簡帛書籍題記述略〉，《文史》總65輯（2003.11），頁26-56。

嚴紹璗：《漢籍在日本的流布研究》，南京：江蘇古籍出版社，1992。

日・戶埼允明補訂：《補訂讀呂氏春秋》，日本國立公文書館藏舊寫本。

日・尾崎康：〈群書治要とその現存本〉，《斯道文庫論集》25期（1990），頁121-210。

日・尾崎康：〈群書治要解題〉，收入唐・魏徵撰，尾崎康、小林芳規解題：《群書治要》第7冊，東京：汲古書院，1989，影印日本宮內廳書陵部藏鎌倉時代（1192-1333）金澤文庫鈔本，頁471-522。

日・宮內廳圖書寮編：《圖書寮漢籍善本書目》，東京：文求堂書店、松雲堂書店，1931。

日・島田翰撰，杜澤遜、王曉娟點校：《古文舊書考》，上海：上海古籍出版社，2014。

日・荻生徂徠：《讀呂氏春秋》，日本國立公文書館藏舊寫本。

日・福井保：《江戶幕府刊行物》，東京：雄松堂出版，1985。

《群書治要》本《周易》斠議

顧永新
北京大學中文系、中國古文獻研究中心研究員

摘要

《群書治要》本《周易》節錄上、下經（六十四卦）和〈繫辭〉〈說卦〉部分，體式為經注本，卦、爻辭及〈彖傳〉〈象傳〉各卦摘錄與否或內容多寡有所不同，但〈大象傳〉在各卦中都是不可或闕的，而且位置〈彖傳〉之前，與今本次序不同。《治要》本《周易》文本淵源甚早，保存了早期文本的特徵，遠遠早於後世通行的刻本系統各本，其真實性毋庸置疑。同時，與日系古寫本《周易注》也有較為密切的親緣關係，整個日系古寫本系統內部自有其相對的封閉性。本文通過文本校勘來探求《治要》本的文獻價值，對於認識寫本時代《周易》的文本形態，洞悉從寫本時代到刻本時代文本的遞嬗軌跡，具有重要的意義。

關鍵詞：群書治要、周易、日系古寫本、刻本系統、校勘

Comments on Textual Collation of Zhouyi into Qunshuzhiyao Edition

Gu Yongxin

Professor

Abstract

The upper and lower classics (64 hexagrams) and the parts of Xici and Shuogua are excerpted in Zhouyi of Qunshuzhiyao edition. The style of characters is the annotated version of Confucian classics. The excerpted contents of the hexagrams in Tuanzhuan and Xiangzhuan are different, but Daxiangzhuan is indispensable in all hexagrams, Moreover, before the location of Tuanzhuan , it is different from the present order. Zhouyi of Zhiyao edition originated very early and preserved the characteristics of early texts. It is much earlier than the later editions of the popular engraving system, and its authenticity is beyond doubt. At the same time, it has a close relationship with the Japanese ancient script Zhouyi Zhu. The whole Japanese ancient transcript system has its own relative closeness. This paper explores the literary value of Zhiyao through textual collation, which is of great significance to understand the text form of Zhouyi in the transcript age and to understand the evolution of texts from transcript age to block-printed edition age.

Keywords: Qunshuzhiyao, Zhouyi, Japanese ancient transcript system, block-printed edition system, Textual Collation

《群書治要》是唐初魏徵等奉敕修纂的類書（以下簡稱《治要》），輯錄經史群書中有關治政的相關記載。其書中土久佚，但在日本傳承有緒，平安時代受到天皇的重視，今東京國立博物館藏九条家本即當時寫本，存十三卷。今宮內廳書陵部藏金澤文庫本五十卷（闕卷四、十三、二十），乃鎌倉時代僧人寫本，較為完整。江戶時代又有慶長中幕府將軍德川家康「駿河版」活字本和天明中尾張藩刻本行於世，並回傳中國。後阮元蒐集《四庫全書》未收書，編入《宛委別藏》。日系《治要》各本的祖本當為唐寫本，其所摘錄各書文本淵源甚早，遠遠早於後世通行的刻本系統各本，故其文獻價值頗高，對於認識寫本時代的文本形態和樣貌，洞悉從寫本時代到刻本時代文本的遞嬗軌跡，具有重要的意義。本文選取金澤文庫《治要》本《周易》作為研究對象，希望通過文本校勘來探求《治要》的文獻價值。

金澤文庫本《治要》首〈群書治要序〉，署「秘書監鉅鹿男臣魏徵等奉勑撰」，次「群書治要目錄」，次「群書治要卷第一」，提行低一字題「周易」，以下正文起，平書。有一卦獨立成段者，亦有數卦合為一段者，〈繫辭上〉第一章獨立成段，第二章以下至〈繫辭下〉〈說卦〉合為一段，每段分別提行另起。卷子裝，每張二十行不等，每行經文大字十五字不等，注文小字双行二十字不等。「民」字闕筆（亦有不闕者）。卷末尾題「群書治要卷第一」，後有鎌倉前期至中葉明經家博士清原教隆（1199-1265）識語二：

> 建長七年八月十四日，蒙洒掃少尹／尊教命加愚點了此書。非潔／齋之時，有披閲之，恐仍先雖點／末卷，暫致遲怠，是向本書，／事有其煩之故耳。前參河守清原（教隆花押）
>
> 同年九月三日，即奉授洒掃少／尹尊閣了。抑《周易》者，當世頗／其說欲絕，爰教隆粗慣卦／爻之大躰，不堕訓說之相傳，／雖為窮鳥之質，爭無稱雄之思哉！前參河守清原（教隆花押）

北條實時（1224-1276）在清原教隆影響和支持之下創設金澤文庫，收集和存藏的漢籍當中有一部分經過教隆訓點。由《治要》識語可知，建長七年（1255）八、九月間教隆加點，則此卷子抄寫時間當在此前。教隆父為仲隆，叔父為良業，「洒掃少尹」所指謂誰不可考。

《治要》本《周易》凡45卦（闕19卦），另含〈繫辭〉（不分上下，不分章，但文本按各章先後次序節錄，甚或改造句子（如〈繫辭下〉「是故履德之基也」，《治要》是故作子曰；此章起首「子曰：易之興也」云云，卻無「子曰」二字），刪省連詞，增刪句末語助詞（注文出現這種情形較多）、〈說卦〉（僅一節，接抄〈繫辭〉之下，不提行）若干章節，均為節錄，並無完整一卦或〈繫辭〉〈說卦〉之一章節。《治要》本《周易》體式為王弼經傳參合本，即以〈彖〉〈象〉附入相應卦、爻辭之下，並非像《古易》那樣經傳別行；文本類型是經注本，注文直接附麗於經文之下，由是知王國維先生所謂六朝以降行世者只有經注本而無單經本確為不刊之論。《治要》本《周易》上、下經（六十四卦）節錄經、傳文的體式舉凡有五：

1 〈大象傳〉＋〈彖傳〉，這是最常見的方式，計有23卦。

2 〈大象傳〉＋〈彖傳〉＋爻辭＋〈小象傳〉，主體是〈大象傳〉和爻辭，變體或無〈彖傳〉，或無〈小象傳〉，凡14卦。

3 僅有〈大象傳〉，凡4卦。

4 卦辭＋〈大象傳〉＋〈彖傳〉，凡2卦（震、豐）。

5 乾、坤二卦蓋以其兼有〈文言〉，故較為特殊，主體是〈大象傳〉＋〈彖傳〉＋〈文言〉。

不難看出，《治要》本《周易》經傳的構成方式具有非常突出的特點，一是各卦卦、爻辭及〈彖傳〉〈象傳〉摘錄與否或內容多寡有所不同，但〈大象傳〉在各卦中都是不可或闕的；一是〈大象傳〉在前、〈彖傳〉在後，與今本〈彖傳〉在前、〈大象傳〉在後的次序不同；〈小象傳〉分附各爻之下，與今本並無不同。就乾卦而言，首卦辭，次〈大象傳〉，次九三、九五、上九爻辭，次〈彖傳〉，次〈文言〉，可見除〈大象傳〉外餘者次序悉同今本。《治要》本《周易》各卦如此整飭地將〈大象傳〉前置，這在敦煌唐寫本和日本古寫本（包括平安時代宇多天皇（867-931）《周易抄》[1]）直至刻本時代的經注本（三者卷次分合、內容構成乃至行款盡皆相同）當中都是未嘗見到的，而且六朝人所作《講周易疏論家義記》（奈良興福寺藏古寫本，成書於六朝晚期，抄寫於八世紀末）[2]，以及唐人《易》著如陸德明《經典釋文．周易音義》、李鼎祚《周易集解》、郭京《周易舉正》以及由孔穎達《周易正義》疏文所反映出來的經傳次序也是和通行的經注本完全一致的，所以我們有理由相信，〈大象傳〉前置並非照錄底本，而是《治要》編者人為地有意為之，目的就是要強調〈大象傳〉，或許是出於對〈象傳〉解《易》方法論的認同？這種將〈大象傳〉前置的做法在《易》學史上亦非個例，宋代《古易》學者之一周燔所定體式即首卦名，次卦畫，次下、上體名，次〈大象傳〉（〈卦象〉），次卦辭，次〈彖傳〉，次爻辭，次〈小象傳〉（〈爻象〉）。他所揭示的理由是這樣的：

> 古文《易》書經自經，傳自傳，各分卷帙，不相參入。後人取〈彖〉〈象〉散入卦爻之下，使相附近，欲學者易曉。……惜乎先儒分之，失其次序，列〈卦象〉於「〈彖〉曰」之後，而在六爻之前，上無所承，下無所據，六十四卦皆有此誤。……蓋不知仲尼之意，因世次為先後，讚以〈彖〉〈象〉，不可易也。卦自伏

---

1 日本．宇多天皇：《宸翰集》（京都：小林写真製版所，1927），頁12-23。一般認爲《周易抄》是宇多天皇三十一歲（寬平九年，897）時所書。

2 黃華珍：《日本奈良興福寺藏兩種古鈔本研究》（北京：中華書局，2011）影印殘卷。

> 義之所畫也，故贊之以〈卦象〉，如曰「天行健，君子以自強不息」是也；卦首諸辭，文王之所繫也，故贊之以〈彖〉，如曰「大哉乾元，萬物資始」是也。爻下諸辭，周公之所繫也，故贊之以〈爻象〉，如曰「潛龍勿用，陽氣潛藏」是也。故〈卦象〉當承本卦之下，在〈彖〉之前。今進〈卦象〉於前，而後〈彖〉次之，〈爻象〉又次之，〈文言〉又次之。……伏羲畫卦，初無語言、文字，億載之後，文王、周公得以繫其辭，不失伏羲之本旨者，有象存焉。故《易》之道，本不可以言辭傳；以言辭傳《易》者，聖人之不得已也。……故知學《易》觀象為本，而博之以文，演之以數，於是《易》道幾無餘蘊。[3]

周氏認為孔子序次卦畫、卦辭和爻辭是以世次為先後的，而又敷讚〈彖傳〉〈象傳〉，分附其下。伏羲畫卦（表現為卦畫），〈大象傳〉次其下，這是《易》的根源，所以學《易》以觀象為本；卦辭為文王所繫，〈彖傳〉次其下；爻辭為周公所繫，〈小象傳〉次其下，這些言辭都是聖人不得已而作，是觀象的輔助。南宋學者蔡淵撰《周易卦爻經傳訓解》即把〈大象傳〉次於卦辭之後，〈彖傳〉之前，「卦有象而後有彖，《大傳》曰：『彖者，言乎象者也。』考此則釋象當在釋彖之前明矣。今以《大傳》定之」；「蓋〈大象〉□□□□□，則釋卦之大□者也，釋卦當先卦（卦字疑衍），後反居〈彖〉後，今改而正之」[4]。他所謂「象」即卦象，「彖」即卦爻辭，他根據〈繫辭〉（《大傳》）有關「象」和「彖」關係的論述而改定〈大象傳〉〈彖傳〉的先後位置。

我們以中國國家圖書館（以下簡稱國圖）藏清宮天祿琳琅舊藏南宋孝宗朝刊經注本《周易注》十卷（首半葉缺，抄配）為底本，校勘金澤文庫本《治要》（因為後來刊行的駿河版活字本和天明本多據通行本改易原書，故不以之參校），同時參校敦煌寫本《周易注》（採用許建平先生整理本）[5]、宇多天皇《周易抄》、日本國立公文書館藏林羅山舊藏室町寫本《周易注》（以下簡稱林家古本）和《經典釋文》（以下簡稱《釋文》，採用1985年上海古籍出版社影印國圖藏宋刻宋元遞修本）、《七經孟子考文補遺》（以下簡稱《考文》，採用國立公文書館藏享保十六年（1731）初刻本）。茲將異文以類相從、臚列如下：

---

3 宋・呂祖謙：《古周易・九江周氏易》，收入《通志堂經解》（康熙中通志堂刊本），頁36a-38a。

4 宋・蔡淵：《周易卦爻經傳訓解》，收入景印文淵閣《四庫全書》第18冊（臺北：商務印書館，1983），卷上，頁4。

5 許建平：《敦煌文獻合集・敦煌經部文獻合集》第1冊（北京：中華書局，2008），頁1-95。本文所引用敦煌寫本《周易注》文本據許書錄出，簡稱敦煌本。

一　與敦煌本相同或相近

1. 賁卦〈大象傳〉注「而无敢折獄」，《治要》同於林家古本、敦煌本，下有也字。
2. 大畜〈彖傳〉注「夫能煇光日新其德者，唯剛健篤實也」，《治要》（煇作暉）略同敦煌本、《考文》古本、林家古本（煇作輝），也上有者字。
3. 離卦〈彖傳〉注「各得所著之宜」，林家古本同，《治要》下有者也二字，敦煌本下有也字。
4. 離卦〈彖傳〉「重明以麗乎正」，林家古本同，敦煌本無乎字，《治要》正文亦無乎字（麗、正二字之間旁注小字「乎」）。
5. 解卦〈彖傳〉「而百果草木皆甲坼」，林家古本略同（坼作折），《治要》同於敦煌本，果作菓。注同。《干祿字書》：「菓、果，上俗下正。」[6]
6. 益卦〈大象傳〉注「遷善改過」，林家古本同，敦煌本遷作之，《治要》遷作從，皆不同於通行本和日系古本。
7. 益卦〈彖傳〉「民說無疆」，林家古本同，《治要》說作悅，敦煌本說作悅，疆作彊。隨卦〈大象傳〉注「動說之象也」，林家古本同，《治要》說作悅。兌卦〈彖傳〉「說以利貞」，敦煌本、林家古本同，《治要》說作悅。〈繫辭〉「能說諸心」，林家古本同，《治要》說作悅。坤卦〈彖傳〉「德合无疆」，《治要》疆作彊。由是知唐寫本說多作悅，疆多作彊。
8. 中孚〈彖傳〉「乃應乎天也」，林家古本同，《治要》無乎、也字，敦煌本亦無也字，乎作于。〈繫辭〉注「鶴鳴于陰」，林家古本同，《治要》于作乎。《考文》：「『況其邇者乎』，古本乎作于，下『出乎』『加乎』『發乎』『見乎』『慎乎』皆同。」由是知唐寫本（日系古本）乎、于多通用。

二　與日系古本淵源甚深

1. 乾卦〈彖傳〉注「故六位不失其時而成」，《治要》同於《考文》古本、林家古本，下有也字。
2. 蒙卦〈彖傳〉注「闇者求明，明者不諮於闇」，《治要》同於《考文》古本（二本）、林家古本，二明字之間有者字。
3. 師卦初六注「否臧皆凶」，敦煌本同，《治要》同於《考文》古本（二本）、林家古本，下有也字。

6　唐・顏元孫：《干祿字書》上聲，收入《叢書集成初編》第1064冊（北京：中華書局重印商務印書館本，1985，影印《夷門廣牘》本），頁20。

4. 同人〈彖傳〉注「君子以文明為德」，《治要》同於林家古本，下有者也二字。《考文》古本下有者字（疑《考文》編纂或刊行過程中誤脫也字）。
5. 大有〈大象傳〉注「順夫天德」，《治要》同於《考文》古本（二本）、林家古本，夫作奉。
6. 噬嗑〈彖傳〉「皆利用獄之義」，《治要》同於林家古本，下有也字。
7. 遯卦九五爻辭注「遯之嘉也」，《治要》同於《考文》古本（三本）、林家古本（嘉作喜），也上有者字。
8. 升卦〈大象傳〉「積小以高大」，《治要》同於《考文》古本（一本）、林家古本，以下有成字。
9. 震卦卦辭注「奉宗廟之盛也」，《治要》同於《考文》古本（二本）、林家古本，也上有者字。
10. 中孚〈彖傳〉「信及豚魚也」，敦煌本、林家古本同，《治要》同於《考文》古本，無也字。
11. 小過〈彖傳〉注「柔而浸大」，敦煌本同，《治要》同於《考文》古本、林家古本，浸作侵。
12. 既濟九五爻辭注「可羞於鬼神」，《治要》同於《考文》古本、林家古本，於上有之字。
13. 〈繫辭〉注「故曰易簡」，《考文》古本和林家古本下有也字，《治要》下有人也二字（人字疑衍）。
14. 〈繫辭〉注「故以賢人目其德業」，《治要》同於《考文》古本、林家古本，下有也字。
15. 〈繫辭〉注「作易以準天地」，《治要》同於《考文》古本、林家古本，下有也字。
16. 〈繫辭〉注「故曰相似」，林家古本同，《治要》同於《考文》古本，下有也字。
17. 〈繫辭〉注「不可以一方、一體明」，《治要》同於《考文》古本、林家古本，下有也字。
18. 〈繫辭〉注「故曰藏諸用」，《治要》同於《考文》古本、林家古本，下有也字。
19. 〈繫辭〉注「陰陽轉易，以成化生」，《治要》同於《考文》古本、林家古本，下有也字。
20. 〈繫辭〉注「易之所載，配此四義」，《治要》同於《考文》古本、林家古本，下有也字。
21. 〈繫辭〉注「則盡變化之道」，《治要》同於《考文》古本、林家古本，下有也字。
22. 〈繫辭〉注「道同則應」，《治要》同於《考文》古本、林家古本，下有也字。
23. 〈繫辭〉注「可得而用也」，《治要》同於《考文》古本、林家古本，也上有者字。
24. 〈繫辭〉注「故曰聖人之道」，《治要》同於《考文》古本、林家古本，下有也字。

25.〈繫辭〉注「服萬物而不以威刑也」,《治要》同於《考文》古本、林家古本,也上有者字。

26.〈繫辭〉注「位所以一天下之動而濟萬物」,《治要》同於《考文》古本、林家古本,下有也字。

27.〈繫辭〉注「此知幾其神乎」,《治要》同於《考文》古本、林家古本,乎作者也二字。

28.〈繫辭〉注「能精為者之務」,《治要》同於林家古本,下有也字。

29.〈說卦〉「將以順性命之理」,《治要》同於《考文》古本、林家古本,下有也字。

三 不同於日系古本

1. 乾卦九三注「至于夕惕,猶若厲也」,《治要》略同(厲下有之字),《考文》古本和林家古本並作「至于夕,猶惕若厲也」。
2. 乾卦〈彖傳〉注「不和而剛暴」,《治要》略同(下有也字),《考文》古本和林家古本並作「不和而剛則暴也」。
3. 坤卦〈文言〉「坤至柔而動也剛」,《治要》同,林家古本無也字。
4. 革卦〈彖傳〉注「火欲上而澤欲下」,《治要》略同(無而字),《考文》古本和林家古本火上有故字。
5. 節卦〈彖傳〉注「則物不能堪也」,敦煌本、林家古本同,《治要》則作即。
6. 大有上九爻辭注「處大有之上」,林家古本同,《治要》處作居。
7. 〈繫辭〉注「懸象運轉」,《治要》同,林家古本懸作縣。下文「縣象著明」,林家古本同,《治要》縣作懸。
8. 〈繫辭〉注「始終之數也」,《治要》同,林家古本無也字。
9. 〈繫辭〉「聖人有以見天下之賾」,林家古本同,《治要》賾作頤。下文「探賾索隱」,林家古本同,《治要》賾作頤。
10. 〈繫辭〉「莫大乎蓍龜」,林家古本同,《治要》大作善。

四 使用通假字、同源字等

1. 乾卦〈文言〉注「明夫終敝」,林家古本同,《治要》敝作蔽。
2. 否卦〈大象傳〉「君子以儉德辟難」,林家古本略同(儉誤險),《治要》辟作避。
3. 同人〈大象傳〉「君子以類族辨物」,林家古本同,《治要》辨作辯。
4. 大有〈彖傳〉「是以元亨」,林家古本同,《治要》亨作享。下文豐卦卦辭注「故至豐亨」「用夫豐亨不憂之德」,林家古本並同,《治要》亨並作享。小過〈彖傳〉「小者過而亨也」，敦煌本、林家古本同，《治要》亨作享。既濟〈彖傳〉「既濟，亨」，敦煌本、林家古本同，《治要》亨作享（旁注亨字）。

5. 大有上九爻辭「自天祐之」，林家古本同，《治要》祐作佑。〈繫辭〉「是以自天祐之」，林家古本同，《治要》祐作佑。
6. 謙卦九三爻辭注「勞謙匪解」，林家古本同，《治要》解作懈。
7. 隨卦〈大象傳〉「君子以嚮晦入宴息」，林家古本同，《治要》嚮作向。
8. 晉卦〈大象傳〉「君子以自昭明德」，林家古本同，《治要》昭作照。日系古本亦有昭、照通者，如〈繫辭下〉「故能朗然玄昭」，《考文》:「古本昭作照。」
9. 蹇卦〈彖傳〉「知矣哉」，林家古本同，《治要》知作智。〈繫辭〉「知周乎萬物而道濟天下」，林家古本同，《治要》知作智。注同。下文「知者見之謂之知」，林家古本同，《治要》知並作智。下文「知小而謀大」，林家古本同，《治要》知作智。
10. 升卦〈大象傳〉「君子以順德」，林家古本同，《治要》順作慎。
11. 〈繫辭〉「故惡積而不可揜」，林家古本同，《治要》揜作掩。
12. 〈繫辭〉「君子脩此三者」，林家古本脩作修，《治要》脩作[illegible]。

五　節錄或抄寫過程中造成的文本譌誤或差異

1. 屯卦〈彖傳〉注「故利建侯也」，林家古本同，《治要》侯上衍諸字。
2 .師卦上六爻辭〈小象傳〉「大君有命」，敦煌本、林家古本同，《治要》君下衍之字。
3. 泰卦〈大象傳〉注「則物失其節」，林家古本同，《治要》脫物字。
4. 觀卦九五爻辭「猶風之靡草」，林家古本同，《治要》無之字。
5. 噬嗑〈大象傳〉「先王以明罰勑法」，林家古本同，《治要》勑作勅（古同整）。
6. 賁卦六五爻辭注「乃得終吉也」，敦煌本、林家古本同，《治要》也下衍之字。
7. 習坎〈大象傳〉注「然後乃能不以險難為困」，敦煌本、林家古本同，《治要》脫乃字。
8. 習坎〈彖傳〉注「故物得以保全也」，敦煌本、林家古本同，《治要》以保二字誤乙。
9. 恒卦〈彖傳〉注「言各得其所恒，故皆能長久」，林家古本同，《治要》脫其字，長久二字誤乙，下有也字。
10. 家人〈大象傳〉注「由內以相成熾也」，林家古本同，《治要》脫以字。
11. 解卦六三爻辭注「以容其身」，敦煌本、林家古本同，《治要》脫身字。
12. 益卦〈大象傳〉「風雷」，敦煌本、林家古本同，《治要》誤乙作雷風。
13. 益卦〈大象傳〉「君子以見善則遷」，敦煌本、林家古本同，《治要》誤重以字。

14. 革卦〈彖傳〉注「凡不合而後乃變生」，林家古本同，《治要》無乃字。
15. 革卦〈彖傳〉注「而後生變者也」，林家古本同，《治要》生變二字誤乙。
16. 震卦〈彖傳〉「震來虩虩」，林家古本同，《治要》來誤未（虩作[illegible]）。
17. 艮卦〈彖傳〉注「適於其時」，林家古本同，《治要》脫時字，於作于。
18. 小過〈彖傳〉「與時行也」，敦煌本、林家古本同，《治要》脫時字。
19. 既濟九五爻辭「東鄰殺牛」，敦煌本、林家古本同，《治要》鄰下有之字。
20. 既濟九五爻辭注「故黍稷非馨」，敦煌本、林家古本同，《治要》無故字。
21.〈繫辭〉注「萬物各載其形」，林家古本同，《治要》各誤久。
22.〈繫辭〉「故能彌綸天地之道」，林家古本同，《治要》地作下。下文「遂成天地之文」，林家古本同，《治要》地作下。
23.〈繫辭〉注「德合天地」，林家古本同，《治要》德合二字誤乙。
24.〈繫辭〉注「乘變以應物」，林家古本同，《治要》無以字。
25.〈繫辭〉「鳴鶴在陰，其子和之；我有好爵，吾與爾靡之」，林家古本同，《治要》「鳴鶴在陰」四字重出，脫其字，靡作縻。
26.〈繫辭〉「則言語以為階」，林家古本同，《治要》以為作為之。
27.〈繫辭〉「作《易》者，其知盜乎」，林家古本同，《治要》作作為。
28.〈繫辭〉「故不疾而速」，林家古本同，《治要》無故字。
29.〈繫辭〉「是故君子安而不忘危，存而不忘亡，治而不忘亂」，林家古本同，《治要》三句皆無而字。
30.〈繫辭〉「吉人之辭寡」，林家古本同，《治要》無之字。
31.〈說卦〉「昔者聖人之作《易》也」，林家古本同，《治要》無之字。
32.〈說卦〉「立地之道曰柔與剛」，林家古本同，《治要》之道二字誤乙。

六　改易或增刪句末語助詞

1. 蒙卦〈彖傳〉注「我謂非童蒙者也」，林家古本同，《治要》無也字。
2. 否卦〈彖傳〉「而萬物不通也」，林家古本同，《治要》也作已。
3. 隨卦〈彖傳〉注「唯在於時也」，林家古本同，《治要》無也字。
4. 觀卦〈彖傳〉「而天下服矣」，林家古本同，《治要》無矣字。
5. 習坎〈大象傳〉注「而德行不失常也」，敦煌本、林家古本同，《治要》無也字。
6. 大壯〈大象傳〉注「凶則失壯也」，林家古本同，《治要》也作矣。
7. 大壯〈彖傳〉注「正大而已矣」，林家古本同，《治要》無矣字。
8. 明夷〈大象傳〉注「以明夷蒞眾」，林家古本同，《治要》下有也矣二字。
9. 家人〈大象傳〉注「脩於近小而不妄也」，林家古本同，《治要》也上有者字。

10. 益卦〈大象傳〉注「有過則改」，敦煌本、林家古本同，《治要》下有矣字。
11. 益卦〈彖傳〉注「何適而不利哉」，敦煌本、林家古本同，《治要》下有也字。
12. 節卦〈彖傳〉「其道窮也」，敦煌本、林家古本同，《治要》無也字。
13. 小過〈彖傳〉「是以小事吉也」「是以不可大事也」，敦煌本、林家古本同，《治要》二句並無也字。
14. 〈繫辭〉注「則剛柔之分著矣」，林家古本略同（無則字），《治要》矣作之。
15. 〈繫辭〉注「故變化見矣」，林家古本同，《治要》矣作也。
16. 〈繫辭〉注「則能成可久、可大之功」，林家古本同，《治要》下有也字。
17. 〈繫辭〉注「君子體道以為用也」，林家古本同，《治要》也上有者字。
18. 〈繫辭〉注「不亦鮮矣」，林家古本同，《治要》矣作乎。
19. 〈繫辭〉注「故曰陰陽不測」，林家古本同，《治要》下有也矣二字。
20. 〈繫辭〉注「故曰擬諸形容」，林家古本同，《治要》下有也字。
21. 〈繫辭〉注「適動微之會則曰幾」，林家古本同，《治要》下有也字。
22. 〈繫辭〉「成天下之亹亹者」，林家古本同，《治要》無者字。
23. 〈繫辭〉注「故不待終日也」，林家古本同，《治要》無也字。
24. 〈繫辭〉「無交而求，則民不與也」，林家古本同，《治要》無也字。
25. 〈繫辭〉注「神也者，變化之極」，林家古本同，《治要》下有也字。

七　僧人抄寫或教隆點校過程中發現譌誤隨即注出

1. 謙卦初六爻辭注「物无害也」，林家古本同，《治要》也作者，旁注「也」字。
2. 習坎〈大象傳〉「水洊至」，敦煌本、林家古本同，《治要》洊作游，旁注「洊」字。
3. 習坎〈彖傳〉「以守其國」，敦煌本、林家古本同，《治要》國作圀，旁注「國」字。
4. 遯卦上九爻辭注「最處外極」，林家古本同，《治要》處誤象，旁注「處」字。
5. 蹇卦〈大象傳〉「君子以反身脩德」，林家古本同，《治要》反誤及，旁注「反」字。
6. 節卦〈大象傳〉「君子以制數度」，敦煌本、林家古本同，《治要》數度二字誤乙，旁注「數度」二字。

分析上述異文，不難看出《治要》本《周易》與日系古本具有相當高的契合度，淵源甚深；同時，與其他日系古寫本如《講周易疏論家義記》《周易抄》也有一定數量相同或相近的異文，這說明整個日系古寫本系統內部自有其相對的封閉性，這些不同於刻本時代通行本的共同特徵表明日系古寫本淵源有自，都是早期文本的遺存；而且，日系古本與《治要》等其他古寫本之間相互影響、滲透乃至取資的可能性也是存在的。例如既濟九五注「可羞於鬼神」,《治要》《周易抄》、《考文》古本、林家古本於上有之字,不同於通行本;或者系統內部各本不盡相同,亦不同於通行本,如中孚〈彖傳〉注「虫之隱者也」,《治要》同,《周易抄》隱上有幽字,《考文》古本、林家古本隱上有潛字。

當然,《治要》本與日系古本並非雷同或無限接近,彼此之間的差異也是客觀存在的,除前揭增刪或改易句末語助詞的異文較為常見外,如乾卦九三注「至于夕惕,猶若厲也」和〈彖傳〉注「不和而剛暴」,日系古本分別作「至于夕,猶惕若厲也」「不和而剛則暴也」,迥異於通行本,這兩例異文具有標誌性,《治要》恰與通行本同而不同於日系古本,說明二者的文本淵源及衍變軌跡不盡相同。一般認為,日系古本是從唐寫本衍生出來的,而《治要》本也有與敦煌本相同或相近但不同於通行本的異文(如前揭第一項所列異文。當然,也有反例,如小過〈彖傳〉注「柔而浸大」,敦煌本同,《治要》同於日系古本,浸作侵;節卦〈彖傳〉注「則物不能堪也」,敦煌本、林家古本同,《治要》則作即。此外,《治要》增刪或改易句末語助詞的情形亦多不同於敦煌本和日系古本),敦煌本《周易注》基本上都是唐寫本,由此推知《治要》文本淵源至少可以追溯至唐代。當然,作為寫本,尤其著述體裁還是類書,《治要》本《周易》本身的個性化特徵也是十分突出的,抄寫過程中造成的文本譌誤或差異,尤其句末語助詞的增刪或改易,數量還是相當大的,使用通假字、同源字、異體字的情形也較為普遍。之所以出現這種狀況,主要是寫本的個性化、隨機性和不穩定性特徵所決定的,當然也與類書摘錄文獻的方式密切相關。

《治要》本《周易》保存了早期文本的特徵,除了前揭增刪、脫衍、譌誤造成的異文之外,《治要》本異文頗多優長,至有可據以諟正通行本者。我們發現了兩處標誌性的異文。乾卦初九爻辭注「〈文言〉備矣」,林家古本出注位置相同,矣下有也字;《治要》則不出在爻辭下而在卦辭下,矣作也。孫星衍曰:「(卦辭)疏云『其委曲條例,備在〈文言〉』,即釋此注也。原本誤於『潛龍勿用』下,今改正。」[7]《治要》正可印證孫氏此說,足見其卓識。否卦九五爻辭注:「居尊當位,能休否道者也。施否於小人,否之休也。唯大人而後能然,故曰『大人吉』也。處君子道消之時,已居尊位,何可以安?故心存將危,乃得固也。」林家古本同,《治要》注文全然不同,曰:「居否之世能全其身者,唯大人耳。巽為木,木莫善於桑,人雖欲有亡之者,眾根竪(疑當作堅字)固,弗錄(似有刪削符號)能拔之也。」這條注文簡明扼要,較之通行本對爻辭的解釋更為完備,不見於其他傳世文獻,知《治要》文本淵源確與通行本不盡相同,保留了進入刻本時代之前寫本的部分特徵。

此外,《治要》本《周易》還保留了一些出現較早的俗字、異體字或假借字,如乾

7 清・孫星衍:《(孫氏)周易集解》(北京:中華書局,2018),卷1,頁14-15。

卦卦名，《講周易疏論家義記》作乹，《治要》作乹，字形頗為接近，皆為唐代通行的文字[8]。鼎卦卦名，《釋文》出文、林家古本同，《治要》鼎作鼑，敦煌卷子鼎字亦有寫作斱者，當即《龍龕手鑒》鼎字俗體斱、斱二字[9]。鼎卦〈彖傳〉注「飪，熟也」，林家古本同，《治要》熟作孰。孰字見於《六書正譌》和《宋元以來俗字譜》，但早在敦煌卷子中也已出現。〈繫辭〉「易與天地準」，《釋文》出文、林家古本同，《治要》準作准。《玉篇》：「准，俗準字。」[10]大畜卦名，敦煌本、林家古本同，《治要》和《釋文》或本畜作蓄，馬王堆漢墓帛書即作蓄。〈繫辭〉「君子脩此三者」，林家古本脩作修，《治要》脩作循，寫法與《講周易疏論家義記》中脩字符同。脩字偏旁寫成彳，且中間一豎較長，這種寫法見於漢碑隸書和唐人碑帖楷書，而「循」字左右偏旁之間有一豎的寫法也見於唐人碑帖，所以二字極易譌混。二字形近而譌是有淵源的，如《晉書・職官志》所記州、縣吏有「循行」，裘錫圭老師利用《居延漢簡》的材料，證實「循行」乃「脩行」之誤[11]。《周易》寫本亦有二字通用的情況，如履卦六三「不脩所履」，《釋文》：「脩，本又作循。」除了上述數例俗字、異體字的應用，他如前揭說、悅，疆、彊，縣、懸，頤、賾，亨、享，祐、佑，知、智等同源字或假借字，亦可證明《治要》淵源甚早。

我們考察《治要》本《周易》，一個重要的參照系就是《釋文》，《釋文》反映了寫本時代更具體地說是唐前的文本樣貌，具有標誌性的意義。《治要》本《周易》同於《釋文》出文或《釋文》或本者，如同人〈大象傳〉「君子以類族辨物」，林家古本同，《治要》辨作辯，《釋文》出文亦作辯；大畜卦名及〈大象傳〉〈彖傳〉，林家古本同，《治要》畜作蓄，《釋文》出文「大畜」，「本又作蓄，勑六反，義與小畜同」（小畜《釋文》：「小畜，本又作蓄。」）；升卦〈大象傳〉「君子以順德」，林家古本同，《治要》順作慎，《釋文》出文「以順德」，「如字，王肅同，本又作慎」；升卦〈大象傳〉「積小以高大」，林家古本、《治要》以下有成字，《釋文》出文「以高大」，「本或作『以成高大』」；〈繫辭〉「故能彌綸天地之道」，林家古本同，《治要》地作下，《釋文》出文「天下之道」，「一本作『天地』」（下文「遂成天地之文」，林家古本同，《治要》地作下，《釋文》出文「天地之文」，「一本作『天下』。虞、陸本作『之爻』」）；〈繫辭〉「吾與爾靡之」，林家古本同，《治要》靡作縻，《釋文》出文「靡之」，「本又作縻，亡池反」；〈繫辭〉「作《易》者，其知盜乎」，林家古本同，《治要》作作為，《釋文》出文「為

---

8 《干祿字書》平聲：「乹、乹、乾，上俗，中通，下正。」收入《叢書集成初編》第1064冊，頁10。

9 遼・釋行均：《龍龕手鑑》，收入《中華再造善本》（北京：國家圖書館出版社，2002，影印國圖藏宋刻本），卷1斤部，頁47。

10 梁・顧野王、唐・孫強增字、宋・陳彭年重修：《大廣益會玉篇》中卷二十部（北京：中國書店影印張氏澤存堂本「宋本《玉篇》」，1983），頁364。

11 裘錫圭：《考古發現的秦漢文字資料對於校讀古籍的重要性》，收入《裘錫圭自選集》（開封：河南教育出版社，1994），頁159。

《易》者」,「本又云『作《易》者』」;〈繫辭〉「莫大乎蓍龜」,林家古本同,《治要》大作善,《釋文》出文「莫善乎蓍龜」,「本亦作『莫大』」;〈繫辭〉「是以自天祐之」,林家古本同,《治要》祐作佑,《釋文》出文「祐之」,「音又,本亦作佑」。這些特異性的異文都很有說服力,絕大多數都是《治要》同於《釋文》出文或或本,而不同於林家古本和通行本,這說明《治要》不僅早於通行的刻本系統,而且比日系古本的淵源還要早。

不過,也有學者懷疑《治要》(甚至包括日系古寫本、古活字本)有據《釋文》回改、以充古本者,雖然我們無法完全排除這種可能性,但單就《治要》而言,恐未必然。因為其異文與《釋文》同者有之,不同者更復不少,如坤卦《彖辭》「德合无疆」,林家古本、《釋文》出文(益卦〈彖傳〉「民說無疆」作疆同)同,《治要》疆作彊;否卦〈大象傳〉「君子以儉德辟難」,林家古本、《釋文》出文同,《治要》辟作避;大有上九爻辭「自天祐之」,林家古本、《釋文》出文同,《治要》祐作佑;謙卦九三爻辭注「勞謙匪解」,林家古本、《釋文》出文同,《治要》解作懈;隨卦〈大象傳〉「君子以嚮晦入宴息」,林家古本、《釋文》出文同,《治要》嚮作向;噬嗑〈大象傳〉「先王以明罰勑法」,林家古本、《釋文》出文同,《治要》勑作敕;大畜〈彖傳〉注「夫能煇光日新其德者」,《釋文》出文同,林家古本煇作輝,《治要》煇作暉;蹇卦〈彖傳〉「知矣哉」、〈繫辭〉「知周乎萬物而道濟天下」「知小而謀大」,林家古本、《釋文》出文同,《治要》知並作智;益卦〈彖傳〉「民說無疆」、〈繫辭〉「能說諸心」,林家古本、《釋文》出文同,《治要》說並作悅;〈繫辭〉注「則剛柔之分著矣」,林家古本、《釋文》出文同,《治要》矣作之;〈繫辭〉注「懸象運轉」,《治要》同,林家古本、《釋文》出文作「縣象」(下文「縣象著明」,林家古本、《釋文》出文同,《治要》縣作懸);〈繫辭〉注 「故變化見矣」,林家古本、《釋文》出文同,《治要》矣作也;〈繫辭〉「易與天地準」,林家古本、《釋文》出文同,《治要》準作准;〈繫辭〉注「不亦鮮矣」,林家古本、《釋文》出文同,《治要》矣作乎;〈繫辭〉「聖人有以見天下之賾」「探賾索隱」,林家古本、《釋文》出文同,《治要》賾並作頤;〈繫辭〉「則言語以為階」,林家古本、《釋文》出文同,《治要》以為作為之。上述諸例除句末語助詞外多為通假字、異體字、同源字,可見《治要》本用字習慣與《釋文》和日系古本並非全同,似可排除後人妄改、有意造假的可能性。

我們還利用抄寫於九世紀末的《周易抄》作為參照系來考察《治要》本《周易》。如小畜卦名,林家古本與通行本同,《治要》《周易抄》畜作蓄,同於《釋文》或本。隨卦〈大象〉注「動說之象也」,兌卦〈彖傳〉「兌,說也。剛中而柔外,說以利貞」及注,林家古本並同,《治要》《周易抄》說並作悅。否卦〈大象〉「君子以儉德辟難」,《釋文》出文、林家古本同,《治要》《周易抄》辟作避。〈繫辭上〉「幾事不密則害成」,林家古本同,《治要》《周易抄》幾作機。「古之聰明叡知神武而不殺者夫」,林家古本同,《治要》作知,旁注智(由前揭諸例知皆作智推斷,原係作智),《周易抄》即作智。可見，《治要》與《周易抄》也存在著共同的異文或相同的用字習慣（不同於日系古本），由此推知《治要》可追溯至唐寫本。

總之，我們認為，金澤文庫《治要》本《周易》雖然抄寫於鎌倉時代，但其異文以及用字習慣多與《釋文》《講周易疏論家義記》《周易抄》等唐代或唐前寫本相同或相近，而不同於刻本時代通行本，這說明《治要》本《周易》具有相當早的文本淵源，當可追溯至唐代乃至唐前，其真實性毋庸置疑，具有重要的文獻價值。日系古本不同於《治要》等其他日系古寫本的異文，產生時代相對較晚，或出現在輾轉傳抄的過程中，或根據刻本時代通行本改易而成。當然，同為日系古寫本，《治要》與日系古本還是有著很深的淵源關係的，表現出更多的共性和契合度，由此亦可知悉日系古寫本系統內部的封閉性。雖然《治要》異文每多優長，但作為寫本自身的個性化特徵以及由此產生的諸多譌誤也是應該具體分析的。

徵引文獻

一　原典文獻

魏・王　弼，晉・韓康伯：《周易注》九卷、《略例》一卷，國圖藏清宮天祿琳琅舊藏南宋孝宗朝刻本。

魏・王　弼，晉・韓康伯：《周易注》九卷、《略例》一卷，日本國立公文書館藏林羅山舊藏室町寫本。

六朝・佚名：《講周易疏論家義記》（日本奈良興福寺藏古寫本，採用《日本奈良興福寺藏兩種古鈔本研究》，北京：中華書局，2011，影印本。

唐・陸德明：《經典釋文・周易音義》，上海：上海古籍出版社，1985，影印國圖藏宋刻宋元遞修本。

唐・魏　徵等：《群書治要》，日本宮內廳書陵部藏金澤文庫舊藏鎌倉寫本。

唐・李鼎祚：《周易集解》，北京：北京圖書館出版社，2000，影印明嘉靖三十六年朱睦㮮聚樂堂刻本。

唐・顏元孫：《干祿字書》，收入《叢書集成初編》第1064冊，北京：中華書局重印商務印書館本，1985，影印《夷門廣牘》本。

舊題唐・郭京：《周易舉正》，東京大學東洋文化研究所藏嘉靖四年范氏天一閣刊《范氏二十種奇書》本。

遼・釋行均：《龍龕手鑑》，收入《中華再造善本》，北京：國家圖書館出版社，2002，影印國圖藏宋刻本。

宋・呂祖謙：《古周易・九江周氏易》，收入《通志堂經解》，康熙中通志堂刊本。

宋・蔡　淵：《周易卦爻經傳訓解》，收入景印文淵閣《四庫全書》第18冊，臺北：商務印書館，1983。

清・孫星衍：《（孫氏）周易集解》，北京：中華書局，2018。

許建平：《敦煌文獻合集・敦煌經部文獻合集》，北京：中華書局，2008。

日・宇多天皇《周易抄》，收入《宸翰集》，京都：小林写真製版所，1927。

日・山井鼎考文，物觀補遺：《七經孟子考文補遺》，日本國立公文書館藏享保十六年初刻本。

二　近人論著

裘錫圭：《考古發現的秦漢文字資料對於校讀古籍的重要性》，收入《裘錫圭自選集》，開封：河南教育出版社，1994。

另類的《詩經》接受：《群書治要》詩觀蠡測

林耀潾

成功大學中國文學系副教授

摘要

《群書治要》為唐太宗命魏徵等人編纂的一部叢書。摘錄經史子部書六十五部。與《詩經》有關者為卷三《毛詩》、卷八《韓詩外傳》。《群書治要》以摘錄的方式呈顯其另類的《詩經》接受。《群書治要》摘錄《毛詩》七十八首，其中國風二十四首、小雅三十一首、大雅十五首、周頌五首、魯頌一首、商頌二首。其摘錄標準為何？只能從魏徵〈群書治要序〉揣測，其言聖思所存，務乎政術，為君之難，為臣不易，母儀嬪則，懿后良妃，傾城哲婦，亡國豔妻，以備勸戒。本文以卷三《毛詩》摘錄之詩篇、詩句、詩序為主，其他經、史、子部之書為輔，蠡測《群書治要》的詩觀。經本文研究所得，《群書治要》的詩觀是儒家的倫理詩觀，重視詩歌倫理道德、政治教化的功用，是一種實用的道德主義。

關鍵詞：唐太宗、魏徵、詩經、群書治要、詩觀

Alternative Reception of *Shijing*: Poem Concept in *Qun Shu Zhi Yao*

Yao-Lin Lin

Associate Professor, Department of Chinese Literature,

National Cheng Kung University

Abstract

Emperor Taizong of the Tang dynasty ordered senior officials like Wei Zheng to compile a collection of books calls *Qun Shu Zhi Yao*. Interestingly, *Mao Shi* in Volume 3 and *Han Shi Wai Zhuan* in Volume 8 are relevant to *Shijing*. Moreover, *Qun Shu Zhi Yao* Shows its present alternative reception of *Shijing* in excerpt and its extracted 78 piece from *Mao Shi*, 24 piece from 'Guo Feng', 31 piece from 'Xiao Ya', 15 piece from 'Da Ya', 5 piece from 'Zhou Song', 1 piece from 'Lu Song' and 2 piece from 'Zhou Song'. The purpose can only be inferred from preface *Qun Shu Zhi Yao* which is written by Wei Zheng. Therefore, this essay examines the poem concept in *Qun Shu Zhi Yao* by focusing on the poems, verses and the prefaces excerpts from *Mao Shi* in Volume 3 and assisted by the Classics, history, philosophy, and literature to probe the poem concept. According to this study, the poem concept of *Qun Shu Zhi Yao* is derived from Confucian ethical concept. It attaches great importance to the function of poetry ethics and morality and political enlightenment, and it is a practical moralism.

Keywords: Emperor Taizong, Wei Zheng, *Shijing*, *Qun Shu Zhi Yao*, Poem Concept

一　前言

《群書治要》之編纂動機及經過，可由下列敘述得之。唐朝劉肅《大唐新語．著述第十九》云：

> 太宗欲見前代帝王得失以為鑒戒，魏徵乃以虞世南、褚遂良、蕭德言等采經史百家之內嘉言善語，明王暗君之跡，為五十卷，號《群書理要》，上之。[1]

唐太宗（599-649）即皇帝位後第五年，命魏徵（580-643）率虞世南（558-638）、褚亮（560-648）、蕭德言（558-654）等人編纂《群書治要》，上引文號《群書理要》者，乃因避諱唐高宗李治（628-683）之故，此書又曾改為《群書政要》。上引文言褚遂良曾參與編纂，乃誤植，參與者為褚遂良之父褚亮。

歐陽脩等撰《新唐書．列傳第一百二十三．蕭德言》云：

> 太宗欲知前世得失，詔魏徵、虞世南、褚亮及德言裒次經史百氏帝王所以興衰者上之，帝愛其書博而要，曰：「使我稽古臨事不惑者，公等力也！」賚賜尤渥。[2]

而魏徵《群書治要．序》亦曰：

> 皇上以天縱之多才，運生知之叡思，性與道合，動妙幾神。元德潛通，化前王之所未化；損己利物，行列聖之所不能行。……。俯協堯舜，式遵稽古。……。將取鑒乎哲人，以為六籍紛綸，百家踳駮。窮理盡性，則勞而少功；周覽汎觀，則博而寡要。故爰命臣等採摭群書，翦截淫放，光昭訓典，聖思所存，務乎政術。[3]

由魏徵序文可知，《群書治要》乃精選摘錄經籍、史部、百家而來，以「務乎政術」為準。在序文中，魏徵又談到選文的一些原則，為君之難，為臣不易，雅論徽猷，嘉言美事，可以宏獎名教，崇太平之基者，至於母儀嬪則，懿后良妃，傾城哲婦，亡國豔妻，時有所存，以備勸戒。凡為五帙，五十卷。今本缺卷四、卷十三、卷二十，存四十七卷而已。

1　唐．劉肅：《大唐新語．著述第十九》（北京：中華書局，1984），卷9，頁133。

2　宋．歐陽脩等撰：《新唐書．列傳第一百二十三．蕭德言》（臺北：鼎文書局，1979），卷198，儒學上，頁5653。

3　唐．魏徵等奉敕撰：《群書治要．序》，《宛委別藏》（臺北：臺灣商務印書館，1981），頁1。清嘉慶年間，《群書治要》由日本回傳中國，為阮元收入《宛委別藏》。本文所引《群書治要》以此版本為準，以下引文不再出注，只注明卷別、書名及臺灣商務印書館新編頁碼，《附表二》之引用，亦同此例。

全書編纂完成，唐太宗下詔曰：

> 太宗手詔曰：「朕少尚威武，不精學業，先王之道，茫若涉海。覽所撰書，博而且要，見所未見，聞所未聞。使朕政治稽古，臨事不惑，其為勞也，不亦大哉！」賜徵等絹千疋，綵物五百段。太子諸王，各賜一本。[4]

《宋史．藝文志》以後，公私書目俱不載《群書治要》，在中國，蓋已散佚。所幸流傳日本，清嘉慶年間，回傳中國，阮元收入《宛委別藏》。[5]

從政治思想、治國理念及文化道德層面研究《群書治要》者頗多，下列論著可供參考。吳剛：《從《群書治要》看貞觀群臣的治國理念》，西安：陝西師範大學歷史文獻學專業碩士論文，2009年。劉海天：《《群書治要》民本思想研究》，北京：中共中央黨校倫理學專業博士論文，2016年。胡曉利：〈試論《群書治要》中官吏清廉的生成機制〉，《吉林師範大學學報（人文社會科學版）》2013年9月第5期，頁71-74。劉廣普、康維波：〈《群書治要》的治政理念研究〉，《理論觀察》2014年第11期，頁30-33。韓麗華：〈《群書治要》修身治國、為政以德的德治思想探析〉，《太原理工大學學報（社會科學版）》32：4（2014.08），頁59-63。谷文國：〈《群書治要》的國家治理思想初探〉，《理論視野》2015年第8期，頁55-57。劉海天：〈從《群書治要》看「師道」的古今價值〉，《吉林師範大學學報（人文社會科學版）》2016年1月第1期，頁54-59。郭曙綸：〈慎言之意義、原則及其踐行方法──《群書治要》慎言觀研究〉，《江西青年職業學院學報》26：6（2016.12），頁67-73。劉余莉：〈從《群書治要》看文化的本質（上）〉，《山東人大工作》2017年第4期，頁56-60。劉余莉：〈從《群書治要》看文化的本質（下）〉，《山東人大工作》2017年第5期，頁53-61。謝青松：〈在歷史鏡鑒中追尋治理之道──《群書治要》及其現代價值〉，《雲南社會科學》2017年第3期，頁179-184。叢連軍：〈《群書治要》政治倫理思想研究的幾個核心問題〉，《吉林師範大學學報（人文社會科學版）》2017年7月第4期，頁14-19。宋玉順：〈《群書治要》反映的齊文化治國理念及其影響〉，

---

4 唐．劉肅：《大唐新語．著述第十九》，卷9，頁133。

5 關於《群書治要》的版本、目錄、輯佚等文獻學研究，下列著述可供參考。王維佳：《《群書治要》的回傳與嚴可均的輯佚成就》（上海：復旦大學歷史學專業碩士論文，2013）。沈蕓：《古寫本《群書治要．後漢書》異文研究》（上海：復旦大學漢語言文字學專業博士論文，2010）。金光一：《《群書治要》研究》（上海：復旦大學中國語文學系博士論文，2010）。楊春燕：《《群書治要》保存的散佚諸子文獻研究》（天津：天津師範大學中國古代文學專業碩士論文，2015）。呂效祖：〈《群書治要》及中日文化交流〉，《渭南師專學報（社會科學版）》第6期（1998.6），頁22-25。吳金華：〈略談日本古寫本《群書治要》的文獻學價值〉，《文獻季刊》第3期（2003.7），頁118-127。潘銘基：〈日藏平安時代九条家本《群書治要》研究〉，《中國文化研究所學報》第67期（2018.7），頁1-38。由呂效祖、趙保玉、張耀武主編的《群書治要考譯》，有考證，有白話翻譯，頗便當代讀者。此書由北京團結出版社出版（2011.6）。

《管子學刊》2018年第2期，頁76-81。上述所有論著，合乎《群書治要》「務乎政術」的原始訴求。

宋維哲〈《群書治要》引經述略〉，著重探討初唐經學的發展與演變。[6]張嘉俱〈論《群書治要・毛詩》的精選面貌〉，探討《群書治要・毛詩》不選陳、檜、豳三風之因、《群書治要・毛詩》對首章的選錄情形、《群書治要・毛詩》其他特殊的精選現象。[7]此文是《群書治要・毛詩》罕見的研究成果，筆者之附表一《群書治要・毛詩》選錄情形，即引用張嘉俱此文。

本文之研究重點不在版本、佚文、異文，也不在其引詩形式，而著重其摘錄現象中，所呈現的詩觀。《詩經》成書之後，春秋時期外交場合即廣泛運用，《左傳》及《國語》記載頗多。著述及言語引用亦多，見諸《論語》、《孟子》、《荀子》、《禮記》、《孝經》、《韓詩外傳》等儒家典籍。亦偶見史部子部之書徵引《詩經》。以上種種都是《詩經》接受史的一部分。《群書治要》則以摘錄的方式呈顯其另類的《詩經》接受。《群書治要》所表顯的詩觀，類同於孔子的「述而不作」，而「述」中隱微表達其對《詩》的種種看法。

二　《群書治要・毛詩》重視〈詩序〉的詩學價值

《群書治要・卷三・詩・周南》云：

> 〈關雎〉，后妃之德也，風之始也，所以風天下而正夫婦也，故用之鄉人焉，用之邦國焉。風，諷也，教也。風以動之，教以化之。詩者，志之所之也。在心為志，發言為詩。情動於衷而形於言，言之不足，故嗟歎之，嗟歎之不足，故詠歌之，詠歌之不足，不知手之舞之，足之蹈之也。情發於聲，聲成文謂之音。治世之音，安以樂，其政和。亂世之音，怨以怒，其政乖。亡國之音，哀以思，其民困。故正得失，動天地，感鬼神，莫近於詩。先王以是經夫婦，成孝敬，厚人倫，美教化，移風易俗。故詩有六義焉，一曰風，二曰賦，三曰比，四曰興，五曰雅，六曰頌。上以風化下，下以風刺上。言之者無罪，聞之者足以自誡，故曰風。以一國之事，繫一人之本，謂之風。言天下之事，形四方之風，謂之雅。雅者，正也，言王政之所由廢興也。政有小大，故有小雅焉，有大雅焉。頌者，美盛德之形容，以其成功，告於神明者也。是謂四始，詩之至也。至於王道衰，禮義廢，政教失，國異政，家殊俗，而變風變雅作矣。……。（頁107-109）

6　宋維哲：〈《群書治要》引經述略〉，《有鳳初鳴年刊》第2期（2005.7），頁147-160。

7　張嘉俱：〈論《群書治要・毛詩》的精選面貌〉，頁1-17，未刊本。此文為張嘉俱在筆者「詩經學專題研究」課程的期末報告。

《詩序》分〈詩大序〉及〈詩小序〉。〈詩大序〉一般以為從「詩者，志之所之也。」到「詩之至也」一句為止。〈詩大序〉前後被〈關雎序〉所夾。筆者比對《毛詩正義》，發現《群書治要》所引〈詩大序〉，字句略有差異。〈詩小序〉為各單篇詩篇的序，有詩篇題解的作用。〈詩大序〉可謂詩學總綱，述及詩的定義、起源、發展、演變、類別、功能。《群書治要．卷三．毛詩》將其放在最前面，表示其重視〈詩大序〉的詩學價值。

《群書治要》「情動於中而形於言」作「情動於衷而形於言。」《群書治要》「永歌之」作「詠歌之」，其義較劣，永歌即長言，《虞書》有「歌永言」之句。《群書治要》「移風俗」作「移風易俗」。《群書治要》缺「主文而譎諫」一句；「聞之者足以戒」作「聞之者足以自誡」，多一「自」字。蓋「主文而譎諫」乃就「言之者」而言，「聞之者」但「自誡」即可，《群書治要》於義為長。《群書治要》缺以下一段：「國史明乎得失之跡，傷人倫之廢，哀刑政之苛，吟詠情性，以風其上，達於事變而懷其舊俗者也。故變風發乎情，止乎禮義。發乎情，民之性也；止乎禮義，先王之澤也。」顯現《群書治要》的節錄性質。而「至於王道衰，禮義廢，政教失，國異政，家殊俗，而變風變雅作矣」，原來在上引缺文之前，《群書治要》則將其挪到最後。

《群書治要．卷三．詩．小雅》云：

> 〈六月〉，宣王北伐也。〈鹿鳴〉廢則和樂缺矣。〈四牡〉廢則君臣缺矣。〈皇皇者華〉廢則忠信缺矣。〈常棣〉廢則兄弟缺矣。〈伐木〉廢則朋友缺矣。〈天保〉廢則福祿缺矣。〈采薇〉廢則征伐缺矣。〈出車〉廢則功力缺矣。〈杕杜〉廢則師眾缺矣。〈魚麗〉廢則法度缺矣。〈南陔〉廢則孝友缺矣。〈白華〉廢則廉耻缺矣。〈華黍〉廢則畜積缺矣。〈由庚〉廢則陰陽失其道理矣。〈南有嘉魚〉廢則賢者不安，下民不得其所矣。〈崇丘〉廢則萬物不遂矣。〈南山有臺〉廢則國之基墜矣。〈由儀〉廢則萬物失其道理矣。〈蓼蕭〉廢則恩澤乖矣。〈湛露〉廢則萬國離矣。〈彤弓〉廢則諸夏衰矣。〈菁菁者莪〉廢則無禮矣。〈小雅〉盡廢，則四夷交侵，中國微矣。（頁130-131）

筆者比對《毛詩正義》，「下民不得其所矣」，《群書治要》多一「民」字。「隊」，《群書治要》作「墜」。「蓄積」，《群書治要》作「畜積」。此段文字言，〈小雅〉二十二篇不可廢（含笙詩六篇），廢則四夷交侵，中國微矣。此段文字出現在「〈六月〉，宣王北伐。」詩小序之後，〈六月〉詩篇之前，其義以為，若廢此〈小雅〉諸篇，則有戰爭之威脅。以人倫關係言，涉及君臣、兄弟、朋友、孝友、賢者、下民、諸夏、萬國。以自然言，涉及陰陽、萬物。以國家制度及兵力言，涉及法度、禮、征伐、功力、師眾。以德目言，涉及忠信、廉耻。以社會福祉言，涉及和樂、福祿、恩澤、蓄積。

《群書治要．毛詩》摘錄嘉言美事，警句格言，張嘉倛有所探討，並製「《群書治要・毛詩》選錄情形」一表（見本文附表一）。[8]〈詩大序〉云：「治世之音，安以樂，其政和。亂世之音，怨以怒，其政乖。亡國之音，哀以思，其民困。故正得失，動天地，感鬼神，莫近於詩。先王以是經夫婦，成孝敬，厚人倫，美教化，移風俗。」此言樂歌之道，與政相通，發展為詩有正風正雅、變風變雅之說。重視詩歌的政治倫理教化功能。（「動天地，感鬼神」談到詩歌的神秘主義精神，這在孔、孟、荀的儒家詩學脈絡中，是不被重視的。）筆者的研究路徑不同於張嘉俱，將以魏徵《群書治要・序》所言「為君之難」（人君之道）、「為臣不易」（人臣之道）、「母儀嬪則，懿后良妃，傾城哲婦，亡國豔妻，時有所存，以備勸戒」（后妃之道）三者，加以探討。

（一）人君之道

〈詩小序〉談及人君之道，可以美、刺言之，仁君美之，暴君刺之。其美文王、成王、宣王者最多，亦有不明言美某公某王者。其刺者，以幽王、厲王最多，另有刺桓王、頃公、襄公、康公、昭公、共公者，亦有不明言刺某公某王者。

1 美人君之詩

〈大雅・文王〉：「文王受命作周也。」（頁148）〈大雅・大明〉：「文王有明德，故天復命武王也。」（頁149）〈大雅・思齊〉：「文王所以聖也。」（頁150）此詩言「思齊大任，文王之母。思媚周姜，京室之婦。大姒嗣徽音，則百斯男。刑于寡妻，至于兄弟，以御于家邦。」以有太姜、太任、太姒三母正妻之賢，故文王德有所由成也。〈大雅・靈臺〉：「民始附也。文王受命，而民樂其有靈德，以及鳥獸昆蟲焉。」（頁151）此言「經始靈臺，經之營之。庶民攻之，不日成之。經始勿亟，庶民子來。」與民同樂也。

〈大雅・假樂〉：「嘉成王也。」（頁152）

〈大雅・雲漢〉：「仍叔美宣王也。宣王承厲王之烈，內有撥亂之志，遇烖而懼，側身修行，欲消去之。天下喜於王化復行，百姓見憂，故作是詩也。」（頁157-158）此遭天大旱，宣王虔誠祈雨，苦民所苦之詩。〈小雅・車攻〉：「宣王復古也。宣王能內修政事，外攘夷狄，復文武之境土，修車馬，備器械，復會諸侯於東都，因田獵而選車徒焉。」（頁132）〈小雅・鴻鴈〉：「美宣王也。萬民離散，不安其居，而能勞來還定安集之，至乎鰥寡，無不得其所焉。」（頁132）宣王誠所謂內修政事，外攘夷狄也。

〈衛風・淇澳〉：「美武公之德也。有文章，又能聽規諫，以禮自防，故能入相于周，美而作是詩。」（頁115）有文章，又能聽規諫，以禮自防，仁君必備之美德。

---

[8] 張嘉俱：〈論《群書治要・毛詩》的精選面貌〉，頁6-17。經審查委員提醒，此表應新增一項，筆者修訂之，新增「除首章外另引它章」。

〈小雅・南山有臺〉:「樂得賢也。得賢者則能為邦家，立太平之基矣。」(頁128)任賢使能，則邦家得治，立太平之基，此歷代仁君，念茲在茲者也。〈小雅・蓼蕭〉:「澤及四海也。」(頁129)〈大雅・行葦〉:「忠厚也。周家忠厚，仁及草木，故能內睦於九族，外尊事黃耇，養老乞言，以成其福祿焉。」(頁151)此三篇未明言美某公某王，蓋天下仁君均須具此美德善政也。

2 刺人君之詩

子貢曰:「紂之不善，不如是之甚也。是以君子惡居下流，天下之惡皆歸焉。」(《論語・子張》)《群書治要・毛詩》所選錄詩篇，其中刺幽王者，有十八篇之多。〈小雅・節南山〉:「家父刺幽王也。」(頁134)〈小雅・正月〉:「大夫刺幽王也。」(頁134)〈小雅・十月之交〉:「大夫刺幽王也。」(頁135)〈小雅・小旻〉:「大夫刺幽王也。」(頁136)〈小雅・小宛〉:「大夫刺幽王也。」(頁137)〈小雅・小弁〉:「刺幽王也。太子之傅作焉。」(頁138)〈小雅・巧言〉:「刺幽王也。大夫傷於讒而作是詩。」(頁139)〈小雅・巷伯〉:「刺幽王也。寺人傷於讒而作是詩。」(頁139)〈小雅・谷風〉:「刺幽王也。天下俗薄，朋友道絕焉。」(頁140)〈小雅・蓼莪〉:「刺幽王也。民人勞苦，孝子不得終養爾。」(頁140)〈小雅・北山〉:「大夫刺幽王也。役使不均，己勞於從事，而不得養其父母焉。」(頁141)〈小雅・青蠅〉:「大夫刺幽王也。」(頁142)〈小雅・賓之初筵〉:「衛武公刺時也。幽王荒廢，媟近小人，飲酒無度，天下化之，君臣上下，沉湎淫液，武公既入，而作是詩也。」(頁143)〈小雅・采菽〉:「刺幽王也。侮慢諸侯，諸侯來朝，不能錫命以禮，數徵會之，而無信義，君子見微，而思古焉。」(頁144)〈小雅・角弓〉:「父兄刺幽王也。不親九族，而好讒佞，骨肉相怨，故作是詩也。」(頁144)〈小雅・菀柳〉:「刺幽王也。暴虐而刑罰不中，諸侯皆不欲朝，言王者之不可朝事也。」(頁145)〈小雅・隰桑〉:「刺幽王也。小人在位，君子在野，思見君子盡心以事之也。」(頁146)〈小雅・何草不黃〉:「下國刺幽王也。四夷交侵，中國背叛，用兵不息，視民如禽獸，君子憂之，故作是詩也。」(頁147)刺幽王者有大夫、家父、太子之傅、寺人、衛武公、父兄、下國及未明言何人刺者。所以刺幽王之因，除未實指者外，有信讒、天下俗薄、孝子不得終養、役使不均、飲酒無度、侮慢諸侯、不親九族、暴虐而刑罰不中、小人在位、君子在野、用兵不息等，所有暴君之所能，幽王蓋皆有之。此所謂「為君之難」，魏徵以反面教材警惕唐太宗。

《群書治要・毛詩》選錄刺厲王的有四篇。〈大雅・板〉:「凡伯刺厲王也。」(頁153)〈大雅・蕩〉:「召穆公傷周室大壞也。厲王無道，天下蕩蕩，無綱紀文章，故作是詩也。」(頁154)〈大雅・抑〉:「衛武公刺厲王也，亦以自警也。」(頁156)〈大雅・桑柔〉:「芮伯刺厲王也。」(頁156)這四篇都是《詩經》名篇，有很多名句為典籍著述所頻繁引用。本文附表二所徵引，可見一斑。

此外，刺人君之詩，尚有下列各詩。〈柏舟〉刺衛頃公。（頁112）〈若蘭〉刺惠公。（頁116）〈葛藟〉刺桓王。（頁117）〈采葛〉刺桓王。（頁117）〈甫田〉刺襄公。（頁119）〈晨風〉刺康公。（頁122）〈權輿〉刺康公。（頁123）〈蜉蝣〉刺昭公。（頁123-124）〈候人〉刺共公。（頁124）周天子桓王及各國公侯，均在被刺之列。

匿名審查委員以為，為使「為君之道」不空泛，可如以下分類，其言曰：

> 「提倡孝道」(〈渭陽〉、〈蓼莪〉)、「敬慎威儀」(〈小宛〉、〈大明〉、〈蕩〉、〈抑〉等)、「選賢遠讒」(〈南山有臺〉、〈崧高〉、〈烝民〉、〈干旄〉、〈風雨〉、隰桑〉、〈白駒〉、〈鹿鳴〉、〈晨風〉、〈權輿〉、〈伐木〉、〈淇澳〉、〈巧言〉、〈巷伯〉、〈采葛〉、〈十月之交〉、〈青蠅〉等)、「重視天倫」(如〈常棣〉、〈角弓〉、〈葛藟〉、〈杕杜〉等)、「君民互動」(如〈碩鼠〉、〈甘棠〉、〈蓼蕭〉、〈天保〉、〈文王〉、〈靈臺〉、〈菀柳〉、〈雲漢〉等)，如此方見為君之「道」、為政之「術」。

就〈詩序〉而言，上引所述詩篇詩旨不盡如此，亦有一篇之篇旨可跨兩類或以上者。然亦可備一說。

（二）人臣之道

〈邵南・甘棠〉：「美邵伯也。邵伯之教，明于南國。」（頁111）歷代循吏列傳與讚美優良官員時，多引用〈甘棠〉以美之。〈周頌・敬之〉：「群臣進戒嗣王也。」（頁164）有「敬之敬之！天維顯思，命不易哉！無曰高高在上。陟降厥士，日監在茲。」之句。

其實，君道與臣道，有時可以相提並論。卿士大夫刺君王王公，即有人臣勸諫之意。諫諍君王為人臣極可貴的情操。《群書治要》的預設讀者是唐太宗，可能也是述及人臣之道的詩篇選錄較少的原因。

（三）后妃之道

《群書治要・詩・周南》：「〈關雎〉樂得淑女以配君子。憂在進賢，不婬其色。哀窈窕，思賢才，而無傷善之心焉。是〈關雎〉之義也。」（頁109）〈關雎〉為《詩經》首篇，亦為《詩經》名篇。《群書治要》此處採毛詩義，而不採三家詩刺康王晏起之義。〈周南・卷耳〉：「后妃之志也。又當輔佐君子，求賢審官，知臣下之勤勞，內有進賢之志，而無險詖私謁之心，朝夕思念，至於憂勤。」（頁110-111）有「采采卷耳，不盈傾筐。嗟我懷人，寘彼周行。」之句，思君子，官賢人，置之周之列位也。《毛詩正義》「傾筐」作「頃筐」。〈齊風・雞鳴〉：「思賢妃也。哀公荒淫怠慢，故陳賢妃貞女夙夜警戒相成之道焉。」（頁118-119）上述三篇即所謂「懿后良妃」也。

上文論及刺幽王之詩頗多，幽王之所以暴虐不仁不慈，與幽后褒姒，很有關係，有些詩是幽王幽后一併刺之。〈小雅．白華〉：「周人刺幽后也。幽王娶申女以為后，又得褒姒，而黜申后。故下國化之，以妾為妻，以孽代宗，而王弗能治。」（頁146）〈大雅．瞻仰〉為凡伯刺幽王大壞也。《毛詩正義》「瞻仰」作「瞻卬」。有「哲夫成城，哲婦傾城。懿厥哲婦，為梟為鴟。婦有長舌，維厲之階。亂匪降自天，生自婦人。匪教匪誨，時維婦寺。」之句。《毛傳》：「非有人教王為亂，語王為惡者，是維近愛婦人用其言，是故致亂也。」此即魏徵《群書治要．序》「傾城哲婦，亡國豔妻，時有所存，以備勸戒」之義。

綜合本節所論，《群書治要．毛詩》重視〈詩大序〉及〈詩小序〉的詩學價值。〈詩序〉呈顯儒家的倫理詩觀，重視詩歌的倫理道德、政治教化的作用，把《詩經》當作倫理道德的教科書。〈小雅．六月．序〉以反面敘述〈小雅〉盡廢之禍害。人君之道、人臣之道、后妃之道則符合「務乎政術」的原始要求。

三　從《群書治要》徵引《詩經》探其詩觀

筆者逐頁檢索《群書治要》，得其徵引《詩經》計八十九則。（見附表二「《群書治要》徵引《詩經》一覽表」）本節即在此表的基礎上，展開論述。

（一）《群書治要》的倫理詩觀

《論語》、《孟子》、《荀子》徵引《詩經》不少，但《群書治要》的摘錄，僅見一則。《群書治要．卷九．論語為政》：「子曰：『《詩》三百，一言以蔽之，曰：思無邪。』」（頁428）孔子是《詩經》接受史上的「第一讀者」[9]，他提出許多開創性的詩學理念，影響極大。詩可以興，邇之事父，遠之事君，均有所資。

《群書治要．卷十四．漢書．志》：「殷周之盛，《詩》《書》所述，要在安民，富而教之也。」（頁661）蓋國實民富而教化成，《詩》《書》所述，不過「富」與「教」而已。此承襲孔子富而後教的思想。

《群書治要．卷十五．漢書．傳》：「夫遵衰周之軌跡，循詩人之所刺，而欲以成太平致雅頌，猶卻行而求及前人也。」（頁710）此為劉向上封事的內容。劉向所言乃指變

9　接受理論所謂的「第一讀者」，是指提出具有開創性及影響性的人物。就《詩經》接受史而言，吳國公子季札在襄公29年（544 B.C.）於魯觀周樂，曾提出一些看法，當年孔子（551-479 B.C.）七歲，應是早於孔子提出詩樂理論之人，但是，在中國文化史上的地位與影響力，季札無法和孔子相提並論，故筆者以孔子為《詩經》接受史上的「第一讀者」。

風變雅之作,〈詩大序〉所謂「王道衰,禮義廢,政教失,國異政,家殊俗,而變風變雅作矣。」只有施行仁政德政,愛民如子,視民如傷,才能得詩人之讚頌。

《群書治要·卷十六·漢書·傳》:「陸賈,楚人也。有口辯。常居左右,時時前說稱《詩》《書》。高帝罵之曰:『乃公居馬上得之,安事《詩》《書》?』賈曰:『馬上得之,寧可以馬上治乎?且文武並用,長久之術也。』」(頁752)漢高祖劉邦的草莽性格顯露無遺,和唐太宗李世民自謙「朕少尚威武,不精學業,先王之道,茫若涉海。」相比,正如雲泥之別,高下立判。《詩》《書》也可以「務乎政術」,不可偏廢。

(二)對仁君文王的歌頌

《群書治要》選錄經、史、子部書籍中,其徵引《詩經》詩篇詩句,與「文王」有關者頗多,附表二8、9、10、11、17、23、30、38、41、43、87各則都與「文王」有關。《詩經》〈大雅〉及〈周頌〉多歌頌文王之詩,儼然為仁君的典範,以文王之德之業勉唐太宗,應為魏徵等人的編纂動機所在。

《群書治要·卷六·春秋左氏傳·昭公六年》云:

> 六年,鄭人鑄刑書。叔向使詒子產書曰:「昔先王議事以制,不為刑辟,懼民之有爭心也。……。夏有亂政,而作禹刑。商有亂政,而作湯刑。周有亂政,而作九刑。三辟之興,皆叔世也。今吾子相鄭國,制參辟,鑄刑書,將以靖民,不亦難乎?《詩》曰:『儀式刑文王之德,日靖四方。』又曰:『儀刑文王,萬邦作孚。』如是,何辟之有?民知爭端矣,將棄禮而徵於書,錐刀之末,將盡爭之,亂獄滋豐,賄賂並行,終子之世,鄭其敗乎?肸聞之,國將亡,必多制,其此之謂乎?」(頁238-241)

此鄭子產要鑄刑書,晉國叔向以書信勸其勿做此事。引與文王有關詩句,言文王以德為儀式,故能日有安靖四方之功。言文王作儀法,為天下所信也。言《詩》唯以德與信,不以刑。政、刑與德、禮的選擇,是治國理政的重要議題。子曰:「道之以政,齊之以刑,民免而無恥;道之以德,齊之以禮,有恥且格。」(《論語·為政》)儒家主張德治禮治優於刑法之治,主張以德服人。「治亂世,用重典。」太平盛世則應著重以詩書禮樂化民成俗,不務爭鬥。

《群書治要·卷六·春秋左氏傳·昭公九年》云:

> 築郎囿,季平子欲其速成。叔孫昭子曰:「《詩》云:『經始勿亟,庶民子來。』焉用速成?其以勦民也,無囿猶可,無民其可乎?」(頁247)

〈大雅·靈臺〉,《孟子·梁惠王篇上》云:「文王以民力為臺為沼,而民歡樂之,謂其臺曰靈臺，謂其沼曰靈沼，樂其有麋鹿魚鼈。古之人與民偕樂，故能樂也。」[10]程俊英、蔣見元說：「為了突出『與民偕樂』的中心，詩人採用了正面著筆和側面映襯的兩種寫法。第一章寫人民踴躍為文王建臺，以見民心歡樂，是正面寫。第二、三、四章轉而描繪鳥獸蟲魚的自由自在，形容鐘鼓音樂的盛大美好，每章都洋溢著一股歡歡喜喜的氣氛。雖然不著一個『民』字，但『與民偕樂』的景象卻明白地展現出來了。」[11]仁君與民同樂，故民樂於快速完成靈囿，暴君擾民、虐民，人民恨不得與其偕亡。不以民為本，不以民心為依歸，不為人民謀福祉的暴君，會遭人民唾棄。只有有德之君才能享遊觀之樂，無德之君欲與其偕亡。

《群書治要・卷六・春秋左氏傳・昭公二十六年》云：

> 二十六年，齊有彗星，齊侯使禳之。晏子曰：「無益也，祇取誣焉。天道不諂，不貳其命，若之何禳之？且天之有彗，以除穢也，君無穢德，又何禳焉！若德之穢，禳之何損？《詩》曰：『惟此文王，小心翼翼。昭事上帝，聿懷多福。厥德不回，以受方國。』君無違德，方國將至，何患於彗？《詩》曰：『我無所監，夏后及商。用亂之故，民卒流亡。』若德回亂，民將流亡，祝史之為，無能補也。」公悅，乃止。（頁264-265）

前引詩言文王德不違天人，故四方之國歸往之。後引詩為逸詩，今本《詩經》所無，略同「殷鑑不遠，在夏后之世」之義。若無違德，有彗星現，可不必禳之。若違德，禳之亦無益。晏子之說為一種理性、人文的精神。

文王「刑于寡妻，至于兄弟，以御于家邦。」此言文王能齊家、友愛兄弟、治理家邦。「濟濟多士，文王以寧。」此言文王能任賢使能，國家因而安寧。周之子孫，須聿修文王之德，方能長保天下。唐太宗若能效法文王，實行文王之德，則可置人民於衽席之上，國泰民安。

（三）重視人君、人臣、后妃之道的《詩經》應用觀

本文第二節論及《群書治要・毛詩》的儒家倫理詩觀，已以人君之道、人臣之道、后妃之道三目呈現之。本小節則以《群書治要》徵引《詩經》為例，說明之。

人君之道廣泛，除前文所述者外，尚可舉數端言之。人君須「不愆不忘，率由舊章。」（第53、61、77則）人君須慎言，「白圭之玷，尚可磨也。斯言之玷，不可為也。」（第19、20、89則）人君須有威儀，「敬慎威儀，惟民之則。」（第4、5、16、

---

10 周・孟軻、漢・趙岐注、宋・孫奭疏：《孟子注疏》（臺北：藝文印書館，1979），頁11。

11 程俊英、蔣見元：《詩經注析》（下冊）（北京：中華書局，1991），頁788。

18、19、20、28、29則）人君須為人民表率，「爾之教矣，民胥效矣。」（第81、84則）人君須勤勉政事，「夙興夜寐，無忝爾所生。」（第26、65、74則）人君須戒慎恐懼，「戰戰兢兢，如臨深淵，如履薄冰。」（第24、64、66則）人君不能醉酒誤國。（第88則）人君須有始有終，「靡不有初，鮮克有終。」（第3、59、62則）。

有些品德是人君、人臣都須具備的，如慎言、戒慎、勤勉、不醉酒誤國、有始有終、威儀等。「柔亦不茹，剛亦不吐。」（第14、83、85則）「甘棠之澤」（第15、67則）則較就人臣而言。另外，人臣懼讒。（第34、56、68則）。由於《群書治要》的設定讀者是皇帝及太子諸王，所以人臣之道所述較少。

后妃之道則可以第82則為例。《群書治要・卷四十六・典論》：「三代之亡，由乎婦人，故《詩》刺艷女，《書》誡哲婦，斯已著在篇籍矣。」（頁2454）國家之亡，由乎婦人，此傳統思維定勢，牢不可破，要在防女禍之患也。

《群書治要》徵引《詩經》，多引詩句數句以明之，然亦有只徵引《詩》篇名者，有時一段摘錄文章中，徵引三篇以上者，亦不罕見。依《附表二》所見，其例有四。

《群書治要・卷二十三・後漢書・傳》云：

> 楊震曰：「《書》誡牝雞牡鳴，《詩》刺哲婦喪國。……。今野無〈鶴鳴〉之歎，朝無〈小明〉之悔，〈大東〉不興於今，〈勞止〉不怨於下。擬蹤往古，比德哲王，豈不休哉！」（頁1089）

楊震此處提到五首詩。《詩》刺哲婦喪國，乃指〈大雅・瞻卬〉所云：「懿厥哲婦，為梟為鴟。婦有長舌，維厲之階。亂匪降自天，生自婦人。匪教匪誨，時維婦寺。」哲夫成城，哲婦傾城。〈鶴鳴〉為小雅之詩，《詩序》云：「〈鶴鳴〉，誨宣王也。」《鄭箋》申之曰：「教宣王求賢人之未仕者。」君王若能求賢，則野無「鶴鳴」之歎。〈小明〉為小雅之詩，《詩序》曰：「〈小明〉，大夫悔仕于亂世也。」楊震用《詩序》義。〈大東〉為小雅之詩，《詩序》曰：「〈大東〉，刺亂也。東國困於役而傷於財，譚大夫作是詩以告病焉。」楊震用《詩序》義。《毛詩》無〈勞止〉篇，但大雅有〈民勞〉篇，其詩有「民亦勞止，汔可小康。」「民亦勞止，汔可小休。」「民亦勞止，汔可小息。」「民亦勞止，汔可小愒。」「民亦勞止，汔可小安。」之句，〈勞止〉應為〈民勞〉之誤。此詩言元老憂國之將傾，勸諫年輕同僚輔佐我王，惠此中國，以綏四方。楊震此則引《詩》，多遵毛義。

《群書治要・卷二十三・後漢書・傳》云：

> 楊賜曰：「不念〈板〉〈蕩〉之作，虺蜴之誡，殆哉之危，莫過於今。……。斥遠佞巧之臣，速徵〈鶴鳴〉之士。」（頁1098）

楊賜此處提到三首詩。《詩序》：「〈板〉，凡伯刺厲王也。」又曰：「〈蕩〉，召穆公傷周室大壞也。厲王無道，天下蕩蕩，無綱紀文章，故作是詩也。」〈鶴鳴〉則為求賢之詩，前文已述。楊賜用毛義。

《群書治要・卷二十六・魏志》云：

> 陳思王曹植，太和五年，上疏求存問親戚，致其意曰：「……。遠慕〈鹿鳴〉君臣之宴，中詠〈常棣〉匪他之戒，下思〈伐木〉友生之義，終懷〈蓼莪〉罔極之哀。……。故〈柏舟〉有天只之怨，〈谷風〉有棄予之歎。……。詔報曰：「夫忠厚仁及草木，則〈行葦〉之詩作。恩澤衰薄，不親九屬，則〈角弓〉之章刺。……。本無禁諸國通問之詔也。矯枉過正，下吏懼譴，以至於此耳，已敕有司，如王所訴。」（頁1273-1278）

此則為陳思王曹植與魏文帝曹丕，為諸國通問是來往的上疏與詔書，計引八首詩。《詩序》：「〈鹿鳴〉，燕群臣嘉賓也。」《詩序》：「〈常棣〉，燕兄弟也。閔管、蔡之失道，故作〈常棣〉焉。」有「凡今之人，莫如兄弟」之句，即「匪他之戒」之義。《詩序》：「〈伐木〉，燕朋友故舊也。自天子至于庶人，未有不須友以成者。親親以睦，友賢不棄，不遺故舊，則民德歸厚矣。」《詩序》：「〈蓼莪〉，刺幽王也。民人勞苦，孝子不得終養爾。」有「欲報之德，昊天罔極」之句。〈柏舟〉為〈鄘風〉之〈柏舟〉，有「母也天只！不諒人只」之句。〈谷風〉為〈小雅〉之〈谷風〉，有「將安將樂，女轉棄予」及「將安將樂，棄予如遺」之句。以上六篇為曹植上疏所引之詩。《詩序》：「〈行葦〉，忠厚也。周家忠厚，仁及草木，故能內睦九族，外尊事黃耇，養老乞言，以成其福祿焉。」曹丕用毛義。《詩序》：「〈角弓〉，父兄刺幽王也。不親九族而好讒佞，骨肉相怨，故作是詩也。」曹丕用毛義。此詩有「不令兄弟，交相為瘉。民之無良，相怨一方」之句。

《群書治要・卷四十六・中論》云：

> 《詩》曰：「爾之教矣，民胥放矣。」……。感〈蓼莪〉之篤行，惡〈素冠〉之所刺。（頁2442-2443）

《毛詩正義・小雅・角弓》有「爾之遠矣，民胥然矣。爾之教矣，民胥傚矣。」之句，徐幹《中論》改「傚」為「放」，義同。《詩序》：「〈蓼莪〉刺幽王也。民人勞苦，孝子不得終養爾。」徐幹《中論》「感〈蓼莪〉之篤行」，其意蓋以為孝子欲行孝奉養而不可得，反其義而言之。《詩序》：「〈素冠〉，刺不能三年也。」毛、鄭以詩刺人子不能行父母三年之喪，徐幹《中論》用毛義。

本文所述《群書治要》徵引各書情形，若引《詩》句則計為獨立一則；若只引《詩》篇名，縱使多篇，亦只計為一則。上文擇四例論述其徵引多篇之情形。

四　結論

《群書治要・卷三・毛詩》摘錄七十八首，其中〈國風〉二十四首、〈小雅〉三十一首、〈大雅〉十五首、〈周頌〉五首、〈魯頌〉一首、〈商頌〉二首。〈國風〉佔比為30.77%、雅頌佔比為69.23%。《毛傳》《鄭箋》慣以倫理道德、政治教化詮釋整部《詩經》，但就《群書治要》的編纂者觀念言，雅頌「務乎政術」的性質較強，摘錄佔七成之重。

從附表三〈《群書治要》徵引《詩經》次數統計表〉中，可得出下列數字，總論5次、逸詩1次、非《詩》句1次、〈國風〉18次、〈小雅〉34次、〈大雅〉43次、〈頌〉5次，總計107次。總論佔4.67%、逸詩佔0.93%、非《詩》句佔0.93%、〈國風〉佔16.82%、〈小雅〉佔31.78%、〈大雅〉佔40.19%、〈頌〉佔4.67%。雅頌合計佔76.64%。若去除總論、逸詩、非《詩》句的7次不計，則剛好100次，〈國風〉佔18%、雅頌合計佔82%。不論採何種計算方式，雅頌佔比遠高於〈國風〉，由此亦可證雅頌「務乎政術」的性質較強。

《群書治要・毛詩》所摘錄的內容，據本文研究所得成果，發現它非常重視〈詩大序〉及〈詩小序〉的詩學價值，而〈六月・序〉一段，論及二十二首詩，最為特殊。《群書治要》摘錄經、史、子各書徵引《詩經》詩篇詩句，體現儒家倫理詩觀，重視詩歌的倫理道德、政治教化的功用，是實用的道德主義。它側重在人君之道、人臣之道及后妃之道，符合此書原始編纂動機「務乎政術」的要求。它雖然是一部封建時期的「政治道德教科書」，但其中許多理念，在二十一世紀全球化浪潮之下，仍有借鑑的價值。

附表一：《群書治要・毛詩》選錄情形

篇名	選錄章節	未選首章	僅選首章	除首章外另引它章
周南・關雎	首章、二章			◎
周南・卷耳	首章		◎	
邵南・甘棠	首章		◎	
邵南・何彼禯矣	首章		◎	
邶風・栢舟	首章、四章			◎
邶風・谷風	首章		◎	
鄘風・相鼠	首章、三章			◎
鄘風・干旄	首章		◎	
衛風・淇澳	首章		◎	
衛風・芄蘭	首章		◎	
王風・葛藟	首章		◎	
王風・采葛	首章		◎	
鄭風・風雨	首章		◎	
鄭風・子衿	首章		◎	
齊風・雞鳴	首章		◎	
齊風・甫田	首章		◎	
魏風・伐檀	首章		◎	
魏風・碩鼠	首章		◎	
唐風・杕杜	首章		◎	
秦風・晨風	首章		◎	
秦風・渭陽	首章、二章（全選）			◎
秦風・權輿	首章		◎	
曹風・蜉蝣	首章		◎	
曹風・候人	首章		◎	
小雅・鹿鳴	首章		◎	
小雅・皇皇者華	首章		◎	
小雅・常棣	首章、三章、四章			◎

篇名	選錄章節	未選首章	僅選首章	除首章外另引它章
小雅・伐木	首章		◎	
小雅・天保	二章、六章	◎		
小雅・南山有臺	首章		◎	
小雅・蓼蕭	首章		◎	
小雅・湛露	首章		◎	
小雅・六月	首章（選4句）		◎	
小雅・車攻	首章、七章、八章			◎
小雅・鴻雁	二章	◎		
小雅・白駒	首章		◎	
小雅・節南山	首章（選6句）		◎	
小雅・正月	首章、六章、八章			◎
小雅・十月之交	首章、二章、三章、七章			◎
小雅・小旻	首章、三章、四章、六章			◎
小雅・小宛	六章（末章）	◎		
小雅・小弁	二章、三章、八章（末章）	◎		
小雅・巧言	二章、三章	◎		
小雅・巷伯	首章、六章			◎
小雅・谷風	首章、三章（末章）			◎
小雅・蓼莪	首章、三章、四章			◎
小雅・北山	二章、四章、五章、六章（末章）	◎		
小雅・青蠅	首章、二章			◎
小雅・賓之初筵	三章、四章	◎		
小雅・采菽	首章		◎	
小雅・角弓	首章、二章			◎
小雅・菀柳	首章（選4句）		◎	
小雅・隰桑	首章、三章			◎
小雅・白華	二章、五章	◎		

篇名	選錄章節	未選首章	僅選首章	除首章外另引它章
小雅・何草不黃	首章、二章			◎
大雅・文王	首章、三章、四章、五章			◎
大雅・大明	首章、三章			◎
大雅・思齊	首章、二章			◎
大雅・靈臺	首章		◎	
大雅・行葦	首章、四章（末章）			◎
大雅・假樂	首章、二章			◎
大雅・民勞	首章		◎	
大雅・板	首章、七章			◎
大雅・蕩	首章、五章、七章、八章（末章）			◎
大雅・抑	二章、五章	◎		
大雅・桑柔	四章、九章、十一章、十三章（末章）	◎		
大雅・雲漢	首章		◎	
大雅・崧高	首章、八章（末章）			◎
大雅・烝民	首章、二章、四章、五章、六章			◎
大雅・瞻卬	首章、二章、三章、四章、五章			◎
周頌・清廟	首章		◎	
周頌・振鷺	首章		◎	
周頌・雝	首章		◎	
周頌・有客	首章		◎	
周頌・敬之	首章		◎	
魯頌・閟宮	三章	◎		
商頌・長發	三章、四章	◎		
商頌・殷武	三章、四章	◎		
合計78篇		13篇	39篇	26篇

註：此表為張嘉倛所製，「除首章外另引它章」欄位，則為筆者所增。

附表二:《群書治要》徵引《詩經》一覽表

序號	卷別	書名	徵引詩句或詩篇	頁碼
1	卷五	《春秋左氏傳》成公八年	《詩》曰:「女也不爽,士貳其行。士也罔極,二三其德。」(《衛風・氓》)	190-191
2	卷五	《春秋左氏傳》襄公二十一年	《詩》云:「惠我無疆,子孫保之。」(《周頌・烈文》)	208
3 4 5 6	卷五	《春秋左氏傳》襄公三十一年	「靡不有初,鮮克有終。」(《大雅・蕩》) 「敬慎威儀,惟民之則。」(《魯頌・泮水》) 「威儀棣棣,不可選也。」(《邶風・柏舟》) 「不識不知,順帝之則。」(《大雅・皇矣》)	224-226
7	卷六	《春秋左氏傳》昭公元年	「不僭不賊,鮮不為則。」(《大雅・抑》)	227-228
8 9	卷六	《春秋左氏傳》昭公六年	「儀式刑文王之德,日靖四方。」(《周頌・我將》) 「儀刑文王,萬邦作孚。」(《大雅・文王》)	238-241
10	卷六	《春秋左氏傳》昭公九年	「經始勿亟,庶人子來。」(《大雅・靈臺》)	247
11 12	卷六	《春秋左氏傳》昭公二十六年	《詩》曰:「惟此文王,小心翼翼。昭事上帝,聿懷多福。厥德不回,以受方國。」(《大雅・大明》) 《詩》曰:「我無所監,夏后及商。用亂之故,民卒流亡。」此為逸詩。	264-265
13	卷六	《春秋左氏傳》昭公二十六年	《詩》曰:「雖無德與汝,式歌且舞。」(《小雅・車舝》)	265-266

序號	卷別	書名	徵引詩句或詩篇	頁碼
14	卷六	《春秋左氏傳》定公四年	《詩》曰：「柔亦不茹，剛亦不吐。不侮鰥寡，不畏彊禦。」（《大雅．烝民》）	273-275
15	卷六	《春秋左氏傳》定公九年	《詩》云：「蔽芾甘棠，勿剪勿伐，召伯所茇。」（《召南．甘棠》）	276-277
16	卷七	《禮記．禮運》	《詩》云：「人而無禮，胡不遄死！」（《鄘風．相鼠》）	305
17	卷七	《禮記．祭義》	《詩》云：「自西自東，自南自北，無思不服。」（《大雅．文王有聲》）	328
18	卷七	《禮記．經解》	《詩》云：「淑人君子，其儀不忒。其儀不忒，正是四國。」（《曹風．鳲鳩》）	332
19	卷七	《禮記．緇衣》	《詩》云：「慎爾出話，敬爾威儀。」（《大雅．抑》）	341
20	卷七	《禮記．大學》	《詩》云：「樂只君子，民之父母。」（《小雅．南山有臺》）	344
21	卷八	《韓詩外傳》	《詩》曰：「謀夫孔多，是用不就。」（《小雅．小旻》）	402
22	卷八	《韓詩外傳》	《詩》云：「自求伊祜。」（《魯頌．泮水》）	405
23	卷九	《孝經》	《大雅》云：「無念爾祖，聿修厥德。」（《大雅．文王》）	410
24	卷九	《孝經》	《詩》云：「戰戰兢兢，如臨深淵，如履薄冰。」（《小雅．小旻》）	411-412
25	卷九	《孝經》	《詩》云：「夙夜匪懈，以事一人。」（《大雅．烝民》）	412

序號	卷別	書名	徵引詩句或詩篇	頁碼
26	卷九	《孝經》	《詩》云：「夙興夜寐，無忝爾所生。」 （《小雅・小宛》）	413
27	卷九	《孝經》	《詩》云：「有覺德行，四國順之。」 （《大雅・抑》）	417
28	卷九	《孝經》	《詩》云：「淑人君子，其儀不忒。」 （《曹風・鳲鳩》）	420
29	卷九	《孝經》	《詩》云：「愷悌君子，民之父母。」 （《大雅・泂酌》）	422-423
30	卷九	《孝經》	《詩》云：「自西自東，自南自北，無思不服。」 （《大雅・文王有聲》）	425
31	卷九	《論語・為政》	子曰：「《詩》三百，一言以蔽之，曰：思無邪。」	428
32	卷十四	《漢書・志》	《詩》曰：「凱悌君子，民之父母。」 （《大雅・泂酌》）	656
33	卷十四	《漢書・志》	殷周之盛，《詩》《書》所述，要在安民，富而教之也。	661
34	卷十五	《漢書・傳》	故其《詩》曰：「密勿從事，不敢告勞。無罪無辜，讒口嗸嗸。」 （《小雅・十月之交》）	709
35	卷十五	《漢書・傳》	夫遵衰周之軌跡，循詩人之所刺，而欲以成太平致雅頌，猶卻行而求及前人也。	710
36	卷十五	《漢書・傳》	《詩》云：「我心匪石，不可轉也。」 （《邶風・柏舟》）	712
37	卷十五	《漢書・傳》	《詩》云：「憂心悄悄，慍于群小。」 （《邶風・柏舟》）	713

序號	卷別	書名	徵引詩句或詩篇	頁碼
38	卷十五	《漢書・傳》	孔子論《詩》，至於「殷士膚敏，灌將于京。」喟然歎曰：「大哉天命，善不可不傳于子孫，是以富貴無常，不如是，則王公其何以戒慎？民萌其何以勸勉？蓋傷微子之事周，而痛殷之亡也。」（《大雅・文王》）	715-716
39	卷十六	《漢書・傳》	陸賈，楚人也。有口辯。常居左右，時時前說稱《詩》《書》。高帝罵之曰：「乃公居馬上得之，安事《詩》《書》？」賈曰：「馬上得之，寧可以馬上治乎？且文武並用，長久之術也。」	752
40 41	卷十七	《漢書・傳》	《詩》曰：「非言不能，胡此畏忌？」（《大雅・桑柔》） 又曰：「濟濟多士，文王以寧。」（《大雅・文王》）	823
42	卷十七	《漢書・傳》	《詩》曰：「赫赫師尹，民具爾瞻。」（《小雅・節南山》）	867-868
43	卷十九	《漢書・傳》	《詩》云：「濟濟多士，文王以寧。」（《大雅・文王》）	922
44	卷十九	《漢書・傳》	（鮑宣）上書諫曰：「陛下上為皇天子，下為黎庶父母，為天牧養元元，視之當如一合〈尸鳩〉之詩。」（《曹風・鳲鳩》）	944
45	卷二十一	《後漢書・本紀》	（孝明皇帝）詔曰：「三老李躬，年耆學明。五更桓榮，授朕《尚書》，《詩》曰：『無德不報。』其賜榮爵關內侯，食邑五千戶。」（《大雅・抑》）	974

序號	卷別	書名	徵引詩句或詩篇	頁碼
46	卷二十一	《後漢書・皇后紀序》	故康王晚朝，〈關雎〉作諷。	985
47	卷二十二	《後漢書・傳》	郅惲上書諫曰：「陛下遠獵山林，夜以繼書，其如社稷宗廟何！暴虎馮河，未至之誡，誠小臣所竊憂也。」（《小雅・小旻》）	1045
48	卷二十二	《後漢書・傳》	郭躬曰：「周道如砥，其直如矢。君子不逆詐，君王法天刑，不可以委曲生意。」（《小雅・大東》）	1076
49	卷二十二	《後漢書・傳》	《詩》云：「不剛不柔，布政優優。」（《商頌・長發》）	1077
50	卷二十三	《後漢書・傳》	楊震曰：「《書》誡牝雞牡鳴，《詩》刺哲婦喪國。……。令野無〈鶴鳴〉之歎，朝無〈小明〉之悔，〈大東〉不興於今，〈勞止〉不怨於下。擬蹤往古，比德哲王，豈不休哉！」	1089
51	卷二十三	《後漢書・傳》	楊賜曰：「今殿前之氣，應為虹蜺，皆妖邪所生，不正之象，詩人所謂〈蝃蝀〉者也。」	1096
52	卷二十三	《後漢書・傳》	楊賜曰：「不念〈板〉〈蕩〉之作，虺蜴之誡，殆哉之危，莫過於今。……。斥遠佞巧之臣，速徵〈鶴鳴〉之士。」	1098
53	卷二十三	《後漢書・傳》	張晧上書曰：「《詩》云：『不愆不忘，率由舊章。』」（《大雅・假樂》）	1099
54	卷二十五	《魏志》	何晏奏曰：「《詩》云：『一人有慶，兆民賴之。』」 按：此為《尚書・呂刑》之句，非《詩》句。	1220

序號	卷別	書名	徵引詩句或詩篇	頁碼
55	卷二十五	《魏志》	崔玉諫曰：「今邦國殄瘁，惠康未洽，士女企踵，所思者德。」 （《大雅・瞻印》）	1235-1236
56	卷二十五	《魏志》	毛玠辭曰：「……。〈青蠅〉橫生，為臣作謗。」	1240
57	卷二十六	《魏志》	陳思王曹植，太和五年，上疏求存問親戚，致其意曰：「……。遠慕〈鹿鳴〉君臣之宴，中詠〈常棣〉匪他之戒，下思〈伐木〉友生之義，終懷〈蓼莪〉罔極之哀。……。故〈柏舟〉有天只之怨，〈谷風〉有棄予之歎。……。詔報曰：「夫忠厚仁及草木，則〈行葦〉之詩作。恩澤衰薄，不親九屬，則〈角弓〉之章刺。……。本無禁諸國通問之詔也。矯枉過正，下吏懼譴，以至於此耳，已勅有司，如王所訴。」	1273-1278
58	卷二十六	《魏志》	《詩》云：「惟鵲有巢，惟鳩居之。」 （《召南・鵲巢》）	1320
59	卷二十七	《吳志》	《詩》云：「靡不有初，鮮克有終。」 （《大雅・蕩》）	1360
60	卷二十七	《吳志》	步隲上疏：「無罪無辜，橫受大刑，是以吏民跼天蹐地，誰不戰慄？」 按：「無罪無辜」出自《小雅・十月之交》。「跼天蹐地」化用《小雅・正月》「謂天蓋高？不敢不局。謂地蓋厚？不敢不蹐。」之句。	1368
61	卷三十	《晉書》	今之建置，宜使率由舊章，一如古典。 （《大雅・假樂》）	1520

序號	卷別	書名	徵引詩句或詩篇	頁碼
62	卷三十三	《晏子・諫上》	《詩》曰：「靡不有初，鮮克有終。」 （《大雅・蕩》）	1668
63	卷三十三	《晏子・諫下》	《詩》曰：「穀則異室，死則同穴。」 （《王風・大車》）	1674
64	卷三十五	《文子・上行》	文子問曰：「何行而民親其上？」老子曰：「使之以時，而敬慎之。如臨深淵，如履薄冰。」 按：文子為老子弟子。「如臨深淵，如履薄冰。」出自《小雅・小旻》。	1811
65	卷三十五	《曾子・立孝》	《詩》言「夙興夜寐，毋忝爾所生。」 （《小雅・小宛》）	1834
66	卷三十五	《曾子・疾病》	與小人游，如履薄冰，每履而下，幾何而不陷乎哉！ （《小雅・小旻》）	1838
67	卷三十六	《尸子・勸學》	《詩》曰：「蔽芾甘棠，勿剪勿敗，召伯所憩。」仁者之所息，人不敢敗也。 （《召南・甘棠》）	1856
68	卷四十	《新語》（陸賈）	《詩》云：「讒人罔極，交亂四國。」眾邪合心，以傾一君，國危民失，不亦宜乎！ （《小雅・青蠅》）	2098
69	卷四十一	《淮南子・泰族》	《詩》曰：「惠此中國，以綏四方。」內順外寧也。 （《大雅・民勞》）	2177
70	卷四十二	《鹽鐵論》	揚干戚昭雅頌以風之。目覩威儀干戚之容，耳聽升歌雅頌之聲。 按：此言四夷心充至德，欣然以歸，慕義內附。	2195

序號	卷別	書名	徵引詩句或詩篇	頁碼
71	卷四十二	《鹽鐵論》	《詩》云：「舍彼有罪，既伏其辜。若此無罪，淪胥以鋪。」傷無罪而累也。 （《小雅・雨無正》）	2201
72	卷四十二	《新序》	《詩》曰：「惟鵲有巢，惟鳩居之。」 （《召南・鵲巢》）	2221
73	卷四十二	《新序》	《詩》曰：「中心臧之，何日忘之？」 按：此為《小雅・隰桑》詩句，子張見魯哀公，見七日，而公不禮。引詩反其意而用之。	2236
74	卷四十三	《說苑・臣術》	夙興夜寐，進賢不懈。 按：「夙興夜寐」出自《大雅・抑》。	2249
75	卷四十四	《潛夫論》	《詩》云：「先民有言，詢于蒭蕘。」 （《大雅・板》）	2319
76	卷四十四	《潛夫論》	殷鑒不遠，在夏后之世。 （《大雅・蕩》）	2323
77	卷四十五	《政論》	不知所云，則苟云率由舊章而已。 按：「率由舊章」出自《大雅・假樂》。	2344
78	卷四十五	《政論》	《詩》曰：「貪人敗類。」蓋傷之也。 （《大雅・桑柔》）	2353
79	卷四十五	《政論》	人懷〈羔羊〉之潔，民無侵枉之性矣。昔周之衰也，大夫無祿，詩人刺之。 （《召南・羔羊》）	2365
80	卷四十六	《中論》（徐幹）	《詩》云：「匪言不能，胡其畏忌？」 （《大雅・桑柔》）	2420-2421

序號	卷別	書名	徵引詩句或詩篇	頁碼
81	卷四十六	《中論》（徐幹）	《詩》曰：「爾之教矣，民胥放矣。」（《小雅・角弓》）感〈蓼莪〉之篤行，惡〈素冠〉之所刺。	2442-2443
82	卷四十六	《典論》	三代之亡，由乎婦人，故《詩》刺艷女，《書》誡哲婦，斯已著在篇籍矣。 按：《小雅・十月之交》有「豔妻煽方處」之句。《大雅・瞻卬》有「懿厥哲婦，為梟為鴟。婦有長舌，維厲之階。亂匪降自天，生自婦人。匪教匪誨，時維婦寺」之句。	2454
83	卷四十七	《政要論・臣不易》	剛亦不吐，柔亦不茹。 （《大雅・烝民》）	2489
84	卷四十七	《政要論・政務》	《詩》云：「爾之教矣，民胥效矣。」 （《小雅・角弓》）	2496
85	卷四十七	《政要論・諫爭》	《詩》云：「袞職有缺，仲山甫補之。柔亦不茹，剛亦不吐。」正諫者也。 （《大雅・烝民》）	2508
86	卷五十	《袁子正書・悅近》	孔子曰：「詩人疾掊克在位，是以聖人體德居簡，而以虛受人。」 按：《大雅・蕩》有「曾是掊克」之句。掊克，自誇逞強也。	2656
87	卷五十	《袁子正書・悅近》	文王刑于寡妻。 按：《大雅・思齊》有「刑于寡妻，至于兄弟，以御于家邦。」之句。	2657
88	卷五十	《抱朴子・酒誡》	俗人是酣是湎，其初筵也，抑抑濟濟，言希容整，詠〈湛露〉之厭厭，歌在鎬之愷樂，舉萬壽之	2679-2680

序號	卷別	書名	徵引詩句或詩篇	頁碼
			觴，誦溫克之義。……。屢舞僊僊，舍其座遷，載號載呶，如沸如羹。 按：此文多引《小雅・賓之初筵》詩句，言未醉時之謹慎，既醉後之醜態。	
89	卷五十	《抱朴子・疾謬》	匪降自天，口實為之。……。班輸不能磨斯言之既玷。 按：《大雅・抑》有「白圭之玷，尚可磨也。斯言之玷，不可為也。」之句。此言禍從口出，宜慎言也。	2686-2687

附表三：《群書治要》徵引《詩經》次數統計表

分類	詩篇	在附表二所列之序號	次數
總論		31、33、35、39、70	5
逸詩		12	1
非《詩》句		54	1
國風	〈衛風・氓〉	1	1
國風	〈邶風・柏舟〉	5、36、37、57	4
國風	〈召南・甘棠〉	15、67	2
國風	〈鄘風・相鼠〉	16	1
國風	〈曹風・鳲鳩〉	18、28、44	3
國風	〈周南・關雎〉	46	1
國風	〈鄘風・蝃蝀〉	51	1
國風	〈召南・鵲巢〉	58、72	2
國風	〈王風・大車〉	63	1
國風	〈召南・羔羊〉	79	1
國風	〈檜風・素冠〉	81	1
小雅	〈車舝〉	13	1
小雅	〈南山有臺〉	20	1
小雅	〈小旻〉	21、24、47、64、66	5
小雅	〈小宛〉	26、65	2
小雅	〈十月之交〉	34、60、82	3
小雅	〈節南山〉	42	1
小雅	〈鶴鳴〉	50、52	2
小雅	〈大東〉	48、50	2
小雅	〈青蠅〉	56、68	2
小雅	〈小明〉	3	1
小雅	〈鹿鳴〉	57	1
小雅	〈常棣〉	57	1
小雅	〈伐木〉	57	1
小雅	〈蓼莪〉	57、81	2

分類	詩篇	在附表二所列之序號	次數
小雅	〈谷風〉	57	1
小雅	〈角弓〉	57、81、84	3
小雅	〈雨無正〉	71	1
小雅	〈隰桑〉	73	1
小雅	〈賓之初筵〉	88	1
小雅	〈正月〉	60	1
小雅	〈湛露〉	88	1
大雅	〈蕩〉	3、52、59、62、76、86	6
大雅	〈皇矣〉	6	1
大雅	〈抑〉	7、19、27、45、74、89	6
大雅	〈文王〉	9、23、38、41、43	5
大雅	〈靈臺〉	10	1
大雅	〈大明〉	11	1
大雅	〈烝民〉	14、25、83、85	4
大雅	〈文王有聲〉	17、30	2
大雅	〈泂酌〉	29、32	2
大雅	〈桑柔〉	40、78、80	3
大雅	〈板〉	52、75	2
大雅	〈瞻印〉	50、55、82	3
大雅	〈民勞〉	50、69	2
大雅	〈假樂〉	53、61、77	3
大雅	〈行葦〉	57	1
大雅	〈思齊〉	87	1
頌	〈周頌‧烈文〉	2	1
頌	〈魯頌‧泮水〉	4、22	2
頌	〈周頌‧我將〉	8	1
頌	〈商頌‧長發〉	49	1
總計			107

徵引文獻

一　原典文獻

漢・毛　亨傳、漢・鄭玄箋、唐・孔穎達疏、民國・李學勤主編：《毛詩正義》，臺北：臺灣古籍出版公司，2001。

周・孟　軻、漢・趙岐注、宋・孫奭疏：《孟子注疏》，臺北縣板橋市：藝文印書館，1979。

唐・魏　徵等奉勅撰：《群書治要》，臺北：臺灣商務印書館，1981，《宛委別藏》。

唐・劉　肅：《大唐新語》，北京：中華書局，1984。

宋・歐陽脩等撰：《新唐書》，臺北：鼎文書局，1979。

二　近人論著

王維佳：《《群書治要》的回傳與嚴可均的輯佚成就》，上海：復旦大學歷史學專業碩士論文，2013。

谷文國：〈《群書治要》的國家治理思想初探〉，《理論視野》第8期（2015），頁55-57。

吳　剛：《從《群書治要》看貞觀群臣的治國理念》，西安：陝西師範大學歷史文獻學專業碩士論文，2009。

吳金華：〈略談日本古寫本《群書治要》的文獻學價值〉，《文獻季刊》第3期（2003.7），頁118-127。

宋玉順：〈《群書治要》反映的齊文化治國理念及其影響〉，《管子學刊》第2期（2018），頁76-81。

宋維哲：〈《群書治要》引經述略〉，《有鳳初鳴年刊》第二期（2005.07），頁147-160。

沈　蕓：《古寫本《群書治要・後漢書》異文研究》，上海：復旦大學漢語言文字學專業博士論文，2010。

呂效祖：〈《群書治要》及中日文化交流〉，《渭南師專學報（社會科學版）》第6期（1998.6），頁22-25。

呂效祖、趙保玉、張耀武主編：《群書治要考譯》，北京：團結出版社，2011。

金光一：《《群書治要》研究》，上海：復旦大學中國語文學系博士論文，2010。

胡曉利：〈試論《群書治要》中官吏清廉的生成機制〉，《吉林師範大學學報（人文社會科學版）》第5期（2013.9），頁71-74。

張嘉倛：〈論《群書治要・毛詩》的精選面貌〉，頁1-17，未刊本。

郭曙綸：〈慎言之意義、原則及其踐行方法——《群書治要》慎言觀研究〉，《江西青年職業學院學報》26：6（2016.12），頁67-73。

程俊英、蔣見元：《詩經注析》，北京：中華書局，1991。

楊春燕：《《群書治要》保存的散佚諸子文獻研究》，天津：天津師範大學中國古代文學專業碩士論文，2015。

劉余莉：〈從《群書治要》看文化的本質（上）〉，《山東人大工作》第4期（2017），頁56-60。

劉余莉：〈從《群書治要》看文化的本質（下）〉，《山東人大工作》第5期（2017），頁53-61。

劉海天：〈從《群書治要》看「師道」的古今價值〉，《吉林師範大學學報（人文社會科學版）》第1期（2016.1），頁54-59。

劉海天：《《群書治要》民本思想研究》，北京：中共中央黨校倫理學專業博士論文，2016。

劉廣普、康維波：〈《群書治要》的治政理念研究〉，《理論觀察》第11期（2014），頁30-33。

潘銘基：〈日藏平安時代九条家本《群書治要》研究〉，《中國文化研究所學報》第67期（2018.7），頁1-38。

謝青松：〈在歷史鏡鑒中追尋治理之道——《群書治要》及其現代價值〉，《雲南社會科學》第3期（2017），頁179-184。

韓麗華：〈《群書治要》修身治國、為政以德的德治思想探析〉，《太原理工大學學報（社會科學版）》32：4（2014.8），頁59-63。

叢連軍：〈《群書治要》政治倫理思想研究的幾個核心問題〉，《吉林師範大學學報（人文社會科學版）》第4期（2017.7），頁14-19。

治要與成一家言：
論《群書治要》對《史記》的剪裁與再造* **

邱詩雯
成功大學中國文學系專案助理教授

摘要

《史記》是太史公究際天人，通變古今所成就的一家之言，具有半私史的性質。他以其史識剪裁史料，以本紀、世家、表、書、列傳的五體規模，紀錄上下三千年的史事人物，目的在歸納歷史規律，資鑑當代。《群書治要》是唐太宗貞觀初年下令編纂的類書，擷取六經、四史、諸子百家內聖外王精華，匯編成書，以作為帝王治國資政之參考。今存《群書治要》有《史記》二卷，分別以本紀、列傳命名之。《群書治要》對《史記》原文的剪裁，呈現流變的史觀。本文以《群書治要．史記》為核心，透過與《史記》原文的比較，參考諸家評點，梳理《群書治要》對於《史記》整理的方法及特色。則完成此文，除可觀察《群書治要》的編纂理路，歸納其選材特色外，還可探討類書體對原書史識的容受問題，補充《史記》學及史學發展的內涵。

關鍵詞：群書治要、史記、司馬遷、半私史、類書

---

* 本篇文章經《成大中文學報》審核通過，已刊登於第68期，經《成大中文學報》授權，收入本論文集。

** 本文承蒙科技部108年度計畫案（MOST 108-2410-H-006-075-）補助，以及匿名審查委員提供修改建議，謹此致謝。

On the Pruning and Reinventing of *Shiji* from *Qun Shu Zhi Yao*

Chyu, Shih-Wen

Project Assistant Professor, Department of Chinese Literature,

National Cheng Kung University

Abstract

Shiji was a self-contained thinking system from Si Ma Qian by exploring the relationship between heaven and man and understanding the dynasties' changes of history and present, which is also a semi-private writing history. He pruned historical data with his historical knowledge and recorded three thousand years of historical events and figures on five scales. It is to summarize the historical law and contrast with the contemporary political situation. *Qun Shu Zhi Yao* takes the essence of "Inner Sage And Outer Kingliness" in six classics, four histories, and philosophers about hundred schools, and compiles it into a book.However, the pruning of original *Shiji* in *Qun Shu Zhi Yao* presents a changing view of history. This essay takes the collecting materials from *Shiji* in *Qun Shu Zhi Yao* as the core and compare them with the Shiji, also refer to the reviews of various critics then arrange the methods that how *Qun Shu Zhi Yao* sort *Shiji* out and its characteristics. The different historical views between *Shiji* and *Qun Shu Zhi Yao* is the issue that this article concerned about. Through this essay, not only observe the context of the compilation of *Qun Shu Zhi Yao* and summarize the characteristics of its material selection also explore how encyclopedia system accepting the historical view from the original book to supply the connotation of studying *Shiji* and developing of history.

Keywords: *Qun Shu Zhi Yao*, *Shiji*, Si Ma Qian, Semi-private Writing History, Leishu

一　前言

類書是傳統工具書，內容多為採經摭傳，依類編排的古籍刪節條目。[1]其編纂目的大抵有三：以查找掌故事實為主，如《北堂書鈔》、《藝文類聚》、《太平御覽》、《冊府元龜》等；以查檢事物起源為主，如《事物紀原》、《格致鏡原》、《事物原會》等；以檢索詞彙佳句為主，如《古今事文類聚》、《佩文韻府》、《子史精華》等。《四庫提要》所謂「類事之書，兼收四部，而非經非史，非子非集。」[2]正說明了其資料性書籍的特殊特質。然而，唐貞觀年間魏徵等人奉敕編纂的《群書治要》，分類上雖亦屬類書，其成書動機和編目方式卻與上述類書有別。

《群書治要》既以「治要」為名，則專門彙編治國政術、勸戒君王的內容。《大唐新語》曾紀錄《群書治要》的成書過程：

> 太宗欲見前代帝王事得失以為鑒戒，魏徵乃以虞世南、褚遂良、蕭德言等采經史百家之內嘉言善語，明王暗君之跡，為五十卷，號《群書理要》，上之。太宗手詔曰：「朕少尚威武，不精學業，先王之道，茫若涉海。覽所撰書，博而且要，見所未見，聞所未聞，使朕致治稽古，臨事不惑。其為勞也，不亦大哉！」賜徵等絹千匹，彩物五百段。太子諸王，各賜一本。[3]

唐太宗皇帝欲資鑑古今帝王事，因此要求魏徵總其事，會同虞世南、褚遂良、蕭德言等人，採經史百家故實，以充實王室的文史知識。因此，《群書治要》的宗旨，即在借古喻今，資鑑當代。

魏徵等人選錄經部、史部、子部書籍65種[4]，編目依照經、史、子的次序，保留原書書名，以「卷一〈周易〉、卷二〈尚書〉、卷三〈毛詩〉」的方式分卷，共50卷。[5]由於

1　類書的起源，以《爾雅》、《呂覽》發端，迄至曹魏文帝命劉劭、王象纂輯《皇覽》，正式成型。內容撮輯古籍中有關事物的記載，依類或按韻編排，以備檢索，是古代百科全書性質書籍的統稱，又稱部書。

2　清．紀昀總纂：《四庫全書總目提要》（石家莊：河北人民出版社，2000），卷135，頁3433。

3　唐．劉肅：〈著述第十九〉，《大唐新語》（北京：中華書局，1985），卷9，頁95。

4　包括：《周易》、《尚書》、《毛詩》、《春秋左氏傳》、《禮記》、《周禮》、《周書》、《國語》、《韓詩外傳》、《孝經》、《論語》、《孔子家語》、《史記》、《吳越春秋》、《漢書》、《後漢書》、《三國志》、《晉書》、《六韜》、《陰謀》、《鬻子》、《管子》、《晏子》、《司馬法》、《孫子兵法》、《老子》、《鶡冠子》、《列子》、《墨子》、《文子》、《曾子》、《吳子》、《商君子》、《尸子》、《申子》、《孟子》、《慎子》、《尹文子》、《莊子》、《尉繚子》、《孫卿子》、《呂氏春秋》、《韓子》、《三略》、《新語》、《賈子》、《淮南子》、《鹽鐵論》、《新序》、《說苑》、《桓子新論》、《潛夫論》、《崔寔政論》、《昌言》、《申鑒》、《中論》、《典論》、《劉廙政論》、《蔣子萬機論》、《政要論》、《體論》、《典語》、《傅子》、《袁子正書》、《抱朴子》。

5　《群書治要》一書宋代以後逐漸散佚，後由日本傳入。今所見《四部叢刊初編》本，為景印上海涵

《群書治要》保留原書為卷目，並未打散徵引書籍各篇內容，因此，儘管全書屬於類書，但就各卷內容而言，更近似引書的刪節本。

綜上所述《群書治要》的成書動機與編排方式，就產生了有趣的資料取捨問題，即：何為治要所需資鑑的內容？在《群書治要》的引書當中，《史記》是欲探究此論題極佳的切入視角。

《史記》是司馬遷紹繼祖業完成的通史，以「究天人之際，通古今之變，成一家之言」[6]為其著述目的。究天人之際，指的是探討天道和人事的關係；通古今之變，意指藉由歷史的梳理，掌握發展的趨勢；而成一家之言，則說明了司馬遷鎔鑄百種文獻，樹立自成一家的史觀理念。學界普遍認為，《史記》雖為正史之祖，但實際與其他《史書》相較，具有半私史的性質。雖其強調「通古今之變」論治思想，被漢廷視為「微文譏刺，貶損當世」，經過抑禁、刪削、續補等過程，最終史權收歸官方，欲以《漢書》代之。[7]但我們仍可從今本《史記》的字裡行間，看到許多太史公竊比《春秋》的理想抱負。那麼，《群書治要》的「治要」觀，在處理到「成一家之言」《史記》之時，其剪裁的標準，是否體現出史識的轉型？則透過《群書治要》對於《史記》整理的方法及特色的梳理，可以逐步廓清此論題。

關於《群書治要》的研究，過去多側重在文獻輯佚方面。由於《群書治要》保留唐初的文獻文字，正好可以用以校正宋代雕版印刷盛行後，版本間的異文問題，因此學界多從文獻輯佚的角度敲入，探討其文獻學價值。如吳金華〈略談日本古寫本《群書治要》的文獻學價值〉，舉例證成指出《群書治要》古寫本與古籍通行本之間，有異文校勘、輯佚的文獻價值。[8]在此之後，學界針對《群書治要》注文，以及對於《孫子》、《孔子家語》、《孝經》、《尸子》等書，進行版本系統探討與文字校勘研究[9]，尚未有針

芬樓藏日本尾張刊本，原書卷4、卷13、卷20均已佚失，為47卷的殘本。本文所引《群書治要》原文，所據版本為唐．魏徵等奉敕編：《群書治要》(臺北：臺灣商務印書館，1967)，四部叢刊初編本。

6 漢．司馬遷：〈報任少卿書〉，收入梁．蕭統：《文選》(臺北：藝文印書館，1991)，卷41，頁592。

7 相關論述，可參陳桐生：《中國史官文化與史記》(汕頭：汕頭大學出版社，1993)。呂世浩：《從《史記》到《漢書》：轉折過程與歷史意義》(臺北：國立臺灣大學出版社，2009)。

8 吳金華：〈略談日本古寫本《群書治要》的文獻學價值〉，《文獻》3 (2003.7)，頁118-127。

9 林溢欣：〈從《群書治要》看唐初《孫子》版本系統——兼論《孫子》流傳、篇目序次等問題〉，《古籍整理研究學刊》3 (2011.5)，頁62-68。林秀一、陸明波、刁小龍：〈《孝經》鄭注輯佚及刊行的歷史——以日本為中心〉，收入中國典籍與文化編輯部編：《中國典籍與文化論叢》第15輯 (南京：鳳凰出版社，2013)，頁52-66。潘銘基：〈《群書治要》所載《孟子》研究〉，收入張伯偉編：《域外漢籍研究集刊》第16輯 (北京：中華書局，2018)，頁293-317。王文暉：〈從古寫本《群書治要》看通行本《孔子家語》存在的問題〉，《中國典籍與文化》4 (2018.10)，頁113-119。管盼盼：〈《群書治要》注文來源初探〉，《安徽文學》11 (2018.11)，頁9-11。蔡蒙：〈《群書治要》所引《尸子》校勘研究〉，《文教資料》35 (2018.12)，頁84-85、110。

對《史記》部份進行探討研究者。除了期刊論文外，何志華教授、朱國藩博士、潘銘基教授合編的《唐宋類書徵引《史記》資料彙編》[10]，利用漢達文庫收錄類書，網羅唐宋類書徵引《史記》之資料，以句列並排的方式對比相同的文獻資料，便於學者分析今本文獻與引文之異同，探究該書之文本及思想，是類書引用《史記》的重要文獻。然該書出版之後，筆者尚未見有相關研究，值得後續類書間對比研究之參考。然而，欲全面探討類書對於《史記》的引用論題前，筆者先就《群書治要》對《史記》剪裁引用，進行文本比對與文獻分析，探討其特色與意義。則完成此論題，除能觀察《群書治要》的編纂內在理路外，歸納其選材特色外；亦可探討類書體對原書史識的容受問題，開展後續類書引用《史記》文獻之研究，補充《史記》學及史學發展的內涵。

二　《群書治要》對《史記》的剪裁

《史記》本紀以序帝王，世家以記侯國，十表以繫時事，八書以詳制度，列傳以誌人物[11]，「太史公曰」則為該篇補充說明，間及褒貶。[12]《史記》五體與「太史公曰」的體裁，並非司馬遷自創，各有來源。「本紀」仿自《春秋》，「表」仿自《周譜》，「書」仿自《書》，「世家」與「列傳」或仿自《世本》，序傳仿自「書序」，「太史公曰」仿自《左傳》「君子曰」。[13]然而，司馬遷卻是重要的改良者，他將五體及「太史公曰」融合於《史記》當中；其後班固改「書」為「志」，並「世家」併入「列傳」當中，自此以後，廿五史紀傳體的體例成為定制。

魏徵《群書治要・序》言：「爰命臣等，採摭群書，翦截浮放，光昭訓典，聖思所存，務乎政術，綴敘大略。」[14]所謂「翦截浮放」，就是將與政術較無關的內容刪除，

10 該書收錄資料包括《一切經音義》、《十七史蒙求》、《小名錄》、《小字錄》、《小學紺珠》、《中秘元本》、《五色線》、《元和姓纂》、《分門古今類事》、《天中記》、《太平御覽》、《太平廣記》、《冊府元龜》、《北堂書鈔》、《白孔六帖》、《白氏六帖》、《事始》、《事林廣記》、《事物紀原》、《事類賦注》、《侍兒小名錄拾遺》、《兔園策府》、《初學記》、《長短經》、《重廣會史》、《書敘指南》、《海錄碎事》、《記纂淵海》、《野服考》、《意林》、《歲時廣記》、《歲華紀麗》、《群書治要》、《補侍兒小名錄》、《詩律武庫》、《實賓錄》、《蒙求集註》、《語對、《稽瑞》、《編珠》、《翰苑殘卷》、《錦繡萬花谷》、《龍筋鳳髓判》、《藝文類聚》、《類林雜說》、《類說》、《續事始》、《續補侍兒小名錄》、《續編珠》。何志華、朱國藩、潘銘基：《唐宋類書徵引《史記》資料彙編》（香港：香港中文大學出版社，2013）。

11 清・趙翼：《廿二史劄記》（北京：中華書局，1985），頁3。

12 「太史公論贊，或隱括全篇，或偏舉一事，或考諸涉歷所親見，或證諸典記所參合，或於類傳之中摘一人以例其餘，或於正傳之外摭軼事以補其漏，皆有深意遠神，誠為千古絕筆。」清・牛運震：《史記評注》（北京：中華書局，2012），卷1，頁11。

13 阮芝生：〈論史記五體及「太史公曰」的述與作〉，《臺大歷史學報》6（1979.12），頁17-43。

14 唐・魏徵等奉敕編：〈群書治要序〉，《群書治要》，頁5-6。

去蕪存菁，以觀政局之大要。因此，《群書治要》對於《史記》的擷取，以人物為主，依照本紀、列傳的次序排列。每段記述一人，分為上下兩卷。並且將人物事蹟，撮取其梗概。故《群書治要》對於《史記》的剪裁，除了傳主人物的挑選外，亦有文字上的刪節。以下，將根據本紀、世家、列傳、書、表、論贊的體例次序，分述如後。

承前所述，《史記》以五體分類傳主，就人物分類，大抵帝王為本紀，諸侯為世家，名臣將相則入列傳。而《群書治要》選取《史記》人物，卷11為「本紀」，卷12為「列傳」，略去原書「世家」之屬，併入卷11「本紀」之中。則取捨之間，其史識標準為何？

我們先檢核卷11的本紀部份。《史記》是紀錄從五帝到漢武帝，上下三千年的通史。《漢書》改通史為西漢一代之斷代史，漢武帝前史事，多參考《史記》。《群書治要》有〈史記〉2卷、〈漢書〉7卷，其人物選擇之原則，以秦朝以前君王人物，採用《史記》；秦亡後的西漢帝王、人物，則取自《漢書》。因此，如以《漢書》的〈高祖本紀〉作為時代的下限，則《群書治要》收錄《史記》本紀，應該選〈五帝本紀〉到〈秦始皇本紀〉的範圍。

《群書治要》卷11，總共收錄《史記》本紀中18位帝王為主的事蹟，筆者其對應《史記》原書篇目，表列如下：

表1　《群書治要》收錄帝王與《史記》本紀篇目對應表

編號	人物	史記出處	編號	人物	史記出處
1	黃帝	五帝本紀	10	周后稷	周本紀
2	帝顓頊	五帝本紀	11	武王	周本紀
3	帝嚳	五帝本紀	12	穆王	周本紀
4	帝堯	五帝本紀	13	厲王	周本紀
5	虞舜	五帝本紀	14	幽王	周本紀
6	夏禹	夏本紀	15	秦繆公	秦本紀
7	湯	殷本紀	16	秦始皇帝	秦始皇本紀
8	帝太戊	殷本紀	17	二世皇帝	秦始皇本紀
9	帝辛	殷本紀	18	子嬰	秦始皇本紀

《群書治要》以本紀依照時代先後敘帝王，濃縮帝王生平梗概各自成一段文字。《史記・五帝本紀》共敘黃帝、顓頊、帝嚳、堯、舜五位君主，《群書治要》全選五人，各書一段。〈夏本紀〉僅選夏禹，〈殷本紀〉選開國商湯，中興太戊，以及亡國的紂王。〈周本紀〉則記周朝之興起、武王伐紂、由盛轉衰的穆王、好利出奔的厲王、西周敗亡

的幽王。〈秦本紀〉僅記秦繆公稱霸西戎的過程。〈秦始皇本紀〉則記秦始皇、二世、子嬰三人，著重秦朝由盛轉衰的關鍵事件。

司馬遷曾於《史記．太史公自序》中，說明其編著本紀的目的：

> 罔羅天下放失舊聞，王跡所興，原始察終，見盛觀衰。[15]

本紀，訴說天下政權之根本，司馬遷紀錄本紀，注重政權興起的開端，並且注重觀察政權的「原始察終」、「見盛觀衰」，換言之，司馬遷紀錄王朝興衰，重視開端、轉捩點、覆滅三段時期。因此在《史記》本紀的紀錄之中，太史公刻意著墨政權變化的歷史事件。

中國史傳傳統注重「以史為鑑」的精神，《貞觀政要》稱「以史為鏡，可以知興替」[16]，即以鏡為喻，強調歷史對於執政的資鑑意義。而在此「以史為鑑」的歷史哲學思想脈絡下，《群書治要》五十卷，扣除卷1到卷10經部的部份，卷11開始，下迄卷30，依序選錄了《史記》、《吳越春秋》、《漢書》、《後漢書》、《三國志》、《晉書》等史書，其對於史書的看重，可見一斑。而前已說明，《史記》「通古今之變」的撰述旨趣，在本紀的部份，體現在「原始察終」、「見盛觀衰」的概念，特別強調政權的興起、轉捩點、覆滅三部份，因此《群書治要》選錄《史記》，亦在《史記》〈夏本紀〉、〈殷本紀〉、〈秦始皇本紀〉的選錄章節中有所體現。《群書治要》寫夏朝君王，以大禹為主，略記夏桀；〈殷本紀〉選錄商朝帝王，以商湯、太戊、紂王三人為主，正好對應了司馬遷強調開端、轉捩點、覆滅的載筆精神。而〈秦始皇本紀〉紀錄秦始皇帝、二世皇帝、子嬰三人，固然對應秦朝三位君王，但實際上，這三位秦朝君主，不也正是反應了秦朝開端、轉捩點、覆滅的過程？《群書治要》剪裁〈秦始皇本紀〉紀錄秦始皇與二世的事蹟，著重在秦始皇因「亡秦者胡」讖言而有的種種舉措，以及對於二世傳位的事件。則《群書治要》的剪裁，明顯有其寓意：

> 無道之君，樂身以亡國，或臨難而知懼，在危而獲安，或得志而驕居，業成以致敗者，莫不備其得失，以著為君之難。[17]

魏徵〈序〉指出，透過歷史的梳理，可以明白為君之道，在居安思危，如得志而驕居，也會導致王朝傾頹，甚至樂身以亡國。如同太史公筆下的秦始皇，雖一統天下，但志而驕居，治理天下乾綱獨斷，導致天下固然一統，但危機四伏；而秦二世胡亥，在趙高、李斯等人的幫助下，以詐術取得天下，並將大權委命趙高，貪圖逸樂，正是樂身以亡國之代表。又《群書治要》選〈殷本紀〉，以商湯、太戊、紂王三人為主。商湯是商朝開

15 漢．司馬遷：〈太史公自序〉，《史記》（北京：中華書局，1982），頁3319。

16 唐．吳兢：《貞觀政要》（上海：上海書店，1984），卷2，頁9。

17 唐．魏徵等奉敕編：〈群書治要序〉，《群書治要》，頁6。

國之君，為原始察終的「原始」；紂亡之商朝亡國之君，是原始察終的「察終」。然而，翻檢《史記．殷本紀》，除了湯、紂二君，紀錄次多的是太戊和盤庚二王，但《群書治要》選太戊而不取盤庚，理由何在？我們先看〈殷本紀〉對於太戊、盤庚二人的紀錄：

帝雍己崩，弟太戊立，是為帝太戊。帝太戊立伊陟為相。亳有祥桑谷共生於朝，一暮大拱。帝太戊懼，問伊陟。伊陟曰：「臣聞妖不勝德，帝之政其有闕與？帝其修德。」太戊從之，而祥桑枯死而去。伊陟贊言于巫咸。巫咸治王家有成，作咸艾，作太戊。帝太戊贊伊陟于廟，言弗臣，伊陟讓，作原命。殷復興，諸侯歸之，故稱中宗。[18]

帝陽甲崩，弟盤庚立，是為帝盤庚。帝盤庚之時，殷已都河北，盤庚渡河南，復居成湯之故居，乃五遷，無定處。殷民咨胥皆怨，不欲徙。盤庚乃告諭諸侯大臣曰：「昔高后成湯與爾之先祖俱定天下，法則可修。捨而弗勉，何以成德！」乃遂涉河南，治亳，行湯之政，然後百姓由寧，殷道復興。諸侯來朝，以其遵成湯之德也。[19]

司馬遷寫太戊，主要紀錄他任用伊陟為相，當時發生了桑樹和楮樹合生在朝堂上，並且一夜之間長成二手環抱大樹的怪異事件。太戊諮詢相國伊陟的意見，進而修德，妖邪退散，諸侯歸之，進而復興商朝。而司馬遷寫盤庚，則紀錄他以遵奉成湯之德，說服百姓，遷都於亳都的事蹟。二者雖然都是在商朝的中興君主，但相比之下，太戊任用賢相，修德中興的故事，較盤庚遷都的詔令，來得更貼近君王修德治國的核心價值，因此《群書治要》捨盤庚而取太戊，以作為「臨難而知懼，在危而獲安」的君王代表，展現修德以治國的價值。

再論《群書治要》對於《史記》世家的取捨。《群書治要》雖未以「世家」分章別卷，實際卻將世家選文合併入卷11〈史記上〉的「本紀」之中。《群書治要》對於《史記》的30世家，除前述〈陳涉世家〉有所差異外，實際只選錄〈齊太公世家〉、〈魯周公世家〉、〈燕召公世家〉、〈宋微子世家〉、〈晉世家〉、〈趙世家〉、〈魏世家〉、〈田敬仲完世家〉8家，扣除《史記》紀錄漢朝的12世家，還有10家未入選。其選用對照表如下表2。

表2　《群書治要》選用《史記》世家對照表

	史記篇目	內容	時代	群書治要		史記篇目	內容	時代	群書治要
1	吳太伯世家	吳國	先秦	x	16	田敬仲完世家	田齊	先秦	選用
2	齊太公世家	齊國	先秦	選用	17	孔子世家	孔子	先秦	x

18 漢．司馬遷：〈殷本紀〉，《史記》，頁100。

19 漢．司馬遷：〈殷本紀〉，《史記》，頁102。

	史記篇目	內容	時代	群書治要		史記篇目	內容	時代	群書治要
3	魯周公世家	魯國	先秦	選用	18	陳涉世家	陳勝	先秦	x
4	燕召公世家	燕國	先秦	選用	19	外戚世家	漢外戚	漢	x
5	管蔡世家	蔡、曹	先秦	x	20	楚元王世家	楚元王	漢	x
6	陳杞世家	陳、杞	先秦	x	21	荊燕世家	荊王、燕王	漢	x
7	衛康叔世家	衛國	先秦	x	22	齊悼惠王世家	齊悼惠王	漢	x
8	宋微子世家	宋國	先秦	選用	23	蕭相國世家	蕭何	漢	x
9	晉世家	晉國	先秦	選用	24	曹相國世家	曹參	漢	x
10	楚世家	楚國	先秦	x	25	留侯世家	張良	漢	x
11	越王勾踐世家	越國	先秦	x	26	陳丞相世家	陳平、王陵、審食其	漢	x
12	鄭世家	鄭國	先秦	x	27	絳侯周勃世家	絳侯周勃	漢	x
13	趙世家	趙國	先秦	選用	28	梁孝王世家	梁孝王	漢	x
14	魏世家	魏國	先秦	選用	29	五宗世家	景帝十三子	漢	x
15	韓世家	韓國	先秦	x	30	三王世家	武帝子	漢	x

從〈外戚世家〉到〈三王世家〉的12篇世家，紀錄漢代諸侯王者。依照前述《群書治要》漢代史事選《漢書》不選《史記》的原則，《史記》紀錄漢以後的12世家，本不會入選。然而，就表3所示，《史記》世家之中，漢代以前，共有18家，扣除前述〈陳涉世家〉外，還有〈吳太伯世家〉、〈管蔡世家〉、〈陳杞世家〉、〈衛康叔世家〉、〈楚世家〉、〈越王勾踐世家〉、〈鄭世家〉、〈韓世家〉、〈孔子世家〉等9家，並未入選。那麼，《群書治要》對於《史記》世家的選擇標準，又是如何呢？欲探討此問題，須先回歸思考《史記》世家獨立成體的意義。司馬遷〈太史公自序〉曰：

> 二十八宿環北辰，三十輻共一轂，運行無窮，輔拂股肱之臣配焉，忠信行道，以奉主上，作三十世家。[20]

20 漢．司馬遷：〈太史公自序〉，《史記》，頁3319。

天上以北極星為中心，四週環有二十八星宿；車輪中心的圓木，以三十支輻條連結之。以天上、人間的事物比擬朝政，君王無法獨立治理國家，必須在忠信股肱之臣的輔佐中，國家治理方能有條不紊。就司馬遷的觀點，上述股肱之臣，對國家盡忠，勞心勞力，因此主上給予侯爵、封地等回饋其衷心，能成世襲之家。因此在《史記》當中，30篇世家未必盡是君王親族，亦有功臣之流，比如蕭何、張良等人。然而，隨著漢初的迫害功臣，後來世家一名，盡被五宗三王等壟斷，則世家一體，逐漸沒有獨立存在之必要，其以股肱之臣輔弼君王的角色功能，逐漸與列傳混搖。因此世家的體例後來在《漢書》中取消，也就在後來廿五史的正史傳統中消失。[21]《群書治要》選《史記》，未有世家之稱，似贊成《漢書》的史觀。然而，實際仍選錄世家文字在卷11之中，而繫以「本紀」篇名。

那麼，在《群書治要》的編纂觀點中，卷11的排序，是依照王跡的時序？還是蘊含司馬遷原本以世家輔佐主上的概念呢？若就時序而言，《群書治要》選齊、魯、燕、宋、晉、趙、魏、田齊等春秋戰國時期的諸侯國事，應與〈秦本紀〉的秦穆公先後，在〈秦始皇本紀〉之前，因此，如果《群書治要》的編輯，是依照時序安排，應當呈現出「秦穆公→春秋戰國諸侯→秦始皇」的次序。然而，就今本《群書治要》的段落觀察，在秦穆公後，下接秦始皇、秦二世、子嬰，而後才是齊桓公等人，則《群書治要》的排序，明顯是依據《史記》先本紀後世家的順序，其中自然當保有司馬遷以世家輔佐主上的理想。

再論《群書治要》選《史記》列傳的部份。《群書治要》選《史記》列傳，集中在卷12之中。《群書治要》選《史記》列傳人物，共管仲、晏嬰、韓非、司馬穰苴、孫武、吳起、甘茂、白起、樂毅、廉頗、趙奢、趙括、李牧、屈原、豫讓、李斯、田叔、公孫儀、優孟、優旃、西門豹[22]等人，分佈在〈管晏列傳〉、〈老子韓非列傳〉、〈司馬穰苴列傳〉、〈孫子吳起列傳〉、〈樗里子甘茂列傳〉、〈白起王翦列傳〉、〈樂毅列傳〉、〈廉頗藺相如列傳〉、〈屈原賈生列傳〉、〈刺客列傳〉、〈李斯列傳〉、〈田叔列傳〉、〈循吏列傳〉、〈酷吏列傳〉[23]、〈滑稽列傳〉幾篇。

應當注意的是，《史記》有所謂合傳、類傳、附傳之別。合傳指將兩人或兩人以上

---

21 廿五史中國歷代的二十五部紀傳體史書的總稱，包括《史記》、《漢書》、《後漢書》、《三國志》、《晉書》、《宋書》、《南齊書》、《梁書》、《陳書》、《魏書》、《北齊書》、《周書》、《隋書》、《南史》、《北史》、《舊唐書》、《新唐書》、《舊五代史》、《新五代史》、《宋史》、《遼史》、《金史》、《元史》、《明史》、《新元史》等二十五部史書，一說以《清史稿》取代《新元史》。廿五史中，僅有司馬遷《史記》和歐陽修《新五代史》有「世家」的編纂體例。

22 〈滑稽列傳〉中西門豹事蹟，非出自司馬遷之筆，而是由褚少孫續補。

23 司馬遷〈酷吏列傳〉全寫漢朝人物，按理說《群書治要》〈史記〉卷的時代斷限為漢以前，不應選入〈酷吏列傳〉。然經筆者比對，《群書治要》選〈循吏列傳〉的公孫儀後，又選〈酷吏列傳〉的「太史公曰」，即司馬遷論贊部份，當欲以酷吏對比循吏，作為主上用人標準的參考。

的人物，因事蹟性質相似，而以相同比例合述，如〈孫子吳起列傳〉、〈屈原賈生列傳〉；類傳則是將諸位同類人物，依照時代先後次序分述於一篇，如〈刺客列傳〉、〈遊俠列傳〉；附傳，則是將同一事蹟的相關人物，在傳主之下附載相關人物的方法，如〈廉頗藺相如列傳〉附記趙奢與趙括。而《群書治要》選用《史記》列傳人物，以分段的形式，直接以人物為「段主」，打破了司馬遷原本列傳各篇類型人物的比重，換言之，原本屬於合傳形式的〈孫子吳起列傳〉，孫武、吳起各成一段；本為合傳的〈廉頗藺相如〉、〈屈原賈生列傳〉，只選廉頗、屈原；而本為類傳的〈刺客列傳〉、〈循吏列傳〉，《群書治要》挑選出豫讓、公孫儀為代表人物。由是可知，《群書治要》的人物選擇，不為《史記》原有框架限制，重新揀選列傳人物序列之。

《史記》的編纂體例五體之中，還有「表」、「書」二項。「表」是將歷史人物以表格的形式，置放於時間軸之中，以救濟紀傳體之不足，與《群書治要》的類書較無關，因而不論。然而，《史記》〈禮書〉、〈樂書〉、〈律書〉、〈歷書〉、〈天官書〉、〈封禪書〉、〈河渠書〉、〈平準書〉的八「書」，是天文、曆法、水利、經濟、文化的專題史。《群書治要》以資鑑為編纂動機，何以未選入《史記》八書呢？事實上，《群書治要》雖未收錄《史記》八書，但是它卻收錄有《漢書》的十志。《群書治要》卷14的內容，就是節選《漢書》十志。《漢書》十志是對《史記》的八書改良，專記典章制度的沿革流變。《漢書》併《史記》的〈禮書〉、〈樂書〉為〈禮樂志〉，改〈平準書〉為〈食貨志〉，改〈封禪書〉為〈郊祀志〉，改〈天官書〉為〈天文志〉，改〈河渠書〉為〈溝洫志〉，並新增〈刑法志〉、〈五行志〉、〈地理志〉、〈藝文志〉四篇。各志內容多為通史，而非不專敘西漢的斷代史。《群書治要》取《漢書》十志，同樣亦取《後漢書》的志。則收「志」而不收「書」，結合上述敘本紀、列傳，而不論另稱世家，則《群書治要》的收錄體例，當以《漢書》以降，包括本紀、列傳、志，作為史書體例的定本。而魏徵等人另編著的《隋書》，亦為帝紀、列傳、志的形式。

除了五體之外，《史記》還有一個重要體例，就是「太史公曰」的論贊體。《群書治要》選《史記》人物，作為帝王資鑑之參考。照理說，不一定要選入司馬遷論贊的部份。然而，就今本《群書治要》來看，其對於《史記》的論贊卻是常有選入的狀況。具體發生在〈秦始皇本紀〉、〈管晏列傳〉、〈循吏列傳〉、〈酷吏列傳〉幾篇。

〈秦始皇本紀〉的論贊，《史記》節選賈誼《過秦論》部份文字，以述代作。漢初本有過秦宣漢的思想風潮，《史記》以通古今之變為寫作動機，對於漢代前朝的秦代，也有相當程度的批判。《群書治要》選秦朝君主秦始皇、二世、子嬰三人，在子嬰的段落之後，也同時將《史記》引〈過秦論〉的論贊選入，以此可見二書對於將秦朝興起到覆滅的過程，作為當代借鑒的意義，所見略同。除了〈秦始皇本紀〉的論贊外，《群書治要》還選入〈管晏列傳〉晏嬰一段論贊，並且改寫之，其曰：

> 太史公曰：吾讀《晏子春秋》，詳哉其言之也。至其諫說犯君之顏，此所謂進思盡忠，退思補過者哉。[24]

《群書治要》這段引文，其實經過改寫，《史記．管晏列傳》論贊的原文本先論管仲，再述晏嬰。論管仲一段，在說《管子》一書，世多有之，因此司馬遷多記軼事的編寫原則。[25]述晏嬰一節，曰：

> 方晏子伏莊公尸哭之，成禮然後去，豈所謂「見義不為無勇」者邪？至其諫說，犯君之顏，此所謂「進思盡忠，退思補過」者哉！假令晏子而在，余雖為之執鞭，所忻慕焉。[26]

司馬遷先述晏嬰伏莊公尸哭之，成禮然後去的事件，然後就晏嬰敢犯顏直諫的態度，予以褒揚。最後司馬遷以越石父為喻，希望為晏子執鞭，以表達己身忻慕之情作結。比較《群書治要》和《史記．管晏列傳》的論贊，不難發現，《群書治要》先擷取《史記》論贊中的史料來源，刪除《管子》，保留「吾讀《晏子春秋》」的紀錄；然後晏嬰敢犯顏直諫的美德，而將其伏莊公尸哭之，以及司馬遷的忻慕之情，全數刪去。則知《群書治要》的取捨標準，在強調人臣犯顏直諫的臣道，至於司馬遷個人的情感，並不在其考慮範圍之中。

《群書治要》對於《史記》論贊的引用，還有〈循吏列傳〉、〈酷吏列傳〉的論贊二段，司馬遷〈循吏列傳〉、〈酷吏列傳〉本是可以互見的一組文字，因此在此一併討論。《史記》選先秦孫叔敖、子產、公儀休、石奢、李離五人，撰成〈循吏列傳〉，又取西漢侯封、鼂錯、郅都、寧成、周陽由、趙禹、張湯、義縱、王溫舒、尹齊、楊僕、減宣、杜周等十三人，作為〈酷吏列傳〉的代表人物，藉以表明主上如果有德行，則治民當可薄刑，何必酷吏。並透過先秦循吏輩出，西漢卻酷吏多有，則諷喻武帝喜用酷吏，讓「百姓不安其生，群臣震懾，宗室側目，郡中無聲，不寒而慄」。[27]太史公的諷喻之心，在〈循吏列傳〉、〈酷吏列傳〉的篇章對比中，昭然若揭。而《群書治要》選〈循吏列傳〉，引原書「太史公曰：法令，所以導民也。刑罰，所以禁奸也。文武不備，良民懼然身修者，官未嘗亂也。奉職循理，亦可以為治，何必威嚴哉」之語，下以公孫儀奉法循理為例正，說明為官之道；有趣的是，《群書治要》在寫完公孫儀的循吏事蹟後，

---

24 唐．魏徵等奉敕編：《群書治要》，卷12，頁155。

25 〈管晏列傳〉：「太史公曰：吾讀管氏〈牧民〉、〈山高〉、〈乘馬〉、〈輕重〉、〈九府〉，及《晏子春秋》，詳哉其言之也。既見其著書，欲觀其行事，故次其傳。至其書，世多有之，是以不論，論其軼事。管仲世所謂賢臣，然孔子小之。豈以為周道衰微，桓公既賢，而不勉之至王，乃稱霸哉？語曰『將順其美，匡救其惡，故上下能相親也』。豈管仲之謂乎？」漢．司馬遷：《史記》，頁2136。

26 漢．司馬遷：《史記》，頁2136。

27 清．李晚芳：〈酷吏列傳〉，《讀史管見》（北京：商務印書館，2016），卷3，頁215。

後段逕自以〈酷吏列傳〉的論贊接起。因〈酷吏列傳〉人物皆為西漢之人，與《群書治要》選《史記》以先秦為時代斷限的標準相違背，因此並無人物舉例。然而，儘管無法舉例，《群書治要》仍然選入〈酷吏列傳〉的論贊，可知選文之人，當知〈循吏列傳〉與〈酷吏列傳〉本是一組文字，當互文對看的意義。則欲本資鑑主上，提供治要參考的編纂動機，因此仍舊選入〈酷吏列傳〉的論贊文字。

相較於《史記》的「太史公曰」，《群書治要》對於《漢書》的「贊曰」，選入僅出現一次評價公孫弘的部份。[28]則知儘管《群書治要》對於正史的體例，以「本紀」、「列傳」、「志」分章節，較傾向《漢書》修正《史記》後的版本。然而，在論贊的選用方面，《群書治要》卻明顯向《史記》的「太史公曰」傾斜。換言之，在借古喻今的理念上，《群書治要》明顯受司馬遷「通古今之變」的影響較深遠。

三　《群書治要》對《史記》的再造

《群書治要》是初唐以資鑑治要所需，揀選群書而成的集成之作。對於《史記》的選擇與剪裁，體現了中國史書從西漢半私史性質，逐漸過度到官修定制的過程。二者雖皆有資鑑當代的意義，然而卻因為編纂動機與外在條件的差異，而呈現出不同的史觀與風格。換言之，《群書治要》乃透過剪裁，對《史記》進行詮釋與再造。

（一）《群書治要》刪除的太史公基調

《群書治要》除了選材之外，對於文字也是有一定的刪修，那麼，其刪修的原則為何？筆者整理《史記．周本紀》記載西周各君王次序列表，依照司馬遷所用字數製成比例圖如表3（見頁242），發現《群書治要》刪節筆力與原文字數正相關。

前已說明，《群書治要》論周代君王，集中在西周的部份。而西周君王中，主要記述后稷、武王、穆王、厲王、幽王五位。《群書治要》的選擇，正好就是《史記．周本紀》紀錄君王所用篇幅較多者。換言之，《群書治要》在刪節原文時，當是將紀錄較少、無特別資鑑價值的君王及其事件刪除；而對於原文篇幅較多、資料較豐富的君王，再二次刪選，如具有「治要」資鑑意義者即收入《群書治要》，反之，如資鑑意義不大的，就刪除。在這樣的刪節原則之下，便造成《群書治要中》人物紀錄與原文篇幅成正相關的關係。

---

28 唐．魏徵等奉敕編：〈漢書六〉，《群書治要》，頁229。

表3　《史記·周本紀》西周王列表

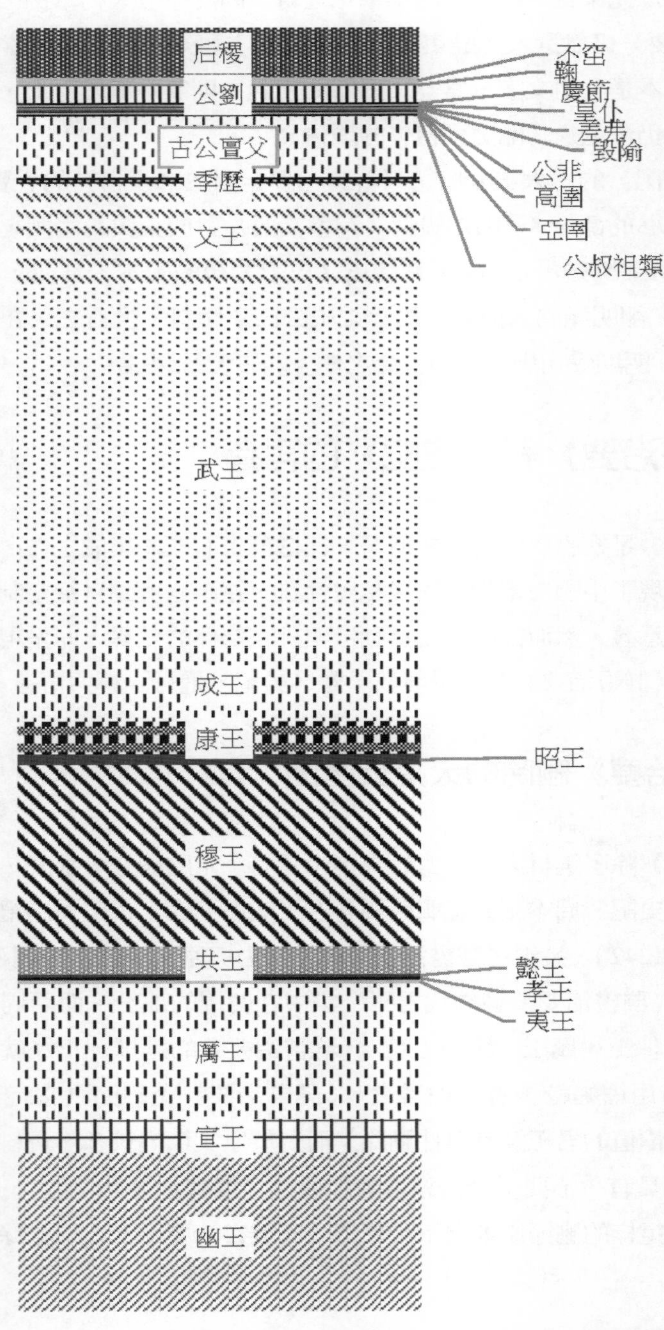

然而，《群書治要》對於被選入的《史記》人物，並非完全的全文收錄，其中經過文字的刪修。刪削的標準，不僅僅只是精簡原文篇幅，更重要的，還因為資鑑的標準，刪去了與之較不相關的「好奇」與「士不遇」兩類文字，而上述這兩類文字，正是《史

記》呈現「無韻之離騷」[29]的太史公個人基調文字。換言之，《群書治要》在資鑑治道的主導下，太史公「好奇」、「士不遇」的個人基調敘述，由於文字的刪削，相對弱化了許多。

1 刪去「好奇」的傳說

司馬貞〈史記索隱後序〉：「太史公紀事，上始軒轅，下訖天漢，雖博採古文及傳記諸子，其閒殘闕蓋多，或旁搜異聞以成其說，然其人好奇而詞省，故事覈而文微，是以後之學者多所未究。」[30]史公好奇，喜在撰史之時，加入傳聞軼事，讓歷史事件的記述充滿傳說故事的趣味性。而這樣好奇的傾向，尤其在紀錄上古君王時，大量的呈現：

> 堯乃賜舜絺衣，與琴，為筑倉廩，予牛羊。瞽叟尚復欲殺之，使舜上涂廩，瞽叟從下縱火焚廩。舜乃以兩笠自捍而下，去，得不死。後瞽叟又使舜穿井，舜穿井為匿空旁出。舜既入深，瞽叟與象共下土實井，舜從匿空出，去。瞽叟、象喜，以舜為已死。象曰：「本謀者象。」象與其父母分，於是曰：「舜妻堯二女，與琴，象取之。牛羊倉廩予父母。」象乃止舜宮居，鼓其琴。舜往見之。象鄂不懌，曰：「我思舜正鬱陶！」舜曰：「然，爾其庶矣！」舜復事瞽叟愛弟彌謹。[31]
>
> 殷契，母曰簡狄，有娀氏之女，為帝嚳次妃。三人行浴，見玄鳥墮其卵，簡狄取吞之，因孕生契。[32]
>
> 周后稷，名棄。其母有邰氏女，曰姜原。姜原為帝嚳元妃。姜原出野，見巨人跡，心忻然說，欲踐之，踐之而身動如孕者。居期而生子，以為不祥，棄之隘巷，馬牛過者皆辟不踐；徙置之林中，適會山林多人，遷之；而棄渠中冰上，飛鳥以其翼覆薦之。姜原以為神，遂收養長之。[33]

司馬遷寫舜、湯、后稷等人出生、事蹟時，多採傳說異聞。舜不得父親瞽叟、繼母及繼弟之心，瞽叟縱火焚廩、下土實井，幾次害之，舜卻從天而降、穿井而出，每每奇蹟似的化險為夷。殷人祖先契、周人祖先后稷，二人的出生，皆為神蹟。司馬遷採集傳說軼事，加入史書，固然增添了許多閱讀的興味，但同時也與信史的概念相悖，致使歷來文人在閱讀《史記》中這類傳說的記載時，多有所批評。蘇轍曰：「司馬遷作《史記》，記五帝三代，不務推本《詩》、《書》、《春秋》，而以世俗雜說亂之。」[34]蘇轍批評司馬遷

---

29 魯迅：《漢文學史綱》（臺北：風雲時代出版社，1990），頁158。

30 漢・司馬遷撰，唐・司馬貞索隱：〈史記索隱後序〉，《史記》，頁9。

31 漢・司馬遷：〈五帝本紀〉，《史記》，頁34。

32 漢・司馬遷：〈殷本紀〉，《史記》，頁91。

33 漢・司馬遷：〈周本紀〉，《史記》，頁111。

34 宋・蘇轍：《欒城後集・潁濱遺老傳上》，收入《文淵閣四庫全書》集部第51冊（臺北：臺灣商務印

述三代，不以經書的紀錄為本，混入民間傳說，違背了史書述真的規則，因而作《古史》以辨之。牛運震亦云：「白魚躍舟，赤烏覆屋，此偽〈泰誓〉之訛，似不足載。」[35]亦認為司馬遷取材不當，引用失真，致使在史書中雜入傳說。關於史公好奇夾入傳說的問題，《群書治要》的編修文人群，應也有類似的看法，因此在引用〈五帝本紀〉、〈殷本紀〉、〈周本紀〉時，皆將上述怪誕的傳說刪去，而只保留信史的部份。而同樣的問題也呈現在〈秦始皇本紀〉的引用上，對於《史記》刻意在〈秦始皇本紀〉、〈呂不韋列傳〉中暗示呂不韋是秦始皇生父的傳聞[36]，直接刪除，而以「秦始皇帝，莊襄王子也。」[37]一錘定音。由是可知，《群書治要》對《史記》的刪節標準，首先是根據信史的原則，將因史公愛奇、好奇的傳說軼事，逕自刪除。側重保留君王治國的種種事蹟，強調其可供資鑑的部份。

2 刪節「士不遇」的引文

《史記》的歷史敘事，除了司馬遷自作者外，有時也借用古語俗諺，引用他人論著，以己意出之，為借襲之法。[38]司馬遷對引文之安排，獨具匠心。有時，寄託己身遭遇之感，如〈屈原賈生列傳〉引屈原之〈懷沙〉、〈漁父〉、賈誼之〈弔屈原賦〉、〈鵩鳥賦〉，〈老子韓非列傳〉引韓非〈說難〉，〈魯仲連鄒陽列傳〉的魯仲連〈遺燕將書〉、鄒陽〈獄中上梁王書〉，〈樂毅列傳〉引樂毅〈報燕王書〉即為此例。

《群書治要》是采輯古籍記載的類書，對於《史記》的引文，文字敘事當以精簡為上。今本《群書治要》所選人物，涉及《史記》原文即有借襲引用文字者，筆者製表如下表4（見頁245）。

書館，1983），卷12，頁684。

35 清・牛運震：〈史記・周本紀〉，《讀史糾繆》（北京：中華書局，2012），卷1，頁878。

36 《史記・秦始皇本紀》：「秦始皇帝者，秦莊襄王子也。莊襄王為秦質子於趙，見呂不韋姬，悅而取之，生始皇。」《史記・呂不韋列傳》：「呂不韋取邯鄲諸姬絕好善舞者與居，知有身。子楚從不韋飲，見而說之，因起為壽，請之。呂不韋怒，念業已破家為子楚，欲以釣奇，乃遂獻其姬。姬自匿有身，至大期時，生子政。子楚遂立姬為夫人。」漢・司馬遷：《史記》，頁223、2508。

37 唐・魏徵等奉敕編：《群書治要》，頁145。

38 郭紹虞：《學文示例》（臺北：明文書局，1986），頁6。

表4　《群書治要》對《史記》引文處理說明表

	人物	《史記》出處	引用文本	《群書治要》處理方式
1	禹	夏本紀	《尚書・禹貢》	刪除
2	秦始皇、二世、子嬰	秦始皇本紀	賈誼〈過秦論〉	保留
3	樂毅	樂毅列傳	樂毅〈報燕惠王書〉	刪除
4	屈原	屈原賈生列傳	屈原〈懷沙〉、〈漁父〉	刪除

《史記・夏本紀》載大禹功績，引《尚書・禹貢》對於天下九州範圍、山脈、河流、土壤、物產、貢賦、部族、地理等情況，進行描述，藉以說明舜禪讓與禹，實至名歸。《史記・秦始皇本紀》引賈誼〈過秦論〉取代論贊，作為太史公過秦宣漢的評價。《史記・樂毅列傳》載樂毅〈報燕惠王書〉，說明樂毅在受齊人反間，去燕奔趙後的心路歷程。《史記・屈原列傳》，引用屈原〈懷沙〉、〈漁父〉，表其出處之節與絕命之詞。[39]《史記》引用他說，綴補成文。《群書治要》取用《史記》，或刪除，或保留，其中取決標準，可見其史觀。

上表4中的人物之中，《群書治要》對於刪除《尚書・禹貢》，以及保留〈過秦論〉的部份最單純。《群書治要》卷2即為《尚書》，在此不必重複，因此刪除《尚書・禹貢》對於禹的紀錄，僅為篇幅瘦身而成。然而，其於記述秦始皇、二世、子嬰三位君王之後，另起一段，收錄《史記・秦始皇本紀》論贊引用的〈過秦論〉，刪節少部份文字，則顯示〈過秦論〉的文字，對於「治要」之道極為重要，因而保留。

那麼，《群書治要》刪除〈樂毅列傳〉引樂毅〈報燕惠王書〉，以及〈屈原賈生列傳〉引屈原〈懷沙〉、〈漁父〉，又有何涵義？前已說明，《史記》引文，有時以寄託己身遭遇之感為特色，借他人酒杯，澆自我胸中之塊壘，透過引文的方法，相互輝映。〈樂毅列傳〉引樂毅〈報燕惠王書〉，〈屈原賈生列傳〉引屈原〈懷沙〉、〈漁父〉，皆屬此例。〈樂毅列傳〉以〈報燕王書〉為正文，以蹤跡移徙為章法，備敘其家世遷流靡定之跡，與其入燕去燕兩大節目，取書辭作正文[40]，則〈樂毅列傳〉之寫作，目的在於引出樂毅之〈報燕王書〉。樂毅〈報燕王書〉，通篇稱「先王」者15次，說明君臣遇合之情。太史公引樂毅之〈報燕王書〉，凸顯君臣相與之分際，而能藉以感自我之身世。同樣的道理，也在〈屈原賈生列傳〉的引文引用中呈現，李晚芳曰：「司馬遷作〈屈原傳〉，是

---

39 明・凌雅隆輯校，日・有井範平補標：〈屈原賈生列傳〉，《史記評林》（臺北：地球出版社，1992），「引吳其賢語」，頁2080。

40 清・湯諧：〈樂毅列傳〉，《史記半解》（北京：商務印書館，2013），頁181。

自抒其一肚皮憤懣牢騷之氣，滿紙俱是怨辭。」[41]司馬遷隱屈原〈懷沙〉、〈漁父〉，在以屈原忠而被謗的情志，抒發己身因李陵案牽連，親朋莫救，身受宮刑，發憤著書的憤懣之情。這種「士不遇」的基調，是司馬遷《史記》史蘊詩心，被譽為「無韻之〈離騷〉」[42]的關鍵。然而，在《群書治要》以資鑑治要為目的的選文標準看來，作者個人情志的展現，並非選錄的要項；換言之，史家個人情志的展演，並不具備有資鑑的價值。因此上述〈樂毅列傳〉的〈報燕惠王書〉，〈屈原賈生列傳〉的〈懷沙〉和〈漁父〉，在今本《群書治要》的段落中，盡數刪去。

因此，就《群書治要》對《史記》刪去傳說和部份引文的條目觀察，即可得知其所刪除者，在司馬遷「好奇」、「士不遇」等個人情志的發揮。《群書治要》所保留者，堅守「治要」、「資鑑」為準則，非能資鑑於主上者不書。因此就「通古今之變」的借古喻今而言，《群書治要》對《史記》的刪節，有重點強化的意義，然就「成一家之言」的著述旨趣，尤其是司馬遷個人情志表達方面，則是弱化了許多。

（二）《群書治要》體現的史觀轉型

《群書治要》對於《史記》的剪裁，體現出該書對於《史記》史觀的轉型。具體呈現於本紀注重正統，以及合併世家、列傳二體，以輔弼主上兩方面。

1 本紀對於正統觀的詮釋

《群書治要》選《史記》本紀，除了呼應司馬遷「原始察終，見盛觀衰」的著書旨趣外，還展現了明確的正統觀，我們可以從《群書治要》對於周朝的時代斷限，以及項羽在本紀中的定位觀察。

《群書治要》對於周朝的時代斷限，明顯和《史記・周本紀》不同。《史記・周本紀》追溯周朝先祖后稷以降的世系，紀錄周文王到周慎靚王共三十七位東西周君王。而《群書治要》選周朝君主，主述后稷、武王、穆王、厲王、幽王等五人。幽王以下的東周天子，全部略過。在司馬遷筆下，紀錄了東周包括子穨之亂、鄭伐滑、晉文公召襄王於河陽、楚王問鼎、子朝子猛之爭兄弟之爭、秦借道兩周之間等事件，顯示天子威信在一次次事件中，逐漸大權旁落。司馬遷集中書寫這些事件，顯現周王朝大廈傾頹的漸變。但《群書治要》的史觀，將幽王後的東周時期諸君，全部略過，直接下接〈秦本紀〉的秦繆公，明顯在「見盛觀衰」的盛衰之間，有側重紀錄大一統政權、向成功者資鑑的傾向。

---

41 清・李晚芳：〈屈原賈生列傳〉，《讀史管見》，卷2，頁147。

42 魯迅：《漢文學史綱》，頁158。

如何證明《群書治要》的這種思維？我們還可以從項羽在《群書治要》中被隱去的方向思考。《史記》以本紀紀錄「王跡所興」，在〈秦始皇本紀〉之後，以〈項羽本紀〉接續，以展現秦末亂世，楚漢相爭局面中，實以項羽為天下共主，因此入本紀。班彪對於司馬遷這樣的史觀，有所批評：

> 進項羽、陳涉，而黜淮南、衡山，細意委曲，條例不經。[43]

按理而言，項羽、陳涉二人，雖擁兵自重，卻未能建立王朝，因此就歷史規律而言，只是地方割據的勢力，應以列傳紀錄；而淮南王、衡山王，受封為漢朝的諸侯王，當入世家，而非列傳。然而，在司馬遷的史觀而言，項羽是楚漢相爭期間，真正天下的共主；陳涉雖身死事敗，但秦末群雄揭竿起義，皆由陳涉首事，而「高祖時為陳涉置守冢三十家碭，至今血食」[44]，在漢武帝時，仍保有專門祭祀陳涉的制度，因此司馬遷就世襲的角度觀察，陳涉當入世家。班彪此語，意謂司馬遷將項羽入本紀，陳涉入世家，卻把淮南王、衡山王等諸侯王以列傳敘之，違背了史書體例。

筆者將《史記》、《漢書》、《群書治要》對於項羽、陳涉二人，編纂體例的差異製成表5。《漢書》改《史記》對於項羽、陳涉的安排，原本在本紀中的項羽，被下放到列傳之中。《群書治要》卷11、12為《史記》，卷13雖已亡佚，但根據卷14標題為〈漢書二〉，即可推測卷13當為〈漢書一〉的內容。考《群書治要》卷14，以《漢書．禮樂志》開端，以《漢書．藝文志》結尾。卷15〈漢書三〉則跳過《漢書》〈陳勝項籍傳〉、〈張耳陳餘傳〉、〈魏豹田儋韓王信傳〉三篇，直接始於〈韓彭英盧吳傳〉韓信的條目。則可推知，《群書治要》選《漢書》，即便因亡佚卷13，致使未能得見其全部選文，但仍可就《漢書》原書目次與《群書治要》現有內容，推論可得《群書治要》未收入項羽、陳涉的事蹟。而從《史記》、《漢書》、《群書治要》三書對於二人編纂體例的差異，即能從中觀察其史觀的不同。

表5　《史》《漢》《群書治要》項羽、陳涉體例比較表

	人物	《史記》	《漢書》	《群書治要》
1	項羽	本紀	列傳	未選入
2	陳涉	世家	列傳	未選入

43 劉宋．范曄：〈班彪列傳〉，《後漢書》（臺北：鼎文書局，1978），卷40上，頁1327。

44 漢．司馬遷：〈陳涉世家〉，《史記》，頁1961。

2 合併世家與列傳的輔弼思想

《史記》設世家之體，以輔弼主上。《群書治要》雖因襲《漢書》的體例，未保留世家的名稱，卻實際收錄有《史記》世家內容於該書卷11之中。而我們就《群書治要》對《世家》的選用段落觀察，可以更進一步得知《群書治要》落實《史記》以世家輔佐主上的理念。

《群書治要》擷取〈齊太公世家〉中管仲輔佐齊桓公事；〈魯周公世家〉則取周公輔佐周天子，與宣王一意孤行立懿公，導致魯國內亂，宣王亦自食「諸侯多叛王命」的惡果；〈燕召公世家〉寫燕昭王卑身厚幣，以招賢者，讓良將謀士爭趨燕，燕國國力大盛一事；〈宋微子世家〉寫紂王不聽箕子、比干的勸諫，紂之庶兄微子開因義去之的對話；〈晉世家〉寫周成王君無戲言，封唐叔虞於晉之事；〈趙世家〉則選趙烈侯與公仲相處，公仲因勢利導，讓趙烈侯起用賢才的故事。〈魏世家〉選魏文侯問李克丞相人選，李克以「居視其所親，富視其所與，達視其所舉，窮視其所不為，貧視其所不取」的標準告誡魏文侯，再透過李克與翟璜的對話，強調人臣不能結黨營私，「比周以求大官」的道理；而〈田敬仲完世家〉，則選齊威王以即墨、阿城大夫為例，治理國政讓臣下不敢文過飾非，又選威王與魏王畋獵時對話，說明國之重寶在人才。從上述段落歸納，不難發現，《群書治要》選用《史記》世家篇章，注重梳理《史記》世家中的君臣互動，因此選文之中，皆側重在為君之道、人臣之道的記載。則太史公欲以世家輔弼主上的理想，落實到《群書治要》中，去蕪存菁，被強化了出來，雖無世家之名，但實有其實。

《史記》世家「輔弼主上」的概念，被《群書治要》繼承。同時，此觀念也轉化成《群書治要》列傳人物選擇的基調。

司馬遷列傳人物的選擇，原本與「輔弼主上」的概念，有所不同。司馬遷欲在兩千多年間的人物中，選出數十人以列傳書之，其選擇的標準與眼光，為〈太史公自序〉中所言：

> 扶義俶儻，不令己失時，立功名於天下，作七十列傳。[45]

匡扶正義，與眾不同，掌握時機，建功立業，此為太史公列傳人物揀選之標準。其〈報任安書〉亦云：「古者富貴而名摩滅，不可勝記，唯俶儻非常之人稱焉。」[46]可知太史公所謂「扶義俶儻」，並不以功名富貴為基準。湯諧曰：「古今人物，不管窮通壽夭，皆不可使之湮沒無傳，此列傳之作，尤所以紹法孔子，而表彰仁賢也。」列傳載筆的動機，為「扶義俶儻」，而世家是「以奉主上」的股肱世襲之家為主[47]，因此就司馬遷的觀點，世家輔佐君王的功能大於列傳。而由於司馬遷列傳的人物設定，與朝廷的距離較

45 漢・司馬遷：〈太史公自序〉，《史記》，頁3319。

46 漢・司馬遷：〈報任安書〉，收入梁・蕭統：《文選》，卷41，頁592。

47 清・湯諧：〈伯夷列傳〉，《史記半解》，卷2，頁141。

遠，因此《史記》列傳，以伯夷發端，除歷史上知名的文臣武將外，還紀錄有刺客、遊俠、滑稽、龜策、貨殖等多種主題的人物，成為《史記》中生動豐富的眾生相。

然而，這樣的取材眼光，雖然獲得歷來文章家的好評，但不為後來史家所喜，而招致批評：

> 其是非頗繆于聖人，論大道而先黃、老而後六經，序遊俠則退處士而進奸雄，述貨殖則崇勢利而羞賤貧，此其所蔽也。[48]

〈太史公自序〉「論六家要旨」曰：「儒者博而寡要，勞而少功。……道家使人精神專一，動合無形，贍足萬物。其為術也，因陰陽之大順，采儒墨之善，撮名法之要，與時遷移，應物變化，立俗施事，無所不宜，指約而易操，事少而功多。」[49]此段文字出於司馬談。司馬談評價陰陽、儒、墨、名、法、道德各家思想，認為道家兼具各家之長，而無各家的缺點，傾向黃老之術。因此班固認為《史記》「論大道而先黃、老而後六經」。然而筆者以為，班固此說其實還有待商榷。因為儘管就列傳篇目編次而言，《史記》先紀錄伯夷、叔齊與老、莊、申、韓等人，再論仲尼弟子、孟子、荀卿等人，確實有「先黃、老而後六經」的傾向，然而司馬遷極度推崇孔子，紀錄孔子以世家之稱，並且於《史記》行文間，屢屢提及孔子，其述史的原則，更以「不離古文者」[50]、「考信於六藝」為依歸。[51]再看班固所說「序遊俠則退處士而進奸雄，述貨殖則崇勢利而羞賤貧」的缺點，意指司馬遷將歌頌刺客、遊俠、貨殖之輩，不合於道統。筆者以為此點正反應了從《史記》到《漢書》，中國史學逐漸趨向官修定制的過程。司馬遷以「扶義俶儻」為列傳取材標準，而非世家的「以奉主上」；而《漢書》之後，取消世家之體，併入列傳，因此列傳取材便從原本「扶義俶儻」的理想，加入「以奉主上」的理念，前者逐步被後者取代，以原本世家所收股肱之臣作為列傳人物的新標準。發展到唐朝，中國史學已成熟定型，官修正史不再有世家之稱，而全以列傳稱名。故劉知幾釋列傳，認為「列事者，錄人臣之行狀，猶《春秋》之傳。《春秋》則傳以解經，《史》、《漢》則傳以釋紀。」[52]逕自以人臣行狀概括之。並且列傳是依附本紀而來，如同《春秋》傳以解經，史書是傳以釋紀。[53]由是可知，列傳的功能在唐代已轉型成紀錄輔弼君主的功臣良

---

48 漢・班固：〈司馬遷傳贊〉，《漢書》（臺北：鼎文書局，1983），頁2738。

49 漢・司馬遷：〈太史公自序〉，《史記》，頁3289。

50 漢・司馬遷：〈五帝本紀〉，《史記》，頁46。

51 漢・司馬遷：〈伯夷列傳〉，《史記》，頁2121。

52 唐・劉知幾：〈列傳第六〉，《史通》（北京：商務印書館，2005），頁207。

53 「司馬氏父子因校書秘閣，選擇了傳以釋經的經傳關係，轉變為本紀和列傳的歷史解釋，並以此為基礎探討古今之變的歷史因果關係，因此，中國上古學術的發展，超越過去經傳解釋『古今之義』的探討，轉變為歷史『古今之變』的尋求。」逯耀東：〈《史記》列傳及其與本紀的關係〉，《臺大歷史學報》20（1996.11），頁379-405。

將，人臣行狀，削弱了《史記》原先的設定。

我們進一步檢視同樣編修於唐朝的《群書治要》，其對於《史記》列傳人物的選擇。《群書治要》選《史記》列傳人物，主要可以分為武將與文臣二類22人。武將包括司馬穰苴、孫武、吳起、甘茂、白起、樂毅、廉頗、趙奢、趙括、李牧、豫讓11位；文臣則有管仲、晏嬰、韓非、藺相如、屈原、李斯、田叔、公孫儀、優孟、優旃、西門豹11位。文武比重相當，選材經過設計。在上述人物之中，除了〈刺客列傳〉的豫讓外，其餘人物皆是名臣名將，事蹟皆與朝政息息相關。《史記》寫豫讓為智伯復仇，以「士為知己者死」[54]發誓，進而刺殺襄子，拔劍三躍而擊之，最終伏劍自殺。而《群書治要》寫豫讓，刪除《史記》中豫讓誓言，以及其刺殺細節，保留了「（智伯）國士遇我，我故國士報之」[55]的對話。這樣的刪改方向，實際將司馬遷原本強調「士為知己者死」的人際通則，限縮往君臣之義。

故總體來說，《群書治要》卷12記《史記》文臣武將，皆是在史觀轉型後，以原本《史記》世家「以奉主上」的角度，成為列傳鋪寫人物的新標準，以提供君主治要之借鑒。換言之，列傳一體，從原本的「扶義倜儻」，成為「輔弼主上」，而與世家之體的功能合而為一。則今日所見《群書治要・史記》二卷，便形成了以本紀寫君道，列傳記臣道的體例。

四　餘論：從「一家言」到「治要」之書

司馬遷以「究天人之際，通古今之變，成一家之言」的著書旨趣，參考百種古代典籍，分本紀、世家、列傳、表、書五體，外加論贊，透過歷史人物、事件、制度的梳理，擘畫出心中的理想國。希望能夠透過歷史的整理，「厥協六經異傳，整齊百家雜語，藏之名山，副在京師，俟後世聖人君子」。[56]《群書治要》則是唐太宗飭令魏徵等人，以「採摭群書，翦截浮放，光昭訓典，聖思所存，務乎政術，綴敘大略」為目標，以刪修經、史、子相關典籍，擷取可資鑑治道者，合纂成編。因此，就二者纂修動機而言，皆有以古喻今的理想寄託，當能比較其異同。本文就《群書治要》節選《史記》的篇目、人物、體例，以及刪節模組進行分析，探討《群書治要》對《史記》的再造特色及價值，而獲得以下幾點心得：

首先，《史記》本紀注重觀察政權的「原始察終」、「見盛觀衰」，重視開端、轉捩點、覆滅三段時期。《群書治要》對於本紀君王選擇，繼承《史記》之精神，強調居安

---

54 「士為知己者死，女為說己者容，今智伯知我，我必為報讎而死以報智伯，則吾魂魄不愧矣。」漢・司馬遷：〈刺客列傳〉，《史記》，頁2519。

55 漢・司馬遷：〈刺客列傳〉，《史記》，頁2519。

56 漢・司馬遷：〈太史公自序〉，《史記》，頁3320。

思危對於為君之道的重要。同時，修正了《史記》本紀對「王跡所興」的看法。西周之後，以秦穆公接續，省略東周諸天子。略去項羽，強調大一統的正統觀。漢代以後帝王，《群書治要》以《漢書》為正宗，故《群書治要》對《史記》本紀所選，上起〈五帝本紀〉，下迄〈秦始皇本紀〉。

其次，《群書治要》對於《史記》世家的取捨，未以「世家」分章別卷，實際將世家選文併入卷11「本紀」之中。其選文落實太史公以世家輔弼主上的理想，雖無世家之名，但實有其實。

復次，《群書治要》選《史記》列傳文臣武將各11人，弱化《史記》原本對列傳「扶義倜儻」的特質設計，轉為強調君臣關係。這樣的現象，正體現了中國史學從西漢到唐代，將世家輔弼主上功能併入列傳的轉向。

再次，《群書治要》〈史記〉卷不收八書，〈漢書〉卷卻有十志，可推得《群書治要》的收錄體例，當以《漢書》以降，包括本紀、列傳、志，作為史書體例的定本。

還有，《群書治要》對於《史記》論贊的引用，過秦宣漢，借古喻今。引述太史公對〈管晏列傳〉、〈循吏列傳〉、〈酷吏列傳〉的評論，強調人臣之道。相形之下，《群書治要》引《漢書》論贊僅有一次，可見《群書治要》的編纂，體例上雖然傾向《漢書》，但在論贊的觀念上，卻受《史記》「太史公曰」影響較深。

最後，歸納《群書治要》對《史記》的再造，筆者發現《群書治要》刪節筆力與原文字數正相關。其再造方法有三：刪除司馬遷「好奇」、「士不遇」等個人情志發揮；強化政權的正統觀；以及合併世家列傳二體，同以輔弼標準選材。由是可知，《群書治要》刪去司馬遷「成一家言」的個人情志，強化了「治要」、「資鑑」為標準的君臣之道。

總體而言，從《史記》到《漢書》，是中國史學從半私史走向官修的轉折。在《漢書》以後，史官個人史識、史觀的發揮空間，逐漸被侷限規範，由撰述轉向記注。《群書治要》以資鑑治道為目的，對《史記》的取捨，是史觀異同的證據，體現了史學思想轉型的意義。類書編撰盛行於唐宋兩代，除了《群書治要》以外，著名類書還有《北堂書鈔》、《藝文類聚》、《太平御覽》、《初學記》等相繼付梓。那麼，《史記》的史觀在其他類書中又是如何的呈現？各部類書之間，更有交叉比對，進行比較研究的空間。則類書一體，實際仍有許多後續研究的空間，可待持續開發相關論題。

徵引文獻

一　原典文獻

漢・司馬遷：《史記》，北京：中華書局，1982。

漢・班　固：《漢書》，臺北：鼎文書局，1983。

劉宋・范　曄：《後漢書》，臺北：鼎文書局，1978。

梁・蕭　統：《文選》，臺北：藝文印書館，1991。

唐・吳　兢：《貞觀政要》，上海：上海書店，1984。

唐・劉知幾：《史通》，北京：商務印書館，2005。

唐・劉　肅：《大唐新語》，北京：中華書局，1985。

唐・魏徵等奉敕編：《群書治要》，臺北：臺灣商務印書館，1967。

宋・蘇　轍：《欒城後集》，收入《文淵閣四庫全書》集部第51冊，臺北：臺灣商務印書館，1983。

明・凌雅隆輯校，〔日〕有井範平補標：《史記評林》，臺北：地球出版社，1992。

清・牛運震：《史記評注》，北京：中華書局，2012。

清・牛運震：《讀史糾繆》，北京：中華書局，2012。

清・李晚芳：《讀史管見》，北京：商務印書館，2016。

清・紀昀總纂：《四庫全書總目提要》，石家莊：河北人民出版社，2000。

清・湯　諧：《史記半解》，北京：商務印書館，2013。

清・趙　翼：《廿二史劄記》，北京：中華書局，1985。

二　近人論著

王文暉：〈從古寫本《群書治要》看通行本《孔子家語》存在的問題〉，《中國典籍與文化》4（2018.10），頁113-119。

何志華、朱國藩、潘銘基：《唐宋類書徵引《史記》資料彙編》，香港：香港中文大學出版社，2013。

吳金華：〈略談日本古寫本《群書治要》的文獻學價值〉，《文獻》3（2003.7），頁118-127。

呂世浩：《從《史記》到《漢書》：轉折過程與歷史意義》，臺北：臺灣大學出版社，2009。

阮芝生：〈論史記五體及「太史公曰」的述與作〉，《臺大歷史學報》6（1979.12），頁17-43。

林秀一、陸明波、刁小龍：〈《孝經》鄭注輯佚及刊行的歷史——以日本為中心〉，收入中國典籍與文化編輯部編：《中國典籍與文化論叢》第15輯，南京：鳳凰出版社，2013，頁52-66。

林溢欣：〈從《群書治要》看唐初《孫子》版本系統——兼論《孫子》流傳、篇目序次等問題〉，《古籍整理研究學刊》3（2011.5），頁62-68。

郭紹虞：《學文示例》，臺北：明文書局，1986。

陳桐生：《中國史官文化與史記》，汕頭：汕頭大學出版社，1993。

逯耀東：〈《史記》列傳及其與本紀的關係〉，《臺大歷史學報》20（1996.11），頁379-405。

管盼盼：〈《群書治要》注文來源初探〉，《安徽文學》11（2018.11），頁9-11。

潘銘基：〈《群書治要》所載《孟子》研究〉，收入張伯偉編：《域外漢籍研究集刊》第16輯，北京：中華書局，2018，頁293-317。

蔡　蒙：〈《群書治要》所引《尸子》校勘研究〉，《文教資料》35（2018.12），頁84-85、110。

魯　迅：《漢文學史綱》，臺北：風雲時代出版社，1990。

論《群書治要・漢書》的編選意識與價值[*]

許愷容

臺南大學國語文學系兼任助理教授

摘要

《群書治要》凡五十卷，選《漢書》八卷為最多，足見其對《漢書》之看重。原因為何？實耐人尋味。故本文以《群書治要・漢書》為核心，串聯相關問題，作為深入堂奧的鎖匙。問題意識有三：其一，《漢書》撰西漢一代歷史，與《史記》重疊之處，《群書治要》多錄《漢書》，原因何在？其二，藉由與《漢書》的比對，考察其於剪裁去取之際，是否有其普遍性的「通則」？而通則之餘的「例外」現象，又反映出何種思想傾向？其三，《群書治要》反映的時風、政風，呈現出取材四史、異於四史的史觀，具體面貌為何？最後，通過上述層面的梳理，目的在闡發《群書治要》為唐代史學觀念轉變之樞紐要籍，下啟《資治通鑑》之精神，以明確其價值、意義。

關鍵詞：群書治要、漢書、史記、魏徵、貞觀之治

* 本文初稿作：〈《群書治要・漢書》三題〉，宣讀於國立成功大學中文系等主辦「第一屆群書治要國際研討會」（108年6月3日），渥蒙討論人香港中文大學潘銘基教授不吝指導、貴刊兩位匿名審查委員惠賜教正，以及編輯群的悉心核校，謹以謝辭，一併致謝。

The Compilation Consciousness and Value on the Qunshu zhiyao of Han Shu

Hsu, Kai-jung

Adjunct Assistant Professor, National University of Tainan Department of Chinese Language and Literature

Abstract

The *Qunshu zhiyao* totals fifty volumes in all, eight of which are entitled as *Han Shu (Book of Han)*, there is a clear emphasis on the *Han Shu* among four early historical texts *(Records of the Grand Historian*, *Book of Han, Records of the Three Kingdoms, and Book of the Later Han)*. The purpose of this essay is to discuss the reasons behind this emphasis by probing into the *Qunshu zhiyao* of *Han Shu*. The analytical points are three-fold. First, *Han Shu* is a history of the Western Han, being contemporary as *Shiji (Records of the Grand Historian)*, so why does *Qunshu zhiyao* quotes more from *HanShu* than *Shiji*？ Second, is there a general rule or principle when the *Qunshu zhiyao* quotes the *Han Shu*？ What kind of ideology underlies the "general rule" and its exceptions？ Third, *Qunshu zhiyao*, which originated from four early historical texts but shows a distinct historical opinion, reflects its era and political tendencies and the essay attempts to reveal the history's exact viewpoints. In conclusion, through the above-mentioned analysis, the purpose is to elucidate the *Qunshu zhiyao* as the key to the transformation of the Tang Dynasty's historical concept, and an inspiration for the spirit of *Zizhi Tongjian (Comprehensive Mirror in Aid of Governance)*.

Keywords: *Qunshu zhiyao* ,*HanShu*, *Shiji*, Wei Zheng, Zhen-guan Rule period

一　前言

《群書治要》成書於貞觀五年（631），係唐太宗（598-649）欲以古為鑑，伸張治亂之旨，乃命魏徵（580-643）等，編撰而成的治國要略，唐代人甚重之。沿及兩宋，傳本遂稀，賴日本流傳之版本，得見面目。以其保存初唐善冊，[1]於文獻學的價值，業已廣為人知。[2]而從貞觀政治、君臣互動背景，作為切入此書的研究角度，亦有相關探究。大體而言，是書具體而微地反映出當時學政結合，以史學為基礎、致「用」於現實的考量。[3]

《群書治要》凡五十卷，內容涵括經、史、子，選《漢書》八卷為最多，足見其對《漢書》之看重。《漢書》撰西漢一代歷史，與《史記》在西漢武帝朝以前的歷史有所重合，《漢書》亦多承襲《史記》的記載，甚至於有一字不漏，直錄褒貶者。何以《群書治要》引錄《史記》，不著漢史，而取自《漢書》？而藉由與《漢書》的比對，考察其於剪裁去取之際，是否有其普遍性的「通則」？而通則之餘的「例外」現象，又反映出何種思想傾向？因之，《群書治要・漢書》的編選意識為本文撰作的起點。

今本《治要》除通行於世，由日本光格天皇（1771-1840）於天明七年（1787）所刻之《治要》（天明本）外，尚有其他版本。天明本所採祖本，為鐮倉時代（1192-1333）的鈔本，由東京汲古書院在1989年影印日本宮內廳書陵部藏本（卷子本）。同樣以卷子本為祖本，時間稍早於天明本者為日本元和二年（1666），由德川家康下令，以銅活字刊印之《治要》，是為駿河本。[4]

根源於此，本文以《群書治要・漢書》為核心，在版本上選用通行的天明本，以卷

1　清・阮元：〈羣書治要五十卷提要〉，收入氏著：《揅經室外集》（北京：中華書局，1985），外集，卷2，頁1216。

2　《群書治要》的文獻價值，參張蓓蓓：〈略論中古子籍的整理——從嚴可均的工作談起〉，《漢學研究》32:1（2014.3），頁39-72。又，以《群書治要》校勘古籍的相關研究，如潘銘基：〈日藏平安時代九条家本《群書治要》研究〉，《中國文化研究所學報》67（2018.7），頁1-40；林溢欣：〈從日本藏卷子本《群書治要》看《三國志》校勘及其版本問題〉，《中國文化研究所學報》53（2011.7），頁193-199。

3　從貞觀年間的時代背景、政治表現、君臣互動等角度探析《群書治要》者，如林朝成「鎖定『為君難』、『為臣不易』、『君臣共生』與『直言受諫』四個主題式焦點議題」，提出是書「以編代作」性質，並彰顯貞觀時期的思想取向和實踐關懷，見〈《群書治要》與貞觀之治——從君臣互動談起〉，《成大中文學報》第67期（2019.12），頁101-142；洪觀智：「(《羣書治要》) 從政治的角度切入，固然可以將貞觀君臣心目中的『治要』作一番歸納；從史學的角度切入，則能夠觀察到貞觀史學的精神風貌。」並提出是書可謂為「以史學為基礎的帝王學」，見《《羣書治要》史部研究——從貞觀史學的致用精神談起》（臺北：臺大中文系碩士論文，2015），頁1-211。

4　《群書治要》版本的說明，係參考林溢欣：〈從日本藏卷子本《群書治要》看《三國志》校勘及其版本問題〉，《中國文化研究所學報》53（2011.7），頁193-199。

子本、駿河版為參校，《漢書》用中華書局二十四史點校本。[5]從《治要》對《史》、《漢》的接受，分析其編選意識。並闡發《群書治要．漢書》藉存史以治世，所寓託的積極意義。進而通過前四史的綜合比較，扣合史學史的發展脈絡，釐清《群書治要》的歷史定位與意義。

二　以《史》、《漢》為例論「有用」與否的取材標準

《群書治要》凡五十卷，取材浩繁、包羅宏富，上溯五帝，迄於東晉，含括經、史、子部，尤以《漢書》八卷最多。又，《史記》凡130卷，計五十萬餘字；《漢書》凡100卷，計八十萬餘字。卷帙紛繁，取資之份量，冠於他書，自有可能。惟《治要》取材《史記》僅止兩卷，《漢書》達八卷，比例頗為懸殊。

《漢書》終西漢一代史事，於漢武帝（157B.C.-87B.C.）以前，多取材自《史記》，兩書頗多重疊。惟《治要》所收錄者，除〈酷吏列傳序〉外，《史記》所錄止於秦末，漢代史事盡採錄《漢書》所載，原因為何？著實耐人尋味。下面依三個面向進行梳理，通過內容的分析，以釐清取材的標準。

（一）治世之道：強調禮樂教化與賢相良臣的晉用

稽考天明本《群書治要．漢書》，除所亡闕的兩卷，[6]與《漢書》比對，計採錄三十三篇。《治要》卷十四，收錄〈禮樂志〉、〈刑法志〉、〈食貨志〉（上、下）、〈藝文志〉[7]：援漢興撥亂反正，高后（241B.C.-180B.C.）、文帝（202B.C.-157B.C.）施政寬厚、蠲除肉刑、實行黃老清靜治術，宣帝（91-49）的利農辦法為正例；秦之衰亡，武帝銳志武功、無暇留意禮文，外事四夷、內興功利、役費並興的財政措施，王莽興師征伐匈奴、

5　本文所載《群書治要》，除非特別註明，否則均據：唐．魏徵：《群書治要》（西安：陝西人民出版社，2007，據清阮氏輯宛委別藏日本天明刊本影印）；本文徵引《漢書》悉據漢．班固、唐．顏師古注：《漢書》（北京：中華書局，1997，二十四史標點本），以下引錄謹標卷、頁，不再另作標注。

6　遍考傳世各版本，卷子本、駿河本、天明本《群書治要．漢書》亡闕第十三卷〈漢書一〉、第二十卷〈漢書八〉。而據連筠本林信敬〈校正群書治要序〉，遠祖林羅山增補三卷，一卷不傳，包含紀、表、志。林羅山增補本，今藏於關西大學泊園文庫。又，蕭祥劍之《群書治要》整理本亦有《治要》佚篇之輯錄，亦以紀、表、志補之。惟若據《群書治要．漢書》編次言，所缺內容宜為紀、表、傳，林羅山增補本、蕭祥劍整理本可備列一說。惟為求審慎計，本文的研討，先排除卷十三、卷二十。

7　《史記》現存〈禮書〉、〈樂書〉，惟此二卷疑於東漢時，已散佚，詳見張晏「十篇有目無書」之論。現存內容是否為司馬遷手筆，帶有爭議性。《漢書》固然於《史記》篇什，多所襲仍，惟此二卷內容不類今本《史記》，應為新創之作。

施行王田制、頻繁更動制度、幣制複雜淆亂、姦吏伺機而動，導致天下紛擾、「飢寒交迫慈母不能保女子」[8]為反例。並採錄文帝時賈誼（200B.C.-169B.C.）（〈論定制度興禮樂疏〉、〈論積貯疏〉）、武帝時卜式（？-？）、宣帝時王吉（？-48B.C.）、耿壽昌（？-？），成帝（51B.C.-7B.C.）時劉向（77B.C.-6B.C.）之上書。〈藝文志〉論載九流，提挈諸家本旨、優缺。務在闡發：禮樂教化為移風易俗、安上治民根本，刑法、征伐不可廢，宜作為施政輔助。所刪除的原文，為禮樂儀節、樂曲、載籍名目以及若干追述遠古的史料等。

卷十四至十九，取材自《漢書》二十八篇〈傳〉，依序為《漢書》卷三十四、三十六、三十九、四十、四十一、四十二、四十三、四十五、四十八、四十九、五十、五十一、五十二、五十四、五十六、五十七（上、下）、五十八、六十四（上、下）、六十五、六十七、七十一、七十二、七十四、七十五、七十七、七十八。《治要》標記「列傳」者，開篇從淮陰侯韓信（231B.C.-196B.C.）立下赫赫戰功，為楚漢相爭致勝功臣敘起。旋即以漢朝初立，韓信、彭越（？-196B.C.）相繼遭到鋤戮，黥布（？-195B.C.）惴惴不安最終選擇叛反遭到族滅諸事為記，省去原有的吳芮事蹟。吳芮（241？B.C.-201B.C.）為異姓功臣侯者，獨能明哲保身者，與韓、彭、英、盧四人正成反照。《治要》取捨之際，可見側重殊異，並以滕公與薛公的對話總結三人事蹟：

> 上召諸將問，布反，為之奈何。皆曰：發兵坑豎子耳，何能為，汝陰侯滕公，以問其客薛公。薛公曰：是固當反。滕公曰：上裂地而封之，疏爵而貴之，疏，分也。南面而立，萬乘之主，其反何也。薛公曰：前年殺彭越，往年殺韓信，三人皆同功一體之人也。自疑禍及身，故反耳。

滕公即夏侯嬰（？-172B.C.），在劉邦初起於沛縣時，就跟隨輔佐，深獲寵信。薛公為夏侯嬰客卿，史失其名，從「同功一體」到黥布憂懼而反的脈絡，隱見「迫於形勢而反」軌跡。聯繫其後，欒布（？-145B.C.）為彭越哀悼之事。欒布語曰：

> 方上之困彭城，敗滎陽成皐，項王所以不能遂西，徒以彭王居梁地，與漢合從苦楚也。當是之時，彭王壹顧與楚則漢破，且垓下之會，微彭王、項氏不亡。天下已定，彭王割符受封，亦欲傳之萬世。今漢壹徵兵於梁，彭王病不行，而疑以為反，反形未見，以苛細誅之，臣恐功臣人人自危也。

欒布從楚漢相爭之際，彭越所居梁地的戰略價值、垓下之戰的滅項功績來分析，彰顯其開國元勳的地位，反襯彭越遭疑遇禍的情事。《治要》省略欒布受彭越恩惠，於是不顧

---

8 「飢寒交迫慈母不能保女子」，取自唐‧魏徵原著，魯立剛選註：《羣書治要菁華》（未著出版地：六合印刷公司，1978），頁147。

自身安危，出面處理彭越後事的因緣。[9]而載錄欒布之諫，以其忠義，終能免除殺身之禍。換言之，此段記載既闡發忠諫之臣道，亦批露上位者對功臣的忌憚，乃致於無情誅戮功臣，導致的種種弊害作收束。

大漢基業的建立，賴蕭何（257B.C.-193B.C.）明察形勢，鎮守關中，佔據地理先機，是以高帝許蕭何為立漢第一能臣。蕭何擔任宰相時與曹參（？-190B.C.）有嫌隙，惟蕭何將死之際，能力薦曹參。而曹參非徒攻城野戰之勞，且能聽從蓋公（？-？）建議，採取黃老清靜無為政策，施行與民休息之道，遵行蕭何訂立的儀軌，是漢初所以能於連年戰亂，民生凋敝的情況恢復，使之走向盛世的關鍵。從蕭何善於推賢進士、曹參能奉行善法，不避舊時嫌隙，而以大局為重，既為漢朝奠下盛世基業，亦樹立賢臣典範。

賢相良臣為治世之樞紐，所以能獲晉用，務在君王的賞鑑之明。關於任屬賢士之道的闡述，如季布（？-？）:「布為河東守，孝文時，人有言其賢，召欲以為御史大夫，人又言其勇，使酒難近，至留邸一月見罷。」以實例對應季布對文帝語：「夫以一人譽召臣，一人毀去臣，恐天下有識聞之，有以窺陛下」，闡發人君不應輕信他人毀譽，顯得輕率多變。另見馮唐（？-？）持節赦魏尚（？-157B.C.）事件的引錄：

> 臣聞上古王者遣將也。跪而推轂。曰：闑以內寡人制之，闑以外將軍制之。軍功爵賞，皆決於外，歸而奏之，此非空言也。李牧之為趙將居邊，軍市之租，皆自用饗士，賞賜決於外，不從中覆也。委任而責成功，故李牧乃得盡其知能，是以北逐單于，破東胡，滅澹林，西抑強秦，南支韓魏，今臣竊聞魏尚為雲中守，軍市租盡以給士卒，出私養錢，五日壹殺牛，以饗賓客軍吏舍人，是以匈奴遠避，不近雲中之塞，虜嘗壹入，尚帥車騎擊之，所殺甚眾，上功莫府，一言不相應，文吏以法繩之，其賞不行，愚以為陛下法太明，賞太輕，罰太重，且魏尚坐上功首虜差六級，陛下下之吏，削其爵，罰作之，由此言之，陛下雖得頗，牧，不能用也。

馮唐話語，藉由賞罰施用的原則，闡發進用賢良後，如何對待、因應，是賢良能否善加發揮才能的關鍵。否則，就算古之良將廉頗、李牧俱於麾下，亦難善加任屬。凡此云云，為人主所需著意處。

（二）明治亂之跡：臣屬諫諍、上書的採錄

《治要》所採以人物列傳居多，細究諸傳可見，行事傳略少記，而多所收錄臣屬的

---

9 《漢書》原有：「彭越為家人時，嘗與布游，窮困，賣庸於齊，為酒家保。數歲別去，而布為人所略，賣為奴於燕。為其主家報仇，燕將臧荼舉以為都尉。荼為燕王，布為將。及荼反，漢擊燕，虜布。梁王彭越聞之，乃言上，請贖布為梁大夫。」（卷37，頁1980）《群書治要．漢書》俱刪削。

直言諫諍、上書，從中闡發治亂之跡。如賈山（？-？）《至言》所陳，忠臣所以切直諫言，務在曉諭人主，並援秦事為昭戒，以為帝王納諫與否之於國家存亡，關係密切。

賈誼、鼂錯（200B.C.-154B.C.）、董仲舒（192B.C.-104B.C.）俱為當時才俊，其計策於時，雖未盡為帝王採用，證諸後世，不可不謂孤明先發。又，《治要》省去楚元王劉交（？-178B.C.）「好書，多材藝」（卷36，頁1921）等事略，獨標舉楚元王玄孫劉向擔任諫大夫時，上書提揭朝廷弊端三事。元帝（75B.C.-33B.C.）時，周堪（？-？）、張猛（？-210）等承先王遺命輔政，而遭宦官弘恭（？-？）、石顯（？-33）傾抑譖毀，劉向遂上書諫之，節錄如下：

> 今陛下開三代之業，招文學之士，優游寬容，使得並進，今賢不肖渾淆，白黑不分，邪正雜糅，忠讒並進，朝臣更相讒愬，轉相是非，文書紛糺，毀譽渾亂，所以熒惑耳目，感移心意者，不可勝載，分曹為黨，將同心以陷，正臣進者，治之表也。正臣陷者，亂之機也。乘治亂之機，未知孰任，而災異數見，此臣所以寒心者也。

劉向直指元帝詔舉文學之士，本欲任用賢人以行善政，如今賢邪並進，賢人如或遭譖，則「賢人退而善政還」，因言「夫執狐疑之心者，來讒賊之口，持不斷之意者，開群枉之門，讒邪進者，眾賢退，群枉盛者，正士銷」。一言以蔽之，賢邪雜處，係劉向所寒心者。此外，劉向見成帝營起昌陵、制度奢侈，以及外戚王氏權重，遂上書諫言，惜成帝固然稱美其策，卻不能力行之，劉向犯顏直諫，每觸及權臣弊端，屢遭排擠，不能見用。《治要》以「向卒後十三歲而王氏代漢」，終結向傳，警世之意濃厚。

相較於司馬遷記載漢匈戰爭的諱莫如深，多見微言側筆的運用，《漢書》增錄韓安國（？-127B.C.）與王恢（？-133B.C.）論議，使漢朝對和戰的討論，有了清晰的面貌。《治要》收錄此段議論，而以王恢馬邑之謀的失敗，坐罪自殺告終。卷十八取材自〈嚴朱吾丘主父徐嚴終王賈傳〉者，集中探討了內外安治之道。從嚴助（？-122B.C.）論閩粵、東甌事；主父偃（？-126B.C.）引述李斯（284B.C.-208B.C.）之言，諫伐匈奴；徐樂（？-？）、嚴安（？-？）藉秦為喻，提揭法嚴令苛弊害、窮兵禍患。再如卷十九所載的魏相（？-59B.C.）上書，節錄如下：

> 臣聞救亂誅暴，謂之義兵，兵義者王，敵加於己，不得已而起者，謂之應兵，兵應者勝，爭恨小故，不勝憤怒者，謂之忿兵，兵忿者敗，利人土地貨寶者，謂之貪兵，兵貪者破，恃國家之大，矜民人之眾，欲見威於敵者，謂之驕兵，兵驕者滅，此五者，非但人事，乃天道也。

魏相探討的用兵之道有五：義兵、應兵、忿兵、貪兵、驕兵，以後三者必敗，爾後以邊境困乏，難以動兵，「軍旅之後，必有凶年」，出兵之後，唯恐禍起蕭牆，勸諫宣帝勿乘匈奴羸弱，貿然出兵。匈奴為漢時最大的外患，雙方交戰頻仍，影響幅度不止於政治，更及於經濟民生，是漢代對外關係的重要課題。無論勝負，人力死傷、財政耗損，俱為動搖國本之源，是以用兵宜審慎為之。秦皇、漢武等，便以窮兵黷武、好大喜功，為國家種下不安定因子，如貢禹勸諫元帝：「武帝……自見功大威行，遂縱嗜欲，用度不足，乃行一切之變，使犯法者贖罪，入穀者補吏，是以天下奢侈，官亂民貧，盜賊并起，亡命者眾」，為後世炯戒。考諸內政外交之治，要領莫在尚德緩刑，以施行教化為念。

（三）長治久安：諍臣輔翼太子以安社稷

漢廷著名的諍臣汲黯，雖不得久掌機要，惟通過當時重臣衛青（？-106B.C.）、公孫弘（201B.C.-121B.C.）的反襯，從武帝的禮敬、待遇殊異，可見地位。從《史記》引武帝語，盛讚為「社稷之臣」，[10]《漢書》、《治要》俱沿用之，允為共識。稽考語境，載道：

> 上曰：「汲黯何如人也。」
> 嚴助曰：「使黯任職居官，亡以瘉人，然至其輔少主，雖自謂賁、育，弗能奪也。」
> 上曰：「然，古有社稷之臣，至如汲黯近之矣。」

通過武帝與嚴助的對話方知，若任命汲黯為一般官職，則「亡以瘉人」，「瘉」《史記》作「逾」，[11]意謂超過，看不出汲黯非凡的本領。汲黯的適才之所，在於擁護、輔佐太子，則見能與國家共存亡的意志，洵為「社稷之臣」。由此看來，「社稷之臣」的稱譽，與汲黯能勝任太子佐輔關係密切。《治要》卷十六收錄賈誼〈治安策〉，論太子一段，舉周代史事為證，以為太子年幼尚在襁褓時，隨同佐助者有三公、三少之職，俱為嚴明孝仁禮義之士。等到太子成人，載道：

> 太子既冠成人，免於保傅之嚴，則有記過之史，徹膳之宰，進善之旌，誹謗之木，敢諫之鼓，瞽史誦詩，工誦箴諫，大夫進謀，士傳民語，習與智長，故切而不媿，化與心成，故中道若性，春秋入學，坐國老，執醬而親餽之，所以明有孝也。行以鸞和，步中采齊，趨中肆夏，所以明有度也。其於禽獸，見其生不食其死，聞其聲不食其肉，故遠庖廚，所以長恩，且明有仁也。夫三代之所以長久者，以其輔翼太子有此具也。

---

10 漢・司馬遷：《史記》，（北京：中華書局，2013，點校本二十四史修訂本），卷120，頁3749。
11 漢・司馬遷：《史記》，卷120，頁3749。

賈誼通過「記過之史，徹膳之宰，進善之旌，誹謗之木，敢諫之鼓，瞽史誦詩，工誦箴諫，大夫進謀，士傳民語」的條列，闡明諫諍之臣的必要。換言之，從長治久安的縱向脈絡，賈誼闡發輔翼太子對於國祚綿延的意義。

據朴宰雨（1954-）之見，《漢書》有七十三篇，與《史記》七十四篇，記載內容有所重疊。[12]何以《群書治要》於漢初到武帝朝史事，不採第一手史料《史記》，而多採《漢書》呢？[13]以《治要》卷十六所載賈誼傳為例，核考《史》、《漢》：司馬遷將賈誼與屈原（343？-278？）合傳，從列傳編序上，以屈原為主體，內容接續著屈原的「不遇」，以湘水為紐帶，藉由賈誼創作的〈弔屈原賦〉，繫起異代知己的情懷，而通過〈鵩鳥賦〉，與文帝宣室探訪「不思蒼生問鬼神」的內容，強化賈誼的未遇與所引致的深沉悲哀。[14]《漢書·賈誼傳》在《史記》的基礎上，增添〈治安策〉、〈諫立淮南諸子疏〉。〈治安策〉為其政論的代表作，結合它篇收錄的〈過秦論〉、〈論積貯疏〉、〈諫鑄錢疏〉等，足以證知賈誼才幹的卓犖不凡。

平心而論，通過《漢書》的增補，賈誼的政治地位，及其見識的超絕，方能還其面目。《治要》的引錄，調動〈治安策〉、〈諫立淮南諸子疏〉的順序，而大篇幅收錄〈治安策〉。內容包含中央與地方諸侯、周邊部族的關係，階層矛盾的激化，促使四維德目、社會制度確立的必要性與迫切性。

鼂錯傳的部分，《史》、《漢》俱以袁盎（？-148B.C.）、鼂錯合傳。除鼂錯提〈削藩策〉，為國盡忠，卻引致七國之亂，司馬遷固然引述「鄧公與景帝語」總結傳文，還鼂錯公道，於贊語則引述「變古亂常，不死則亡」語，對其手段過於激進，導致身死國除，流露不置可否的語氣。[15]《漢書·鼂錯傳》增錄〈教太子疏〉、〈言兵事疏〉、〈論守邊備塞疏〉、〈募民徙塞下疏〉，讓鼂錯其人、其思想、其政略之高明，有更加完整的呈現，復通過論贊的改寫，許其「為國遠慮，而不見身害」（卷49，頁2303）的忠臣形象。從賈誼、鼂錯事例，聯繫他篇，可見《漢書》體例整飭且多載詔令、奏議。

誠如叔孫通（？-188B.C.）的闡發：「太子，天下本，本壹搖，天下震動」。諍臣輔翼太子以安定社稷，係《漢書》所強調者，《治要》本為摘錄原書加以整理之書，如此長篇論載，可見格外重視。相關例證，另見於雋不疑（？-？）、疏廣（？-？）等處。

《廿二史札記》以《漢書》多錄「有用之文」，包含「經術之文」、「幹濟之策」等

---

12 韓·朴宰雨：《《史記》《漢書》比較研究》（北京：中國文學出版社，1994），頁68-69。

13 本文言「多採」，因所錄《史記》，尚存有〈酷吏列傳序〉一篇，〈酷吏列傳〉所記，盡皆漢初以來，且多為武帝朝官吏。

14 唐·李商隱：〈賈生〉，收入劉學鍇：《李商隱詩歌集解（增訂重排版）》（北京：中華書局，2004），頁281。

15 漢·司馬遷：《史記》，卷101，頁3309。

「有用章疏」。[16]如上引賈誼、董仲舒之論著，從中唐以降士林盛譽，可為印證。裴度（765-839）稱「賈誼之文，化成之文也，鋪陳帝王之道，昭昭在目」，崔祐甫（721-780）:「昔劉向稱賈誼言三代與秦亂之意，其論甚美，達於國體，古之伊、呂，未能遠過。又稱董仲舒有王佐之才，雖伊、呂無以加，管、晏之屬，殆不及也」。[17]此見賈、董之論深明王道、補於治世，而有「以文經邦」之功。[18]簡言之，所謂「有用」，意即與闡發當世治亂者，攸關內政外交諸事。凡此，俱與《治要》的撰旨相契。

《史記》除了多緣情之史筆，以其「成一家之言」的立場，或有身世之感、或有翻歷史疑案，或有透過史事寓托對帝王、政治、社會、文化等面向的諷諫。[19]甚或有不符合當世「正統」的見解，而招致「謗書」詆毀。[20]相較之下，《漢書》在帝室監修下編纂而成，以其半官修之史、以宣揚漢室為主軸的書寫意識，自然更符合上層統治者的需求。除此之外，《史》、《漢》以其書寫範圍的重疊性，體例、敘事的典範性，引發兩部著作的可比性。劉知幾（661-721）《史通・古今正史》: 自漢末迄於隋代，《漢書》注解有二十五家，「至於專門受業，遂與《五經》相亞」;《史記》除三家注外，習讀者寡。[21]

是以，從內容觀之，魏徵奉敕撰作《治要》、務在研究治平之道，以勸善懲惡，與《漢書》闡明王道理想契會；從《史》、《漢》接受而言，姑且不涉入班馬優劣論的評價，至少在唐初，《漢書》的流傳範圍與影響力遠大於《史記》。因之，魏徵更多取材《漢書》，自屬情理中事。

三　寓「治世」於存史，下啓《資治通鑑》精神

《群書治要》之撰旨，誠如〈序〉中闡明：既以典籍浩繁，遍覽群書，博而寡要，勞而少功，為備經筵講誦用途，奉敕編纂。從編纂學的角度觀之，魏徵取材初唐善冊，與近刊多有不同，部分典籍早已亡佚，賴《治要》的收錄，使今人得窺珠璣。阮元：「《晉書》二卷，尚為未修《晉書》以前十八家之舊本。」又「桓譚《新論》、崔寔《政

16 清・趙翼撰、杜維運考證:《校證補編廿二史劄記》(臺北：華世出版社，1977)，卷2，頁27-28。

17 唐・裴度:〈寄李翺書〉，收入清・董誥等編，孫映達等點校:《全唐文》(太原：山西教育出版社，2002)，卷538，頁3229；唐・崔祐甫:〈故常州刺史獨孤供神道碑銘并序〉，收入清・董誥等編，孫映達等點校:《全唐文》，卷409，頁2486。

18 唐・崔祐甫:〈穆氏四子講藝記〉，收入清・董誥等編，孫映達等點校:《全唐文》，卷409，頁2485。

19 漢・司馬遷:《史記》，卷130，頁3999。

20 東漢明帝劉莊以為:「司馬遷著書，成一家之言，揚名後世，至以身陷刑之故，反微文刺譏，貶損當世，非誼士也」，形成了「謗書說」的論調。詳參南朝梁・蕭統撰，唐・李善等註，《增補六臣註文選》(臺北：華正書局，1980)，卷48〈典引〉，頁9140。

21 唐・劉知幾撰、清・浦起龍釋:《史通通釋》(臺北：里仁書局，1980)，頁339。

要論》、仲長統《昌言》、袁準《正書》、蔣濟《萬機論》、桓範《政要論》，近多不傳，亦藉此以存其梗概，洵初唐古籍也。」[22]《治要》的「存史」之功，亦見於《群書治要．漢書》注。據尾崎康（1960-）的揭示：《群書治要．漢書》注皆顏師古（581-645）以前之舊注。[23]潘銘基（？-）進一步指出，《群書治要》的成書時間早於顏注《漢書》。[24]是以，比對《群書治要．漢書》注與《漢書》顏注，將可檢視顏注的取用脈絡。[25]

稽考顏師古注《漢書》的背景，誠如趙翼之論：

> 顏師古為太子承乾注《漢書》，解釋詳明，承乾表上之，太宗命編之秘閣。時人謂杜征南、顏秘書為左邱明、班孟堅忠臣。……當時《漢書》學大行。[26]

由顏師古奉命注《漢書》、太宗編之秘閣，可見皇室對《漢書》的重視，乃至於《漢書》學風行的推波助瀾。《治要》的編纂，「存史」並非本意，而是繫於皇帝身份與治國目標下的閱讀意識。換言之，對於典籍進行刪繁就簡工夫時，自然以帝王視野為考量。下面將分別從《群書治要．漢書》對於「忠」的標舉，印證帝王視野的編纂原則，以及從史學史脈絡，為《群書治要》選史書及其價值定錨：

（一）以「盡忠」為標舉論君臣之道

《治要》對《漢書》的收錄，以傳體為多。列傳係以人物為核心，通過以人統事、以事牽連的模式記敘。大體以人物背景做為開端，如身世、里居、宗族、族屬或軼事等，而後載其要事、辭章，並以論贊總結。以主題上言，高祖如何撥亂反正，及於文景之治、武帝盛世、昭宣之治的開創，俱為著力點。內容涉及內政、外交、文武吏事。在

---

22 清．阮元：〈羣書治要五十卷提要〉，收入阮元撰、鄧經元點校：《揅經室集》（北京：中華書局，1993），外集，卷2，頁1216。

23 日．尾崎康：〈群書治要解題〉，收入唐．魏徵撰，日．尾崎康、日．小林芳規解題：《群書治要》第7冊（東京：汲古書院，1989），頁473。

24 潘銘基：〈《群書治要》所引《漢書》及其注解探析〉（臺南：成功大學主辦「第一屆群書治要學術研討會」，2019年6月3日至4日，未刊稿），頁28。

25 又，楊明照：〈漢書顏注發覆〉，收入氏著：《學不已齋雜著》（上海：上海古籍出版社，1985），頁111、51：通過《漢書》顏注與舊注的比對，依時序臚列，凡三十三家、四書，計四百三十條，撰成〈漢書顏注發覆〉一文。楊氏並指出：「除荀悅、服虔、應劭、鄭氏、李奇、鄧展、文穎、張揖、蘇林、張晏、如淳、孟康、韋昭、晉灼、臣瓚、郭璞、崔浩十七家，師古曾列名於〈敘例〉外，餘皆未具列，僅曹大家、胡廣、徐廣三家閒加徵引，諸詮、鄒誕生二家各一提名而已。」因之，持論道：「（顏）注中於前修成文，往往將為己說，括囊不言，有若自出機杼焉者」。若欲廓清學術沿革，是否在評價顏注之功，亦不宜偏廢舊注之助？答案應是肯定的。

26 清．趙翼撰，杜維運考證：《校證補編廿二史劄記》，卷20，頁439。

對外關係方面，橫亙漢世的漢匈戰爭便為其要。卷十七錄有取材自〈李廣蘇建傳〉的記事，以李陵（？-74B.C.）勸降蘇武（140B.C.-60B.C.）的一段對話尤要，載道：

> 單于使李陵至海上，為武置酒設樂。因謂武曰：單于聞陵與子卿素厚，故使陵來說足下，虛心欲相待，終不得歸，空自苦無人之地，信義安攸見乎。來時太夫人已不幸，子卿婦年少，聞已更嫁矣。獨有女弟二人兩女一男，今復十餘年，存亡不可知，人生如朝露，何久自苦如此，陵始降時，忽忽如狂，自痛負漢，加以老母繫保宮，子卿不欲降，何以過陵，且陛下春秋高，法令無常，大臣無罪夷滅者數十家，安危不可知，尚復誰為乎。願聽陵計。武曰：武父子無功德，皆陛下所成就，位列將，爵通侯，兄弟親近，常願肝腦塗地，今得殺身自效，雖蒙斧鉞湯鑊，誠甘樂之，臣事君猶子事父，子為父死無所恨，願勿復再言，陵與武飲數日。復曰：子卿壹聽陵言。武曰：自分已死久矣。王必欲降武，請畢今日之驩，效死於前，陵見其至誠。喟然嘆曰：嗟乎。義士，陵與衛律之罪，上通天，因泣下霑襟，與武決去。
>
> 　　拜上

李陵出身漢代六郡良家子，為飛將軍李廣後代，在天漢二年（99B.C.）與匈奴的戰役，遭遇單于大軍圍攻，力抗八日後，不敵被俘。《史記・李將軍列傳》載單于素聞李陵家聲，厚遇之，漢武帝聞訊族陵母妻子。《漢書・李廣蘇建傳》補錄細節，乃知漢武帝本欲李陵死戰，聞其投降，怒甚，司馬遷為之說項，遂受誣罔罪，下獄受腐。其後，漢武帝後悔，乃派使者慰勞隨從李陵作戰，得以逃脫歸漢者，並派遣杅將軍公孫敖（？-96B.C.）深入匈奴打聽，不料卻將李緒誤作李陵，誤信李陵教導匈奴練兵，遂族誅李陵全家。李陵投降之後的心曲，賴這段對話得知，而蘇武寧死不屈的氣節，由李陵反形可見。

據筆者比對《治要》與《漢書》記載異同，發現《治要》大抵少記人物的行事傳略，惟此篇例外。是文以李陵側寫蘇武，全以對話敘其行事，洵為特出。對話之中，表彰蘇武為「義士」，「義者，宜也。」[27]此處語境落在君臣之倫、國家之義，珠璣更在「忠」。誠如《史記・高祖本紀》所謂「夏之政忠」、《史記・貨殖列傳》「夏人政尚忠朴」，[28]東漢・鄭玄（127-200）注：「忠，質厚也」。[29]可視為「忠」最原初的意涵。在政治權威的強化下，「忠」逐漸演化成為專制政體的主要支柱，「忠」不僅是民族精神的基本內容，其發生與演變，更是重要的歷史文化現象。

---

27 漢・鄭玄注，唐・孔穎達疏，清・阮元審定、清・盧宣旬校：《禮記注疏》（臺北：藝文印書館，1997年影印清嘉慶二十年江西南府江西南昌府學堂重刊宋本），〈中庸第三十一〉，頁887-2。

28 漢・司馬遷：《史記》，卷8，頁489。

29 漢・司馬遷：《史記》，卷129，頁3939。

據《說文解字》:「忠，敬也，盡心曰忠」。[30]段注:「敬者，肅也。未有盡心而不敬者。此與慎訓謹同義」，[31]證諸《說文》的成書背景，「盡心」可視作漢代人定義的「忠」觀念。惟在此前提下，如《史記・老子韓非列傳》、〈平津侯主父列傳〉、〈南越列傳〉、〈酷吏列傳〉，探究的「忠」、「不忠」、「愚忠」、「詐忠」，實已觸及對「忠」概念的不同詮釋。[32]換言之，「忠」的實質，究竟是一種正直的政治態度，還是對帝王的絕對順從，在西漢王朝政治集團的上層，已經存在不同的認識。

從《史記》體例而觀，「本紀」記上古迄今的帝王事略，闡發「君道」;「世家」所記為「輔拂股肱」、「忠信行道」之臣，「列傳」記載「扶義俶儻，不令已失時，立功名於天下」者，顯然著眼在「臣道」。[33]大體呈現出以人統事的封建秩序輪廓。《漢書》「起元高祖，終于孝平王莽之誅」(卷100，頁4235)的設定，顯現出終西漢一代的格局。紀、表、志、傳的體例，昉自《史記》而刪去「世家」，併入「傳」，更符合漢代政體，也顯現出異於先秦，更為規範化的中央集權。《漢書》裡的「忠」，連綴成辭者，有忠信、忠謹、忠臣、忠賢、忠言、忠直、忠正、忠實、忠諫等，〈楚元王傳〉有「昔孔子與顏淵、子貢更相稱譽，不為朋黨;禹、稷與皋陶傳相汲引，不為比周。何則?忠於為國，無邪心也。」(卷36，頁1945)以舜命禹治水，擔任司空高位，禹、稷與皋陶相互推薦，來比喻賢臣為國盡忠、不為私利之事。反例則如高陽侯薛宣坐「不忠孝」免職者、鼂錯被讒陷罪狀之一的「蔽忠塞賢」(卷35，頁1907)云云。可見《漢書》的「忠」，或放在「臣道」的語境，或作為賢臣的代名詞。

稽考「忠」字語源，《左傳》僖公二十三年(637B.C.)、襄公五年(568B.C.)、襄公十四年(559B.C.)等等，即有「忠」字出现，「忠」字所指，便在君臣之間。誠如佐藤將之(1965-)所論，中國古代「忠」概念之核心內涵在「君德」，此後則側重於「臣德」。[34]《治要》的情況，是否因仍此例?

其一，《治要》所選取的蘇武事蹟，始末畢載、詳筆特書，嚴明其「忠」。聯繫他篇，側重的匡諫事蹟、諍臣範式，反映出對「臣德」的要求。

其二，從帝王施行教化，澤被後世之例，如「昭帝即位，詔郡國舉賢良文學士，問以民所疾苦，教化之要，皆對願罷鹽鐵酒榷均輸官，毋與天下爭利，示以節儉，然後教化可興，迺罷酒酤，宣、元、成、哀、平，五世，亡所變改」;納諫與否的陳述、對待諍臣的態度，如「(枚乘)書奏，孝王立出之，卒為上客」、「宣帝初即位，溫舒上書，言宜尚得緩刑……，上善其言」。又:

---

30 漢・許慎撰，清・段玉裁注:《說文解字注》(臺北:藝文印書館，1979)，十篇下「心部」，頁25。

31 漢・許慎撰，清・段玉裁注:《說文解字注》，十篇下「心部」，頁25。

32 漢・司馬遷:《史記》，卷63、112、113、122，頁2604、3550、3583、3788。

33 漢・司馬遷:《史記》，卷130，頁3999。

34 日・佐藤將之:《中國古代的「忠」論研究》(臺北:臺大出版中心，2010)。

> 漢之得人，於茲為盛，儒雅則公孫宏、董仲舒、兒寬，篤行則石建、石慶，質直則汲黯、卜式，推賢則韓安國、鄭當時，定令則趙禹、張湯，文章則司馬遷、相如，滑稽則東方朔、枚皋，應對則嚴助、朱買臣，歷數則唐都、洛下閎，協律則李延年，運籌則桑宏羊，奉使則張騫、蘇武，將率則衛青、霍去病，受遺則霍光、金日磾，其餘不可勝紀，是以興造功業，制度遺文，後世莫及。孝宣承統，纂修洪業，亦講論六藝，招選茂異，而蕭望之、梁丘賀、夏侯勝、韋元成、嚴彭祖、尹更始，以儒術進，劉向、王褒以文章顯，將相則張安世、趙充國、魏相、丙吉、于定國、杜延年，治民則黃霸、王成、龔遂、鄭宏、召信臣、韓延壽、尹翁歸、趙廣漢、嚴延年、張敞之屬，皆有功跡，見述於後世，參其名臣，亦其次也。

凡此俱見漢代能得天下賢士，是所以能開創盛世的要因。換言之，天下俊傑能為己用，箇中關鍵便在君王的獎掖。諸如鄒陽以「忠無不報，信不見疑」發端，闡述明主進賢遠佞之要；王吉上疏宣帝，以為：「聖王宣德流化，必自近始，朝廷不備，難以言治，左右不正，難以化遠」等，俱不廢「君德」的必要。是以，結合「君德」與「臣德」的「忠」，即《治要》以平治天下之要略為宗的撰旨，於賈山《至言》可見提挈，節錄其辭如下：

> 臣聞忠臣之事君也。言切直則不用，其身危，不切直則不可以明道，故切直之言，明主所欲急聞，忠臣之所以蒙死而竭智也。地之磽者，雖有善種，不能生焉。江皋河瀕，雖有惡種，無不猥大，故地之美者善養禾，君之仁者善養士，雷霆之所擊，無不摧折者，萬鈞之所壓，無不糜滅者，今人主之威非特雷霆，勢重非特萬鈞也。開道而求諫，和顏色而受之，用其言而顯其身，士猶恐懼，而不敢自盡，又迺沉於縱欲，恣行暴虐，惡聞其過乎。震之以威，壓之以重，則雖有堯舜之智，孟賁之勇，豈有不摧折者哉。如此，則人主不得聞其過失矣。弗聞，則社稷危矣。

賈山並言：「古者，聖王之制，史在前書過失，工誦箴諫，庶人謗於道，商旅議於市，然後君得聞其過失也。聞其過失而改之，見義而從之，所以永有天下也。」其後援舉秦之敗亡與秦皇帝之一意孤行關係密切：「無養老之義，無輔弼之臣，無進諫之士，縱恣行誅，退誹謗之人，殺直諫之士」，是以「天下已潰，而莫之告也。」賈山闡言的君臣之道，與賈誼所上〈治安策〉機軸略同。

故知，《治要》所強調的「忠」，更貼近於先秦的概念，不僅在於臣德，也在君德層面有所要求，關乎明主、聖王的推賢納士、採納匡諫云云。意謂盡「忠」的對象絕不僅是君主本人，更在國家社稷與天下人民。換言之，通過「忠」意涵的查考，可見《治要》固然取材自《漢書》，卻不為其意識所囿限。

（二）實錄／經世：史學風氣轉圜的見證

《治要》的編纂，博采群書精華，務在「識興亡之軌跡，明治亂之條貫」，以研求治平之道，使貞觀武功、政績超越秦、漢。[35]關注於治亂興衰的課題，啟發資鑑勸懲之論斷，在這個層面上，與史書貌異而心同。務在求「治」，刪繁取「要」，作為時政指導之主題性，便與史書的編撰，判然分別。

尋繹前四史：《史記》的撰旨，一言以蔽之，是「究天人之際，通古今之變，成一家之言」。[36]類分五體，既有通過論載人事、制度，鑑往知來；亦有通過述史，還原歷史真相，及於抑揚與奪、褒貶裁平之際，敢於運用巧妙的撰史書法，如互見、屬辭比事、以敘為議等方式，[37]揭露上層社會的問題、反映當世弊病。《漢書》改變通史體例，斷西漢一代歷史，為後史開啟方便法門。從始於高祖元年，迄於王莽的脈絡，呈現出以「尊漢」為主軸的格局。改變《史記》在義例上的「彈性」，而是以整飭、系統的體例，規模全書。得劉知幾（661-721）「六家」、「二體」之艷稱，並云：「言皆精練，事甚該密，故學者尋討，易為其功」，給予高度評價。[38]

《後漢書》祖述前史體例，集當時流傳的後漢史料之大成，體大思精、簡明周詳，論贊「剖別賢否，指陳得失，皆有特見」，[39]且具文辭之美，如《舊唐書．經籍志》別取其論贊五卷，勒成一書《後漢書論贊》。更因應時風，別立〈文苑傳〉、〈列女傳〉。邵晉涵（1743-1796）：「蓋時風眾勢日趨於文，而閨門為風教所系，當備書於簡策，故有創而不廢也。」[40]另如章太炎（1868-1936）、陳寅恪（1890-1969）等亦高度評價是書在文采、特識的獨到之處。[41]《三國志》記載東漢末年的黃巾之亂到西晉統一三國，從漢靈帝中平元年（184年）到晉武帝太康元年（280年）九十六年的歷史。分成《魏志》、《蜀志》、《吳志》，以人物為主體，記錄當時形色、個性、類型各異的人物群像，文筆

---

35 唐．魏徵原著，魯立剛選註：《羣書治要精華》，伏嘉謨〈序〉。（伏嘉謨：〈序〉，見唐．魏徵原著，魯立剛選註：《羣書治要精華》，未著頁碼。）

36 駿河版，參東京大學東洋文化研究所「漢籍善本全文影象資料庫」（http://shanben.ioc.u-tokyo.ac.jp/main_p.php?nu=C5884000&order=rn_no&no=00927）。（上網日期2019.4.25）

37 參拙作：《〈史記〉「于序事中寓論斷」之研究——以秦漢以來史事為例》（臺北：元華文創公司，2018）。

38 唐．劉知幾撰、清．浦起龍釋：《史通通釋》，頁22。

39 清．李慈銘：「自漢以後，蔚宗最為良史，刪繁舉要，多得其宜。其論贊剖別賢否，指陳得失，皆有特見，遠過馬、班、陳壽，餘不足論矣。」見氏著：《越縵堂讀書記》（上海：上海書店出版社，2000），頁235。

40 清．邵晉涵：「范氏所增〈文苑〉、〈列女〉諸傳，諸史相沿，莫能刊削。蓋時風眾勢日趨於文，而閨門為風教所系，當備書於簡策，故有創而不廢也。」見氏著：〈《後漢書》提要〉，收入《南江文鈔》（上海：上海古籍出版社，1995，《續修四庫全書》，集部，冊1463），卷12，頁15。

41 章太炎：「史、漢之後，首推後漢書。」陳寅恪：「蔚宗之為後漢書，體大思精，信稱良史。」

以簡潔核實為特色。作為晉朝官員，雖為私家撰史，亦難免於述史立場、裁評準度，引發爭議，抑或有「曲筆」之論。「致曲」因緣尚需聯繫史家撰史的背景綜合考量，下引陳壽（233-297）書寫荀彧（163-212）的相關討論，載道：

> 陳壽號稱良史，他雖因身為晉臣，對魏晉間許多史實有所顧忌，不敢明言，但字裏行間，卻儘可能寓褒貶之意。如他敘荀彧的官位為「漢侍中」。特加一「漢」字，以寓褒美之意。又如他敘荀彧阻董昭擬請朝廷封曹操為魏公，加九錫之議曰：「公本興義兵，以匡朝寧國，秉中貞之誠，守退讓之實，君子愛人以德，不宜如此。」曹操由是心不能平。後來又敘曹操伐吳，故意請獻帝派荀彧勞軍。「因輒留彧」，「彧疾留壽椿，以憂薨」，「明年太祖遂為魏公矣！」寫得雖含蓄，卻把事情的底蘊都暗示出來了。[42]

此見「本傳晦之，他傳發之」的互見書法，以及通過字詞增刪，委婉寄寓的意圖。[43]於褒美前代賢臣，尚需如此審慎下筆，足見當時司馬氏強權是何等高壓，只得透過敘事書法，微調述史的「角度」。

「實錄」為史書修撰的前提，向為史家所推崇的董狐（651？-575？）之筆、齊南史（？-？）之簡皆然。此知，史家傳統所定義的「實錄」，並非窮源竟尾、純然客觀的紀錄，而是如「趙盾弒君」事件，係經過史家裁評、辨析下的「真實」。[44]為昭示後代，所書寫、所紀錄，自不可能是微末瑣事，而有「常事不書」原則；[45]既牽涉國家政體遞嬗、反映興亡盛衰變化，勢必與統治者在「權力」上產生矛盾；既要直書不隱地「傳真」，又要「善善惡惡，賢賢賤不肖」進行裁評、論斷，[46]往往受到主政者倚靠政治力量強勢介入、干涉書寫。在此情形下，如何避免觸犯忌諱，如何持守良史的職分，在在考驗著史家的膽識與智慧。這也是前四史所以因難見巧，能於史學上樹立典範地位之故。

唐高祖李淵代隋立唐後，鑒於前朝之亡，根據令狐德棻（583-666）建議，詔修梁、陳、魏、齊、周、隋六代史。高祖並提出史書編撰的原則為「考論得失，窮盡變

---

42 祗夢庵：〈荀彧的心跡〉，收入氏著：《三國人物論集》（臺北：臺灣商務印書館，1969），頁101。

43 宋．蘇洵著，曾棗莊、金成禮箋註：《嘉祐集箋註》（上海：上海古籍出版社，1993），卷9〈史論中〉，頁232。

44 參魯．左丘明著，楊伯峻編：《春秋左傳注》（臺北：漢京文化事業有限公司，1987，《四部刊要》本），〈宣公二年〉，頁662-663；唐．劉知幾撰、清．浦起龍釋：《史通通釋》，卷7〈直書〉，頁192-194。

45 「常事不書」係《春秋》書法之一，以為平常之事，不必書諸史冊。語源《公羊傳．桓公四年》：「常事不書，此何以書？譏。何譏爾？遠也。」漢．公羊壽傳、何休解詁，唐．徐彥疏：《春秋公羊傳注疏》（臺北：藝文書局，1982，嘉慶二十年江西南昌府學刊本），頁11。

46 漢．司馬遷：《史記》，卷130，3975。

通，所以裁成義類，懲惡勸善，多識前古，貽鑒將來」。[47]六代史雖未成書於高祖，卻可見得高祖對於歷史經驗總結的重視，為唐太宗以降大規模的修史作業，奠立鴻範。

唐太宗出身關隴世族，早年習尚武力，不好學問，封秦王之後，接觸儒生文人，積極於古籍著作汲取精華，即位之後，君臣、後宮，以書史砥礪，尤以魏徵為關鍵。貞觀三年（629），首開史館修史制度，唐太宗在位期間，大量史書的編成。既是動亂世代再度走向政治一統，因應時代變革的需要、歷史使命感所號召，亦是統治者重視史學意識形態下的產物。《治要》取材遍及經、史、子，以史部份量尤多，意味著史書敘事裨益於從中啟發治亂興亡之理。《治要》成書於貞觀五年（631），魏徵作為奉敕編撰的領銜人物，並總加撰定當時編修的一批史書，作《隋書》緒論與《梁》、《陳》、《齊》諸史總論。據《舊唐書·魏徵傳》，其監修國史的要則，係「多所損益，務存簡正」。[48]

史學經世思潮風行，帝王的提倡、重視，使史學蔚為當世顯學，於時士人好為史官，歷史意識流入眾體可見一斑；而實用、致用的思想，也滲入當時乃至於其後的史書編纂。依史學史的發展而言，從個人（家族）修纂，[49]到史館集體編修，個人情志的寄寓、筆法的多元紛呈不再，思想性、文學性、藝術性逐漸淡化，取而代之的是史學論治的實用目的。

唐德宗貞元年間，杜佑（735- 812）編成《通典》，可與之聯繫。是書取資五經、歷代各史，上起黃帝，下迄唐玄宗天寶末年，類分八門：《食貨》、《選舉》、《職官》、《禮》、《樂》、《兵刑》、《州郡》、《邊防》。誠如李翰（？-？）〈通典序〉：

> 以為君子致用，在乎經邦，經邦在乎立事，立事在乎師古，師古在乎隨時。必參今古之宜，窮始終之要，始可以度其古，終可以行於今。問而辨之，端如貫珠，舉而行之，審如中鵠。夫然，故施於文學，可為通儒，施於政事，可建皇極。[50]

緣此，與《治要》之編纂意旨，可謂不謀而合。是以，《治要》可謂為唐代史學觀念轉變之見證，啟發《資治通鑑》之編纂精神。

---

47 宋·宋綬、宋敏求編：《唐大詔令集》（臺北：鼎文書局，1972），卷81，頁466。

48 後晉·劉昫撰：《新校本舊唐書》（臺北：鼎文書局，1981，清懼盈齋刻本），卷71〈魏徵傳〉，頁2550。

49 司馬談、遷撰《史記》，班固在其父班彪《後傳》的基礎上撰《漢書》，八表、〈天文志〉賴班昭及其門人馬續撰成。故史稱司馬遷撰《史記》、班固撰《漢書》，名為個人，實為家族之力的撰就。

50 唐·李翰：〈通典序〉，唐·杜佑：《通典》（北京：中華書局，1988，《欽定四庫全書》本，史部十三·政書類），頁1-2。

四 結論

《群書治要》的編撰，係唐太宗敕令下，魏徵、虞世南（558-638）、褚亮（560-647）、蕭德言（558-654）等受命編撰，意欲使貞觀武功治績超越秦漢，一般認為是唐太宗所以能成就「貞觀之治」的箇中要因。

《治要》在西漢史範疇，多採錄《漢書》，而非《史記》，可從《漢書》多錄「有用之文」探起。所謂「有用」，意即與闡發當世治亂者攸關，與《治要》的撰旨相契，並側面印證《史》、《漢》於初唐的接受梗概。具體面向，包含強調禮樂教化與賢相良臣的晉用，臣屬諫諍、上書的採錄，諍臣輔翼太子以安社稷等，從治世之道，到彰顯治亂之跡，進而謀求長治久安。

《群書治要》既以實用、致用為準的，一般省略人物事蹟，惟卷十七取材自《漢書・李廣蘇建傳》者，誠屬例外。此篇以對話為敘事、以李陵側寫蘇武，意在凸顯蘇武的「忠」。聯繫他篇，側重的匡諫事蹟、諍臣範式，反映出對「臣德」的要求。而能得天下俊才為己用，關鍵則在於君王本身，亦即「君德」。可見《治要》所強調者，係結合「君德」與「臣德」的「忠」，近於先秦概念，以為盡「忠」對象不僅僅是君主本人，更在國家社稷與天下人民。

《治要》博采群籍以為成書之資，保存不少現今已然亡佚的要籍，以現今的角度而言，具有「存史」的價值。而通過《群書治要・漢書》保存的舊注，亦可用來證成《漢書》顏注的取用脈絡。以卷子本為祖本，駿河版、天明本為參校，與《漢書》進行全面性考察，將助於掘發舊注的史料意義，證成《治要》的存史功績，有待進一步探究。

值得一提的是，從後世眼光目之，《治要》在文獻學、史料學極有貢獻，惟《治要》撰作非僅以「存史」為目的。《治要》以其備經筵講誦之用、輯錄前人著述為匡政，研求治平之道的致用需求，便與以「實錄」為前提的史書編撰有別。係因應帝王立身行事、當代政治的實際需要而生，是「寓治世以存史」，呈現出取材史書、異於史書的觀點。從另個角度看，《治要》取資遍及經、史、子，以史部尤多，意味著史學利於「識興亡之軌跡，明治亂之條貫」。從《治要》的史部比重與召開史館大量史書的編撰、重用諍臣魏徵的面向，可見唐太宗行事範則、欲代雄秦漢帝國的企圖。而從實錄到史學經世的思潮，史傳的思想性、藝術性逐漸淡化，實用性目的提升，見證唐代史學風氣的轉變，下啟《資治通鑑》的撰就。

曾省齋序《群書治要菁華》，以為是書「將可復興中華文化，並用於當今，以收可大可久之功」。[51]洵此，宜有將《治要》所謂鑑往知來的範圍，進一步推拓現代，從古今中外人事出發，期能彰顯是書歷久彌新的價值、意義。

---

51 魯立剛：〈序〉，唐・魏徵原著，魯立剛選註：《羣書治要精華》。

徵引文獻

一　原典文獻

魯・左丘明著，楊伯峻編：《春秋左傳注》，臺北：漢京文化事業有限公司，1987，《四部刊要》本。

漢・公羊壽傳，何休解詁，唐・徐彥疏：《春秋公羊傳注疏》，臺北：藝文書局，1982，嘉慶二十年江西南昌府學刊本。

漢・司馬遷：《史記》，北京：中華書局，2013，點校本二十四史修訂本。

漢・班　固，唐・顏師古注：《漢書》，北京：中華書局，1997，二十四史標點本。

漢・許　慎撰，清・段玉裁注：《說文解字注》，臺北：藝文印書館，1979。

漢・鄭　玄注，唐・孔穎達疏，清・阮元審定、盧宣旬校：《禮記注疏》，臺北：藝文印書館，1997，影印清嘉慶二十年江西南府學堂重刊宋本。

南朝梁・蕭　統撰，唐・李善等註，《增補六臣註文選》，臺北：華正書局，1980。

唐・魏　徵：《群書治要》，西安：陝西人民出版社，2007，據清阮氏輯宛委別藏日本天明刊本影印。

唐・魏　徵撰，尾崎康、小林芳規解題：《群書治要》第7冊，東京：汲古書院，1989。

唐・魏　徵原著，魯立剛選註：《群書治要菁華》，未著出版地：六合印刷公司，1978。

唐・劉知幾撰，清・浦起龍釋：《史通通釋》，臺北：里仁書局，1980。

唐・杜　佑：《通典》，北京：中華書局，1988，《欽定四庫全書》本，史部十三・政書類。

後晉・劉　昫：《新校本舊唐書》，臺北：鼎文書局，1981，清懼盈齋刻本。

宋・宋　綬、宋敏求編：《唐大詔令集》，臺北：鼎文書局，1972。

宋・蘇　洵著，曾棗莊、金成禮箋註：《嘉祐集箋註》，上海：上海古籍出版社，1993。

清・趙　翼撰，杜維運考證：《校證補編廿二史劄記》，臺北：華世出版社，1977。

清・邵晉涵：《南江文鈔》，上海：上海古籍出版社，1995，《續修四庫全書》，集部，冊1463。

清・阮　元：《揅經室外集》，北京：中華書局，1985。

清・李慈銘：《越縵堂讀書記》，上海：上海書店出版社，2000。

二　近人論著

林朝成：〈《群書治要》與貞觀之治──從君臣互動談起〉，《成大中文學報》67（2019.12），頁101-142。

林溢欣：〈從日本藏卷子本《群書治要》看《三國志》校勘及其版本問題〉，《中國文化研究所學報》53（2011.7），頁193-216。

洪觀智：《《群書治要》史部研究──從貞觀史學的致用精神談起》，臺北：臺大中文系碩士論文，2015，頁1-211。

張蓓蓓：〈略論中古子籍的整理──從嚴可均的工作談起〉，《漢學研究》32:1（2014.3），頁39-72。

許愷容：《《史記》「于序事中寓論斷」之研究──以秦漢以來史事為例》，臺北：元華文創公司，2018。

楊明照：《學不已齋雜著》，上海：上海古籍出版社，1985。

潘銘基：〈《群書治要》所引《漢書》及其注解探析〉，臺南：成功大學主辦「第一屆群書治要學術研討會」，2019年6月3日至4日（未刊稿）。

潘銘基：〈日藏平安時代九条家本《群書治要》研究〉，《中國文化研究所學報》67（2018.7），頁1-40。

禚夢庵：《三國人物論集》，臺北：臺灣商務印書館，1969。

日・佐藤將之：《中國古代的「忠」論研究》，臺北：臺大出版中心，2010。

韓・朴宰雨：《《史記》《漢書》比較研究》，北京：中國文學出版社，1994。

東京大學東洋文化研究所「漢籍善本全文影象資料庫」，網址：http://shanben.ioc.u-tokyo.ac.jp/main_p.php？nu=C5884000&order=rn_no&no=00927。

《群書治要》與唐代老學發展

黃麗頻
逢甲大學國語文教學中心兼任助理教授

摘要

崇道崇老是李唐王朝的重點政策，唐初貞觀之治的成功，得道於老子清靜無為的政治主張，而成書於貞觀5年的《群書治要》正是印證老子思想如何落實的重要媒介。《群書治要》34卷以《老子河上公章句》為底本，反映了唐代社會流行的老子注本，由於其編輯摘錄的形式，並未加諸個人評論及心得創見，因此歷來學者論及《群書治要》時皆著眼於書中的政治理念與實踐，較少關注其學術思想上的特色。目前可見的唐代老學論述，唐初多以成玄英《道德經義疏》及李榮《道德經注》為主要討論文本，銜接中唐的唐玄宗《御製道德真經注》、《御製道德真經疏》及王真《道德經論兵要義述》。本文試著將《群書治要・老子》置入唐代老學發展脈絡，探究其在「理身」—「損情去欲」、「理國」—「君信臣忠」的思維主旨與唐代老學「化情復性」的修身論及「各安其分」的政治論之詮釋特色，彼此相互影響證成的關係。

關鍵詞：群書治要、老子、道德經、河上公章句

Qunshu Zhiyao and Development of Laozi's Philosophy During Tang Dynasty

Huang, Li-ping

Adjunct Assistant Professor ,Center for Chinese Language and Culture, Feng Chia University

Abstract

Advocating Daoism and Laozi's philosophy was one of the key policies during the Tang dynasty. In that case, the political views of Laozi's stillness and non-action philosophy played an essential role in the success of Zhenguan's enlightened administration during the early Tang period. *Qunshu Zhiyao* finished in the fifth year of Zhenguan's reign was exactly an important vehicle that even proved how Laozi's thoughts implement.

Volume 34 in *Qunshu Zhiyao* which is based on *Laozi's Ho-Shang Kung Chapters* reflected the popularity of *Laozi's Annotations* in the Tang society. However, because *Qunshu Zhiyao*'s editing and excerpting form which is not added personal comments, reflections, and original insights, when previous scholars studied it, they tended to focus on political ideas and practices rather than its features of academic thoughts.

From the currently available Laozi's philosophy expositions, the main discussion texts during the early Tang stage are mostly Cheng Xuan Ying's *Dao De Jing Yi Shu* and Li Rong's *Dao De Jing Zhu*. As for works during the mid-Tang period, the main discussion texts are Emperor Tang Xuanzong's *Yu Zhu Dao De Jing*, *Yu Shu Dao De Jing,* and Wang Zhen's *Dao De Jing Lun Bing Yao Yi Shu* which are also closely linked to the early Tang period's works.

This study attempts to put *Qunshu Zhiyao Laozi* into the context of Laozi's philosophy development during the Tang dynasty, and explore the correlated relationship among its political aspect, academic aspect, and development of Laozi's philosophy during Tang dynasty.

Keywords: *Qunshu Zhiyao*, Laozi, *Dao De Jing*, *Laozi Ho-Shang Kung Chapters*

一　前言

《群書治要》一書的纂輯，是唐太宗於貞觀初年飭令魏徵及虞世南等人，選錄歷代典籍編輯而成，旨在提供太宗治國安民的方針與理念。李世民少時隨同高祖李淵征戰沙場，建立了李唐王朝，卻也因此荒廢了學業上的精進，即位後，為了迅即在理國安邦上確立基礎，因此有了這套類書的編纂。[1]《群書治要》成書目的是源於政治性的需求，究其內涵而言，只是單純的選取典籍中的章節，並無加諸個人詮釋或注解，因此從學術觀點觀之，並不具創造性的價值，但因為擷取範圍橫跨經、史、子部各類文史經典，摘錄的內容與省略的章節，皆透顯出編纂者的意圖與態度。

學術文化與政治環境向來是相互生成與彼此叩問的關係，而中國經典的撰著與創作，也往往源自於對經世致用的憂心與關懷。《群書治要》一書的價值意義，既是唐太宗政治理念的本源與核心，同時也映照出當時學術文化上的取向與特質。魏徵等人的選文，固然有其個人偏好，但也無法孤拔於當時的文化土壤而獨自生發，因此政治與學術之間的相互聯繫，正是本文關注的重點。

《群書治要》一書是太宗開創貞觀盛世的理念根柢，其中，老子靜定無為的政治主張，為唐太宗施政的核心理念，他認為隋末敗亡的關鍵，乃肇因於帝王過度的欲求與作為：「往昔初平京師，宮中美女珍玩，無院不滿。煬帝意猶不足，徵求無已。兼東西征討，窮兵黷武，百姓不堪，遂致亡滅。」因此他統領天下後：「故夙夜孜孜，惟欲清淨，使天下無事。遂得徭役不興，年穀豐稔，百姓安樂。」「夫治國猶如栽樹，本根不搖，則枝葉茂榮，君能清靜，百姓何得不安樂乎？」[2]老子《道德經》的淑世理想，在貞觀時代，由於唐太宗的推崇與實踐，獲得了國富民安的具體成效。

唐太宗對老子的推崇，不僅僅是理念上的認同，同時也具有政治性的意圖。為了鞏固政權的合理性，也為了削減隋朝「我興由佛法」的佛教勢力，同姓「李」的老子，除了化身為李唐王朝的宗主，為唐代政治擘畫藍圖，也將道教一舉推上國教的神聖地位。因此，唐代老學的發展，也是在此崇老崇道的政治氛圍之中，開展出與魏晉時期崇玄尚虛不同的老學特色。

《群書治要》卷34〈老子〉卷，究竟適不適合列入老學的討論，是本文試圖釐析的議題。〈老子〉卷以《河上公章句》為底本，選擇老子的注解詮釋章節，《道經》有19則，《德經》有30則，總計49則，相較於《孟子》只取了17則，《莊子》僅擇取10則，對《老子》的重視不言可喻。就唐代老學發展而言，唐初主要以目前現存的老子注釋本：

1　「朕少尚威武，不精學業，先王之道，茫若涉海，覽所撰書，博而且要，見所未見，聞所未聞，使朕致治稽古，臨事不惑。其為勞也，不亦大哉！」清．董誥：〈答魏徵上〈群書理要〉手詔〉，《全唐文》（上海：上海古籍出版社，2007），卷9，頁40。

2　唐．吳兢：《貞觀政要．政體》（臺北：黎明文化，1989），卷1，頁16-17。

成玄英《道德經義疏》及李榮《道德經注》為討論文本，銜接中唐的唐玄宗《御製道德真經注》、《御製道德真經疏》及王真《道德經論兵要義述》。成玄英與李榮皆為道士身分，僅以此二家作為初唐老學參照，不免失其疏漏，《群書治要．老子》固然不是老子注釋本，只是擇取老子與河上公章句的文句，但其間的思想內涵卻與唐代老學發展相互呼應，因此本文試著將《群書治要．老子》置入唐代老學發展脈絡，探究其在學術、政治層面與唐代老學發展的關係。

二　唐初崇道政策與河上公注

（一）神道設教的崇老政策

崇道崇老是李唐王朝的重點政策，由於唐朝統治者與道家道教的始祖老子同姓李，隋朝末年「當有老君子孫治世」、「李氏當王」[3]的讖緯流行於世，李淵在社會期待改換朝代的氛圍與隋煬帝對李氏的猜忌心態下揭竿起義[4]，並與道教團體之間形成一種相輔相成的合作關係。[5]唐高祖在位9年時間，曾多次謁老子廟和樓觀[6]，武德8年，高祖親自召集儒、釋、道三教代表，討論三教先後次序，並宣布：「今可老先、次孔，末後釋宗。」[7]以削減隋朝「我興由佛法」的佛教勢力。

唐太宗賡續高祖崇道抑佛的態度，於貞觀11年，重申「道士、女冠宜在僧尼之前」

3　見〈李軌傳〉，《舊唐書》卷55，收入王雲五主編：《百衲本二十四史．舊唐書（宋紹興刊本）》中冊（臺北：臺灣商務印書館，2010），頁614。以下不再贅述，僅標明章節、頁數。

4　李淵留守晉陽後，李世民規勸父親：「世人皆傳李氏當應圖讖，故李金才無罪，一朝族滅。大人設能滅賊，則功高不賞，身益危矣。」鼓勵李淵只有「興義兵」才能免於殺身之禍。見《資治通鑑》，卷183，義寧元年。鷹揚府司馬許世緒也指出李淵當時的處境：「舉事則帝業可成，端居則亡不旋踵，唯公圖之。」見宋．袁樞：《通鑒紀事本末》，卷26下，頁47，收入清．于敏中等奉撰：《摛藻堂四庫全書薈要．史部．別史類》第208冊（臺北：世界書局，1988），頁193。

5　道教創造的讖語為李淵起兵提供了正當性，而李氏取得政權的過程中，有許多道士以各種形式表達對李淵集團的支持，如終南山道士李淳風稱老君降於終南山，並稱：「唐公當受天命」。李淵至蒲津關，岐暉喜云：「此真君來也，必平定四方矣。」於是改名為「平定」以應之，並派遣八十餘位道士接應李淵。李淵感念其行，曰：「道士岐平定鏟跡求真，銷名離俗，恬淡榮利，無悶幽閑，而能微損衣資，以供戎服，抽割菽粟，以贍軍糧，忠節可嘉，……，宜受紫金光祿大夫，已下並節級授銀青光祿大夫，以酬其義。」並許諾曰：「師且受，俟得京師，別有進止。」見《混元聖紀》，卷8，收入《重刊道藏輯要》第53-54冊。

6　《唐會要》卷50，〈尊崇道教〉載：「武德三年五月，晉州人吉善，行于羊角山，見一老叟，乘白馬朱鬣，儀容甚偉，曰：『謂吾語唐天子：『吾汝祖也，今年平賊後，子孫享國千歲。』』高祖異之，乃立廟于其地。」以確立李唐政權與老子的血緣關係。宋．王溥撰：《唐會要》（武英殿聚珍版）中冊（北京：中華書局，1955），頁865。

7　唐．釋道宣：《集古今佛道論衡》卷丙，收入《大藏經》第52卷。

的政令，下令於亳州修建老君廟，太宗並多次召見王遠知、孫思邈等知名道士，意欲授予高官，而在其重用的大臣中，如魏徵、傅奕、李淳風、薛頤等，皆為道教信徒[8]，甚而在其治理國家時，躬身實踐老子的清靜無為思想。

唐初政權的建立與鞏固，得力於道教甚多，期間借助了讖緯圖說及神仙方術，為李氏的興起確立了君權神授的意義。李淵和李世民雖有意的操作與老子的親緣關係，並抬舉道教及老子的神聖地位，但其基本態度是理性的利用，並不迷惑於祥瑞之說，對封禪大典也不感興趣。太宗曾詔云：「安危在乎人事，吉凶繫於政術，若時主肆虐，嘉貺未能成其美；如治道休明，咎征不能致其惡，以此而言，未為可請。」（〈禁奏祥瑞詔〉，《全唐文》卷4，頁19）對於群臣上書請封泰山，他說：「議者以封禪為大典。如朕本心，但使天下太平，家給人足，雖闕封禪之禮，亦可比德堯舜；若百姓不足，夷狄內侵，縱修封禪之儀，亦何異於桀紂？」（〈禮儀志〉，《舊唐書》上冊，卷23，頁274）

貞觀8年，天見彗星，唐太宗謂群臣曰：「是何妖也？」虞世南對之曰：「願陛下勿以功高古人而自矜伐，勿以太平漸久而自驕怠，慎終如始，彗星雖見，未足為憂。」太宗斂容謂曰：「吾之撫國，良無景公之過，但吾纔弱冠舉義兵，年二十四平天下，未三十而居大位，自謂三代以降，撥亂之主，莫臻於此。……吾頗有自矜之意，以輕天下之士，此吾之罪也，上天見變，良為是乎？秦始皇平六國，隋煬帝富四海，既驕且逸，一朝而敗，吾亦何得自驕也？言念於此，不覺惕焉震懼。」（〈虞世南傳〉，《舊唐書》中冊，卷72，頁710）並多次於水旱蝗災地震之時反躬自省，下詔群臣上書言過。（〈五行志〉，《舊唐書》上冊，卷37，頁394-395）

由此得見，唐太宗清楚的覺知國家太平的關鍵主要繫乎帝王的治術與德行，而不是藉由神仙力量的護衛，他曾對侍臣說：「神仙事本虛妄，空有其名，秦始皇非分愛好，遂為方士所詐。……漢武帝為求仙，乃將女嫁道術人，事既無驗，便行誅戮。據此二事，神仙不煩妄求也。」（〈太宗本紀〉，《舊唐書》上冊，卷2，頁32）這個態度體現於《群書治要》的成書，神仙方術之說，對太宗來說既無法驗證，又容易形成詐偽，而政治是務實的理念與策略，因此求教於歷史經驗與聖哲經典，期盼從中建立修齊治平的指導方針。

---

8 曾於隋廷道場為煬帝設醮上章的道士薛頤，在李淵廢楊侑自立時，來到秦王府內，對李世民說：「德星守秦分，王當有天下，願王自愛。」見《舊唐書》卷191，〈方伎傳〉。王雲五主編：《百衲本二十四史．舊唐書》（宋紹興刊本）下冊（臺北：臺灣商務印書館，2010），頁1466。武德四年，李世民曾與房玄齡謁見道士王遠知，王氏對李世民說：「方作太平天子，願自惜也。」武德九年，傅奕曾向高祖密報：「太白見秦分，秦王當有天下。」見〈傅奕傳〉，《舊唐書》中冊，卷79，頁755。之後，李世民與太子李建成爭奪皇位的過程中，以王遠知為首的道士站在李世民這一邊，而以法琳為首的僧徒則支持李建成，因此當李世民奪得政權後，自然要禮遇酬謝這些道士。見清．董誥編：〈賜王遠知璽書〉，《全唐文》（一），卷10，頁45。

（二）《河上公章句》為底本的老學詮釋

《群書治要．老子》以《河上公章句》為底本，它反映了唐代前期的流行注本；至少在開元7年，河上公注本仍為皇室及民間所推崇，直至唐玄宗於開元20年頒布其御注的《道德經》後，才產生轉變。[9]根據《唐會要》卷77，「論經義」條所載，開元7年4月朝廷在對經文的相關會議討論紀錄：

> 其年4月7日，左庶子劉子玄上《孝經註》，議曰：「……，又今俗所行《老子》是河上公注，其序云：『河上公者，漢文帝時人，結草庵於河曲，乃以為號，所注《老子》，授文帝，因沖空上天。』此乃不經之鄙言，流俗之虛語，按《漢書．藝文志》，注《老子》者三家，河上所釋，無聞焉爾，豈非注者欲神其事，故假造其說耶？其言鄙陋，其理乖訛，豈如王弼所著，義旨為優，必黜河上公，升王輔嗣，在於學者，實得其宜。……。」國子祭酒司馬貞議曰：「……又注《老子》河上公，蓋憑虛立號，漢史實無其人。然其注以養神為宗，以無為為體，其辭近，其理宏，小足以修身絜誠，大可以寧人安國，且河上公雖曰注書，即文立教，皆旨詞明近用，斯可謂知音矣。王輔嗣雅善玄談，頗深道要，窮神用於橐籥，守靜默於玄牝，其理暢，其旨微，在於玄學，頗是所長。至若近人立徵，修身宏道，則河上為得，今望請王、河二注，令學者俱行。……。」其年5月5日詔曰：「……其河、鄭二家，可令依舊行用；王、孔所注，傳習者稀，宜存繼絕之典，頗加獎飾。」[10]

由此可知，在唐玄宗時代，通行於社會的《老子》，即以河上公注本及王弼的注解為底本。劉子玄對於河上公注的神仙傳說有所疑慮，並否定其遣辭用字的鄙陋，力主黜河上公，升王輔嗣，但當時的國子祭酒司馬貞釐析兩家的注解特色，認為河上公的注解，以養神為宗，以無為為體，著重於修身安國的論述；而王弼注則反映魏晉時期的清談暢玄，鑽研於道體的形上思索，二書在義理宗旨及文字風格上各擅勝場，因此提出兩注俱行的提議。

當時雖河、王兩注俱行，但從劉子玄說：「今俗所行《老子》是河上公注」，可見社會上習知的版本仍以河上公注為主，此點由魏徵編輯《群書治要》時選擇河上公注為底本可以得證。《河上公章句》之所以受到唐初學者及民間青睞，大抵也在於注疏方向更符合當時家國人民治身理國的務實需求；在歷經隋末改隸的倥傯動盪，整體社會需要的

---

9 唐．王真：《道德經論兵要義述．序》，《續修四庫全書．子部．道家類》（上海：上海古籍出版社，1995），頁153。「臣伏以道德經文，遠有河公訓釋，中存嚴氏指歸，近經開元注解。微臣狂簡，豈敢措辭。」可見即使到了憲宗時期，河上公注本在民間仍具指標性意義。

10 宋．王溥：《唐會要》，頁1406-1410。

是直面現實的生存策略，因此在學術上顯現為對修身治國理論的偏好。

《河上公章句》一書於《隋書・經籍志》始見明確記載：「周柱下史李耳撰，漢文帝時，河上公注。梁有戰國時河上丈人注《老子經》二卷。」因有河上公與河上丈人二人名號的混淆不清，以及「授文帝，因沖空上天」的神化傳說，因此遭致許多質疑其虛偽造假的批評，由前揭劉知幾的評論可見一斑。雖然作者河上公是假託的人物，也無法指出明確的成書年代[11]，但可以肯定的是，《河上公章句》一書的內容不虛，並在唐初成為社會間普遍流傳的老子文本。河上公注本之所以受到李唐皇室與民間的喜好，可從兩個面向來看，第一是黃老學派的理身理國之宗旨，契合當時社會的風氣與需求，第二是河上公注自晉代起即被納入道教經典，與道教關係密切。

道教創始於漢代，但起初並未致力於理論系統的建構，直到魏晉時期由於玄風暢行，加以佛學傳入的刺激與激盪，道教徒開始感受到經教理論的重要性，因此丹鼎道的葛洪著作《抱朴子》時，吸收了《老子》的「玄道」以及魏晉玄學的養生思想，充實其仙道理論。北朝寇謙之改造北方天師道時，也重視宣傳經教義理，不僅以老子思想為基礎，重新整理天師道的神仙譜系及戒律齋儀，甚至將釋迦牟尼拉進其創造的神靈譜系之中。東晉南朝時期，系統性的理論建設開始形成，並出現大規模的道經整理與研究。其一是陸修靜綜括各派道書為三洞（洞真、洞玄、洞神）、四輔（太玄、太平、太清、正一）七部，建構道教經典的分類系統。

在道教建構經教義理的過程中，披上神話傳說面貌的河上公以及其書對老子修身論的注解，側重於寶養精氣、愛養神魂[12]等詮釋，使得老子河上公注因此躋身道教聖典之列，在《道藏》中具有崇高的地位。「從敦煌資料中之《無注本》道德經寫卷（P6453、P2417）的跋『太極左仙公序，係師定，河上真人章句』看來，系師（指張魯）一派之五斗米道也相當重視是書，況且是書在道教內部之傳授亦佔有極重要的地位。正統道藏正乙部《傳授經戒儀注訣》論及所傳授之『太玄部』經典共10卷，其中

---

11 關於《老子河上公注》的成書年代，歷來學者眾說紛紜，大致上有四種說法：第一是成書於西漢，如金春鋒認為成書於西漢成帝前。第二是東漢時期，如王明認為是桓靈時代黃老學者託名為河上丈人之作；湯一介、饒宗頤亦持東漢中後期之說。第三種是晉代時期，如武內義雄、谷方等。第四種認為原始注本出現於東漢時期，但成書於六朝，如楠山春樹、小林正美。相關論述，詳見陳麗桂：〈《老子河上公章句》所顯現的黃老養生之理〉，《中國學術年刊》第21期（2000.3），頁178-181。及王清祥：《老子河上公注之研究》（臺北：新文豐出版公司，1994），頁11-14。鄭燦山：〈河上公注成書時代及其思想史道教史之意義〉，《漢學研究》第18卷第2期（2000.12），頁86。

12 《老子》第六章「谷神不死」，河上公注：「谷，養也。人能養神，則不死也。神，謂五藏之神也。肝藏魂，肺藏魄，心藏神，腎藏精，脾藏志，五藏盡傷，則五神去矣。」在《老子》第十章「載營魄」，河上公注：「營魄，魂魄也。人載魂魄之上，得以生，當愛養之。喜怒亡魂，卒驚傷魄。魂在肝，魄在肺。美酒甘肴，腐人肝肺。故魂靜，志道不亂；魄安，得壽延年也。」皆可以見出河上公試圖從道的吐氣布化，符應至人身的修養。鄭成海：《增訂老子河上公疏證》（臺北：華正書局，2008），頁57、79。以下不再贅述，僅標明章節、頁數。

《老子河上公注》之次序，僅次於老子道德經而居第二順位。」[13]可見此書在道教界中的地位。[14]

成為道教聖典的老子河上公注，在唐代崇道政策底下，諸多道教徒投入道經詮釋之時，其強調氣化的道論及對修身養氣的論述，自然為當時的老學注家所承襲，並加以深化闡揚。

三　修身論：從損情去欲至化情復性

河上注的主要特色，在於透過元氣說將養生提到一個很高的地位；將「治身」與「治國」放在同一個天平上，等量齊觀，並且將道家傳統的養生理論，結合了醫學理論及神仙思想，為之後道教養神成仙的修煉過程提供了理論基礎。

《河上公章句》承繼發展了漢代黃老學派的元氣論[15]，認為「道」是宇宙萬物的根源，並且是一種原始型態的氣：「始者，道本也。吐氣布化，出於虛无，為天地本始也。」（體道第1，頁57）河上公提出「元氣」的概念，以「氣」的概念解釋大道流行、孕化萬物的過程，他說：「元氣生萬物而不有」（養身第2，頁23）、「道唯恍惚，其中有一，經營主化，因氣立質。」（虛心第21，頁179）、「言道稟與，萬物始生，從道受氣」（虛心第21，頁182）。

《河上公章句》的元氣說，使「道」與「萬物」的關係獲得物質性的聯繫，因此體道的關鍵，即是對天地元氣──內在精氣的體認與養護：「人能自節養，不失其所受天之精氣，則可以久。」（辯德第33，頁272）「能知天中復有天，稟氣有厚薄。除情去欲，守中和，是謂知道要之門戶。」（體道第1，頁14）就此而言，河上公在養生的理論建立上，發展出兩個層面的意涵：一是愛養身中的太和精氣便能長壽：「人載魂魄之上，得以生，當愛養之。喜怒亡魂，卒驚傷魄。魂在肝，魄在肺，美酒甘肴，腐人肝肺。故魂靜，至道不亂；魄安，得壽延年也。」（能為第10，頁79）認為五臟六腑中含

---

13 鄭燦山：〈河上公注成書時代及其思想史道教史之意義〉，《漢學研究》第18卷第2期（2000.12），頁86。

14 其他如梁末《洞玄靈寶三洞奉道科戒營始》、唐代張萬福《傳授三洞經戒法籙略說》也有類似的授經次序。詳見鄭燦山：《邁向聖典之路──東晉唐初道教道德經學》（臺北：臺灣師範大學國文研究所博士論文，2000），頁159-168。

15 從戰國時期至漢初的黃老學派集中發揚了老子的「氣」論，《管子》將「道」解釋為「精氣」，認為「氣」構成了世界萬物的本質與變化，後來的《文子》與《呂氏春秋》皆沿襲此說。《淮南子》則在「精氣」說的基礎之上，加入了陰陽觀念，使「道」成為包含陰陽二氣的本體：「道始於虛廓，虛廓生宇宙，宇宙生氣。氣有涯垠，清陽者薄靡而為天，重濁者凝滯而為地。」（《淮南子．天文訓》），並由此發展出「精氣為人」的命題，「夫形者生之舍也，氣者生之充也，神者生之制也，一失位則三者傷矣」（《淮南子．原道訓》）養氣以養形，進而養神的養生理論。

藏著心志精神，唯有保持神魂的安定，方能與天道為一，獲得長壽延年的功效。導引精氣，「言鼻口之門，是乃通天地之元氣。」（成象第6，頁61）相關理論在第6章「谷神不死」及第10章「載營魄抱一」皆有詳細的解釋。另一個層面是順著老子「無知無欲」的概念，強調「除情去欲」對於養神的重要性，將人對外在事物的欲求清除，才能持守內在的沖虛清明。

唐初流行的老子注本為河上公注，「唐代初期，對老子修身思想的理解基本以河上公《老子注》為宗，河上公強調寶精、愛氣、養神，追求長生不死，特別是上流社會一些老學愛好者，如名相魏徵、太史令傅奕，知名學者陸德明等都曾注《老》，其宗旨不出河上公《老子注》的思想。」[16]唐初詮釋《老子》的注家有劉進喜、蔡晃、陸德明、顏師古、傅奕、成玄英及李榮等人，但大多已散佚不存，目前可見的輯本僅有成玄英《道德經義疏》及李榮《道德經注》二書。成玄英及李榮皆具道士身分，其修身論述受河上公影響，幾乎可說是順理成章的事。

成玄英《道德經義疏》：「河上公言：谷，養也，言蒼生流浪生死，皆由著欲故也。若能導養精神，如彼空谷，虛容無滯，則不復生死也。」[17]（第6章）「修道之初，先須拘魂制魄，使不馳動也。……既能拘魂制魄，次須守三一之神，虛夷凝靜，令不離散也。」（第10章，頁394）或是李榮《道德經注》：「身清則魂魄安，心濁則真神遠，絕慮以守神，故言營。灰心無二，故言一。智將道合，神與形同，故曰無離。」[18]「化物理人，事資安靜，但有為而躁動者傷物也，無為而安靜者愛人也。」（第10章，頁577）皆可見出河上公注的思想影響。

而魏徵等人編輯《群書治要．老子》時，雖以河上公注為底本，但並未選取《河上公章句》道（氣）論的開展與養精愛氣的修身論述，而是直接略過老子首章「道」的定義與詮釋，從第2章的「聖人處無為之事」切入。從治國綱要為出發點，魏徵等人關注的是聖人的舉措與治策，而非形上的思想根源。就〈老子〉卷的內容看來，主要在於從「治身」與「治國」兩個面向，為聖人提供準則。

在治身部分，《群書治要．老子》剪除了《河上公章句》愛養精氣的論述，但保留了其「除情去欲」的理念。對河上公而言，養精愛氣與除情去欲是一體兩面的事：「天地之間空虛，和氣流行，故萬物自生。人能除情欲，節滋味，清五藏，則神明居之也。」（第5章）除情去欲是養神，養精愛氣則得以養形，形神相養是河上公養生論的重點所在。而《群書治要．老子》擇取河上公的注文，針對「治要」的需求，刪去養形的

---

16 董恩林：《唐代老學：重玄思辯中的理身理國之道》（北京：新華書店，2002），頁102。

17 唐．成玄英：《道德經義疏》，收入蒙文通：《道書輯校十種》（成都：巴蜀書社，2001），頁387。以下不再贅述，僅標明章節、頁數。

18 唐．李榮：《道德經注》，收入蒙文通：《道書輯校十種》（成都：巴蜀書社，2001），頁576。以下不再贅述，僅標明章節、頁數。

精氣養護之說，側重於損情去欲的聖人治身原則，以求得到聖人愛養萬民的結果。聖人養神不是個人體道的修養而已，他關乎的是國家的治理與成效。

在《老子》書中，並未有「性」、「情」意義的討論，體道即是體無，無知無欲，虛心實腹，弱志強骨就是最好的養生方法。而河上公註解老子時，則加入了「性」、「情」的概念，他提出：「守五性，去六情，節志氣，養神明。」（檢欲第12，頁101）、「去彼目之妄視，取此腹之養性。」（檢欲第12，頁103）；「吾所以有大患者，為吾有身，有身憂其勤勞，念其飢寒，觸情從欲，則欲禍患也。」（猒恥第13，頁107）「得道之人，損情去欲，五內清淨，至於虛極也。」（歸根第16，頁129）在他的註解文義中，可以見出「性」是內在本真，是心、肝、脾、肺、腎的五內之「實」，而「情」則是「欲」所從出的妄視思慮，因此「除情去欲」、「損情去欲」的治身理論，成為《河上公章句》的重要主張，在全書中不斷的宣揚強調。

《群書治要．老子》在治身理論上，選錄了許多《老子》關於無欲的訴求，因此也呈現了「損情去欲」的相關段落，《老子》48章「為學日益，為道日損。」河上公將「損」解釋為「情欲文飾日以消損」，《群書治要．老子》擇取了之後的注文「損之又損，以至於無為，無為而無不為。取天下常以無事，及其有事，不足以取天下」一段：

> 損情欲，又損之，所以漸去之。情欲斷絕，德與道合，則無所不施，無所不為。取，治也。治天下常當以無事，不當勞煩民也。及其好有事，則政教煩，民不安，故不足以治天下也。[19]

河上公認為「情欲」即是「有為」的根本原因，因此體道的基本功夫就是減去內在由情而生的欲求。魏徵等人編輯《群書治要．老子》時，因為關注國君的內在修養，《老子》書中關於「無欲」的思想文字，一一被標舉出來，而《河上公章句》因為特別致意於「損情去欲」的理念闡發，也一併被摘錄，不僅成為對聖人修身論述的重點呼籲，也納入聖人「治國」的基本原則。在《老子》74章上，《群書治要．老子》擷取了河上公的注文：

> 治國者刑罰酷深，民不聊生，故不畏死也。治身者嗜欲傷神，貪財殺身，不知畏之。人君不寬其刑罰，教人去情欲，奈何設刑罰法，以死懼之。當除己之所殘刻，教民去利欲。以道教化，而民不從，反為奇巧，乃應王法，執而殺之，誰敢有犯者，老子傷時主不先道德化之，而先刑罰也。

河上公將嗜欲視為罪惡的淵藪，所有的犯罪皆來自於情欲的發動，因此治國的首要之

---

19 唐．魏徵等撰：《群書治要》，收入《續修四庫全書．子部．雜家類》，卷34，頁439。以下不再贅述，僅標明章節、頁數。

務，就是教化人民去除心中的情欲，降低人民對財貨利欲的追求，遠比刑罰的設立更為重要。

《群書治要・老子》也摘錄了《河上公章句》在《老子》64章：「其安易持，其未兆易謀，其脆易破，其微易散，為之於未有，治之於未亂」一段的注文：

> 治身，治國，安靜者易守持也。情欲禍患，未有形兆時，易謀止。禍亂未動於朝，情欲未見於色，如脆弱易破除也。其未彰著，微小，易散去也。欲有所為，當以未有萌牙之時，塞其端也。治身，治國於未亂之時，當豫閉其門也。（頁440）

河上公將老子察微知著的思想，具體而微的套用於「治身」、「治國」的兩個面向。他將此篇重點置於「安」字，以「安靜易守持」為論述，對比「情欲禍患」的萌動，說明內在「情欲」的萌芽，即是所有禍患的開端。由此，可以見出《河上公章句》將人情等同於欲望，治身治國的首要之務就是在根源處破除消解它，以護持內在心神的安定以及家國社稷的安寧。

《群書治要・老子》中關於「損情去欲」的論點摘錄，可以聯繫唐代老學在修身論上的特色。熊鐵基等人所著的《中國老學史》評論唐代老學：「這一時期的老學發展最為顯著的標誌是，人們已開始探討運用《老子》的理論來指導修身、治心，進行倫理道德權威的建立。」[20]所謂的倫理道德權威，即是內在的心性問題，唐代的《老子》注釋，受大乘佛學「一切眾生，皆有佛性」思想的啟發，將人內在的「性」與天道聯繫在一起，「道者，虛通之妙理，眾生之正性也。」（第62章，頁502）、「一切眾生，皆稟自然正性。」[21]（第64章，頁508）唐玄宗也說：「人受生，皆稟虛極妙本，是為真性。」[22]每個人內在都稟受了自然無為的天性，受外在社會環境的影響，情役於物，因此遺失了本性，透過對外在物欲的阻絕，便能回歸自然稟受的正性。《老子》「歸根曰靜，靜曰復命」的概念，在唐代老學的詮釋下，即是化情復性的修煉過程，成玄英《道德經義疏》：「既屏息囂塵，心神凝寂，故復於真性，反於惠命。反於性命，凝然湛然，不復生死，因之曰常。」（第16章，頁408）李榮《道德經注》：「不能養性，內為情欲之所傷，外為毒蟲之所害。」（第50章，頁631）、「重生之人，制浮情於正性；輕死之輩，溺邪識於愛流。」（第75章，頁659）唐玄宗《御製道德真經疏》：「人之稟生者妙本，令能守靜致虛，可謂歸復所稟之性命也。」（卷之2・致虛極章第16）或是陸希聲《道德真經傳》：「夫人之性大同，而其情則異，以殊異之情外感於物，是以好惡相繆，美惡無主，

---

20 熊鐵基、馬良懷、劉韶軍：《中國老學史》（福州：福建人民出版社，1997），頁256。

21 熊鐵基、馬良懷、劉韶軍：《中國老學史》，頁508。

22 唐・李隆基：《唐玄宗御製道德真經疏・卷之二・致虛極章第十六》，收入《正統道藏》第358冊《洞神部・玉玦類》4卷。以下不再贅述，僅標明章節、頁數。

將何以正之哉？在乎復性而已。向則情之所生，必由於性，故聖人化情復性，而至乎大同」（第2章）、「情復於性，動復於靜，則天理得矣。」（第16章）[23]唐代老學將心性修養作為歸根復命的途徑，一方面奠立發展了中晚唐內丹道的理論基礎，另一方面也開啟了宋代理學心性討論的端緒。

由此可見，老子河上注的修身論述，將除情去欲作為修道的主要途徑，唐代老學承繼了此一思理，加上受佛學思想影響的道性之說，衍生出「化情復性」的功夫論，而《群書治要．老子》也在此一思想風潮中，以選文的偏重取向回應了時代的思想共性。

四　《群書治要》與唐代老學的政治化詮釋

唐初陸德明《經典釋文》闡釋《老子河上公章句》時，明其主旨為「言治國治身之要」[24]，憲宗時期的杜光廷《道德真經廣聖義》敘述老子的注解情形時也說：「詮注解說，六十餘家，言理國則嚴氏、河公，揚鑣自得。」[25]，而治身理國也正是唐代老學的核心概念，如李約《道德真經新注》稱老子一書是：「清新養氣安國保家之術」[26]、「夫身修者，未聞其國不理也。」（第10章）或是王真《道德經論兵要義述》亦揭示老子書中旨要：「由是特建五千之言，故先舉大道至德，修身理國之要。」[27]唐玄宗也是將「理身」、「理國」[28]釋為老子書中的兩大要旨。

因此近世論者論及唐代老學特色時，除了標舉初唐成玄英的「重玄」思辨外，「理身理國」更是貫串整個時代的基本風貌。董恩林在《唐代老學：重玄思辨中的理身理國之道》一書中將唐代老學發展分為三個階段：第一階段從高祖時代起，至武則天時代止，以劉進喜、蔡子晃、成玄英、李榮等人為代表，其特色為試圖援引佛學理論增強道教經典理論，具濃厚佛學色彩；第二階段是唐玄宗開創的政治化詮釋時代，其後的王真、李約、陸希聲都試圖強化老子的經世致用功能；第三階段則是強思齊、杜光庭等人試圖對唐代老學進行總結與集解，意在糾正之前的宗教化與政治化之極端傾向。

論者多以唐玄宗標誌唐代老學的政治化時代，玄宗以帝王之尊，將《老子》推上道教第一經典的位置，繪製老子像頒發全國，「道德者百家之首，清淨者萬化之源……無

---

23 唐．陸希聲：《道德真經傳》，收入清．錢熙祚等輯：《指海》第20集（臺北．藝文印書館，1967），卷之1。

24 唐．陸德明：《經典釋文》（上海：上海古籍出版社，1985），卷25，頁1393。

25 唐．杜光廷：〈疏序引〉，《道德真經廣聖義》卷1，收入《正統道藏》第440冊，《洞神部玉訣類》，50卷。

26 唐．李約：《道德真經新注．序》，收入《正統道藏》第374冊，《洞神部玉訣類》，4卷。

27 唐．王真：《道德經論兵要義述．序》，收入《續修四庫全書．子部．道家類》，頁152。

28 唐．李隆基：《唐玄宗御製道德真經疏．釋題》：「而其要在乎理身理國，理國則絕矜尚華薄，以無為不言為教。……理身則少思寡欲，以虛心實腹為務。」

為者太和之門，躬承垂裕之業……故詳言博達，講諷經微，求所以理國理身，思至乎上行下效。」[29]，尤其《御製道德真經注》和《御製道德真經疏》的兩部系統性詮釋，從帝王身分出發，闡揚《老子》書中的治國安民理論，影響了後續的老學政治化傾向。但事實上，思想的發展從來不是突然發生的，而是在時代的前進中逐漸累積形成的。初唐時成玄英的《道德經義疏》中著重於將《老子》的理論一一附會為修身治心的理念，以佛學術語解釋道教修心復性的方法論，對政治相關的論述發揮較少。而同為道士身分的李榮，其《道德經注》除了延續成玄英的重玄思辨路線，另一方面也逐漸往政治務實的方向傾斜。李榮認為老子著書的宗旨即是為君主們提供治國之術：

> 大聖老君，痛時命之大謬，愍至道之崩淪，欲抑末而崇本，息澆以歸淳，故舉大丈夫經國理家，修身立行，必須取此道德之厚實，去彼仁義之華薄，則捐俗禮、歸真道。（38章，頁616）
>
> 老君傷時王不從夷路，唯履險途，服文綵而帶利劍，厭飲食而積貨財，農田荒穢，倉廩空虛，此乃盜誇之人，豈知純粹之行？若使我微知政事，必行無為之大道，不涉有為之小徑，有所施為之事，尤畏不行也。（53章，頁633）

李榮認為老子著書的目的在於針砭當時國君施政的錯謬失道，所謂「抑末崇本」的說法固然是對王弼「崇本息末」說的沿用，但標舉「經國理家，修身立行」便可見出其關注重心已不再是魏晉以來的玄學思維，而是務實的政治關懷。李榮言及「老君傷時王不從夷路」的論點，可以從河上注「老子疾時王不行大道。……人君所行如是，此非道也。復言也哉者，痛傷之辭。」（《益證第53》）的注解，見出其思想承襲的脈絡。

就時代上而言，成玄英是唐太宗、高宗時代著名的道教學者，「玄英，字子實，陜州人，隱居東海。貞觀5年，詔至京師。永徽中，流郁州。」[30]曾經在貞觀5年時，被唐太宗召至長安，並賜號「西華法師」。而李榮是略晚於成玄英但與之齊名的道教學者，生平事跡湮沒不詳，經學者考證，為高宗時代人[31]，盧照隣《幽憂子集》有〈贈道士李榮詩〉:「敷誠歸帝闕，應詔佐明君」，說明李榮曾應詔入長安，李榮進京後，主要代表道教與佛教論辯，他曾先後五次應高宗之邀出席調和道佛二教的辯論會，領銜與佛教徒展開義理論辯。他在《道德真經注・序》中曾自述這段經歷：「猥以擁腫之性，再奉渙

---

29 清・董誥：〈為玄元皇帝設像詔〉，《全唐文》(一)，卷31，頁148。

30 宋・歐陽修、宋祁等：〈藝文志〉附註，《新唐書》卷59，收入王雲五主編《百衲本二十四史・新唐書（北宋嘉祐刊本）》上冊（臺北：臺灣商務印書館，2010），頁4070。

31 《舊唐書》卷189，〈儒學傳〉稱：「（羅道琮）每與太學助教康國安、道士李榮等講論，為時所稱。」王雲五主編《百衲本二十四史・舊唐書（宋紹興刊本）》下冊，頁1428。又言：「道琮於貞觀上書忤旨，高宗末官至大學博士。」詳見蒙文通：《道書輯校十種・輯校李榮《道德經注》》，頁557。

汗之言，遂得揮玉柄於紫庭，聽金章於丹陛。」（頁563）雖然李榮的老子注與成玄英有其相似性——具有唐初重玄思維的特色，援引佛學義理入道，也強調老子修心養性的方法論，但或許是因為這段「應詔佐明君」的經歷，使得他的老子注成為唐代老學的一個轉折點：「表現出較為明顯的為統治者提供統治臣民、德化天下的理論武器的思想傾向。」「使魏晉以來的老學發展趨勢為之一轉。」[32]並下啟唐玄宗時期老學政治化的詮釋傾向。

如果將《群書治要．老子》也列入唐代老學發展討論，即可發現李榮對老子的政治性關注，是形成於唐太宗貞觀之治以無為治道的社會實踐見證，以及老子河上注底本濡染的雙重效應底下，或可證明《群書治要．老子》在唐代老學發展中也發揮了承先啟後的作用，甚至是帶領唐代老學思維轉變的一個重要契機。

《群書治要．老子》是魏徵等人為唐太宗編輯選錄的治國綱要，宗旨為提供治國的方針，因此呈顯出對帝王的人格期許與聖人治國的期待，在此書中，修身理論與治國論述是一體兩面的事——聖人藉由自身的修養，斷絕情欲，教化萬民，終極目的是國家的長治久安。〈老子〉卷固然只是《治要》的其中一卷，但通篇都是對《老子》政治理念的摘錄，在朝廷崇道政策的推波助瀾，以及靜定無為的政治實踐中，君王本身的推崇與實踐，很自然的會將老子詮釋逐步往政治化的方向推進。

更何況，河上注本身即具有黃老思想的特色，書中將「致太平」作為《老子》著述的社會理想。[33]《老子河上公章句》26章「重為輕根，静為躁君，是以聖人終日行，不離輜重。雖有榮觀，燕處超然。奈何萬乘之主，而以身輕天下。輕則失臣，躁則失君。」注曰：

> 人君不重則不尊，治身不重則失神，草木之華葉輕，故零落；根重故長存也。輕，啟政反。人君不靜則失威，治身不靜則身危。龍靜故能變化，虎躁故夭虧也。躁早報反。輜，靜也。聖人終日行道，不離其靜與重也。離，音利。輜，側基反。重，直用反。榮觀，謂宮闕。燕處，后妃所居也。超然，遠避而不處也。觀，古亂反。奈何者，疾時主，傷痛之辭也。萬乘之主，謂王。乘，繩證反。王者至尊，而以其身行輕躁乎？疾時王奢恣輕淫也。王者輕淫則失其臣，治身輕淫則失其精。王者行躁疾，則失其君位；治身躁疾，則失其精神也。（重德第26，頁214-219）

河上注在這一章中將君臣對舉，老子此句，王弼本原作「輕則失本」，河上注及多種古

---

32 董恩林：《唐代老學：重玄思辯中的理身理國之道》，頁176。

33 《老子》三十五章：「往而不害，安平太」，河上注：「萬物歸往而不傷害，則國家安寧而致太平矣。」以及「故太平之世，人無貴賤，皆有仁心，有刺之物，還反其本，有毒之蟲，不傷於人。」（《老子》五十五章「猛獸不據，玃鳥不搏。」）鄭成海：《增訂老子河上公疏證》，頁282、429。

本作「輕則失臣」[34]，將君臣關係加入國家危亡的論述。他提出「王者至尊」的觀念，可見其著眼於階級上的分別，君主的靜重用以維護自身的威望，靜處才能觀察應對外在的變化，躁動則易致虧缺；王者的奢恣輕淫，就會導致臣心的叛離。

《老子河上公章句》一書多將治國與治身對舉，靜重是治國的原理，同時也是治身的原則。《群書治要・老子》摘錄此章時，捨去了比喻性的解釋，只取綱要性的意思，《老子》原文只選錄「重為輕根，静為躁君，奈何萬乘之主，而以身輕天下。輕則失臣，躁則失君。」河上公注解部分也只做摘要性的節錄：

> 人君不重則不尊，治身不重則失神。人君不靜則失威，治身不靜則身危。奈何者，疾時主，傷痛之也。疾時王奢恣輕淫也。王者輕淫則失其臣，治身輕淫則失其精。王者行躁疾，則失其君位；治身躁疾，則失其精神也。

由此章可以見出魏徵等人在選錄經典時，除了適應帝王治國的需求之外，也兼顧了閱讀上的結構安排，頗有自成一書的企圖。《群書治要・老子》選擇了對帝王治國上具指導意義的文字段落，使其形成具系統的政治性論述，這其中有一個主要的方向，就在於帝王如何透過自身的修為，賦予全國人民安居樂業的社會。就河上公注解的思理結構而言，「治國」與「治身」具有相對應的關係，雖然有許多共通的原理和實踐方法，但導向的結果卻可以各自獨立，例如：「治身者，愛氣則身全；治國者，愛民則國安。」（10章注）此處的「身」與「國」是兩個平行的相應結構，而不是連動性的關係，河上公「重視在治身方面的一套養神、全生、延壽的養生技藝；但是同樣重視治國方面特殊的技術訓練及培養。這說明《河上公章句》給予治身與治國二領域同樣的關注。」[35]但《群書治要・老子》則非如此，在此卷中，國君修身養性的實踐，目的是導向人民的福祉與國家的長治久安，愛氣養神、全生養壽的旨意已被捨去。

李榮《道德經注》注解《老子》26章時，「重靜」的論述重心已純就政治角度討論國君之德，而未論及養身：

> 無為重靜者，君之德也；有為輕躁者，臣之事也。上下各司其業，為君必須重靜也。有道之主，君人子物，務於重靜，不為輕躁，舉不失道，動不離靜，是以行必輜重，居必攝衛，不至危亡，由重靜也。前明重靜則超然無累，今明輕躁則必致有損，無累則上下俱安，有損則君臣皆失也。（頁598-599）

---

34 俞樾《老子評議》：「永樂大典作『輕則失根』，當從之。蓋此章首云：『重為輕根，靜為躁君。』故終之曰：『輕則失根，躁則失君。』言不重則無根，不靜則無君也。」吳澄《道德真經注》、釋德清《老子道德經解》作「根」。陳鼓應：《老子今註今譯及評介》（臺北：臺灣商務印書館，2008），頁153。認為俞說可從，應改「本」為「根」。

35 林明照：〈《老子河上公章句》治身與治國關係之思辯模式析論〉，《國立政治大學哲學學報》第32期（2014.7），頁164。

在此章中，李榮主要闡述「君無為而臣有為」、「上下各司其業」的政治結構。君主無為而臣民有為，本為法家的君人南面之術，魏晉時期的玄學家及道教學者則藉以處理「有」、「無」之間的矛盾，李榮的論述既是對魏晉時期以來思想的承續，但同時也展現出他在老子注解中的政治關懷，不僅超出了成玄英以修身為主的思理，也比《群書治要．老子》更具體明確的試圖從君臣關係中尋求一個穩定和諧的運作機制。

於此，可以見出李榮試圖將儒家的階層秩序置入《老子》的無為治道之中，無為之所以能達到無不為的功效，乃奠立於臣民的有為；無為是國君穩定的力量與教化，而有為則是臣子對君主的追隨與效力：

> 君先而臣隨，父先而子隨，故為君父者，不得輕躁而失道，必宜重靜以契德也。（第2章，頁568）
>
> 君安於上，臣悅於下，此無為之益也。（第43章，頁624）
>
> 明君之攝化天下，論道宣風則賢相，守方討逆則名將，主位垂旒坐朝於萬國，塞耳凝神於九重也。（第57章，頁638）

《群書治要．老子》也具有這樣的傾向，將黃老學「君道無為，臣道有為」的概念，加入聖人治國的理想之中。其摘錄了《老子》54章「善建者不拔，脩之於身，其德乃真，脩之於家，其德乃餘，脩之於鄉，其德乃長，脩之於國，其德乃豐，脩之於天下，其德乃普。」河上公注曰：

> 建，立也。善以道立身立國者，不可得引而拔也。脩道於身，愛氣養神，其德如是，乃為真人。脩道於家，父慈子孝，兄友弟順，夫信妻貞，其德如是，乃有餘慶。脩道於鄉，尊敬長老，愛養幼少，其德如是，乃無不覆及。脩道於國，則君信臣忠，政平無私，其德如是，乃為豐厚。人主脩道於天下，不言而化，不教而治，下之應上，信如影響，其德如是，乃為普博。（頁439-440）

原始道家重視天道，認為人道的價值必須藉由追隨、符應天道才能體現，在老子的理想中，聖人體察天道變化，修養內在道德，便能感召萬民，使其風從蹈隨，由內而外，從一而眾，逐一化成。老子期許的是人類社會的自然化，萬物紛紜，自生自長，天道於其中朗朗自見。但這樣的理想境界過於抽象，天道與人道究竟如何接軌，缺乏具體的過程，因此戰國之後的黃老學，便加入儒學的階層概念，將「君信臣忠」、「父慈子孝」、「兄友弟順」、「夫信妻貞」的倫理概念，補充道家順應自然的政治理念；透過綱常倫理的鞏固，以國君的修身養德為起點，為社會奠立不言而化，不教而治的政治理想。《群書治要．老子》在唐太宗即位後，以君主的角度為出發點，相比於《老子》的原意，更加突出了人道的社會性價值，人道與天道並重，而國君的處事態度與個人修養的重要性也因此被強化。

因此《群書治要．老子》也選錄了《老子》27章說「聖人常善救人，故無棄人，常善救物」，河上公注：「聖人所以常教人忠孝者，欲以救人性命也。使貴賤各得其所也。聖人所以常教民順四時者，以救萬物之殘傷也。」（頁436）《老子》反對儒家的忠孝禮義：「夫禮者忠信之薄而亂之首」（第38章）、「六親不和，有孝慈；國家昏亂，有忠臣」（第18章），對老子而言，忠孝禮義皆是人為的造作，非天道自然的內涵，而河上公卻直接將老子的「善」等同於儒家的「忠孝」，讓「忠孝」成為聖人教化萬民的圭臬，使得「貴賤各得其所」，也可見其肯定社會階級，維護人倫綱常的意圖。

老子提出無為的政治理念，「無為」如何達到「無不為」的功效，歷來有許多詮解方式，嚴遵《老子指歸》提出了「守分」的主張[36]，王弼以「有為則有所失，故無為乃無所不為也。」切入理解。成玄英則循「重玄」的思維路徑：「聖人寂而動，動而寂。寂而動，無為而能涉事；動而寂，處事不廢無為；斯乃無為即為，為即無為。」（第2章，頁380）「上德無為，至本凝寂，而無以為，跡用虛妙。此明無為而為，為即無為也。」（第38章，頁452）「夫治國者須示淳樸，教以無為，杜彼邪姦，塞茲分別，如此，則擊壤之風斯返，結繩之政可追。」（第10章，頁395）成玄英遵循的是老子無為感通的聖人理想，希望重返上古「帝力於我何有哉？」的社會型態，無意於為君主建立一個實際操作的政治模式，而《群書治要．老子》特別標舉河上公將「君信臣忠」、「兄友弟順」的儒家理想，加入老子「不言而化」、「不教而治」的政治理念中，顯現出對漢代黃老思想的繼承，以儒輔道的政治實踐，因此老子注解的黃老化，就唐初老學的發展來看，核之《群書治要．老子》已見其端倪，而於李榮《道德經注》中得見更具體細膩的闡釋。

魏徵於《群書治要．老子》中，藉由老子的思想義理，為唐太宗刻劃了一個聖人的理想形象，此中包含對於聖人治國的高度期許——聖人由損情去欲的理身修養作為基礎，最終發散至君信臣忠、政平無私的和諧社會，達到國家長治久安的政治目標。其政治化、黃老化的思想特色在高宗時期的李榮《道德經注》中已見其潛移默化的影響，而在唐玄宗的《御製道德真經注》、《御製道德真經疏》二書中開展為時代性的老子注解思維。

《御製道德真經注》、《御製道德真經疏》二書的特色，在於將老子的豐富思想幾乎全部導向帝王治國的理論，「聖人」、「君子」、「人」、「大丈夫」等辭彙，皆是為帝王立言。「人謂王者也，所以云人者，謂人能法天地生成，法道清靜，則天下歸往，是以為王。」（《御疏．卷之3．有物混成章第25》）、「君主者，謂人主也，言其志可以君人子物，故云君子。」（《御疏．卷之3．重為輕根章第26》）、「大丈夫者，有道之君子，即前

---

36 漢．嚴遵：《道德真經指歸》：「道德之生人也有分，天地之足人也有分；王侯之守國也有分，臣下之奉職也有分，萬物之守身也有分。」卷13，收入《續修四庫全書．子部．道家類》，頁139。

上德之君也。」(《御疏・卷之5・上德不德章第38》) 聖人具有統領天下的重責，聖人的人格修養便緊切關乎國家的太平安定，因此《老子》的修身論也是為統治者提出的治國根本，理身是為了理國：「聖人治國，理身以為教本。夫治國者，復何為乎?但理身爾。」(《御疏・卷之1・不尚賢章第3》)、「是以理天下之聖人，睹行隨之不常，知矜持之必失，故約己檢身，割貪制欲，去造作之甚者，去服玩之奢者，去情欲之泰者。」(《御疏・卷之5・將欲取天下章第29》) 此間的思想特色與《群書治要・老子》在態度傾向上幾乎是一致的。而關於「無為」的詮釋，《御製道德真經疏》也同樣加入了「各安其分」的思維，讓老子的無為理想，透過臣民各守其分的社會秩序得以實踐：

> 夫飾智詐者，雖拱默非無為也。任真素者，則終日指撝，而未始不晏然矣。故聖人知諸法性空，自無矜執，則理天下者當絕浮偽，任用純德，百姓化之，各安其分，各安其分則不擾，豈非無為之事乎？(《御疏・卷之1・天下皆知章第2》)

唐玄宗將「人之受生，所稟有分」、「各當其分，人無覬覦，則不爭也」(《御疏》第三章) 的性分說加入老子無為的政治理想中，這是黃老思想的命題滲入老子注解的特色，也是《群書治要・老子》政治思維的延伸議題。因此就唐代老學的政治化發展觀之，《群書治要・老子》理身理國的政治關懷，雜糅儒道的政治實踐，在李榮《道德經注》中已可見其影響，而在中唐時期由唐玄宗系統性的展開論述，開展出中唐老學政治化的思想特色，以至於後來王真《道德經論兵要義述》的思考脈絡皆有跡可循。

五　結語

歷來學者論及《群書治要》時皆著眼於書中的政治理念與實踐，由於編輯摘錄的形式，並未加諸個人評論及心得創見，因此學術思想上的特色，也就獲得較少的關注。目前可見的唐代老學論述，學者多就其以《老子河上公章句》為底本，作為當時河上注本的流行證據，而未論其它。但既然作為一個帝王施政依據的老子節錄注本，同時又有具體明確的政策推崇與昭顯的實際政績，對於當時學界與社會的影響力，是可以循跡查考的方向，而形成於當時社會的思維脈絡，各個文本之間的思維激盪及濡染，皆透顯出《群書治要・老子》的思想特色，不應被漠視及忽略。

本文試圖將《群書治要・老子》置入唐代老學發展的脈絡之中，在朝廷崇道政策的帶領下，以及《老子河上公章句》注本廣泛流行於社會的的思想基礎之上，以唐初成玄英的《道德經義疏》、李榮《道德經注》及中唐唐玄宗《御製道德真經注》、《御製道德真經疏》作為主要參照，輔以李約《道德真經新注》、王真《道德經論兵要義述》、杜光廷《道德真經廣聖義》及陸希聲《道德真經傳》等唐代老子注本，得見《群書治要・老子》在學術傾向上與唐代老學的相互映證，而且在政治資源的支持下，甚至具有對當時學者及社會產生引領及潛移默化的作用。

《群書治要・老子》從帝王的治國策略出發，捨棄老子關於「道」的形上論述，直接導入修身與治國的方法論，而修身的論述是為了帝王治國樹立基礎，因此河上公「治身」、「治國」同等相應的思維結構，在魏徵等人的節錄下，「治身」成為「治國」的前提，思考的側重點不同，也就形成唐初老學在邁入中唐以前的一個轉折點，影響了之後李榮《道德經注》往政治化詮釋傾斜，以至於到唐玄宗時期獲得全面而系統的政治化開展。

在修身論述部分，唐代老學受佛教義理的影響，對於心性修養的探討，提出「化情復性」的主張，試圖藉由情欲的根除，回歸天道賦予的本性。唐代老學將心性修養作為歸根復命的途徑，一方面奠立發展了中晚唐內丹道的理論基礎，另一方面也開啟了宋代理學心性討論的端緒。考之《群書治要・老子》一書，擇取節錄河上公的注文，就義理發展而言，雖然尚未出現心性的詮釋，但大量關於損情去欲章節的擇錄，則顯現出唐代老學的偏好。

由此可見，《群書治要・老子》雖以河上注為底本，但並非《老子河上公章句》的重述，魏徵等人以節錄的方式，開展出一個新的思考路徑，它一方面以帝王的政治資源印證了河上注在唐代老學的影響力，一方面也映照出唐代老學在修身論述及政治化詮釋的特色。

徵引文獻

一　原典文獻

漢．嚴　遵：《道德真經指歸》收入《續修四庫全書．子部．雜家類》，上海：上海古籍出版社，1995。

唐．魏　徵等：《群書治要》，收入《續修四庫全書．子部．雜家類》，上海：上海古籍出版社，1995。

唐．王　真：《道德經論兵要義述》，收入《續修四庫全書．子部．雜家類》，上海：上海古籍出版社，1995。

唐．吳　兢：《貞觀政要》，臺北：黎明文化，1989。

唐．李隆基：《唐玄宗御製道德真經疏》，收入《正統道藏》第358-359冊，《洞神部玉訣類》4卷，臺北：新文豐出版公司，1988。

唐．李　約：《道德真經新注》，收入《正統道藏》第374-375冊，《洞神部玉訣類》4卷，臺北：新文豐出版公司，1988。

唐．杜光庭：《道德真經廣聖義》，收入《正統道藏》第440-449冊《洞神部玉訣類》50卷，臺北：新文豐出版公司，1988。

唐．成玄英：《道德經義疏》，收入蒙文通：《道書輯校十種》，成都：巴蜀書社，2001。

唐．李　榮：《道德經注》，收入蒙文通：《道書輯校十種》，成都：巴蜀書社，2001。

唐．陸希聲：《道德真經傳》，收入清．錢熙祚等輯：《指海》，臺北．藝文印書館，1967。

唐．陸德明：《經典釋文》，上海：上海古籍出版社，1985。

後晉．劉　昫等：《舊唐書》，收入王雲五主編：《百衲本二十四史．舊唐書（宋紹興刊本）》上中下冊，臺北：臺灣商務印書館，2010。

宋．王　溥：《唐會要》（武英殿聚珍版）下冊，北京：中華書局，1955。

宋．歐陽修、宋祁等：《新唐書》，收入王雲五主編：《百衲本二十四史．新唐書（北宋嘉祐刊本）》上冊，臺北：臺灣商務印書館，2010。

宋．袁　樞：《通鑑紀事本末》，收入清．于敏中等奉撰：《摛藻堂四庫全書薈要．史部．別史類》，臺北：世界書局，1988。

清．董　誥：《全唐文》，上海：上海古籍出版社，2007。

清．紀　昀等：《景印文淵閣四庫全書》，臺北：臺灣商務印書館，1983。

清．郭慶藩輯，王孝魚點校：《莊子集釋》，《四部刊要．子部．周秦諸子類──道家之屬》，臺北縣：頂淵文化，2001。

鄭成海：《增訂老子河上公疏證》，臺北：華正書局，2008。
陳鼓應：《老子今註今譯及評介》，臺北：臺灣商務印書館，2008。

二　近人論著

王清祥：《老子河上公注之研究》，臺北：新文豐出版公司，1994。
呂錫琛：《道家道教與中國古代政治》，長沙：湖南人民出版社，2002。
林明照：〈《老子河上公章句》治身與治國關係之思辯模式析論〉，《國立政治大學哲學學報》第32期（2014.7），頁129-169。
洪嘉琳：《唐玄宗《道德真經》注疏之研究》，北京：花木蘭文化出版社，2006。
陳麗桂：〈《老子河上公章句》所顯現的黃老養生之理〉，《中國學術年刊》第21期（2000.3），頁178-181。
董恩林：《唐代老子詮釋文獻研究》，濟南：齊魯書社，2003。
董恩林：《唐代老學：重玄思辯中的理身理國之道》，北京：新華書店，2002。
熊鐵基、馬良懷、劉韶軍：《中國老學史》，福州：福建人民出版社，1997。
鄭燦山：〈河上公注成書時代及其思想史道教史之意義〉，《漢學研究》第18卷第2期（2000.12.），頁85-112。
鄭燦山：《邁向聖典之路──東晉唐初道教道德經學》，臺北：臺灣師範大學國文研究所博士論文，2000。

《群書治要》選編《墨子》的意蘊：
從初期墨學的解讀談起[*][**]

張瑞麟

成功大學中國文學系博士後研究員

摘要

受限於傳播與接受的影響，魏徵等人所編撰的《群書治要》，內在思想的特殊性一直未能彰顯，本文鎖定其中選錄的子部典籍──《墨子》，作為探討的對象，企圖拓展一個可見意蘊的視角。之所以選擇《墨子》，除了《群書治要》選錄的篇章內容，有足夠的質與量可以用來分析，墨子思想本身具有的豐富內涵與待填補的詮釋空白，也是重要的因素。墨子學說曾經在先秦時與儒家分庭抗禮，但至秦漢後迅速的衰落，截至今日，仍舊難以覓得一個掌握其精彩的方式。為了呈現《群書治要．墨子》的不同，作為比對的基礎，自然需要清楚圖繪其樣貌。因此，本文的闡述分為兩大部分，第一部分將拓展對墨子思想體系的解讀，第二部分再展示《群書治要．墨子》的特色。針對墨子思想的分析，筆者提出從賢者的角度切入，以「尚賢」為基礎，「法天」為依歸，建構起理解墨子思想的架構，藉此拓展對墨學的理解。至於《群書治要．墨子》的分析，透過篇章內容的梳理，可以看見關注的焦點放在「尚賢而事能」、「非命而有為」、「法天而愛人」與「儉節而利人」等四個面向上，此間展現出「君明臣良」、「稱天心合民意」與「實踐導向」等三點的思想轉變，藉此看見《群書治要．墨子》的特殊性。

關鍵詞：群書治要、墨子、貞觀政要、魏徵、墨學

---

* 本篇文章經《成大中文學報》審核通過，已刊登於第68期，經《成大中文學報》授權，收入本論文集。

** 感謝兩位匿名審查人惠賜寶貴意見。

The Implication of Mozi Selected from *Qun Shu Zhi Yao*: On the Interpretation of The Early Mohism

Chang, Jui-Lin

Postdoctoral Research Fellow, Department of Chinese Literature,

National Cheng Kung University

Abstract

The particularity of the internal thoughts in the book of *Qun Shu Zhi Yao* compiled by Wei Zheng and others has not been revealed, which is limited by the influence of dissemination and acceptance. This essay focuses on the selected classic book *Mozi*, as the object of discussion, in an attempt to expand a sight of significance. Mozi's thought has rich connotation and interpretation blank to be filled, which is also an important factor. Mohism once fought against Confucianism in the Pre-Qin period, but it declined rapidly after the Qin and Han Dynasties. Therefore, this essay divided into two parts. The first part will expand the interpretation of Mozi's ideological system. The second part will show the characteristics of *Mozi* in *Qun Shu Zhi Yao*. By so doing, highly suggested to penetrate deeply from sage's perspective, based on the principle of 'Promoting the worthy' and 'the simulating of heaven' as accordance to construct the framework of understanding Mozi's thought and Mohism. Through the results of the research attempts to expand understanding of Mohism and the particularity of *Mozi* in *Qun Shu Zhi Yao*.

Keywords: *Qun Shu Zhi Yao*, Mozi, Zhenguan's political Schemas, Wei Zheng, Mohism

一　前言

意義，因詮釋而開展，也因詮釋而限縮。以墨子而言，孟子說：「天下之言，不歸楊，則歸墨。」[1]《韓非子》：「世之顯學，儒、墨也。儒之所至，孔丘也。墨之所至，墨翟也。」[2]顯見，墨子學說曾經大行於世。然而，在漢代之後，孔墨、儒墨並稱的現象或許依舊可見，但是墨子學說的傳承與精神的發揚，卻難覓其蹤。[3]後人對墨學的評價與定位，總是透過批判者的視角，其中孟子的影響尤其巨大，他說：「墨子兼愛，摩頂放踵利天下，為之。」[4]又說：「楊氏為我，是無君也；墨氏兼愛，是無父也。無父無君，是禽獸也。」[5]到了宋代，儒學的思維有了質的跳耀式開展，卻仍是延續著孟子的視角來評判墨子。這現象是有趣的，因為兩種失衡的學術發展，儒學一方不斷地開展，卻總是批判著原始的墨學，究竟是墨學初起就擁有巨大的吸引力？還是，墨學有著潛在的發展脈絡？

韓愈曾經提出一個引起廣泛討論的說法：「孔子必用墨子，墨子必用孔子；不相用，不足為孔墨。」[6]其中令人關心的是：為什麼韓愈會突然提出一個很不一樣的說法？是務去陳言使然嗎？或者是有未被看見的學術發展環節！

與《墨子》的境遇近似，魏徵等人所編撰的《群書治要》，在貞觀5年成書之後，即不見廣泛傳播與影響，最終竟消失在中土。是《群書治要》缺乏價值與意義？唐太宗曾評價說：「覽所撰書，博而且要，見所未見，聞所未聞，使朕致治稽古，臨事不惑。其為勞也，不亦大哉！」[7]同時，從流傳至日本並獲得的推崇與重視，可知《群書治要》必有深刻意蘊。[8]其實，在「絕學」現象底下有著錯綜複雜的不確定因素，令人難以捉摸，因此聚焦在作品的內涵，當較具意義。

《群書治要》選錄了68部著作，其中就包含了《墨子》。[9]從截錄的內容來看，《群書治要》將《墨子》的九個篇章內容，串接成七個篇章，分別是：〈所染〉、〈法儀〉、

---

1 魏．何晏等注，宋．邢昺疏：《論語注疏》，收入清．阮元校勘：《十三經注疏》第8冊（臺北：藝文印書館，1993），頁117。

2 清．王先慎撰，鍾哲點校：《韓非子集解》（北京：中華書局，2011），頁456。

3 鄭杰文：《中國墨學通史》（北京：人民出版社，2006），呈現了墨學在各代的發展狀態。

4 魏．何晏等注，宋．邢昺疏：《論語注疏》，收入清．阮元校勘：《十三經注疏》第8冊，頁239。

5 魏．何晏等注，宋．邢昺疏：《論語注疏》，收入清．阮元校勘：《十三經注疏》第8冊，頁117。

6 唐．韓愈著，馬其昶校注：〈讀墨子〉，《韓昌黎文集校注》（上海：上海古籍出版社，1998），頁40。

7 唐．劉肅：《大唐新語》（北京：中華書局，1997），頁133。

8 關於《群書治要》在日本的傳播，參閱金光一：《《群書治要》研究》（上海：復旦大學中國古代文學學科專業博士論文，2010）。

9 關於選錄典籍的數量，各家說法有異，本文取68部之說。詳見林朝成、張瑞麟：《教學研究計畫——以《群書治要》為對象》（臺南：成功大學中文系，2018），頁11-13。

〈七患〉、〈辭過〉、〈尚賢〉、〈非命〉、〈貴義〉。換言之，《群書治要．墨子》可能在編選的過程中被賦予了新意，提供了解讀當時文化關懷的途徑。因此，本文欲透過《群書治要．墨子》的掌握，處理兩個問題，一個是關於墨學的詮釋，呈現屬於唐代墨子學說的接受狀態，希望跳脫孟子與宋人的理解框架；另一個是關於如何看待《群書治要》的問題，期盼透過選錄《墨子》的解讀，開啟一個由思想掌握《群書治要》的可能。

為了達到研究的目的，本文將採兩部分來處理。首先，為了掌握《墨子》到《群書治要．墨子》的轉變，重新審視並建構理解的脈絡是有必要的，故先呈現《墨子》的思維架構。其次，梳理《群書治要．墨子》，同時為了闡述其中的變化，將藉由《群書治要》的整體架構以及《貞觀政要》所提供的重要文獻，作為解讀的依據。期盼藉由這樣的探究，不僅得以看見墨學隨著時代產生的轉變，並且能夠透過《群書治要》的融攝傳統、開啟新意而得到啟發。

二　初期墨學的解讀[10]

墨子繼孔子而起，雖時代相近而所思不同，然因學術的傳承、學說的撰述、體系的呈現、接受的偏差等問題，致使後人在詮釋解讀上產生分歧。如《淮南子》:「孔墨之弟子，皆以仁義之術教導於世，然而不免於偏。」[11]《韓非子》:「孔子、墨子俱道堯、舜，而取舍不同，皆自謂真堯、舜；堯、舜不復生，將誰使定儒、墨之誠乎？」[12]孔子與墨子同是推行「仁義」，但取捨不同、想法有別，故有儒墨之分。《韓非子》:「孔、墨之後，儒分為八，墨離為三，取舍相反不同，而皆自謂真孔、墨。」[13]可見不僅存在儒墨難分的問題，更含有學派文化精神的真偽問題。時至宋代，作為學術思維普遍化的科舉考試，其中策問的內容有：

> 孟子拒楊墨，荀子亦非墨子，揚子又曰「楊墨塞路」，以三子之言，墨子果有悖於聖人之道而不可用也。韓退之云:「孔子必用墨子，墨子必用孔子，不相用，不足為孔墨。」觀其說，墨子又若無悖於聖人之道而果可用也。……孔墨同，三子唱言而深拒之，何哉？其道誠異，退之又何取之而不畏後人也？四子者皆聖人之徒，然其所尚之異如是，得無說哉？[14]

10 錢穆提出「初期墨學」，作為指稱墨子時代的學說，並與後來的墨學發展做區隔。本文取用此說。見錢穆:《墨子》，收入《錢賓四先生全集》第6冊（臺北：聯經出版事業股份有限公司，1998），頁31。

11 何寧:《淮南子集釋》(北京：中華書局，2016)，頁148。

12 清．王先慎撰，鍾哲點校:《韓非子集解》，頁457。

13 清．王先慎撰，鍾哲點校:《韓非子集解》，頁457。

14 宋．蔡襄:〈策問一〉,《蔡忠惠集》，卷30，收入曾棗莊、劉琳主編:《全宋文》第47冊（上海：上海辭書出版社，2006），頁153-154。

儒學到了宋代，有著突破性的發展，自有其相應的關懷與嶄新的詮釋，但此刻蔡襄的提問，正反映出截至當時所形成的理解樣貌。策問中，雖僅扼要的標舉孟子、荀子、揚雄與韓愈取捨的差異，然已顯示兩層含意，一為四人皆是聖人之徒，為何會有不同的判斷；二為具有真知灼見的孟子、荀子與揚雄，在孔墨並稱之世，深拒墨子，而傳承道統的韓愈，在孔墨異流之際，倡言相用之說，已充分凸顯出歷來孔墨學說的解讀問題。究竟如何把握墨子學說較為適當？本文嘗試建構之。

（一）《墨子》與墨學

自清代乾隆、嘉慶後，85年間，整理墨學的著作有15種之多，構成了戰國以後第一個興盛的局面，道光元年（1821）至宣統3年（1911），91年間又產生了37種著作，是墨學整理的高潮期。奠基於文本的完善，梁啟超《子墨子學說》開啟了全面而系統的墨學義理研究。[15]憑藉著文本與義理的研究成果，使得進入墨子的思想世界，窺探其精神與內涵，已不再艱困。

1 《墨子》的篇章

根據錢穆〈墨子事蹟年表〉，墨子一生約在周敬王41年（479B.C.）至安王21年（381B.C.）之間。[16]是接續孔子之後、孟子之前，在戰國時期有著巨大影響力的思想家。欲了解墨子的思想，自然要從他的著作入手，不過今傳《墨子》，不僅不是墨子所寫，並且在流傳中散佚了一些篇章。根據《漢書・藝文志》的記載，當有71篇，而《隋書・經籍志》以下，則指為15卷。[17]今本卷數與《隋書・經籍志》相符，但篇數僅有53篇，所差18篇，其中8篇尚存篇目，餘則連篇目亦闕。[18]

由於53篇非出自墨子之手，自然需要辨析哪些內容具有論述效力。梁啟超說：「現存五十三篇，胡適把他分為五組，分得甚好。」[19]確實，在胡適的分組歸類下，往後對於《墨子》篇章的討論，大體並未跳脫此架構，如梁啟超、錢穆、方授楚等人即採用，

---

15 清代《墨子》的刊刻與整理，以及清代墨學的義理研究，可參鄭杰文：《中國墨學通史》，頁306-322、329-343。

16 錢穆：《墨子》，收入《錢賓四先生全集》第6冊，頁12-17。馮友蘭：《中國哲學史》（北京：中華書局，1961），頁107，亦覺錢表較貼近事實。

17 漢・班固：《漢書》（北京：中華書局，1964），頁1738。唐・魏徵、令狐德棻：《隋書》（北京：中華書局，1982），頁1005。元・脫脫：《宋史》（北京：中華書局，1977），頁5203。

18 本文所用墨子文獻依吳毓江撰，孫啟治點校：《墨子校注》（北京：中華書局，2017）。避免註解繁雜，此後引用此書，將逕於文後標註頁數。

19 梁啟超：《墨子學案》（上海：商務印書館，1923），頁13。

而類似蔡尚思分為六部分，陳問梅分為七組，也只是微有不同。[20]因此，本文的討論亦採用胡適的分組架構。[21]詳細梳理如下：

（1）第一組，包含〈親士〉、〈修身〉、〈所染〉、〈法儀〉、〈七患〉、〈辭過〉、〈三辯〉7篇。前三篇，胡適、梁啟超與錢穆，都判定非墨家言，不足為據；後四篇，三人見解互有異同。依據篇章內容與旨意，〈法儀〉確實如梁氏、錢氏辨析，為「墨學概要」，深具重要性，其餘三篇則只是略存墨家之議論而已。[22]

（2）第二組，包含〈尚賢〉、〈尚同〉、〈兼愛〉、〈非攻〉、〈節用〉、〈節葬〉、〈天志〉、〈明鬼〉、〈非樂〉、〈非命〉、〈非儒〉等24篇，誠如錢穆所說：「我想這一組的二十四篇文字，都出後人追述，在沒有更可靠的證據以前，我們暫可一例對待，不必提出某幾篇來歧視他們。」[23]從內容存在的緊密連結，這些篇章確實是掌握墨子思想的重要憑藉。

（3）第三組，包含〈經〉上下、〈經說〉上下、〈大取〉、〈小取〉6篇，雖然錢穆提出《墨經》乃專為「兼愛」學說辯護，但精神已異於初期墨家，胡適即將之歸屬於「別墨」。[24]因此，本文暫不討論。

（4）第四組，包含〈耕柱〉、〈貴義〉、〈公孟〉、〈魯問〉、〈公輸〉5篇，諸家說法，大體近似，視如《論語》，乃掌握墨子言行的重要資料。

（5）第五組，自〈備城門〉至〈襍守〉共11篇，是「專言守禦的兵法」[25]，與文化思想的聯繫較為疏遠，故略而不論。

綜上所述，本文將以第二組與第四組的篇章內容為主要論據，並以第一組的〈法儀〉、〈七患〉、〈辭過〉與〈三辯〉為輔助資料，展開意義的建構與詮釋。

2 墨學的核心觀念與思維系統

雖然渡邊秀方指出墨子的論說具有首尾一貫的論文形式，已不同於其前之欠缺系

---

20 諸家說法，詳見陳問梅：《墨學之省察》（臺北：臺灣學生書局，1988），頁26-43。蔡尚思：〈蔡尚思論墨子〉，收入蔡尚思主編：《十家論墨》（上海：上海人民出版社，2004），頁310-311。

21 胡適：《中國哲學史大綱》（臺北：臺灣商務印書館，2016），頁158-159。

22 梁啟超：《墨子學案》，頁13。錢穆：《墨子》，收入《錢賓四先生全集》第6冊，頁20。徐復觀則認為：「由〈親士〉到〈非儒〉，依然可以代表《墨子》的基本思想。」見徐復觀：《中國人性論史：先秦篇》（新北市：臺灣商務印書館，2018），頁315。

23 錢穆：《墨子》，收入《錢賓四先生全集》第6冊，頁21。

24 錢穆：《墨子》，收入《錢賓四先生全集》第6冊，頁26。胡適：《中國哲學史大綱》，頁158-159。關於《墨經》的判定，嚴靈峰：《墨子簡編》（臺北：臺灣商務印書館，1995），頁4-21、詹劍峰：《墨子及墨家研究》（武漢：華中師範大學出版社，2007），頁226-241、李漁叔：〈墨經真偽考〉，《墨辯新注》（臺北：臺灣商務印書館，1968），頁1-24、王讚源：《墨子》（臺北：東大圖書公司，1996），頁20-31，等主張墨翟自著，然仍僅以莊子與魯勝之說為主要憑藉，尚需新證來支撐論點。

25 錢穆：《墨子》，收入《錢賓四先生全集》第6冊，頁30。

統、組織的樣貌，但是對於鮮明地十個觀點的把握，學者依舊意見分歧，各有所得，足知尚有未發之覆。[26]為便於討論，試舉其要：

（1）梁啟超（1873-1929）認為墨子思想的總根原是「革除舊社會，改造新社會」，所以墨子創教的動機，直可謂因反抗儒教而起。至於，墨學的十條綱領，「其實只從一個根本觀念出來，就是兼愛」。[27]

（2）胡適（1891-1962）認為墨子的根本觀念，在於「人生行為上的應用」，所以在哲學史上的重要性就在於他的「應用主義」，而兼愛、非攻等，就是此觀念的應用，甚至可說是「墨教」的「教條」。[28]

（3）渡邊秀方認為墨學有見於周代形式文明的積弊和貴族世襲的政治，以打破形式、打破階級、打破私利私欲為標的，根本於宗教信念的思想，稱天意、天道以樹立學說，而促進社會革命的實現。[29]

（4）馮友蘭（1895-1990）認為墨子的學說是就平民的觀點，反貴族而因及貴族所依的周制，孔子與儒家的各種理論也就在反對之列，而貫穿十項思想形成系統的根本在「功」、「利」，所以是功利主義的哲學。[30]

（5）錢穆（1895-1990）認為「兼愛主義」與「尚賢主義」是墨子學說中堅的兩大幹，分別要打倒貴族階級在政治與生活上的特殊地位，所以思想泉源是「反貴族」。後人誤認根本觀念只有「兼愛」，或者是帶有深厚宗教性，皆非見骨之論。[31]

（6）蔡尚思（1905-2008）認為墨子思想體系是以「兼愛」、「非命」為中心，兩者關係密切，一在打破血統觀念，一在打破宿命觀念，呈現出「打破先天決定一切」的思維。[32]

（7）徐復觀（1904-1982）認為墨子的思想是以「兼愛」為中心，然後透過「兼愛」與「非攻」等各觀點的連繫而具有結構。[33]

（8）張岱年（1909-2004）認為墨子提出的十個主義，合為五聯，共成一個整齊的

---

26 日．渡邊秀方著，劉侃元譯：《中國哲學史概論》（臺北：臺灣商務印書館，1979），頁137。蔡尚思羅列了十五種關於墨子中心思想的說法，詳見蔡尚思：〈蔡尚思論墨子〉，收入蔡尚思主編：《十家論墨》，頁311-316。

27 梁啟超：《墨子學案》，頁4-10、15-27。

28 胡適：《中國哲學史大綱》，頁177-186。

29 日．渡邊秀方著，劉侃元譯：《中國哲學史概論》，頁135-136。

30 馮友蘭先後有三部作品討論墨子，內容略有差異，但基調未變。詳見馮友蘭：《中國哲學史》，頁110、115-136。《中國哲學簡史：插圖珍藏本》（北京：新世界出版社，2004），頁45。《中國哲學史新編》（北京：人民出版社，2001），頁229-233。

31 錢穆：《墨子》，收入《錢賓四先生全集》第6冊，頁31-36。

32 蔡尚思：〈蔡尚思論墨子〉，收入蔡尚思主編：《十家論墨》，頁316-327。

33 徐復觀：《中國人性論史：先秦篇》，頁318-319。

形式系統，兩個卓異的觀點為全系統的根荄：一，是制度設立應以人民大利為鵠的；二，是道德原則應以全體人民為範圍。[34]

（9）勞思光（1927-2012）認為墨子思想並非基於反貴族，而是以「興天下之利」為中心，此「利」是指社會利益而言，所以基源問題是：「如何改善社會生活？」這是墨子學說的第一主脈——功利主義。第二主脈，是在建立社會秩序上的權威主義。兩條主脈，匯聚於「兼愛」。[35]

（10）方授楚認為墨子學說的十一目（納入「非儒」），是用以打破當時政治社會的現狀而有所建立，所以可劃分為積極與消極、立與破兩面。至於，以「兼愛」為根本觀念，是依邏輯上的體系，若據事實上的體系，當是「非攻」。不過，在談墨子的根本精神時，則又指「平等」為根本思想或思想特點。[36]

（11）陳問梅認為墨學的十個觀念，都是針對周文罷敝後當時現實的弊病，而「天之意志」是十個觀念之根本觀念，「義」又是天之所以為天的本質與全幅內容，因此「義」就是體，十個觀念就是系。「義」即是「利」，所以實在於「利天下的精神」。[37]

（12）蔡仁厚指出墨學的中心觀念應該是「兼愛」，不過從兼愛乃根據「天之意志」而來，「天志」才是墨學的最高價值規範。因此，墨學的理論構造，當是以「天志」為垂直的縱貫，而「兼愛」為橫面的聯繫。至於，天之意志的內容，根本上就是一個「義」，而義即是公的、他的、客觀的「利」，所以墨子的根本精神是「絕對利他的義道」。[38]

（13）唐君毅（1909-1978）的角度是特別的，他說：

> 關於墨子之教之核心，畢竟在兼愛或天志？世之治墨學者，多有爭論。人又或以墨子之教之核心在重利。然依吾人上之所言，則墨子之教之核心，在其重理智心。重理智心而知慮依類以行，將人之愛心，一往直推，則必歸於平等的周愛天下萬世之兼愛之教。[39]

之所以將唐君毅的說法放在最後呈現，主要有兩個原因：其一，是唐君毅明確指出了治墨學者在掌握墨子思想核心時，普遍聚焦的觀點，有總結的效果；其二，是「理智心」的提出，迥異於他人黏著於墨子所提出的觀點，展現更為深遠的識見與把握。

---

34 張岱年的兩個根源說，實是發明〈序論〉中的說法：「墨子最重功利，以求國家人民之大利為宗旨。」詳見張岱年：《中國哲學大綱》（南京：江蘇教育出版社，2005），頁12、538。

35 勞思光：《新編中國哲學史（一）》（臺北：三民書局，1993），頁290-306。

36 方授楚：《墨學源流》（臺北：臺灣中華書局，1979），頁74-76、107-113。

37 陳問梅：《墨學之省察》，頁 X-XI、70-99。

38 蔡仁厚：《墨家哲學》（臺北：東大圖書公司，1983），頁66-73。

39 唐君毅：《中國哲學原論．導論篇》（臺北：學生書局，1993），頁116-117。

以上費勁的展示各家的說法，除了凸顯把握中心觀點的差異外，意在彰顯彼此解讀的分歧。例如：辨析中心觀念，直接挑取墨子十觀點的就有「兼愛」、「天志」、「非命」、「非攻」、「尚賢」等不同；延伸而加以思索的就有「利」、「打破限制」、「反貴族」、「理智心」等分別。至於，觀點意涵的闡釋，如「利」的解讀，各家精彩盡現，尤其再與其他觀點聯繫，更顯多種面貌。雖然，解讀時必然帶有立場、目的與視角，造成詮釋的侷限，但多元的詮釋與把握，實足以刺激、開發新見，自是學術具有生命、文化得以延展的關鍵。本文嘗試借鑒諸家所得，重新建構一個理解的模式，以期拓展理解墨學的視野。

（二）從賢者展開的思考

當《墨子》的內容，並非墨子所親撰，想藉此還原墨子思想而謂之真墨，必是困難的。本文嘗試以「開發」替代「還原」，透過同情的理解體貼墨子相關的思維，提出從「賢者」出發的詮釋模式，挖掘可貴的內涵。

1 核心觀點之關聯

為清楚說明本文所理解與建構下的墨學思想，先將主要觀點及其關聯繪製成下圖：

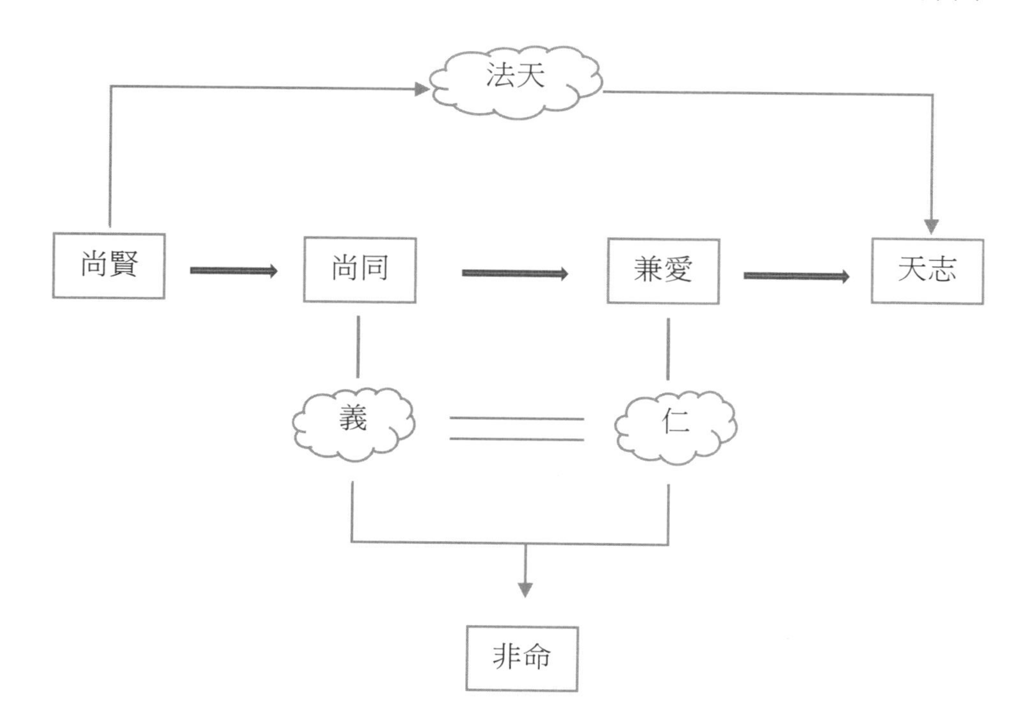

一反天上人下的慣性認知，關係圖改以橫置呈現，主因天雖具崇高地位，但天的視野亦屬人的理想，實質內涵有待於人的填補，故作如是安排。就各個觀點而言，「賢者」是價值實踐的主體，「尚賢」即為論述的基礎，故將之置於意味始點的最左側；「天志」代表最高的理想型態，所以將之置於終端的最右側；「尚同」與「兼愛」，終歸向「天志」，故置於兩者之間。至於，賢者與天之間的關聯，可以用「法天」適切詮釋，故畫線將其標示。此外，「尚同」實為「義」的建構，「兼愛」實即「仁」的闡發，二者又是一體之兩面，同樣展現出反宿命的人文精神，故標示如上。

2 思想內涵與意義

孔子在面對「周文疲弊」時，以仁義重新賦予禮樂價值與意義，關鍵即在於回到「人」的反省與自覺。墨子隨後而來，對於已開啟之人文精神的走向，必然無法漠視。因此，嘗試同樣以「人」的角度來切入，組織墨子所建構的理想人格，應是合理且適切的。[40]

（1）尚賢：從人開始思考

時代環境的問題，必然左右思想的呈現，但是思想的內涵與精神，在多元呈現中可能隱含著內在的發展脈絡。從春秋進入戰國，隨著環境的劇烈變動，舊有的思維已不足以應付新的時代課題。[41]墨子說：

> 古者王公大人為政於國家者，皆欲國家之富，人民之眾，刑政之治。然而不得富而得貧，不得眾而得寡，不得治而得亂，則是本失其所欲，得其所惡，是其故何也？（頁65）

在《論語》中記載著一則孔子回答弟子關於施政先後的問題：

> 子適衛，冉有僕。子曰：「庶矣哉！」冉有曰：「既庶矣。又何加焉？」曰：「富之。」曰：「既富矣，又何加焉？」曰：「教之。」[42]

相對地，孔子另有一段關於著名的貧寡、不安問題的敘述：

> 丘也聞有國有家者，不患寡而患不均，不患貧而患不安。蓋均無貧，和無寡，安

---

40 牟宗三：《中國哲學十九講：中國哲學之簡述及其所涵蘊之問題》（臺北：學生書局，1995），頁60-64，認為諸子所面對的問題，就是針對「周文疲弊」。雖然在肯定儒家時，指出墨子否定周文的態度，並引述唐君毅說法，將其定位為次人文或不及人文。這個觀點或可再斟酌。

41 社會環境的劇烈變化可參見郭沫若：〈古代研究的自我批判〉，《中國古代社會研究（外二種）》（石家莊：河北教育出版社，2001），頁599-666。

42 魏・何晏等注，宋・邢昺疏：《論語注疏》，收入清・阮元校勘：《十三經注疏》第8冊，頁116。

無傾。夫如是，故遠人不服，則修文德以來之。既來之，則安之。[43]

孔子所講的「庶」與「寡」，即是墨子提到之人民眾寡的問題；孔子所講的「富」、「貧」，即是墨子提到之國家貧富的問題；孔子所講的「教」、「安」，近似墨子提到之刑政治亂的問題。顯然，孔子對於這些問題的看待是有先後、輕重的差異，並提出解決的想法。不過，從墨子的表述，結合歷史的記載，可知實際上時局愈顯混亂，問題更加嚴重。墨子說：

是在王公大人為政於國家者，不能以尚賢事能為政也。是故國有賢良之士眾，則國家之治厚；賢良之士寡，則國家之治薄。故大人之務，將在於眾賢而已。（頁65）

治理的問題是複雜的，墨子也曾提出各種應對的方式，但是衡量先後、輕重、本末，「尚賢」才是關鍵之所在，當「賢良之士」越多，國家就能夠得到越好的發展。其實，這道理看起來極為平凡，不過深入追究，即知並非如此。

「尚賢」可從兩個面向來說，首先，就用人而言，可以釋為「推崇賢能的人」，旨在覓才。當時用人的條件是「骨肉之親、無故富貴、面目美好者」（頁95），可見墨子的意見是具有鮮明的針對性，也是被解讀為「反貴族」的重要因素。[44]其次，就回歸自我來說，當釋為「追求成為賢者」，是具有學習、養成的要求，這是被多數解讀者所忽略，但卻是非常重要的面向。墨子說：

夫明虖天下之所以亂者，生於無政長。是故選天下之賢可者，立以為天子。天子立，以其力為未足，又選擇天下之賢可者，置立之以為三公。……諸侯國君既已立，以其力為未足，又選擇其國之賢可者，置立之以為正長。（頁107）

此處選立天子者誰並未明言，但依據墨子形式上的表述，即是指「天」。當天選立了天子以掌理天下，天子即選立三公以為輔助，並選立諸侯國君以分治，諸侯國君再選立正長以為股肱，這樣就形成了層級分明、秩序井然的治世網路。顯然，不僅是處於低階的正長，必須成賢以待選，身為高階的國君，甚至是天子，也必須努力學習、實踐成為賢能之人。墨子說：

然則富貴為賢以得其賞者，誰也？曰：若昔者三代聖王堯舜禹湯文武者是也。（頁77）

尚欲祖述堯舜禹湯之道，將不可以不尚賢。夫尚賢者，政之本也。（頁67）

---

43 魏・何晏等注，宋・邢昺疏：《論語注疏》，收入清・阮元校勘：《十三經注疏》第8冊，頁146。

44 錢穆：《墨子》，收入《錢賓四先生全集》第6冊，頁34。

「尚賢」是成就堯舜之道的根本，不僅是需要選用天下賢者，並且自身也需要努力「為賢」。

至於，舉國皆賢，如何區分上下？墨子說：

> 是以民皆勸其賞、畏其罰，相率而為賢。者以賢者眾而不肖者寡，此謂進賢。然後聖人聽其言，跡其行，察其所能而慎予官，此謂事能。故可使治國者，使治國，可使長官者，使長官，可使治邑者，使治邑。凡所使治國家、官府、邑里，此皆國之賢者也。（頁73-74）[45]

「賢」是指有德性，精神價值本不可量計以分高下，所以安置眾賢分別掌理國家、官府、邑里事務，衡量的基準就是處事的能力，也可以說是包含踐行道德所能產生影響的廣度，所謂「聽其言，跡其行」的「事能」即是，是兼具著才與德的兩面性。

綜上所述，根據「尚賢」具有的意涵，以及作為上自天子下至正長的普遍性要求，此觀點足為墨子思想的重心。因此，當可轉換視角，以一個墨家賢者的立場，表述出自我建構起的思想體系與精神價值。

（2）尚同：上下情義和合

作為墨家賢者，最為關注的焦點，即在於價值的思維，也就是「義」的釐清。以下，用四部分說明。

A 以義為貴

墨子指出：「萬事莫貴於義。」其論述的理據：「爭一言以相殺，是貴義於其身也。」（頁670）簡單而明白地標示出人與人之間的衝突，主要在價值觀上的爭執。墨子說：

> 古者民始生未有刑政之時，蓋其語，人異義。是以一人則一義，二人則二義，十人則十義。其人茲眾，其所謂義者亦茲眾。是以人是其義，以非人之義，故交相非也。是以內者父子兄弟作怨惡，離散不能相和合。……天下之亂，若禽獸然。（頁107）

在墨子的想法裡，每個人都有「義」，也就是各自擁有自我的見解，處於原始社會的階段，在缺乏溝通、和合下，就會導致像禽獸一樣的相互衝突。因此，墨子認為欲由亂而治，各階層的賢者就要扮演好整合「義」的角色。墨子說：

> 明乎民之無正長以一同天下之義，而天下亂也，是故選擇天下賢良聖知辯慧之

---

45 俞樾認為「者」字乃「是」字之誤，屬下讀。見吳毓江：《墨子校注》，頁79。

人，立以為天子，使從事乎一同天下之義。天子既已立矣，以為唯其耳目之請，不能獨一同天下之義，是故選擇天下贊閱賢良聖知辯慧之人，置以為三公，與從事乎一同天下之義。……國君既已立矣，又以為唯其耳目之請，不能一同其國之義，是故擇其國之賢者，置以為左右將軍大夫，以遠至乎鄉里之長，與從事乎一同其國之義。（頁114-115）[46]

天子、三公、諸侯國君、正長，以及將軍大夫與鄉里之長，無不皆是「賢良聖知辯慧之人」，而諸賢為消弭動亂，所盡心從事的要務，即是整合「義」，故此理政模式又可稱為「義政」，足見「義」乃是為賢之要素。[47]由此而言，墨子意識到理念之為人的核心價值，因而在孔子提出「義」之後深入「義」的甄別。[48]

B 以行顯義

墨子對義的省思，是立足於深刻的時代觀照。在《墨子》中，「聖王既沒，天下失義。」（頁258、頁260、頁330）的說法，雖僅三見，卻關鍵的指出此刻「失義」的時代困境。所謂「失義」，包括了知與行兩個面向。

首先，以知而言，墨子認為見解的矛盾，顯示世俗已無法明辨義與不義的差異。最顯著的說法，莫如：

今小為非，則知而非之。大為非攻國，則不知而非，從而譽之，謂之義。此可謂知義與不義之辯乎？是以知天下之君子也，辯義與不義之亂也。（頁196）

墨子認為在小事件上大家尚能正確的區分是非善惡，但是當面對大是大非時，卻失去了原有權衡的基準。因此，批判這種小大之間態度矛盾、立場不一的人，是不明白「義」與「不義」的分別。相近的說法，尚可見於「明小物而不明大物」與「知小而不知大」等表述。諸如此類，亦可說是缺乏對義的透澈認知，自非可名之為賢。

其次，以行而言，墨子批判行不能踐知，顯示出立足於實踐的鮮明色彩。墨子說：

今瞽曰：「鉅者，白也。黔者，黑也。」雖明目者無以易之。兼白黑，使瞽取焉，不能知也。故我曰瞽不知白黑者，非以其名也，以其取也。今天下之君子之名仁也，雖禹湯無以易之。兼仁與不仁，而使天下之君子取焉，不能知也。故我

---

46 畢沅云：「請」當為「情」，下同。吳毓江：《墨子校注》，頁120。

47 墨子又有提出「義政」與「力政」的說法，能從事義政的聖王，從事力政的暴王。詳見吳毓江：〈天志上第二十六〉，《墨子校注》，頁290。

48 《論語》中提到孔子曰：「君子義以為質，禮以行之，孫以出之，信以成之。君子哉！」透過「義」來挺立「禮」的價值，墨子再對「義」的省思，可以視為延續性的作為。魏·何晏等注，宋·邢昺疏：《論語注疏》，收入清·阮元校勘：《十三經注疏》第8冊，頁139。

> 曰天下之君子不知仁者，非以其名也，亦以其取也。（頁672）

這是非常好的譬喻，一針見血的揭示出時移境遷下價值產生混亂與衝突的原因。墨子以區分黑白為例，對目明的人可謂輕而易舉，對失明的人則難如登天，但究竟具有意義的「分辨」所指為何？墨子認為關鍵不在「名」的形式層面，而是在具有成效之「取」的實踐層面。顯然，墨子突出意義存在的時空元素，透過人的實踐掌握內在的真實，以避免名義的混淆不清。如此觀點，又可見於「蕩口」的指責，墨子說：

> 言足以復行者，常之；不足以舉行者，勿常。不足以舉行而常之，是蕩口也。（頁644）

「言」能落實於「行」的才有真實意義，不能付諸實踐，只是空言妄語。近似說法，亦見於〈貴義〉（頁671）。墨子用「蕩口」提出嚴厲批判，顯然徒具形式的「名」，非但多餘、無益，更產生混淆認知、破壞實踐的負面影響。

C 言行以同義

賢者的要務乃在整合各自不同的「義」，配合墨子曾經表述的「今天下莫為義」（頁670），可知墨子所謂的「義」，異於眾人之「義」。根據「尚同」的觀點，墨子確實想要泯除彼此的衝突，尋求看法的和同，然「尚同」如何可求？識者或視墨子為權威主義者，即使提出墨子是以「公義」取代「私義」來迴護，仍舊無法有效化解質疑。如何化解疑慮？回到墨子本身的論述，透過再詮釋的方式，當可突破前人有意解讀的侷限。

扼要而言，墨子尚同的觀點，即是：「聞善而不善，必以告天子。天子之所是皆是之，天子之所非皆非之。去若不善言，學天子之善言；去若不善行，學天子之善行。」（頁670）這是基於天子為聖賢，立足於善言與善行所呈現的想法，從發展的歷程而言，已屬結果的階段，所謂淪為權威主義，若關注整合的歷程，當可化解此質疑。試觀墨子回答「同一天下之義」的做法：

> 然胡不賞使家君試用家君發憲布令其家，曰：「若見愛利家者必以告，若見惡賊家者亦必以告。若見愛利家以告，亦猶愛利家者也，上得且賞之，眾聞則譽之；若見惡賊家不以告，亦猶惡賊家者也，上得且罰之，眾聞則非之。」是以徧若家之人，皆欲得其長上之賞譽，辟其毀罰。……善人之賞而暴人之罰，則家必治矣。（頁137）

這是以家族為例，說明如何成善去惡的過程。過程中，雖然採用了賞罰的手段，但是墨子已清楚指出手段的運用，並不能讓惡成為善，因此關鍵還是在於義的內涵。從整個過程中，可以看到發憲布令之「言」，到賞善罰暴之「行」，言行相應以立義，關鍵乃在義的內涵。墨子說：

> 今王公大人之為刑政，則反此。政以為便嬖宗族、父兄故舊，立以為左右，置以為正長。民知上置正長之非正以治民也，是以皆比周隱匿，而莫肯尚同其上，是故上下不同義。若苟上下不同義，賞譽不足以勸善，而刑罰不足以沮暴。（頁118）

當正長並非立足於善時，上下即成對立的關係，在缺乏認同下賞譽刑罰的手段將失去功效。換言之，單憑上者的想法，想要貫徹到下者，是有困難的。因此，在同義的過程中，有一個非常關鍵的環節，即是上下之情通。墨子說：

> 上之為政得下之情，則是明於民之善非也。若苟明於民之善非也，則得善人而賞之，得暴人而罰之也。善人賞而暴人罰，則國必治。……善人不賞而暴人不罰，為政若此，國眾必亂。（頁135）

此處雖偏向於說明上之賢者在施行賞罰時，必符合善惡之實情，然而細究所謂善惡，並非僅是實現為上之義，應當同時符合為民之義。如墨子在論正長時所說：「萬民之所便利，而能彊從事焉，則萬民之親可得也。」（頁117）又說：

> 故古者聖王唯而以尚同以為正長，是故上下情請為通。上有隱事遺利，下得而利之；下有蓄怨積害，上得而除之。（頁118）

賢者透過具體的言行，取得萬民的信賴，上下之間，即在上遺下得、下害上除中，相互成就。此外，當墨子在談「尚同」的過程時，首言「家君總其家之義，以尚同於國君」（頁137），次言「國君選其國之義，以尚同於天子」（頁137），終言「天子又總天下之義，以尚同於天」（頁138），不僅不是由上而下的貫徹意志，並且展現出價值觀的溝通與整合。因此，墨子的「尚同」觀念，若能在強調同一之外，理解「尚」字具有的「追求」之意而細味其過程，則知這是一個努力「尋求認同」的「諧和之道」。[49]

D 三表以立義

透過努力的踐行以尋求認同其義的賢者，如何確立義的內涵？雖然墨子明確提出了「義自天出」的說法，但在「天」之外，墨子又表示：「今天下之所同義者，聖王之法也。」（頁137）順此追索，有所謂「三表」，或謂「三法」，也是作為確立「義自天出」的依據，是故「三表」應當才是墨子權衡「義」的實質準則。墨子說：

---

49 牟宗三：〈墨子與墨學〉，《鵝湖》5：11（1980.5），頁5，認為層層上同，亦即「層層上下協和之意」，並不函專制極權的意思。

> 凡出言談、由文學之為道也，則不可而不先立義法。……然今天下之情偽，未可得而識也，故使言有三法。（頁406）

簡單來說，言行必依據「義」，但如何確定義之「正」與「偽」呢？「三法」就是墨子提出的解決方式。關於「三表」的內容，墨子說：

> 有本之者，有原之者，有用之者。於何本之？上本之於古者聖王之事。於何原之？下原察百姓耳目之實。於何用之？廢以為刑政，觀其中國家百姓人民之利。此所謂言有三表也。（頁394）

所謂「三表」，即是「本之」、「原之」與「用之」。所謂「本之」，就是以古代聖王的言行為依歸，這是墨子承繼文化的一面。值得留意的，是墨子已考量到時空的問題，不能只是單純移植、模仿而期盼獲得相同成果，所以有另外兩個調整的機制。所謂「原之」，就是透過多數人的具體感受，確認其真實性，這是客觀之理性精神的展現。所謂「用之」，就是透過具體的施行成效來做最後的檢證，其中含括了百姓的感受，這也是墨子特別重視的實踐精神，雖然學者因而有所謂「實用主義」、「應用主義」，甚至是「功利主義」的評斷，但若從「三表」的整體性構思而言，確實為轉化傳統、融古通今的良好做法。

（3）天志：敬以法天

關於墨子對天的定位，在天有意志的述說下，人格神的色彩，讓學者多持負面的解讀，但也有不同的聲音。該怎麼看？[50]〈貴義〉有記載一則事件，足為參考：

> 子墨子北之齊，遇日者。日者曰：「帝以今日殺黑龍於北方，而先生之色黑，不可以北。」子墨子不聽，遂北至淄水，不遂而反焉。日者曰：「我謂先生不可以北。」子墨子曰：「……是圍心而虛天下也，子之言不可用也。」（頁674）

除了將日者與墨子對立呈現外，並透過事件發展的結果，凸顯墨子的思維與立場，這是契合於前文所述的理性精神。順此，墨子藉由「天之意志」所展現的價值，有兩方面。首先，是擷取「敬」的精神。〈魯問〉記墨子以「擇務從事」回答魏越的提問，指出：「國家淫僻無禮，則語之尊天事鬼。」（頁722）換言之，「天志」與「明鬼」的提出，

50 關於天的解讀，徐復觀：《中國人性論史：先秦篇》，頁313，認為：「墨子的天志，實同於周初宗教性的天命。」梁啟超：《墨子學案》，頁45-48，認為是古代祝史的遺教，是一個人格神的天，有意欲，有感覺，有情操，有行為，不過終是實行兼愛的一種手段罷了。此外，亦有不同見解，唐君毅說：「墨子之論儒，雖非儒者之真，然墨子言天志，而闢除天之命定之說，則上承詩書所傳之宗教精神。」並提出墨子有分別天人，釐清分位的價值與意義。此說，值得重視。詳見唐君毅：《中國哲學原論．導論篇》，頁540-542。

一個核心的用意，就在於解決「無禮」的問題。從墨子的角度來說，所認定的禮，本來就有別於繁飾的禮樂，而是直指本質。綜觀〈天志〉與〈明鬼〉兩篇論述，即緊扣著「敬」，如：

> 故昔也三代之聖王堯舜禹湯文武之兼愛天下也，從而利之，移其百姓之意焉，率以敬上帝山川鬼神。天以為從其所愛而愛之，從其所利而利之，於是加其賞焉，使之處上位，立為天子以法也，名之曰聖人。以此知其賞善之證。是故昔也三代之暴王桀紂幽厲之兼惡天下也，從而賊之，移其百姓之意焉，率以詬侮上帝山川鬼神。天以為不從其所愛而惡之，不從其所利而賊之，於是加其罰焉，使之父子離散，國家滅亡……名之曰失王。以此知其罰暴之證。（頁314）

單純抓住賞善罰暴來看，自然充滿著神教的色彩，但是具體審視成就「聖人」與「失王」的關鍵，乃在相應於「敬」、「詬」所關聯的善惡作為。換言之，對上帝山川鬼神能夠表達敬意，即同時能展現兼愛、利人的善行，而對上帝山川鬼神呈現詬侮的不敬態度，則同時呈現賊害他人的惡行，這是間接藉天以開顯人文價值的方式。墨子說：「故交相愛，交相恭，猶若相利也。」（頁723）將恭敬與相愛、相利並提，亦足以顯示墨子的觀點。

其次，是「法天」所顯示的超越視野。由於對「上帝山川鬼神」的敬畏，在崇高的地位下，更設想其價值，墨子：「鬼神之明智於聖人，猶聰耳明目之與聾瞽也。」（頁641）比聖人展現更高的智慧，所以墨子說：

> 然則奚以為治法而可？故曰：莫若法天。天之行廣而無私，其施厚而不德，其明久而不衰，故聖王法之。既以天為法，動作有為必度於天，天之所欲則為之，天所不欲則止。（頁29）

聖王的成就，亦是來自於法天，故「法天」乃是最根本的作法。如何「法天」呢？墨子提出「度」的方式，推測、設想天之所欲與不欲，以作為行事的依歸。此「度」，實涵蓋了自我的體會與天的視野。換言之，墨子「虛位以待」的天，提供一個超越的視野，讓人得以提升價值的思維，所謂「兼愛」就是以此視野所展開的觀點。

（4）兼愛：泯分別心

如同對於「義」的重新定義，關於「仁」，墨子也提出了新的見解。墨子說：

> 若大國之攻小國也，大家之亂小家也，強之劫弱，眾之暴寡，詐之謀愚，貴之敖賤，此天下之害也。又與為人君者之不惠也，臣者之不忠也，父者之不慈也，子者之不孝也，此又天下之害也。又與今人之賤人，執其兵刃毒藥水火，以交相虧

> 賊，此又天下之害也。（頁172）

有三個危害天下的大問題，包括強劫弱、眾暴寡的藉勢欺人，不見君惠臣忠、父慈子孝的德行，以及底層民眾的直接惡鬥。墨子認為之所以產生這些問題的原因，即在於「別」，因為區分了彼此，且虧人利己。因此，墨子提出了「兼以易別」（頁172）的方式。墨子說：

> 視人之國若視其國，視人之家若視其家，視人之身若視其身。是故諸侯相愛，則不野戰；家主相愛，則不相篡；人與人相愛，則不相賊；君臣相愛，則惠忠；父子相愛，則慈孝；兄弟相愛，則和調。……凡天下禍篡怨恨可使毋起者，以相愛生也，是以仁者譽之。（頁156）

要言之，就是視人如己，在一體的關係下，就沒有彼此侵害的問題存在。至於，這種相愛的觀點是如何形成的呢？墨子說：

> 今天下無大小國，皆天之邑也；人無幼長貴賤，皆天之臣也。此以莫不犓牛羊、豢犬豬，絜為酒醴粢盛，以敬事天，此不為兼而有之，兼而食之邪？天苟兼而有食之，夫奚說以不欲人之相愛相利也。（頁29-30）

顯然，相愛相利的觀點，就是立足於「天」的視野，設想所有的國家都是天之邑，所有的人民都是天之臣，則自然不允許彼此產生侵害。順此而言，當墨子說：「仁人之事者，必務求興天下之利，除天下之害。」（頁172）以天的視野，不僅由「天下」之大的整體思維來定義「仁」，並且個體在此刻也同時獲得平等的看待。

（5）非命：肯定人文價值

「非命」的觀點正與「天志」意在「法天」的理性思維兩相呼應，展現出由天而人的奮鬥精神。墨子的時代，盛行「有命」的觀點，是作為解釋一些不可解的問題，如云：

> 有強執有命以說議曰：「壽夭貧富，安危治亂，固有天命，不可損益。窮達賞罰，幸否有極，人之知力，不能為焉。」（頁429）

其實僅僅擷取壽夭、貧富、安危、治亂等單一面向，給予正負評價，並嘗試在自以為是的德命關聯中找尋解釋，本就是不相應、不可解。當再衍伸出命定的限制義，用來壓迫人存有的價值，墨子是非常反對的。墨子說：

> 昔桀之所亂，湯治之；紂之所亂，武王治之。當此之時，世不渝而民不易，上變政而民改俗。……若以此觀之，夫安危治亂存乎上之為政也，則夫豈可謂有命

> 哉！……夫豈可以為命哉？故以為其力也。（頁416）

這是針對「安危治亂」具有命定說法的反駁。墨子透過聖王與暴王的對比，指出聖王在「世不渝而民不易」的狀態下，憑藉變政改俗的努力作為，終於成就被稱頌不已的治世。顯然，墨子突出地想肯定人為的價值，反對「被決定」的思維模式。〈公孟〉記述：

> 公孟子曰：「貧富壽夭，齰然在天，不可損益。」又曰：「君子必學。」子墨子曰：「教人學而執有命，是猶命人葆而去亓冠也。」（頁689）

墨子認為一方面強調君子應該學習，就是為了展現自我的價值，而另一方面如果又主張存在命定的限制，有如叫人包裹頭髮是為了戴帽子卻將要帽子拿走一樣，是不合理而可笑的。一則眾所熟知的例子，〈公孟〉紀述：

> 子墨子有疾，跌鼻進而問曰：「……今先生聖人也，何故有疾？意者，先生之言有不善乎？鬼神不明知乎？」子墨子曰：「雖使我有病，何遽不明？人之所得於病者多方，有得之寒暑，有得之勞苦，百門而閉一門焉，則盜何遽無從入哉。」（頁692-693）

聖人而有疾，雖然看起來是針對墨子尊天事鬼主張的質疑，不過同時也意味著貧富壽夭不與德性關聯的命定觀點。面對如此窘境，墨子展現出同「法天」的理智思維，所謂「百門一閉」即是轉換成「天」的視角，試結合另一則記載，會有更清楚的認識，〈魯問〉記述：

> 子墨子出曹公子而於宋，三年而反，睹子墨子曰：「……今而以夫子之故，家厚於始也，有家厚謹祭祀鬼神。然而人徒多死，六畜不蕃，身湛於病，吾未知夫子之道之可用也。」子墨子曰：「不然，夫鬼神之所欲於人者多，欲人之處高爵祿則以讓賢也，多財則以分貧也，夫鬼神豈唯擢季拑肺之為欲哉？今子處高爵祿而不以讓賢，一不祥也；多財而不以分貧，二不祥也。今子事鬼神，唯祭而已矣，而曰：『病何自至哉？』是猶百門而閉一門焉，曰：『盜何從入？』若是而求福，於有？怪之鬼，豈可哉？」（頁722）

雖然曹公子提出不同的問題，但也是只因一個自以為是的矛盾，產生對於鬼神的質疑。反觀墨子的思維精神，不僅保持對神鬼的敬意，並且透過「法天」的視野，設想「人」該有諸多積極的作為，包括讓賢、分貧等，以防盜做比喻，就是需要「百門」的多方面付出方足以達到防止盜賊闖入的效果。兩相對比，亦正顯示出多數理解墨子尊天事鬼的觀點時，容易落入狹隘的原始宗教的格局，而忽略了墨子藉天以啟發人的積極面向。因此，當墨子言：「命者，暴王所作，窮人所術，非仁者之言也。今之為仁義者，將不可不察而強非者，此也。」（頁418-419）必須深入體貼墨家賢者在行仁為義下所具有的人文精神。

三　《群書治要》選編《墨子》的意蘊

墨子思想的內涵與精神，到了魏徵等人選編而成的《群書治要》中，是否產生了變化？蘊含什麼意義？藉此探究或可折射出唐代墨子學的面貌，以下分成四部分，依序說明。

（一）《群書治要》的編撰與特色

關於《群書治要》的重要訊息，大體上能夠藉由《唐會要》的記載獲得掌握，《唐會要》云：

> 貞觀五年九月二十七日，秘書監魏徵撰《群書政要》，上之。[51]

清楚記錄下成書的時間和主要的撰寫人。其下有雙行注，文曰：

> 太宗欲覽前王得失。爰自六經，訖于諸子，上始五帝，下盡晉年。徵與虞世南、褚亮、蕭德言等始成凡五十卷。上之。諸王各賜一本。[52]

雖然只有簡短的數語，但已扼要的說明了撰寫原因、取材範圍、參與人員、卷帙數量與傳播狀態等方面，足以讓人藉此深入探究。

五十卷的《群書治要》，包含了12本經部著作，8本史部著作，48本子部著作，合計有68本經典。要將這68本經典內容置入《群書治要》，必然需要經過刪減，所以《群書治要》所收錄的內容是經過編撰者的一番剪裁、取捨。除了篇章字句的處理之外，《群書治要》的內容尚且存在夾注的形式。夾注的內容，同樣取自古籍，亦經取捨、剪裁，並非新創。至於，夾注的呈現，不僅發揮解釋與補充本文的作用，甚至與本文有成為一體的現象，顯著的例子如《晉書・陸機傳》，本文僅截錄：「陸機字士衡，吳郡人也。為著作郎。」注文則大篇幅選錄陸機〈五等論〉，顯然達到豐富內容的效益。[53]

具有如此豐富內容的《群書治要》，是在因應唐太宗治國的需求下由魏徵主導撰寫

---

51 宋・王溥：《唐會要》（京都：株式會社中文出版社，1978），頁651。島田翰注解「政要」云：「唐避高宗諱，治改理，又改政，故《玉海》依舊本作理要，且云實錄作政要。」足以說明書名不同的原因。詳見日・島田翰：《古文舊書考》（臺北：廣文書局，1967），頁157。

52 宋・王溥：《唐會要》，頁651。

53 唐・魏徵等編撰：《群書治要（校訂本）》（北京：中國書店，2014），頁719-720。

完成的。透過〈群書治要序〉的梳理，有三個面向值得特別關注。[54]首先，編纂目的在於呈現治國理政的要點，所謂「本求治要，故以治要為名。」即是。不過，古代政治思想與學術文化之間，緊密相扣，難以切割，實不宜單純侷限於為政上理解。其次，講求踐行的價值。所謂「勞而少功」、「博而寡要」，就是在面對龐大的傳統文化資源時產生無所適從的窘境，因此期盼能建構一個「簡而易從」的實踐依據。又次，重視思維的內涵。在編纂的時候，魏徵等人已意識當避免產生好奇務博、文義斷絕的缺失，想展現出不同於《皇覽》、《遍略》的價值，因此採用「總立新名，各全舊體」的方式，讓完整的意義保存其中。順此趨向，審視《群書治要》的整體呈現，實可見在既已提及的「為君難」與「為臣不易」議題之外，尚有聚焦在五大議題的情形，並且議題與議題之間存有著緊密的關聯性。由此而言，魏徵在主導《群書治要》的編撰時，經過典籍的取捨，篇章的剪裁，如同賦詩言志一般，實已賦予了新「意」。換言之，《群書治要》乃是一部「以編代作」的作品，若僅視為類書，而忽略其中存在的意蘊，將錯失其精彩內涵。[55]

《群書治要》成書之後，卻與雕版印刷逐漸發展並推動了典籍傳播的趨勢背道而馳，南宋孝宗乾道7年（1171）時，秘閣所藏僅有第11至20卷的內容，元代之後，除《宋史》沿用記載，並未見相關討論，當已不傳。如今所見《群書治要》，有賴流傳至日本而受到推崇與維護，如細井德民說：「謹考國史，承和、貞觀之際，經筵屢講此書。」[56]林信敬也提到：「我朝承和、貞觀之間，致重雍襲熙之盛者，未必不因講究此書之力。」[57]約當唐文宗開成年間（836-840）已開始可以看到關注《群書治要》的情形。經過了九百多年之後，林信敬認為《群書治要》的編撰，是要展現聖賢治平之道的綱領，以應「因物立則，視宜創制」之所需，所以「先明道之所以立，而後知政之所行；先尋教之所以設，而後得學之所歸。」明確地揭示出《群書治要》蘊含的獨特精彩。[58]與此觀點相互呼應，細井德民說：「臣等議曰：是非不疑者就正之，兩可者共存。……又有彼全備而此甚省者，蓋魏氏之志，唯主治要，不事修辭。亦足以觀魏氏經國之器，規模宏大，取捨之意，大非後世諸儒所及也。今逐次補之，則失魏氏之意，故不為也。」[59]深恐因讎校的不慎，造成不能復見「魏氏之意」的遺憾。因此，欲見精彩，有必要走入《群書治要》，闡發其內在的思維與精神。

---

54 唐・魏徵等編撰：〈群書治要序〉，《群書治要（校訂本）》，頁1-2。

55 林朝成、張瑞麟：《教學研究計畫——以《群書治要》為對象》，頁9-48。林朝成：〈《群書治要》與貞觀之治——從君臣互動談起〉，《成大中文學報》67（2019.12），頁101-142，已嘗試與《貞觀政要》聯繫來闡釋《群書治要》的思想內涵。

56 日・細井德民：〈刊《群書治要》考例〉，唐・魏徵等編撰：《群書治要（校訂本）》，頁1。

57 日・林信敬：〈校正《群書治要》序〉，唐・魏徵等編撰：《群書治要（校訂本）》，頁1。

58 日・林信敬：〈校正《群書治要》序〉，唐・魏徵等編撰：《群書治要（校訂本）》，頁1。

59 日・細井德民：〈刊《群書治要》考例〉，唐・魏徵等編撰：《群書治要（校訂本）》，頁1-2。

(二)《群書治要》選編《墨子》的樣貌

與《群書治要》的內在思維與精神緊密相關的面向，是構成《群書治要》的諸多經典，究竟有哪些部分為魏徵等人編輯所取之「意」呢？因此，為了能夠在深入闡釋時有所依據，以下先呈現《群書治要》選編《墨子》的樣貌。

將《群書治要．墨子》的篇章內容與今本《墨子》核對，可得許多重要訊息，詳如下表：

《群書治要．墨子》篇章	《墨子》篇章	《群書治要．墨子》主題	《墨子》主題	備註
所染	所染第三	擇賢、染當	擇賢、染當	無「士染」
法儀	法儀第四	法度、法天、兼愛	法度、法天、兼愛	
七患	七患第五	七患	七患、國備	無「國備」
辭過	辭過第六	儉節：宮室、衣服、飲食、舟車	儉節：宮室、衣服、飲食、舟車、蓄私	無「蓄私」
尚賢	尚賢上第八	尚賢事能	尚賢事能	講眾賢之術
	尚賢下第十	尚賢事能	尚賢事能	莫知而行
非命	非命中第三十六	聖王有作暴王無作	三法以立義、本之	三法
	非命下第三十七	有力無命（勤政）	三法以立儀、有力無命	三法
貴義	貴義第四十七	悖義	貴義、為義、義無貴賤、利天利人、言行相應、悖義、行、慎行（自愛）、學義、知義、不貴義、不為義、非命、自信（理性論辯）	共同：悖義（尚賢、納諫）

本表以五個欄位呈現：第一欄，呈現《群書治要．墨子》的篇章，並作為右欄填寫依據；第二欄，核對今本《墨子》後呈現原屬之篇章；第三欄，呈現《群書治要．墨子》的內容焦點；第四欄，呈現今本《墨子》的內容焦點；第五欄，註記第三欄與第四欄比對後呈現的重要訊息。

上表所呈現的訊息，詳細說明如下：

首先，就篇章來說。《群書治要．墨子》的篇章，應以主題為劃分依據，所以當計為7個篇章。至於，核對今本《墨子》，可見〈尚賢〉截錄了〈尚賢上第八〉與〈尚賢下第十〉兩篇的部分內容，〈非命〉截錄〈非命中第三十六〉與〈非命下第三十七〉兩篇的部分內容。換言之，《群書治要．墨子》所呈現的7個篇章，實際上涉及了《墨子》9個篇章的內容。

其次，關於內容的比對，可見各個篇章的取捨有很大的不同，分別說明如下：

1. 以〈所染〉而言，〈所染第三〉內容包括了染絲、國染與士染三個部分，用以談擇賢、染當的觀點，雖然〈所染〉截錄的內容大體上含括了染絲與國染，並且完整保留了擇賢、染當的觀點，但剔除了士染部分。

2. 以〈法儀〉而言，截錄內容幾乎涵括了〈法儀第四〉的觀點，僅詳略之別而已。

3. 以〈七患〉而言，〈七患第五〉內容除首段講七患外，其餘大量文字在明國備的重要性，雖然〈七患〉幾乎截錄了首段的內容，但將大篇幅的國備論述剔除了。

4. 以〈辭過〉而言，〈辭過第六〉講究聖人之儉節有五，而〈辭過〉截錄四個內容，包括宮室、衣服、飲食與舟車，未取「蓄私」部分的論述。

5. 以〈尚賢〉而言，「尚賢」的觀點是墨子學說的核心焦點之一，在《墨子》中有三篇文字不同、詳略有別的記述，〈尚賢〉串接其中兩篇的內容成為一完整論述。即先截錄〈尚賢上第八〉，除說明「尚賢事能」的重要，主要聚焦在如何能夠「尚賢事能」的解說上，也就是「眾賢之術」，然後銜接〈尚賢下第十〉，續言為何不能「尚賢事能」的原因。

6. 以〈非命〉而言，「非命」的觀點亦是墨子學說的核心焦點之一，在《墨子》中有3篇文字不同、詳略有別的記述，〈非命〉截錄〈非命中第三十六〉、〈非命下第三十七〉而串接成文。換言之，合去取而言，〈非命〉著重於聖王與暴王的對比，而凸顯力行勤政的一面，略去了《墨子》此篇之中心──「義法」──的論述。

7. 以〈貴義〉而言，〈貴義第四十七〉圍繞著「義」呈現出有相當豐富的內容，從義的重要性到知行各方面皆有觸及，但〈貴義〉僅截錄了兩則有關悖義的說法。

以上透過《群書治要．墨子》與今本《墨子》的比對，可見經過去取的斟酌，最終呈現的樣貌，已有很大的不同。整體而言，以全本71篇《墨子》計算，截錄自9篇的內容，占比約12.7%，並不算高。再由內容來看，不僅截錄的篇章，沒有涵蓋墨子重要的十個觀點，而且在單篇內容的取捨上，雖有完整涵括的部分，亦有顯見遺漏墨子核心論述的一面，這應該是魏徵等人有意的擇取，足以透露出《群書治要．墨子》已被賦予了應用的詮釋。

（三）《群書治要・墨子》的關注焦點

不難理解，不同的作者，在各自的關懷下，將呈現各具特色的樣貌。魏徵等人雖述而不作，但隨著關懷的轉變，在擷取與隱去之間，《群書治要・墨子》已產生了變化。以下，先說明《群書治要・墨子》所凸顯的面向。

1 尚賢而事能

「尚賢」的觀點原本就是墨子思想的核心之一，持續的關注，正可展現精神的延展。關於此觀點的呈現，除了〈尚賢〉之外，相應的論述，尚有〈所染〉、〈七患〉與〈貴義〉。

以〈尚賢〉而言，雖然未取用〈尚賢中第九〉，但若仔細審視內容，將會發現截錄〈尚賢上第八〉與〈尚賢下第十〉所串接而成的內容，正完整展現墨子「尚賢」的思維。

以〈所染〉而言，觀點在強調人與人相處之際，在無形中會產生相互的影響，因此必須慎選相友、共事的人。從選用的例子，也可同樣看見強調「尚賢」觀點的想法。

以〈七患〉而言，內容所涉多端，但如「君自以為聖智而不問事，自以為安強而無守備，五患也。」的獨智自賢，「所信者不忠，所忠者不信，六患也。」的識人不明，「蓄種菽粟不足以食之，大臣不足以事之，賞賜不能喜，誅罰不能威，七患也。」的處置失當，其實都與「尚賢事能」的觀點相關聯。[60]

至於〈貴義〉的內容，在諸多論述與事例中，魏徵等人僅取兩則。其一為：「世之君子，使之一犬一彘之宰，不能，則辭之；使為一國之相，不能，而為之。豈不悖哉？」雖然是藉相近的事態，彰顯「義」的問題，所以才放在此篇目之下，但一事可有多義，且內容與〈尚賢〉近似，意在彰顯「尚賢事能」的觀點，並無問題。其二為：「世之君子，欲其義之成，而助之修其身則慍，是猶欲其墻之成，而人助之築則慍也。豈不悖哉？」與〈七患〉之五患近似，因不尚賢、不事能，也就更無法讓賢，或知賢之賢於己者，所以也與「尚賢事能」的觀點緊密相關。[61]

2 非命而有為

「非命」的觀點是墨子學說的核心思想之一，也是《群書治要・墨子》在〈尚賢〉之外，形式上直接承續十論觀點的僅有篇章。與〈尚賢〉篇章略有差異，〈非命〉截錄了〈非命中第三十六〉與〈非命下第三十七〉，大體上概括了墨子〈非命〉三篇的內

---

60 唐・魏徵等編撰：《群書治要（校訂本）》，頁825。

61 唐・魏徵等編撰：《群書治要（校訂本）》，頁832。

容，但是刪除立論的基礎——三法，即使〈法儀〉或可稍加彌補其意，仍然改變了對於墨子學說的掌握。不過，刪除了三法，讓非命而勤政有為的旨意獲得聚焦與凸顯，也就呈現出《群書治要》有「意」截錄《墨子》所產生的調整。

3 法天而愛人

尊天、事鬼、兼愛是墨子思想中備受關注的一面，主要的內涵見於〈天志〉、〈明鬼〉與〈兼愛〉之中，但是《群書治要・墨子》則採用〈法儀〉的論述以涵蓋之。雖是如此，審視魏徵等人截錄〈法儀〉的內容，除了可見幾乎涵蓋了原本述說的旨意之外，更重要的是「法天」思維的凸顯。墨子說：

> 天下從事者，不可以無法儀；無法儀而其事能成者無有也。……然則奚以為治法而可？莫若法天。天之行廣而無私，其施厚而不息，其明久而不衰，故聖王法之。[62]

雖然墨子「天志」的觀點，如前所述，含有更深廣的意蘊，但容易被解讀為具有人格神的色彩，意味思維退回到染有迷信的傳統宗教信仰階段，魏徵等人截錄〈法儀〉，重心鎖定在行事欲有所成必有規矩的「法儀」，加上彰顯「天」之行廣而無私、施厚而不息、明久而不衰的特質，並揭示聖王亦以為法，無形中已傳達出「天」具有崇高而客觀的價值與地位。然後，再藉由天的視野，轉向於人的關注，從而強調愛民利人的重要。

4 儉節而利人

墨子學說中，由儉節而延伸開的論述有多個篇章，如核心篇章的〈節用〉、〈節葬〉、〈非樂〉，但《群書治要・墨子》主要截錄〈辭過〉與〈七患〉兩篇，尤其大量取用〈辭過〉的文字。若篇幅代表著言說的重要性，儉節的美德，就被放大了，成為鮮明的實踐作為，這與貞觀君臣以隋為鑑強調儉約富民的想法是有緊密的關聯。

綜上所述，《群書治要・墨子》的賢者形象，在七篇有意的截錄文字中，保留了墨子學說中賢者的部分特點，而隱去的部分，正待《群書治要》的思想來填補，以完整其意義。此外，《群書治要・墨子》採用的篇章，除了〈尚賢〉與〈非命〉屬於核心觀點的專論外，〈貴義〉或有參考價值，但大量截錄具有爭議性的〈所染〉、〈法儀〉、〈七患〉、〈辭過〉等內容，重組而成的墨子學說，已是一新的樣貌。

---

62 唐・魏徵等編撰：《群書治要（校訂本）》，頁824。

（四）從《墨子》到《群書治要・墨子》的轉變

相同的文字放在不同的脈絡，會產生新的詮釋與效應。要解讀《墨子》到《群書治要・墨子》的轉變，有兩個視角是重要的，一是以《群書治要》的整體架構作為理解的視野，也就是在部分與全體的相互參照中，掌握思維的趨向；二是相應著時代而產生的變化，即藉記述君臣言行事蹟的《貞觀政要》來掌握言外之意。以下分三點說明。

1 君明臣良

將魏徵等人選錄《墨子》的內容加以歸類，〈尚賢〉、〈所染〉、〈貴義〉與〈七患〉的部分內容可以視為一組，皆屬「尚賢」觀點及其擴散之議題的論述。從《群書治要》的角度來看，關懷的層面涉及到「為君難」、「為臣不易」、「君臣共生」與「直言受諫」四個主題式焦點議題，契合整體呈現的趨向。

結合《貞觀政要》作關聯性的理解，截錄各篇的涵義，可詮釋與解讀如下：

就〈尚賢〉而言，《貞觀政要》有一則論述，涉及多端，當可作為討論的基礎，內容是：

> 貞觀十三年，太宗謂侍臣曰：「朕聞太平後必有大亂，大亂後必有太平。大亂之後，即是太平之運也。能安天下者，惟在用得賢才。……今欲令人自舉，於事何如？」[63]

在唐太宗的觀念裡，有一個清楚的認知，就是安天下的關鍵在於賢才的獲得，所以在《貞觀政要》裡不乏「任賢」的相關論述。如此的重視，與墨子的觀點，相互契合。然而，在墨子的學說裡「尚賢」與「尚同」是一組極為緊密的觀點，其中蘊含著「義」的批判與反思，但是《群書治要》只留下了「尚賢」的觀點，而略去了「尚同」的追求，此間即蘊含了兩個變化。首先，是「尚賢」轉為「任賢」。在墨子的學說中，「尚賢」具有崇賢正身與任賢揚善的兩種意義，但是在略去「尚同」之後，單獨呈現的「尚賢」，失去了正身為賢與和同上下之意，變成偏取拔擢賢才的一面而已。其次，是轉向「異義」，重視「諫諍」。在墨子的學說中，認為天下之所以亂，是因各是其義而非人之義，所以尋求「一同其義」。但是，到了唐太宗之時，則深深意識到個體視野的侷限，因此積極尋求不同的見解以彌補自我的不足。唐太宗說：

> 人欲自照，必須明鏡；主欲知過，必藉忠臣。主若自賢，臣不匡正，欲不危敗，豈可得乎？……前事不遠，公等每看事有不利於人，必須極言規諫。[64]

---

63 唐・吳兢撰，謝保成集校：《貞觀政要集校》（北京：中華書局，2012），頁165。

64 唐・吳兢撰，謝保成集校：《貞觀政要集校》，頁83。

隋代滅亡的借鑑，雖是一個重要的因素，但是看見什麼問題並採取新的作為，就展現出唐太宗與魏徵等人的思維特質。太宗強烈的意識到「自賢」造成的偏頗，而彌補個體視野侷限的缺陷，就是希望藉由「諫諍」的方式，讓事務得以完善。唐太宗說：

> 公等食人之祿，須憂人之憂，事無巨細，咸當留意。今不問則不言，見事都不諫諍，何所輔弼？[65]

這是唐太宗處事有悔後對群臣的告誡，顯見「任賢」到了此時此刻，成為了尋求不同見解的重要用心，與墨子的想法有了極大的差異。不過，仔細分辨，〈尚同〉：「上有過則規諫之，下有善則傍薦之。」（頁108）墨子當也留意到在意見整合過程中不同見解的可貴，只是唐太宗等人放大了對諫諍的關注。

就〈所染〉而言，《呂氏春秋》有〈當染〉[66]，內容兩相近似，容易造成疑慮，而《群書治要》於《呂氏春秋》不收〈當染〉，而於《墨子》截錄〈所染〉，或以為學說內容，當歸墨子也未可知。不過，從內容來說，除了所言當「善為君者，勞於論人而逸於治官」的「任賢」思維[67]，深得貞觀君臣的印可外，墨子雖然未有人性論，但是從強調學與行而言，可間接推知當貼近中性的說法，加上〈尚賢〉與〈尚同〉之意，關注於周遭相友善的人，思維取向應是一致。關於此思維內涵，魏徵提到：

> 中人可與為善，可與為惡，然上智之人自無所染。陛下受命自天，平定寇亂，救萬民之命，理致升平，豈紹、誕之徒能累聖德？但經云：「放鄭聲，遠佞人。」近習之間，尤宜深慎。[68]

這是回應唐太宗關於是否存有陶染的問題，雖然魏徵言語委婉，仍可知肯定人與人之間存在互動的影響性。魏徵說：「陛下貞觀之初，砥礪名節，不私於物，惟善是與，親愛君子，疏斥小人。」[69]不僅見諸實際作為，在言談中也展現相應思維。唐太宗說：

> 夫人久相與處，自然染習。自朕御天下，虛心正直，即有魏徵朝夕進諫。自徵云亡，劉洎、岑文本、馬周、褚遂良等繼之。皇太子幼在朕膝前，每見朕心悅諫者，因染以成性，故有今日之諫。[70]

這是指唐高宗為皇太子時（643-649）犯顏進諫一事。當此之時，已是貞觀後期，可見

---

65 唐・吳兢撰，謝保成集校：《貞觀政要集校》，頁431。

66 〈當染〉篇內容，見許維遹：《呂氏春秋集釋》（北京：中華書局，2010），頁47-53。

67 唐・魏徵等編撰：《群書治要（校訂本）》，頁823-824。

68 唐・吳兢撰，謝保成集校：《貞觀政要集校》，頁138。

69 唐・吳兢撰，謝保成集校：《貞觀政要集校》，頁538。

70 唐・吳兢撰，謝保成集校：《貞觀政要集校》，頁111。

唐太宗接受染習的觀點，並藉「因染成性」解釋太子的作為。此外，張玄素也說：「漸染既久，必移情性。」[71]想法相近。由此可知，《群書治要》所以截錄〈所染〉，乃因其中內涵與當時的主流思想兩相契合。

再次，就〈貴義〉而言，於《墨子》當是圍繞著「義」作多方面的論述，但被截錄入《群書治要》之後，兩則論述的重心，當與〈尚賢〉以及貞觀思潮並列以觀，就分別導向了「任賢」與「納諫」的觀點了。

最後，就〈七患〉而言，截錄的一部分內容為：

> 君自以為聖智而不問事，自以為安強而無守備，五患也；所信者不忠，所忠者不信，六患也；畜種菽粟不足以食之，大臣不足以事之，賞賜不能喜，誅罰不能威，七患也。[72]

五患所言，即是與前文提及的「自賢」相關，會被選錄，不難理解。至於六患的部分，除了與任賢而講求論人相關外，當由「君臣共生」的角度理解，在此議題下君臣間強調敬、信的建構。關於第七患方面，原來在墨子學說中，當屬尚賢與尚同的範疇，指所立正長非正，將導致諸多不足、不能的後果，而移置至唐代，除了任賢使能的觀點外，由賞罰帶入了「信」的觀點，這與走向實踐的思維相關。

2 稱天心合民意

至於第二組內容，包含〈法儀〉、〈七患〉、〈辭過〉三篇，由於皆指向百姓的關注，故可視為一類。

根據〈法儀〉中提出的「法天」觀點，可知墨子的尊天事鬼並非僅是求福避禍的領受式迷信思想，而是藉由轉換至一個敬畏對象的視野，設想應當展現的理想作為，這是創發式的理性思想，所謂「義自天出」即是。然而，出於天之「義」，終究憑藉「三法」才得以確立。至於，「三法」的核心，即落實於百姓的關注上。由此而言，兼愛百姓，乃是透過天的視野，平等兼顧所有人的權益。

時至唐代，當是一方面與墨子思想相互契合，一方面有鑒於隋代的滅亡，所以在特別強調於「牧民之道」下，大量截錄〈辭過〉的內容。[73]唐太宗說：

> 朕每閒居靜坐，則自內省。恆恐上不稱天心，下為百姓所怨。[74]

---

71 唐．吳兢撰，謝保成集校：《貞觀政要集校》，頁238。

72 唐．魏徵等編撰：《群書治要（校訂本）》，頁825。

73 林朝成：〈《群書治要》與貞觀之治——以「牧民之道」為例〉，發表於「第七屆臺大成大東華三校論壇學術研討會」（花蓮：東華大學中國語文學系，2019.5.24）。

74 唐．吳兢撰，謝保成集校：《貞觀政要集校》，頁87。

> 朕每思出一言，行一事，必上畏皇天，下懼群臣。天高聽卑，何得不畏？群公卿士，皆見瞻仰，何得不懼？以此思之，但知常謙常懼，猶恐不稱天心及百姓意也。[75]

促使內自的省思，乃在於「天心」與「民意」，常保謙、懼的態度，說明了對兩者的關注程度。然而，對於天的認識，不論災祥，轉為戒懼自省的理性反思。有關於此《貞觀政要．災祥》所記甚多，舉如祥瑞、災異等，並不往不可知的神秘力量思索，而是轉向「修德銷變」、「變災為祥」的理性應對。至於，如是理性的應對，實質上也是轉向於百姓的關注上。[76]唐太宗說：

> 為君之道，必須先存百姓。若損百姓以奉其身，猶割脛以啖腹，腹飽而身斃。……若耽嗜滋味，玩悅聲色，所欲既多，所損亦大，既妨政事，又擾生民。且復出一非理之言，萬姓為之解體，怨讟既作，離叛亦興。朕每思此，不敢縱逸。[77]

百姓與君主成為一體的連動關係，若君上能節制治身，則下民能富足安樂，若君王縱逸無度，則百姓禍患無窮。因此，在「先存百姓」的想法下強調儉節利民的〈七患〉、〈辭過〉，就成為關注的篇章。當然，觀點的形成必然有原因，魏徵說：

> 昔在有隋，統一寰宇，甲兵彊盛，三十餘年，風行萬里，威動殊俗，一旦舉而棄之，盡為他人之有。彼煬帝……恃其富強，不虞後患。驅天下以從欲，罄萬物而自奉，採域中之子女，求遠方之奇異。……上下相蒙，君臣道隔，民不堪命，率土分崩。[78]

強盛的隋代，卻僅有三十幾年的國祚，詳加追究，必然多有失當，但在魏徵看來君主的縱逸是走向滅亡的根本原因。所謂「驅天下以從欲，罄萬物而自奉」，並非只是失德的問題，而是造成了「民不堪命」的影響。即是在這樣的角度下，與〈辭過〉的儉節觀點產生了連結。值得一提的是，〈辭過〉原有「蓄私」的論述，著重在人口問題的關注，屬於墨子的時代課題，所以《群書治要》就略而不取；〈七患〉原有大量「國備」的論述，依理本當可取，但有意與隋區別，故棄而不錄。貞觀2年時，唐太宗對王珪說：

> 隋開皇十四年大旱，人多饑乏。是時倉庫盈溢，竟不許賑給，乃令百姓逐糧。隋文不憐百姓而惜倉庫……煬帝失國，亦此之由。凡理國者，務積於人，不在盈其倉

75 唐．吳兢撰，謝保成集校：《貞觀政要集校》，頁323。

76 唐．吳兢撰，謝保成集校：《貞觀政要集校》，頁520-527。

77 唐．吳兢撰，謝保成集校：《貞觀政要集校》，頁11。

78 唐．吳兢撰，謝保成集校：《貞觀政要集校》，頁16。

> 庫。古人云：「百姓不足，君孰與足？」但使倉庫可備凶年，此外何煩儲蓄！[79]

從談論的內容可以看到唐太宗定位國家與百姓的角度，是與隋朝有很大的不同。在唐太宗的觀念裡，百姓是構成國家的重要元素，並非不相關，可任其饑乏逐糧而不顧，所以主張「務積於人」。換言之，在隋代，倉庫為君主之私庫，與百姓不相干；在唐代，倉庫為國庫，是用以供給凶年時天下人之所需。因此，「何煩儲蓄」一語，正說明了與「國備」有著不同的關注點。

3 實踐導向

墨子的〈非命〉，是強烈地針對當時立命的觀點提出批判，同時展現人具有掌握生命情態的能力，是反宿命的觀點。至於貞觀君臣，當時不存在立命的思潮，故轉向人為的修德以應對不可知的災變，更彰顯出人文的價值與精神。

在貞觀時期，有三個待解的重要課題：其一，是任法御人或是仁義為治；其二，是專權獨任或是分權委任；其三，是耀兵振武或是戢兵興文。[80]三者當中，爭議最大，影響最巨，就屬「任法御人」與「仁義為治」的爭執。爭執的結果，魏徵的主張獲得了唐太宗的信任與支持，最終也收到了良好的成效，成就了世人所推崇的「貞觀之治」。試觀魏徵所說：

> 五帝、三王，不易人而理。行帝道則帝，行王道則王，在於當時所理，化之而已。考之載籍，可得而知。昔黃帝與蚩尤七十餘戰，其亂甚矣，既勝之後，便致太平。……紂為無道，武王伐之，成王之代，亦致太平。若言人漸澆訛，不返純樸，至今應悉為鬼魅，寧可復得而教化耶？[81]

論述重點在於「不易人而理」，強調人性純樸，端看如何為政。如此說法，連繫〈非命〉來看：

> 昔者，桀之所亂，湯治之；紂之所亂，武王治之。此世不渝而民不改，上變正而民易教。其在湯、武則治，其在桀、紂則亂。安危治亂，在上之發政也。則豈可謂有命哉？[82]

在否定有命外，不僅強調治亂在人與魏徵說法趨向一致，並且其中一個重要的論述環節——「世不渝而民不改」，與魏徵說法極為近似，足見墨子思想所產生的影響。

---

79 唐・吳兢撰，謝保成集校：《貞觀政要集校》，頁466。
80 唐・吳兢撰，謝保成集校：《貞觀政要集校》，頁290。
81 唐・吳兢撰，謝保成集校：《貞觀政要集校》，頁36。
82 唐・魏徵等編撰：《群書治要（校訂本）》，頁831。

此外，對於墨子為義的實踐精神，貞觀時期是有進一步思索與拓展。試觀一則君臣之間的對話：

> 二年六月，謂侍臣曰：「朕觀隋煬帝文集，博而有才，亦悅堯、舜而惡桀、紂，何言行之相反也？」杜如晦對曰：「能言之者，未必能行。」魏徵又對曰：「為人君者，智者為其謀，勇者為其戰，雖聖哲猶垂旒黈纊以杜聰明。煬帝雖有俊才，而無人君之量，所謂非知之難，行之實難；雖解口談堯、舜，而躬行桀、紂，此其所以亡也。」[83]

「解口談堯、舜，而躬行桀、紂」一語，清楚地揭示出君臣關注的焦點——知行的問題。雖然此時注意到個體視野的侷限，期盼透過互動、對話彌補缺陷，但是最終如同墨子依舊歸向於具體的實踐關懷。此處所言「非知之難，行之實難」，重提《尚書》：「非知之艱，行之惟艱。」[84]的說法，取之為證，亦是心有印可。對於實踐的困境，貞觀君臣是有多方的關注，如同《群書治要》的編撰，即是要克服「勞而少功」、「博而寡要」的問題，〈群書治要序〉云：

> 用之當今，足以鑒覽前古；傳之來葉，可以貽厥孫謀。引而申之，觸類而長，蓋亦言之者無罪，聞之者足以自戒，庶弘茲九德，簡而易從。[85]

不論是「用之當今」，或者是「簡而易從」，都是期望能夠具體落實於踐行之上。更有甚者，不斷出現於君臣對話中的是強調踐行的持續性，最著名的即是魏徵十漸不克終的疏文，王珪亦云：「然在初則易，終之實難。伏願慎終如始，方盡其美。」[86]即使唐太宗亦希望臣下能「善始克終」[87]，足見導向實踐的鮮明特色。

四　結論

由於《群書治要》的呈現型態，容易被界定為類書而忽略了其他解讀的可能性。為了拓展《群書治要》的探討視野，本文嘗試藉由所選《墨子》為分析對象，審視是否存在編撰後的意義轉化？

本文探究分為兩大部分：第一部分，先呈現墨子思想體系的詮釋與理解；第二部

---

83 宋・王欽若等編纂，周勛初等校訂：《冊府元龜（校訂本）》（南京：鳳凰出版社，2006），頁1750。

84 漢・孔安國傳，唐・孔穎達等正義：《尚書正義》，收入清・阮元校勘：《十三經注疏》第1冊，頁141。

85 唐・魏徵等編撰：〈群書治要序〉，《群書治要（校訂本）》，頁2。

86 唐・吳兢撰，謝保成集校：《貞觀政要集校》，頁424。

87 唐・吳兢撰，謝保成集校：《貞觀政要集校》，頁148。

分，再展示《群書治要．墨子》的特色。

為了觀察是否存在變化，就需要有一個衡量的基礎，先秦墨家學說的內涵就是一個立足點。然而，學者對於《墨子》的解讀，卻呈現出多元而不同的面貌。因此，為了確立比較的基礎，同時尋找一個適當的理解墨子學說的方式，本文採取從「尚賢」的觀點切入，也就是回到人文理想的建構，以一位賢者的角度來思考。經過了角度的調整，可見墨子思想的內涵能有不同的理解與詮釋，包含「尚同」、「天志」與「非命」等，從而串連、建構起一個完體的思維體系，並彰顯強烈的實踐精神。

有了比對的基礎，就進一步梳理《群書治要》選錄《墨子》的內容。這部分，分四個小部分來呈現，以「《群書治要》的編撰與特色」扼要說明魏徵等人的編撰目的與手法，顯示其中蘊含了思想的色彩；以「《群書治要》選編《墨子》的樣貌」呈現《群書治要．墨子》與《墨子》的形式差異；在「《群書治要．墨子》的關注焦點」中，呈現選錄內容的四個關注焦點，包括：「尚賢而事能」、「非命而有為」、「法天而愛人」與「儉節而利人」；最後，在「從《墨子》到《群書治要．墨子》的轉變」中，以「君明臣良」、「稱天心合民意」與「實踐導向」三點闡釋《群書治要．墨子》的思想變化。

綜合以上所述，《群書治要．墨子》不僅展現出相應時代的思想特色，足以說明唐代對於墨子學術的接受視野，並且與《群書治要》有著共同的關懷面向，彰顯出《群書治要》存在著獨特的思想內涵，是一部「以編代作」的作品，值得深入開拓，以見貞觀時期轉舊為新的精彩變化。

徵引文獻

一　原典文獻

戰國・呂不韋撰，許維遹集釋：《呂氏春秋集釋》，北京：中華書局，2010。

漢・孔安國傳，唐・孔穎達等正義：《尚書正義》，收入清・阮元校勘：《十三經注疏》第1冊，臺北：藝文印書館，1993。

漢・班　固：《漢書》，北京：中華書局，1964。

魏・何　晏等注，宋・邢昺疏：《論語注疏》，收入清・阮元校勘：《十三經注疏》第8冊，臺北：藝文印書館，1993。

唐・吳　兢撰，謝保成集校：《貞觀政要集校》，北京：中華書局，2012。

唐・劉　肅：《大唐新語》，北京：中華書局，1997。

唐・韓　愈著，馬其昶校注：《韓昌黎文集校注》，上海：上海古籍出版社，1998。

唐・魏　徵、令狐德棻：《隋書》，北京：中華書局，1982。

唐・魏　徵等編撰：《群書治要（校訂本）》，北京：中國書店，2014。

宋・王欽若等編纂，周勛初等校訂：《冊府元龜（校訂本）》，南京：鳳凰出版社，2006。

宋・王　溥：《唐會要》，京都：株式會社中文出版社，1978。

宋・蔡　襄：《蔡忠惠集》，收入曾棗莊、劉琳主編：《全宋文》第47冊，上海：上海辭書出版社，2006。

元・脫　脫：《宋史》，北京：中華書局，1977。

清・王先慎撰，鍾哲點校：《韓非子集解》，北京：中華書局，2011。

何　寧：《淮南子集釋》，北京：中華書局，2016。

吳毓江撰，孫啟治點校：《墨子校注》，北京：中華書局，2017。

二　近人論著

方授楚：《墨學源流》，臺北：臺灣中華書局，1979。

王讚源：《墨子》，臺北：東大圖書公司，1996。

牟宗三：〈墨子與墨學〉，《鵝湖》5：11（1980.5），頁2-6。

牟宗三：《中國哲學十九講：中國哲學之簡述及其所涵蘊之問題》，臺北：學生書局，1995。

李漁叔：《墨辯新注》，臺北：臺灣商務印書館，1968。

林朝成、張瑞麟：《教學研究計畫──以《群書治要》為對象》，臺南：成功大學中文系，2018。

林朝成：〈《群書治要》與貞觀之治──以「牧民之道」為例〉，發表於「第七屆臺大成大東華三校論壇學術研討會」，花蓮：東華大學中國語文學系，2019.5.24。

林朝成：〈《群書治要》與貞觀之治──從君臣互動談起〉，《成大中文學報》67（2019.12），頁101-142。

金光一：《《群書治要》研究》，上海：復旦大學中國古代文學學科專業博士論文，2010。

胡　適：《中國哲學史大綱》，臺北：臺灣商務印書館，2016。

唐君毅：《中國哲學原論‧導論篇》，臺北：學生書局，1993。

徐復觀：《中國人性論史：先秦篇》，新北市：臺灣商務印書館，2018。

張岱年：《中國哲學大綱》，南京：江蘇教育出版社，2005。

梁啟超：《墨子學案》，上海：商務印書館，1923。

郭沫若：《中國古代社會研究（外二種）》，石家莊：河北教育出版社，2001。

陳問梅：《墨學之省察》，臺北：臺灣學生書局，1988。

勞思光：《新編中國哲學史（一）》，臺北：三民書局，1993。

馮友蘭：《中國哲學史》，北京：中華書局，1961。

馮友蘭：《中國哲學史新編》，北京：人民出版社，2001。

馮友蘭：《中國哲學簡史：插圖珍藏本》，北京：新世界出版社，2004。

詹劍峰：《墨子及墨家研究》，武漢：華中師範大學出版社，2007。

蔡仁厚：《墨家哲學》，臺北：東大圖書公司，1983。

蔡尚思：〈蔡尚思論墨子〉，收入蔡尚思主編：《十家論墨》，上海：上海人民出版社，2004，頁296-373。

鄭杰文：《中國墨學通史》，北京：人民出版社，2006。

錢　穆：《墨子》，收入《錢賓四先生全集》第6冊，臺北：聯經出版事業公司，1998。

嚴靈峰：《墨子簡編》，臺北：臺灣商務印書館，1995。

日‧島田翰：《古文舊書考》，臺北：廣文書局，1967。

日‧渡邊秀方著，劉侃元譯：《中國哲學史概論》，臺北：臺灣商務印書館，1979。

無為於親事，有為於用臣
——論《群書治要・莊子》中「聖人」觀之流行

林朝成

成功大學中國文學系教授

摘要

魏徵等人編撰的《群書治要》中錄有《莊子・天道》等五篇，而書中內容多所節錄，聖人「無為於親事，有為於用臣」的政治義被聚焦而凸顯，此亦透露出魏徵等人所欲呈現給唐太宗的治國方略。而考察《群書治要・莊子》之內容，除有助於吾人釐清唐代前期之莊學外，亦能藉此觀照唐初黃老之概況。

是以本文先探究漢代黃老與《群書治要・莊子》中黃老治術之承繼關係，說明劉安獻給漢武帝《淮南子》一書，帝秘藏而不用，大不同於唐太宗對《群書治要》多所借鑑，故帝國之走向亦有所不同。接著貞定《群書治要・莊子》於唐代莊學中之地位，說明初唐莊學深受黃老之影響。最後則直探《群書治要》的莊子篇所擷用之文字與刪定之內容，並與《貞觀政要》的無為觀相比較，證明兩者實互為表裏，聲發響應。筆者鉤勒《群書治要・莊子》中的「君人南面之術」，抉發其重點便在君王自身需養天德而出寧，無為無欲，事惟清靜，則臣下能因君主無為而無不為。君臣之關係乃是元首股肱，同心共治，從本末不二、體用一如之精神，推出政治思維，最終結穴於「主上無為於親事，而有為於用臣」。

關鍵詞：莊子、群書治要、貞觀政要、無為、君臣

A Discussion on the Concept of the Saint and Its Changes in the *Zhuangzi* of the *Qunshuzhiyao*

Chao-Cheng Lin

Professor, Department of Chinese Literature, National Cheng Kung University.

Abstract

Compiled by Wei Zheng and fellow editors, the *Qunshuzhiyao* contains excerpts of the *Zhuangzi*, including the chapter of Tiandao. While these excerpts highlight the political connotation associated with the saint 'does nothing but taking actions on employing intelligent subjects', there is also revelation on the governing strategies Wei Zheng chose to propose to Emperor Taizong of Tang. By examining the contents of the *Zhuangzi* of the *Qunshuzhiyao*, we are able to identify the philosophy of *Zhuangzi* and the characteristics of Huanglao in the early Tang dynasty.

This article begins by exploring the relationships between Huanglao in the Han dynasty and the *Zhuangzi* of the *Qunshuzhiyao* and articulates how Emperor Taizong of Tang's emphasis on *Qunshuzhiyao* helped him build a dynasty different from that of Emperor Wu of Han, who refused to adopt ideas in the *Huainanzi*. Through an investigation into the *Zhuangzi* quotations in the *Qunshuzhiyao*, this article then focuses on the role of the philosophy of *Zhuangzi* in early Tang and how it was significantly influenced by Huanglao. Lastly, this article compares the selected contents of *Zhuangzi* in the *Qunshuzhiyao* with the concept of wu wei in *Zhenguan zhengyao* and proves that the two are indeed complementary to one another. Drawing on the governing strategies of the *Zhuangzi* in the *Qunshuzhiyao*, it is my intention to highlight the importance of the ruler to cultivate a virtue of the Heaven, still the mind, reduce desires and govern by non-activity so that there is nothing his subordinates cannot accomplish. The link between a ruler and his subjects is similar to that of the head and body. Eventually, it is this concept of oneness that gave rise to a political viewpoint centering on 'the ruler does nothing but taking actions on employing intelligent subjects'.

Keywords: *Zhuangzi, Qunshuzhiyao, Zhenguan zhengyao*, wu wei, junchen

一 前言

貞觀之治為中國治世之典範，如《舊唐書．刑法志》言：「高宗即位，遵貞觀故事，務在恤刑。」[1]又《舊唐書．桓彥範傳》載唐中宗李顯（656-710）降制云：「軍國政化，皆依貞觀故事。」[2]新帝即位時非以開創新政治為目標，反以恢復「貞觀故事」為準的，此可見出貞觀之治的典範意義。方震華言：「從中唐至南宋，不論學者、儒臣對貞觀之政的評價如何改變，多數君主們對唐太宗典範的嚮往卻始終未衰。」[3]則貞觀之治不止影響了有唐一代之治理方式，亦拓延至兩宋，其歷史意義可見一斑。

唐太宗李世民（598-649）所開啟之貞觀盛世，其政治思想研究，學界論述已多。[4]然其背後之指導原則與參酌之思想資源，仍有待耙梳釐清。貞觀5年（631）時，魏徵（580-643）等人奉敕編選《群書治要》，其序文言：

> 近古皇王，時有撰述，並皆包括天地，牢籠群有，競採浮豔之詞，爭馳迂誕之說，騁末學之傳聞，飾雕蟲之小技，流宕忘反，殊途同致。雖辯周萬物，愈失司契之源，術總百端，乖得一之旨。……。將取鑒乎哲人。以為六籍紛綸，百家踳駮。窮理盡性，則勞而少功；周覽汎觀，則博而寡要。故爰命臣等，採摭群書，翦截浮放，光昭訓典，聖思所存，務乎政術，綴敘大略。[5]

《群書治要》的編選目的在於「政術」，也就是如何統御國家，如何治理一個大一統的帝國。為政之「術」，古聖先賢撰述甚多，然六經浩博，百家之言駁雜無章，欲周辯萬物卻愈失其根本，反而勞而少功、博而寡要。故唐太宗令魏徵等人「採摭群書，翦截浮放」，則聖人之思可存，經典之義可彰。在「為君之難」與「為臣不易」的兩大難題下，[6]如何使二者同心合德便是此書之要旨。故以「治要」為名，以期能用於今而傳於

---

1 後晉．劉昫：《舊唐書》（臺北：鼎文書局，1976），卷50，頁2140。

2 後晉．劉昫：《舊唐書》，卷91，頁2930。

3 方震華：〈唐宋政治論述中的貞觀之政——治國典範的論辯〉，《臺大歷史學報》第40期（2007.12.），頁50。

4 如劉歆立：〈唐太宗獨特的治國理政思想鉤沉及略評〉，《蘭臺世界》第17期（2017），頁108-110。楊家俊、張兵：〈「貞觀之治」與唐太宗的安民思想〉，《蘭臺世界》第3期（2015），頁137-138。呂鵬：〈唐太宗的德治思想及其現代價值〉，《孔子研究》第6期（2011），頁106-112。王立民：〈唐律與《貞觀政要》的吏治——一個以吏治為結合點的視角〉，《政法論壇》第29卷第5期（2011.9.），頁151-157。萬澤民：〈論唐太宗的「用人之道」與「貞觀之治」〉，《浙江大學學報（社會科學版）》第8卷第4期（1994.12.），頁16-21。學界從各方面論證唐太宗如來治理國家，然其背後之指導原則卻較少提及。

5 唐．魏徵等編撰；《群書治要》校訂本編輯委員會校訂：《群書治要》（校訂本）（北京：中國書店，2014），卷前序，頁1。

6 《群書治要．序》提及「莫不備其得失，以著為君之難。……。咸亦述其終始，以顯為臣不易。」

來世，以開「蕩蕩之王道」。此書成於貞觀早期，貞觀之治的思想資源和論議理據多有來自於《群書治要》者。貞觀之治與《群書治要》的為政理念與作為多可互為詮釋，兩者實可互為表裏，不可分割。

《群書治要》之研究，今學界多以文獻學之角度考察，如張蓓蓓〈略論中古子籍的整理－從嚴可均的工作談起〉、[7]潘銘基〈日藏平安時代九条家本《群書治要》研究〉、[8]王文暉〈從古寫本《群書治要》看通行本《孔子家語》存在的問題〉、[9]林溢欣〈從《群書治要》看唐初《孫子》版本系統──兼論《孫子》流傳、篇目序次等問題〉，[10]諸家學者從各種角度考察《群書治要》在文獻學中的價值，相較於其他角度，此是學界現今較為深入者。而從治術之角度切入者亦有之，然多屬泛談，尚未能切入肌理。[11]

《群書治要》從儒學經典切入國政治理的要旨較為順理正當，經、史之文獻也較能連成一脈。從道家的角度談「治要」的思想資源距離較遠，若從《莊子》入手，似乎要多繞幾個迴圈，才能和意旨相連。畢竟，莊子學說之要旨在於顯現「情意我」之境界，其破生死、通人我、泯是非、薄辯議之說，透顯主體自由之復歸與自作主宰[12]，其學說和國政治理原有相隔而離棄之蒼涼。今筆者竟從《群書治要》所選錄《莊子》之文本切入，考察《群書治要》採摭莊子之緣由，實因若能從治要的觀點詮釋取用《莊子》反襯托出《群書治要》多元融攝《莊子》的路徑，並彰顯《莊子》的時代面貌。《群書治要》收錄《莊子》部分，皆為外、雜篇，分別是〈胠篋〉、〈天地〉、〈天道〉、〈知北

《群書治要》廣錄經、史、子之書，名為「治要」則為治政之要術，而政之難正在「為君」與「為臣」二者，故或收「得志而驕居」以致敗之事，或錄「忠良由其放逐」而邦國危亡者，存以勸誡君臣。參閱唐．魏徵等編撰：《群書治要》校訂本，卷前序，頁1-2。

7 張蓓蓓：〈略論中古子籍的整理──從嚴可均的工作談起〉，《漢學研究》第32卷第1期（2014.3.），頁39-72。

8 潘銘基：〈日藏平安時代九条家本《群書治要》研究〉，《中國文化研究所學報》第67期（2018.7.），頁1-40。

9 王文暉：〈從古寫本《群書治要》看通行本《孔子家語》存在的問題〉，《中國典籍與文化》第4期（2018），頁113-119。

10 林溢欣：〈從《群書治要》看唐初《孫子》版本系統──兼論《孫子》流傳、篇目序次等問題〉，《古籍整理研究學刊》第3期（2011），頁62-68。

11 如謝青松〈在歷史鏡鑒中追尋治理之道──《群書治要》及其現代價值〉、叢連軍〈《群書治要》政治倫理思想研究的幾個核心問題〉、谷文國〈《群書治要》的國家治理思想初探〉、劉廣普、康維波〈《群書治要》的治政理念研究〉等，皆以概括性之角度分析《群書治要》之治術理念。參閱謝青松：〈在歷史鏡鑒中追尋治理之道──《群書治要》及其現代價值〉，《雲南社會科學》第3期（2017），頁179-184。叢連軍：〈《群書治要》政治倫理思想研究的幾個核心問題〉，《吉林師範大學學報（人文社會科學版）》第4期（2017），頁14-19。谷文國：〈《群書治要》的國家治理思想初探〉，《理論視野》第8期（2015），頁55-57。劉廣普、康維波：〈《群書治要》的治政理念研究〉，《理論觀察》第11期（2014），頁30-33。

12 參見勞思光：《新編中國哲學史》（一）增訂二版（臺北：三民書局，1984），頁246-276。

遊〉、〈徐無鬼〉等5篇。此5篇皆為節選，且節選之中又有所刪裁，原文間夾有小注，然這些注文並非魏徵等人所撰寫，而是郭象之注。其中以〈天道〉所收錄最多，正見魏徵等人所欲呈顯之黃老治術理念。[13]選錄之方向，集中於君主該如何治理國家，其要在帝王「養德」而「無為」。其主旨可和《貞觀政要》相對比，形成對話式的應用詮釋，然在分析《群書治要·莊子》思想前，需先釐清《群書治要·莊子》在莊學脈絡下該如何定位。

二 《群書治要·莊子》的思想脈絡定位

唐初之莊學實不興盛，據《舊唐書·經籍志》、《新唐書·藝文志》記載，在成玄英（生卒年不詳）《莊子疏》之前，陸德明（550？-630）《經典釋文》之後者，[14]只有馮廓《莊子古今正義》、盧藏用《莊子內外篇》，然此二書皆遺佚。然在成玄英《莊子疏》後，注解莊子者甚眾，如孫思邈注《莊子》、柳縱注《莊子》、尹知章注《莊子》、甘暉、魏包注《莊子》、陳庭玉《莊子疏》、李含光《老子莊子周易學記》、張隱居《莊子指要》、梁曠《南華仙人莊子論》等，以上諸書雖現多已不存於世，然莊學之興亦可見一斑。[15]所以若論及唐初之莊學，《群書治要·莊子》堪為代表。《群書治要·莊子》節錄郭象《莊子注》的文本，然其內七篇皆不取，所擇取之內容皆是外雜篇中與黃老治術相關者。故《群書治要·莊子》的思想脈絡實可由兩方面照察之：首先是其與漢代黃老之承繼，其次則是莊學視野的脈絡，也就是《群書治要·莊子》在唐代莊學中扮演了何

---

13 劉榮賢認為〈天道〉篇主要發揮黃老思想中「帝王天德」的概念。劉笑敢認為〈天道〉等篇重視治術，此黃老之學是道家思想轉向現實政治的產物。《群書治要》以治術為本，故《莊子》歷來為人所重視之內七篇反而一篇不取，反而以〈天道〉為主，呈顯唐初莊學不同於其他時代之面貌。參閱劉榮賢：《莊子外雜篇研究》（臺北：聯經出版事業公司，2004），頁370。劉笑敢：《莊子哲學及其演變（修訂版）》（北京：中國人民大學出版社，2010），頁280。

14 《經典釋文》之成書年代據其自序言「癸卯之歲，……，輒撰集五典，孝經、論語及老、莊、爾雅等音，合為三袟三十卷，號曰《經典釋文》。」癸卯之歲乃陳後主至德元年（583），而此書在唐初時唐太宗曾閱之，《冊府元龜》載：「十六年四月甲辰，太宗閱陸德明《經典音義》，美其宏益學者。」故將《經典釋文》歸於唐初莊學應無不妥。而成玄英《莊子疏》在其被徵召入京時尚未完成，其入京正在貞觀5年（631），也就是《群書治要》完成的年代。故在《舊唐書》、《新唐書》著錄於《經典釋文》與《莊子疏》之間者，成書年代應與《群書治要·莊子》同一時期。參閱唐·陸德明：《經典釋文》（北京：中華書局，1985），卷1，頁2。宋·王欽若：《冊府元龜》（臺北：中華書局，1967），卷97，頁7a。

15 郎擎霄《莊子學案》載：「隋代研究莊學者甚鮮，注《莊》書者僅張羨、何妥等數輩而已，迨至唐世，斯學復盛，……。蓋唐既祖老聃為玄元皇帝，老莊為世俗所通稱，顧亦尊莊子為真人焉。匪特尊其人也，而尤重其書也，有唐一代，屢詔校定及詔求《老》《莊》等書之事。」唐代屢次下詔注疏《莊子》，此當在《群書治要》成書之後。故《群書治要·莊子》實可代表唐初莊學之風貌。參閱郎擎霄：《莊子學案》（臺北：河洛出版社，1974），頁330。

種角色。以下分論之：

（一）與漢代黃老之差異

漢高祖劉邦（256B.C.-195 B.C）代秦，然其臣屬多為布衣，[16]故漢政多沿襲秦政，《史記》云：「至秦有天下，悉內六國禮儀，采擇其善，雖不合聖制，其尊君抑臣，朝廷濟濟，依古以來。至于高祖，光有四海，叔孫通頗有所增益減損，大抵皆襲秦故。自天子稱號下至佐僚及宮室官名，少所變改。」[17]又《漢書．百官公卿表》載：「秦兼天下，建皇帝之號，立百官之職。漢因循而不革，明簡易，隨時宜也。」[18]可見漢初之體制，因高祖身邊臣屬多非貴族，故只能因循秦制，少有變革。然又不僅止於此，《漢書》所言「明簡易，隨時宜」，與秦朝之嚴刑峻法顯然有別。此別在於漢初群臣對於秦政失敗之反思，如陸賈《新語．無為》言：

> 秦始皇帝，設為車裂之誅，以斂奸邪，築長城於戎境，以備胡、越，征大吞小，威震天下，將帥橫行，以服外國，蒙恬討亂於外，李斯治法於內，事逾煩天下逾亂，法逾滋而天下逾熾，兵馬益設而敵人逾多。秦非不欲治也，然失之者，乃舉措暴眾而用刑太極故也。[19]

始皇以刑罰之治而統御六國，雖威震天下，人民之勞役卻更重，法愈苛細天下卻是趨於亂。其治愈甚，而其失愈多，陸賈以為此乃刑罰太過。賈誼亦言：「二世不行此術，而重之以無道，壞宗廟與民，更始作阿房宮，繁刑嚴誅，吏治刻深，賞罰不當，賦斂無度，天下多事」，[20]賦斂既多，吏治嚴苛，故秦二世而亡。且秦亡漢興之後，天下饑饉，[21]在此社會經濟狀況下，黃老之術順勢而起，盛行於世。漢代黃老思想的巔峰期約

---

16 趙翼《廿二史劄記》云：「漢初諸臣，惟張良出身最貴，韓相之子也。其次則張蒼，秦御史。叔孫通，秦待詔博士。次則蕭何，沛主吏掾。曹參，獄掾。任敖，獄吏。周苛，泗水卒史。傅寬，魏騎將。申屠嘉，材官武卒。其餘陳平、王陵、陸賈、酈商、酈食其、夏侯嬰等皆白徒。樊噲則屠狗者。周勃則織薄曲吹簫給喪事者。灌嬰則販繒者。婁敬則挽車者。一時人才皆出其中。致身將相，前此所未有也。」漢高祖本自草莽而出，其臣亦多亡命之徒。參閱清．趙翼：《廿二史劄記》（臺北：世界書局，2018），頁21。

17 瀧川龜太郎：《史記會注考證》（臺北：萬卷樓圖書公司，2006），卷23，頁423。

18 漢．班固撰，唐．顏師古注：《漢書》（臺北：鼎文書局，1983），卷19上，頁722。

19 漢．陸賈：《新語》，收錄於《四部備要》第357冊（臺北：中華書局，1981），卷上，頁7。

20 漢．賈誼：《賈子》，收錄於《宋元明善本叢書十種》（臺北：臺灣商務印書館，1969），卷1，頁5-6。

21 《漢書．食貨志》載：「漢興，接秦之敝，諸侯並起，民失作業，而大饑饉。凡米石五千，人相食，死者過半。高祖乃令民得賣子，就食蜀漢。天下既定，民亡蓋臧，自天子不能具醇駟，而將相或乘牛車。上於是約法省禁，輕田租。」可見漢初之社會破敗如此，漢高祖欲大興土木亦無經濟基

70年，從漢高祖經文景之治到漢武帝前期。[22]如文帝時期遇天下大旱，其令曰：「令諸侯毋入貢，弛山澤，減諸服御狗馬，損郎吏員，發倉庾以振貧民，民得賣爵。孝文帝從代來，即位二十三年，宮室苑囿狗馬服御無所增益，有不便，輒弛以利民。」[23]文帝不以己欲而興建宮室，乃損己以利民，此與唐太宗「事惟清靜，心無嗜欲」實異曲而同工。漢代黃老集大成者，乃是淮南王劉安（179B.C.-122B.C.）編著之《淮南子》。[24]此書雖獻給漢武帝，卻不被重用，高旭言劉安獻《淮南子》乃希望漢武帝施行「無為而治」，允許諸侯在國內有更多的自治空間。[25]若以黃老治術而言，《淮南子》一書實已籠罩《群書治要・莊子》所論，如《淮南子・原道訓》言：「是故至人之治也，掩其聰明，滅其文章，依道廢智，與民同出于公。約其所守，寡其所求，去其誘慕，除其嗜欲，損其思慮。」[26]至人之治，依於道而廢私智，去其欲而與民同公，此與《群書治要・莊子》中所言無為去欲之說近似。又《淮南子・主術訓》：「君臣上下，同心而樂之，國無哀人」、「不正本而反自然，則人主逾勞，人臣逾逸，是猶代庖宰剝牲」，[27]君臣上下同心，則國治而無哀怨。若君代臣勞，是違背自然而不知本。此乃君臣同心共治之說的深義。

綜而論之，於理論而言，因《莊子》諸篇之年代應早於《淮南子》，故《群書治

礎行之，故只能「約法省禁，輕田租」，此皆黃老休養生息之術也。參閱漢・班固撰，唐・顏師古注：《漢書》，卷24上，頁1127。

22 高旭〈西漢黃老政治發展新論——基於大一統政治視閾的「漢政化黃老」義詮〉言：「從漢高祖元年（西元前206年）起，至漢武帝建元六年（西元前135年），是西漢王朝發展的前期，也是黃老政治勃興、流行、極盛、衰竭的歷史時期。」高旭認為漢代黃老經歷三個時期：第一，因應社會現況的自發時期；第二，惠帝、文帝的全面實踐與興盛時期；第三，景帝、武帝時延續與衰落的自然時期。參閱高旭：〈西漢黃老政治發展新論——基於大一統政治視閾的「漢政化黃老」義詮〉，《廣西社會科學》第8期（2017），頁103-111。

23 瀧川龜太郎：《史記會注考證》，卷10，頁202。

24 高旭認為《淮南子》一書：「不僅適時總結了漢初以來統治階層半個多世紀的黃老治國經驗，而且也著重在秦亡漢興的歷史背景下，對君、臣、民關係進行了時代性的理論思考。與同時代其他論著相比，《淮南子》的君臣民關係論，不僅具有極為突出的黃老立場及精神，而且對道、儒、法、墨等多元思想因素的汲取融鑄也更為深層靈活，更能體現出漢代黃老治國思想博大宏闊、務實致用的歷史特點。」據《漢書》記載：「初，安入朝，獻所作內篇，新出，上愛祕之。」雖言漢武帝愛之，然卻不言用之，乃祕而藏。而從武帝事略言之，黃老治術非其所用，可見《淮南子》雖為黃老之集大成者，卻沒有被施用於政治上。參閱高旭：〈漢代黃老政治道義觀的歷史闡揚——《淮南子》君臣民關系論及其思想特色〉，《政治思想史》第3期（2017），頁2。漢・班固撰，唐・顏師古注：《漢書・淮南衡山濟北王傳》，卷44，頁2145。

25 高旭：〈漢代黃老政治道義觀的歷史闡揚——《淮南子》君臣民關系論及其思想特色〉，《政治思想史》第3期（2017），頁11。

26 漢・劉安撰，漢・高誘注：《淮南子》，收錄於《四部備要》第419冊（臺北：中華書局，1981），卷1，頁11-12。

27 漢・劉安撰，漢・高誘注：《淮南子》，卷9，頁16。

要・莊子》中所呈顯之黃老治術沒有超出《淮南子》之範疇，實屬應然。但《群書治要・莊子》所刻意凸顯君臣同心共治，打破帝王家天下的公私壁壘，此與劉安獻《淮南子》求自治空間之目的顯然不然。因目的之不同，故漢武帝秘藏《淮南子》而不用，唐太宗則多引無為去欲之言為自戒。

（二）莊學視野的貞定

今之《莊子》分內、外、雜共33篇，然其時間駁雜難定，思想之判別亦難定於一家之言，究是內七篇為莊子本人所作，或外雜篇之篇章為莊子所作，其爭論實難以考定。據劉笑敢之論證，外雜篇應皆在戰國末年以前即完成。[28]廣義言之，可將先秦之《莊子》視為一完整體系，除內七篇外，外雜篇之體系分為述莊、無君、黃老等三派。若將此視為先秦莊學，則黃老派是先秦莊學中較晚的一脈。[29]時至漢代，《莊子》並不被重視，觀司馬談（165B.C.-110B.C.）〈論六家要旨〉言道家：

> 道家無為，又曰無不為，其實易行，其辭難知。其術以虛無為本，以因循為用。無成埶，無常形，故能究萬物之情。不為物先，不為物後，故能為萬物主。有法無法，因時為業；有度無度，因物與合。[30]

以虛無為本，以因循為用，因時而設法，因物而立度，則此道家實為黃老之道家。然此黃老之道家在漢武帝時被儒學所取代，故乃由治世之術一轉為偏向治身之術。[31]而時至魏晉，為解決時代之問題，向郭注莊而標出「適性逍遙」、「跡冥圓融」之說，其政治論意涵雖不如漢代黃老純以治術為本如此強烈，然實改造了《莊子》內七篇，淡化人生修養論色彩，而以調和自然與名教為魏晉莊學的首要課題。綜觀之，莊學之黃老化，在外、雜篇中雖已露端倪，但至漢代卻少有注意，至郭象注莊後，賦予「無為」新的定義，開展出內聖外王之說。郭象之無為是任物之性分，如其言「所謂無為之業，非拱默而已；所謂塵垢之外，非伏於山林也。」[32]無為非無所作為，乃遺形骸忘心智，逍遙而

---

28 劉笑敢言：「從《韓非子》、《呂氏春秋》和賈誼賦引用《莊子》的情況來看，從《莊子》外雜篇所反映的時代背景來看，都應該肯定《莊子》外雜篇寫作的年代大體不晚於戰國末年。」參閱劉笑敢：《莊子哲學及其演變（修訂版）》（北京：中國人民大學出版社，2010），頁69。

29 劉笑敢認為莊子後學中「黃老派」是年代較晚的一派。參閱劉笑敢：《莊子哲學及其演變（修訂版）》，頁240。

30 瀧川龜太郎：《史記會注考證》，卷130，頁1368。

31 劉曉東言：「一旦政治需求發生改變，曾作為主流思想的黃老之學便很自然地被儒學所替代。……。黃老之學一被儒學所代替，便由治世之術向治身之術轉向。」參閱劉曉東：〈漢代黃老之學到老莊之學的演變〉，《山東大學學報（人文社會科學版）》第1期（2002），頁24。

32 清・郭慶藩：《莊子集釋》（新北：頂淵文化事業公司，2001），頁270。

萬物自化。故郭象之「無為」，實順任自然之「為」。其〈天道〉注云：「天下皆得其自為，斯乃無為而無不為者也，故上下皆無為矣。但上之無為則用下，下之無為則自用也。」[33]帝王居上而使天下得其性分而自為，此則上下皆「為」而「無為」，「無為」而「無不為」。且郭象之聖人，乃是「常遊外以冥內，無心以順有」，[34]無心為內聖，順有為外王，無心順有即能無為而無不為，應物而無累。郭象此聖人觀則一轉為黃老治術中的君臣觀，上無為而下有為。雖不能武斷地說郭象注莊有意地接受漢代以上的黃老學說，但以現象判斷而言，莊學確有黃老化之傾向。

時入唐代，《群書治要》所收錄之《莊子》共5篇，分別是〈胠篋〉、〈天地〉、〈天道〉、〈知北遊〉、〈徐無鬼〉。此5篇若以劉笑敢所論述莊子後學三派，〈胠篋〉為無君派，〈天地〉、〈天道〉為黃老派，〈知北遊〉、〈徐無鬼〉為述莊派。以此觀之，似《群書治要》所收錄三派皆有。然《群書治要》所收之《莊子》，乃是節錄收之，故以5篇之中以〈天道〉所收最多，其他篇章所收多則2條，少則1條，而〈天道〉正是《莊子》一書中黃老成分最重者，依比例收錄而言，〈天道〉正是魏徵等人之重點，且其他諸篇所收錄之內容，亦皆屬黃老治術之範疇。《群書治要》以生命轉化為主之內七篇則皆摒棄不錄，可看見唐初莊學實又轉向黃老一脈。唐代莊學厥為重要者，當是成玄英之《莊子疏》，其闡發郭象獨化、適性逍遙、遊外冥外等說法，又受佛學之影響，以否定之表述逼顯中道之觀念，不執於兩端，開出重玄之境界。學界雖已有注意其治術，如龔鵬程言成玄英順郭象之理路，又融攝佛學，且批判儒墨，架構了內聖外王之格局，其乃為了說明「道教才真能治世，不僅能治身而已」。[35]又林俊宏注意到成玄英企圖融合老莊道家、黃老道家、儒家等思想，對唐初政治格局有所回應。[36]然他們皆就內在義理思想去詮釋成玄英之政治論，未能考察成玄英黃老道之痕跡為何如此重的成因，就其外緣因素而言，實可由《群書治要．莊子》之收錄一觀。晁公武（1105-1180）《郡齋讀書志》「南華真經疏三十三卷」條載：

> 右唐成玄英撰，本郭象注為之疏義。玄英，字子實，陝州人，隱居東海。貞觀五年，召至京師，加號西華法師。永徽中，流郁州。[37]

成玄英於貞觀5年（631）被召至長安，又《群書治要》亦成書於是年。若以成玄英受唐

---

33 清．郭慶藩：《莊子集釋》，頁466。

34 清．郭慶藩：《莊子集釋》，頁268。

35 龔鵬程認為光以「重玄」之理論是無法處理成玄英「治身治國，內外無異」的聖外王理論結構的。參閱龔鵬程：〈成玄英《莊子疏》探論〉，《鵝湖月刊》193期（1991.7.），頁26-30。

36 林俊宏：〈成玄英的重玄思想與政治論述——以《南華真經注疏》為核心〉，《政治科學論叢》32期（2007.6.），頁145。

37 宋．晁公武：《郡齋讀書志》，收錄於《四部叢刊三編．史部》第65冊（臺北：臺灣商務印書館，1966），卷3上，頁14。

太宗如此禮遇，又《群書治要》的編者魏徵曾為道士，成玄英亦為道士身份，則成玄英應曾與聞過《群書治要》，且據成玄英自序治莊「研精覃思三十」年，[38]則《莊子疏》成書年代應晚於《群書治要》，故《莊子疏》中黃老治術部分，受《群書治要》編纂理念之影響應在情理之中。又唐玄宗（685-762）時有道士文如海著有《莊子邈》一書，觀其書載：「君上臣下，貴賤所以崇班。天地均化於無心，君臣股肱於一體。」又「夫帝王者，首出萬物，自稱一人。雖天下稱為至尊，必須體道以為用。」另「大君受命亦復如之，天門開闔而不常，金石更生而不息，當須知進、知退、知存、知亡。」[39]其言君臣雖有上下之分，然卻是股肱一體。雖帝王為天下之尊，然亦需體道而行，故需知所進退存亡。《莊子邈》雖散佚文獻所存不多，然其中所透顯的黃老治術卻相當明顯。故唐代莊學中黃老之影響，實不可輕忽，成疏受佛理影響而開出莊學之新生命故為唐代莊學之代表，然其治術一環受《群書治要・莊子》影響而染黃老氣息，且觀其後之文如海《莊子邈》亦多黃老之言，則黃老一脈實貫穿於唐代莊學之中。

三 養德：天德而出寧

欲治天下者，必先自修其德。故《大學》載：「古之欲明明德於天下者，先治其國；欲治其國者，先齊其家；欲齊其家者，先脩其身。」[40]治其國者，先修其身。修身乃先決條件，未有能治其國而無修其身者。故《群書治要・莊子》言：

> 堯觀乎華，華封人曰：「嘻！聖人。請祝聖人，使聖人壽。」堯曰：「辭。」「使聖人富。」堯曰：「辭。」「使聖人多男子。」堯曰：「辭。」封人曰：「壽、富、多男子，人之所欲也，汝獨不用，何也？」堯曰：「多男子則多懼，富則多事，壽則多辱。是三者，皆非所以養德，故辭。」[41]

唐代論政以堯舜三代為治世典範，如唐太宗言「朕今所好者，惟在堯、舜之道，周、孔之教」，[42]此處之堯則為理想之聖君，華封人所言之「壽、富、多男子」，皆為世俗之欲求，非聖君之德行，三者雖人之所欲亦為人之所蔽，故堯論此三者為多懼、多事、多辱，非聖君之德。然此處雖高舉「養德」，卻無進一步說明帝王之德為何。其後曰：

---

38 清・郭慶藩：《莊子集釋》，卷前〈莊子序〉，頁8。

39 唐・文如海：《莊子邈》，收錄於《中華道藏》第13冊（北京：華夏出版社，2004），頁706。

40 宋・朱熹：《四書章句集注》（臺北：大安出版社，2013），頁4。

41 唐・魏徵等編撰：《群書治要》校訂本，頁906。

42 唐・吳兢著，謝保成集校：《貞觀政要集校》（北京：中華書局，2012），卷6，頁331。郭象注文以括弧表示。本文所參引之《貞觀政要》皆以此版本，為精省篇幅，後有參引之者，皆用隨文注標之。

> 昔者，舜問於堯曰：「天王之用心何如？」堯曰：「吾不傲無告，（無告者所謂頑民也。）不廢窮民，（恒加恩也。）苦死者，嘉孺子，而哀婦人。此吾所以用心已。」舜曰：「美則美矣，而未大也。」堯曰：「然則何如？」舜曰：「天德而出寧，（與天合德，則雖出而靜也。）日月照而四時行，若晝夜之有經，雲行雨施矣。」（此皆不為，而自然者也。）堯曰：「子天之合也，我人之合也。」夫天地者，古之所大也，而黃帝、堯、舜之所共美也。故古之王天下者奚為哉？天地而已矣。[43]

不傲慢於頑民，加恩於窮民，苦死者之苦，嘉孺子之幼，哀婦人之哀，此五者為堯的帝王之道，然此雖美卻失於枝微末節，落入有為之域。為君之本，在與天合其德，是謂天德。天德者，雖出而寧，雖動而靜，雖跡而冥。此靜是冥心以為靜，此寧是養德之為寧。此靜與寧，如天地萬物之生滅變化，四時之運行，晝夜之交轉，皆是自然無為。則世間萬物皆匯聚於聖人之一心，無物不照，則苦死嘉孺哀婦等，皆由此德而出，無所遺落。天德之化境，有為之形跡皆被籠罩。舜之自然，乃是合之於天，是謂無為；堯之苦、嘉、哀之行，則是合之於人，落於有為。然若以天德玄照有為，則有為之行便一轉為無為而無不為。故其言「共美」者，則是以「天合」、「人合」綰合有為、無為。此由清寧虛靜而貞定無為之天德，則渾化天道、帝道。故聖君所養之德，便在無所限定之天地，其言：

> 夫帝王之德，以天地為宗，以道德為主，以無為為常。無為也，則用天下而有餘。[44]
>
> 帝王之德配天地。（同乎天地之無為也。）[45]

帝王之德，歸宗於天地，以無為為繩墨。其言「用天下而有餘」則說明非掃落有為，而是以無為之帝德開顯無不為之有為，用天下而不為天下用盡。然此處猶需分判德之體末，其載：

> 三軍五兵之運，德之末也；賞罰利害，五刑之辟，教之末也；禮法數度，刑名比詳，治之末也；鐘鼓之音，羽旄之容，樂之末也；哭泣衰絰降殺之服，哀之末也。此五末者，須精神之運，心術之動，然後從者也。（夫精神心術者，五末之本也。任自然而運動，則五事之末不振而自舉也。）[46]

---

43 唐．魏徵等編撰：《群書治要》校訂本，頁908。為使本文與注文明顯區隔，將以括弧來標示注文部分，以下引文皆如是處理。

44 唐．魏徵等編撰：《群書治要》校訂本，頁907。

45 唐．魏徵等編撰：《群書治要》校訂本，頁907。

46 唐．魏徵等編撰：《群書治要》校訂本，頁907-908。

軍隊之運用，是德之末節。然此雖屬末節，卻不能分截之。此仍涵於德之範疇內，然三軍五兵非是德之體，只為德之一目。[47]如以德體為道體，則德之本體為一形上根源，有其獨立性亦有其遍在性。故此處德、教、治、樂、哀等，皆是德體之發用，為德之小目，非德之本體。然三軍五兵、賞罰五刑、禮法刑名、鐘鼓羽旄、哭泣衰絰，此五者雖號為末，卻非要割離之。此乃德之本體下貫而朗現之，無此五目之末，則德體無以彰顯。故其言此五末，需運以精神，動以心術，即以德體涵攝五末，以自然運之，則五末之政教，無振而自振，本先而末從。故君王之養德，非指此德之小目，若專養此三軍之德必落於修武之弊，則五兵動亂。

若參之以《貞觀政要》亦能見出帝王之德在合於天德。五末是為政之術，然為政之術多方，故養德仍應回歸於修身，而不執滯於治術。前有所言「多男子則多懼，富則多事，壽則多辱，是三者，皆非所以養德」，此是論及養德不該如此，是以反面論之。若以正面論之，則在抑情損欲，《貞觀政要》載：

> 太宗曰：「公言是也。夫安人寧國，惟在於君。君無為則人樂，君多欲則人苦。朕所以抑情損欲，剋己自勵耳。」(〈務農第三十〉，卷8，頁424。)
>
> 對曰：「古之帝王為政，皆志尚清靜，以百姓之心為心。近代則唯損百姓以適其欲。」(〈政體第二〉，卷1，頁29。)

兩則引文時間分別是貞觀2年（628）和貞觀13年（639），前者是太宗之語，後者則是魏徵規諫之疏，然其理一也。人民之苦樂，決於帝王之多欲或無為。魏徵所言內除畢弋之物，外絕畋獵之源，便是斷絕過多的慾望，使心靈不陷於向外奔馳。而當本心清靜而入於無嗜欲之境，其施政自是無為而人樂。故要使內心不向外追逐，損百姓以適其欲，太宗自言欲「抑情損欲」，此帝德之養，工夫正在虛靜，《貞觀政要》載太宗自言：

> 朕將虛襟靜志，敬佇德音。(〈君道第一〉，卷1，頁19。)

虛其胸懷，靜其欲志，則能佇立於德音之中，使人民安放，國家清寧。故《群書治要．莊子》中所提之養德，重點便不落於治術上之考究，而在於抑情損欲，不使人民因上之欲而陷於苦痛之中。而抑情損欲之工夫，則在虛靜其心，與天合德。

《群書治要．莊子》中之聖人即是聖君之意，它期許帝王能養其德，此德乃與天合之德，雖出而寧，雖動而靜。從《貞觀政要》的君臣對答間，見出所養之德不在治術之

---

47 孔子曾鄙管仲器小，然又言「桓公九合諸侯，不以兵車，管仲之力也。如其仁！如其仁！」孔子不輕易許人以仁，故其言「回也，其心三月不違仁，其餘則日月至焉而已矣。」何以孔子因管仲鏤簋朱而鄙其小器，卻又許之以仁。此乃因管仲之仁，為仁體發用之一端，為仁之小目，如仁義禮智信等，非指管仲達致仁之本體。《群書治要．莊子》之三軍五兵之德亦為此類。參閱宋．朱熹：《四書章句集注》，頁212、115。

上，而是立基於修身以治國。養德修身之工夫則在「虛襟靜志」以抑情損欲，終達心無嗜欲之境，如此則能不損百姓以逞其意。故治國之本，乃在養德。然此德有本末之分，三軍五兵雖亦為德，卻只是德之一目，為德之發用而非本體。發用與本體不可分割，五末是有為之粗跡，精神心術為無為之本體，由本體朗現則提撕「有為」為「無不為」。此節以「養德」照察《群書治要．莊子》之治國先決條件，後一節則從無為而無不為推出《群書治要．莊子》中的治世之理想。

四　無為：去其害馬者

「無為」之概念乃《群書治要．莊子》中的核心精神，以「無為」之道渾括養德之修身與治國之無不為。從無為勘出無不為，則不落入放廢寂滅；此無不為復由抑情損欲之帝德，而不滯於聲色形名。《群書治要．莊子》載：

> 夫為天下者，亦何以異乎牧馬者哉？亦去其害馬者而已矣。[48]
>
> 故古之王天下者，智雖落天地，不自慮也；辯雖雕萬物，而不自說也；能雖窮海內，不自為也。[49]
>
> 夫帝王之德，以天地為宗，以道德為主，以無為為常。無為也，則用天下而有餘；（有餘者，閑暇之謂也。）有為也，則為天下用而不足，（不足者汲汲然欲為物用者也。欲為物用，故可得而臣也。）[50]

黃帝問小童為天下之道，小童答與牧馬無異，唯去其害馬者。害馬者，言有害於馬的天性之事物，使馬失其真性。而馬之真性在居則食草飲水，喜則交頸相靡，怒則分背相踶。善治馬者，雒馬首而養之於皁棧，反傷其真性。故善治馬者，反落入有為而蹙其生機；無拂其真性者，則是無為而合其真樸。而馭馬與治民並無二異，馬有真性，民亦有常性，故王天下之帝王，大智若愚而不困於思慮，大辯若訥而不陷於矜持，大巧若拙而不造作妄為。此三者，皆是無為精神之開展。用天下，歸重於無為，則有餘裕；為天下所耗用，則落入有為，則不足為天下所用。[51]故君有為則有弊，有為者刑賞之類也，《群書治要．莊子》言：「昔堯治天下，不賞而民勸，不罰而民畏，今子賞罰而民且不

48　唐．魏徵等編撰：《群書治要》校訂本，頁909。

49　唐．魏徵等編撰：《群書治要》校訂本，頁907。

50　唐．魏徵等編撰：《群書治要》校訂本，頁907。

51　此處《群書治要》藉由郭象注「不足者汲汲然欲為物用者也。欲為物用，故可得而臣也」發展其重要概念，君無為而臣有為。君若有為則淪為物用，然臣可為君所用。天下唯有一君，臣卻可以千萬計。此君無為而臣有為之概念，留於下節開展。

仁，德自此衰，刑自此立，後世之亂，自此始矣。」[52]堯治天下賞罰不用而天下治。今賞罰俱施，卻是刑立而世亂，究其源正在「德」之衰。故其言：

> 聖人行不言之教。（任其自行，斯不言之教也。）道不可致也。（道在自然，非可言致也。）失道而後德，失德而後仁，失仁而後義，失義而後禮。禮者道之華、亂之首也。（禮有常則，故矯效之所由生也。）[53]

任其自行，以不言之教教之，此聖人之治。然今以次遞降，有可稱之德，則無方之道已失；有處恭事敬之仁，則無為之德已失；有分判之義，則兼愛之仁已失；有常則之禮，則裁制之義已失。故禮雖燦然可觀，規矩繩墨綱舉目張，然偽矯之所相生，真道由之而失。帝王若追逐於仁義禮智等世俗之跡，乃好智有為，《群書治要．莊子》載：

> 今遂至使民延頸舉踵曰：「某所有賢者。」贏糧而趣之，則內弃其親，而外弃其主之事，足跡接乎諸侯之境，車軌結乎千里之外，（至治之跡，猶致斯弊。）則是上好智之過也。（上謂至治之君，智而好之，則有斯過矣。）上誠好智而無道，天下大亂矣。[54]

因追於仁義之賢，故內棄其親而外棄其主，追末而失本。智為仁義禮智之一目，今特標出此目，見其「好智」尤為病根。好智則流於機心之造作，故其言「弓弩畢弋機變之智多，則鳥亂於上矣。鉤餌罟罛罾笱之智多，則魚亂於水矣」，[55]以智相侵，魚鳥尚且動亂於其間，何況用之於人。故若巧詐蒙蔽其心，帝王便損百姓以逞其欲，此是「好智之過」，天下無道而亂。綜而論之，帝王之德以無為為常，不害自然之性，不追逐禮義以防偽矯相生，不好智以免於墮入巧詐機心之病。若參之《貞觀政要》，亦能見出唐太宗以無為之治、清真寡欲為施政準則，書載：

> 貞觀二年，太宗謂侍臣曰：「……。是以為國之道，必須撫之以仁義，示之以威信，因人之心，去其苛刻，不作異端，自然安靜，公等宜共行斯事也。」
>
> （〈仁義第十三〉，卷5，頁251。）
>
> 陛下貞觀之初，無為無欲，清靜之化，遠被遐荒。
>
> （〈慎終第四十〉，卷10，頁537。）
>
> 陛下初登大位，高居深視，事惟清靜，心無嗜欲，內除畢弋之物，外絕畋獵之源。
>
> （〈慎終第四十〉，卷10，頁539。）

---

52 唐．魏徵等編撰：《群書治要》校訂本，頁906。
53 唐．魏徵等編撰：《群書治要》校訂本，頁909。
54 唐．魏徵等編撰：《群書治要》校訂本，頁905。
55 唐．魏徵等編撰：《群書治要》校訂本，頁905。

貞觀2年（628）時唐太宗自言為國之道正在去苛民之政，不造異作奇。若心無嗜欲為靜，則好作異端為動。太宗正欲大臣共行自然安靜之道。貞觀13年（639），於〈慎終〉篇所載，魏徵上疏勸諫唐太宗不可流於奢縱，其言貞觀之初唐太宗乃無為無欲，故施政唯在「清靜」，棄絕對物欲之追求。在《貞觀政要》中常以動靜論其得失，其言：

> 貞觀二年，太宗謂侍臣曰：「凡事皆須務本。國以人為本，人以衣食為本，凡營衣食，以不失時為本。夫不失時者，在人君簡靜乃可致耳。若兵戈屢動，土木不息，而欲不奪農時，其可得乎？」
>
> （〈務農第三十〉，卷10，頁423。）
>
> 頤神養性，省游畋之娛；雲奢從儉，減工役之費。務靜方內，而不求闢土；載櫜弓矢，而不忘武備。
>
> （〈災祥第三十九〉，卷10，頁527。）

不失其時、人君簡約，為靜。屢興兵戈、土木不息，為動；頤神養性、減工從儉，為靜。宴游畋獵、開疆闢土，為動。靜為本，故求靜於內，人民不失時則國不失本。動為末，故營衣食、求娛奢為捨本逐末。隋朝之滅亡離唐太宗極近，故常觀其得失以反求諸己，《貞觀政要》載：

> 以隋氏之府藏譬今日之資儲，以隋氏之甲兵況當今之士馬，以隋氏之戶口校今時之百姓，度長比大，曾何等級？然隋氏以富強而喪敗，動之也；我以貧窮而安寧，靜之也。靜之則安，動之則亂，人皆知之。
>
> （〈刑法第三十一〉，卷8，頁441。）
>
> 貞觀初，太宗謂侍臣曰：「隋煬帝廣造宮室，以肆行幸。……馳道皆廣數百步，種樹以飾其傍。人力不堪，相聚為賊。……。此皆朕耳所聞，目所見，深以自誡。故不敢輕用人力，惟令百姓安靜，無有怨叛而已。」
>
> （〈刑法第三十一〉，卷10，頁511-512。）

隋朝之兵力、財富皆遠勝於貞觀初年，然隋朝以富而亡，貞觀時雖貧卻寧，唐太宗與魏徵以為國之安或亂，不在國力之富強而在帝王之施政以靜或動。隋煬帝楊廣（569-618）廣造行宮，輕用人力，使百姓不得其時，故動與亂相隨而致。唐太宗以此自誡，施政以靜，故百姓安之，無有叛亂。較之漢朝，情況一也，涼州都督李大亮（586-644）言：「漢文養兵靜守，天下安豐；孝武揚威遠略，海內虛耗，雖悔輪臺，追已不及。」[56]守之以靜則天下安之，動之以欲則耗內以求外，故知動危而靜安。故《群書治要．莊子》所言之無為而去其害馬者，今以漢、隋之史證之，動靜本末之理明矣。

---

56 唐．吳兢著，謝保成集校：《貞觀政要集校》，卷9，頁504。

五　主上無為於親事，而有為於用臣

《群書治要》之編撰用意，乃在欲使太宗能鑒往知來，不重蹈前朝覆轍，故其書序言：

> 無道之君，樂身以亡國，或臨難而知懼，在危而獲安，或得志而驕居，業成以致敗者，莫不備其得失，以著為君之難。其委質策名，立功樹惠，貞心直道，亡軀殉國，身殞百年之中，聲馳千載之後，或大奸巨猾，轉日回天，社鼠城狐，反白作黑，忠良由其放逐，邦國因以危亡者，咸亦述其終始，以顯為臣不易。[57]

君臣兩端之關係，是自古而來難以解決的問題。為君或無道或有道，或縱樂安逸以亡國，或知懼戒慎以成業。為臣者，或能忠心直道以身殉國，或成碩鼠危亡邦國。前者顯其為君之難，後者著其為臣不易。此觀點自古有之，《論語．子路》載：「為君難，為臣不易。」孔子認為若知為君之難，則一言可以興邦者。若不知其言不善則違之，則一言可以喪邦。[58]前語論君，後者論臣。故《群書治要》之基源問題，便在於此。其編撰之目的，亦在解決此難題。編纂者之意有一面向即「無為而無不為」，然此「無為而無不為」乃通過郭象的詮釋而呈顯，其政治作為則是「君臣共治」。以下分論之。

（一）無為而無不為

無為為本，有為為末。自王弼（226-249）提出「崇本息末」以至「崇本舉末」，便有著一條本末不離的詮釋脈絡。需先持定「本」之根源，化消「末」之滯累，此時之有為需消解之；進而以「無為」之本，開出「無不為」之末，此時無不為雖是有為，亦是無為，本末不離，無為、有為一體通貫。《群書治要．莊子》載：

> 故曰：「帝王之德配天地。」（同乎天地之無為也。）此乘天地，馳萬物，而用人群之道也。本在於上，末在於下；要在於主，詳在於臣。[59]

帝王養德以同乎天地而無為，故能乘天地之正，以趨馳萬物，本末相離不二，渾淪一

---

57 唐．魏徵等編撰：《群書治要》校訂本，卷前序，頁1-2。

58 其全文載：定公問：「一言而可以興邦，有諸？」孔子對曰：「言不可以若是其幾也。人之言曰：『為君難，為臣不易。』如知為君之難也，不幾乎一言而興邦乎？」曰：「一言而喪邦，有諸？」孔子對曰：「言不可以若是其幾也。人之言曰：『予無樂乎為君，唯其言而莫予違也。』如其善而莫之違也，不亦善乎？如不善而莫之違也，不幾乎一言而喪邦乎？」參閱宋．朱熹：《四書章句集注》，卷7，頁201。

59 唐．魏徵等編撰：《群書治要》校訂本，頁907。

氣，此其用人之道，本要在於主上，末詳在於群臣。此為郭象所折射將來的政治思想，把握此本末用人之道，故能開出無為而無不為，其後言：

> 故曰：「為道者日損，（損，華偽也。）損之又損之，以至於無為，無為而無不為也。」（華去而朴全，則雖為而非為也。）……。至人無為，（任其自為而已。）大聖不作，（唯因任也。）觀於天地之謂也。[60]

帝王為道養德，在損其華存其實而去其偽，則仁義禮智之跡次第而滅，純任自然，復歸其真。故其言至人乃無為而任其自為，乃以無為而涵攝有為，「無為」為本、為體，「有為」為末、為用，然體用、本末一如，故在損之又損，泯除偽跡後，才復返於道。以自然之道，開展出真實之仁義禮智，此乃無為而無不為。另取徑於《莊子》郭象注，擇取華封人與堯之對話，呈顯無為而無不為之精神。《群書治要・莊子》載：

> 聖人鶉居（無事而斯安也。）而鷇食，（仰物而足。）鳥行而無章。（率性而動，無常跡也。）天下有道，則與物皆昌；天下無道，則修德就閒。（雖湯、武之事，苟順天應人，未為不閑。故無為而無不為者，非不閑也。）[61]

聖人以無心無為應世，故能鶉居鷇食而無所欲求。其行無有目的，故無拖沓痕跡。無為者，順萬物之化而不逆於物，故商湯伐夏、武王伐紂，雖為征伐之事，卻因其與物無逆，故為「順天應人」，不可謂之不閑。故以為帝王若是「無為而無不為」者，雖有兵甲之事，亦是順應天地變化，《群書治要・莊子》載：「三軍五兵之運，德之末也。」注云：「任自然而運動，則五事之末，不振而自舉也。」[62]武備乃德之末，然若得無為自然之精神則自正，用兵乃合天地之道，故超拔於私欲之外。又太宗於貞觀22年（648）時所著之《帝範》言：「夫兵甲者，國之兇器也。……。不可以全除，不可以常用，故農隙講武，習威儀也。」[63]武備之事，其性雖兇，不可濫用，亦不可摒而棄之，故於農時外不廢武事，此乃備於無不為之用。

將「無為而無不為」放於君臣之關係，則成君無為而臣有為之狀態，《群書治要》的編撰目的在於解決「為君之難」、「為臣不易」之問題，則此亦為《群書治要・莊子》所欲透顯之核心精神，從帝王養德到無為，再從無為開出無不為，其言：

> 故古之人貴夫無為也。上無為也，下亦無為也，是下與上同德也；下與上同德則不臣。下有為也，上亦有為也，是上與下同道也；上與下同道則不主。（夫工人

60 唐・魏徵等編撰：《群書治要》校訂本，頁909。

61 唐・魏徵等編撰：《群書治要》校訂本，頁906。

62 唐・魏徵等編撰：《群書治要》校訂本，頁907-908。

63 唐・唐太宗：《帝範》，收錄於《叢書集成初編》第927冊（北京：中華書局，1985），卷4，頁40。

無為於刻木，而有為於用斧。主上無為於親事，而有為於用臣。臣能親事，主能用臣。斧能刻木，而工能用斧。各當其能，則天理自然，非有為也。若乃主代臣事，則非主矣。臣秉主用，則非臣也。故各司其任，則上下咸得，而無為之理至矣。）上必無為而用天下，下必有為為天下用，此不易之道也。[64]

以君臣分際而論，臣當為君任其事，若臣亦無為，則本末失序，體用混淆，此是臣不臣之失。君代臣勞，則是上下皆有為，落入逐末之造作，此是君不君之過。《說文》載：「君，尊也。从尹口，口以發號。」[65]君者，發號之尊也，故其任在役使群才，而非代臣之勞。故郭象注言「主上無為於親事，而有為於用臣」，帝王無親為於枝節之末，而役使萬臣有為於天下。君一而臣萬，故君用臣，則「無為」化成「無不為」，此各任天理，本末相濟，故《莊子》言「上必無為而用天下，下必有為為天下用」，君上無為，則用天下而有餘，此如庖丁解牛，依乎天理，官知止而神欲行，以無厚入有間，恢恢乎其於遊刃必有餘地。臣下有為，故能為天下所用而自足。無為、有為互勘而見天道、帝道、聖道為渾淪一體。然若帝王不能無為，而代朝臣之所司，則是上下皆失，郭象注言：「使咎繇不得行其明斷，后稷不得施其播殖，群才失其任，而主上困於役矣。」[66]君上有為遂使咎繇、后稷各失其所司，則有為之事全積聚於帝王一身，臣失其職，君失其道。故郭象《莊子・天地篇》肯定地明言：「冕旒垂目而付之天下，天下皆得其自為，斯乃無為而無不為者也。」「帝王無為而天下功成。」[67]帝王垂目則無去造作妄為，故群臣皆得其所為，故能以無為之體而開出無不為之功。

（二）君臣關係：同心共治

無為與無不為是本末、體用之關係，本末不二，體用一如，故從思想上的無為而無不為，進入到政治論中，則君臣之關係亦需從本末、體用照察之。以貞觀之治而言，太宗之作法，乃是「寄於卿輩」，君臣同心共治，故其言：「朕意不然，謂曾之不忠，其罪大矣。夫為人臣，當進思盡忠，退思補過，將順其美，匡救其惡，所以共為治也。」[68]晉代何曾（199-279）以預見晉代之亂而被其孫稱之「大聖」，[69]太宗反以何曾患不忠之

64 唐・魏徵等編撰：《群書治要》校訂本，頁907。

65 漢・許慎著，清・段玉裁注：《說文解字注》（新北市：頂淵文化事業公司，2003），二篇上，頁18a。

66 唐・魏徵等編撰：《群書治要》校訂本，頁907。

67 唐・魏徵等編撰：《群書治要》校訂本，頁907。

68 唐・吳兢著，謝保成集校：《貞觀政要集校》，卷1，頁19。

69 據《晉書・五行志》記載：「魏時起安世殿，武帝後居之。安世，武帝字也。武帝每延群臣，多說平生常事，未嘗及經國遠圖。此言之不從也。何曾謂子遵曰：『國家無貽厥之謀，及身而已，後嗣

大罪，為人臣者，當匡救君上之惡，君臣之間乃是「共為治」，而非察之卻不諫。其以首級、股肱之喻說明君臣之關係，《貞觀政要》言：

> 臣聞君為元首，臣作股肱，齊契同心，合而成體，體或不備，未有成人。然則首雖尊高，必資手足以成體；君雖明哲，必藉股肱以致治。
>
> （〈論禮樂第二十九〉，卷7，頁402。）
>
> 然耳目股肱，寄於卿輩，既義均一體。宜協力同心，事有不安，可極言無隱。儻君臣相疑，不能備盡肝膈，實為國之大害也。
>
> （〈政體第二〉，卷1，頁33。）

君上為首，臣為股肱，然首級雖以位而高，卻需藉手足方成一體，故同心則成體，相異則非人。太宗將耳目股肱寄於卿輩，故以本末無二言之，則君臣實為一體。若君臣相疑，帝王獨任胸臆，則為國之大害。君臣同體，元首明哉，股肱良哉，則心莊體舒，身全國盛。「上下同心」乃貞觀之治能上追三皇五帝之因，《貞觀政要》云：

> 若聖哲施化，上下同心，人應如響，不疾而速，期月而可，信不為難，三年成功，猶謂其晚。
>
> （〈政體第二〉，卷1，頁36。）
>
> 凡百君子，膺期統運，縱未能上下無私，君臣合德，可不全身保國，遠避滅亡乎？然自古聖哲之君，功成事立，未有不資同心，予違汝弼者也。
>
> （〈論誠信第十七〉，卷5，頁298。）
>
> 以陛下之聖明，以當今之功業，誠能博求時俊，上下同心，則三皇可追而四，五帝可俯而六矣。夏、殷、周、漢，夫何足數！
>
> （〈論禮樂第二十九〉，卷7，頁406。）

此三則時間分別是貞觀7年、11年、14年，或為魏徵與太宗論理政得失，或是魏徵因事上疏之諫言，[70]然其一貫之君臣共治觀實可見之。「上下同心」則首級股肱無分彼此，無私合德，故其治能使民如聲發響應，不施以苛政卻如風行草偃，其治世標準不再是停留於兩漢盛世，而是直追上古三皇五帝淳樸之治。此亦表明所欲傳達的政治理念，不只

其殆乎！此子孫之憂也。』自永熙後王室漸亂，永嘉中天下大壞，及何綏以非辜被殺，皆如曾言。」又《晉書·何曾傳》載：「劉輿、潘滔譖之於東海王越，越遂誅綏。初，曾侍武帝宴，退而告遵等曰：『國家應天受禪，創業垂統。吾每宴見，未嘗聞經國遠圖，惟說平生常事，非貽厥孫謀之兆也。及身而已，後嗣其殆乎！此子孫之憂也。汝等猶可獲沒。』指諸孫曰：『此等必遇亂亡也。』及綏死，嵩哭之曰；『我祖其大聖乎！』」參閱唐·房玄齡：《晉書》（臺北：鼎文書局，2003），卷18，頁835。又唐·房玄齡：《晉書》，卷33，頁1000。

70 此三則分別為「貞觀七年，太宗與秘書監魏徵從容論自古理政得失」、「貞觀十一年，時屢有閹宦充外使，妄有奏，事發，太宗怒。……魏徵因上疏曰」、「貞觀十四年，特進魏徵上疏」。

是儒家之治，而是以追跡上古的無為之治為訴求。然此無為之治亦非純以修身養息之清淨無為，而是博徵時俊而求全身保國，以無為之心開無不為之世。以元首股肱之喻，帶出上下同心之說，放諸治術，則成「君臣共治」之說，太宗言：

> 君臣本同治亂，共安危，若主納忠諫，臣進直言，斯故君臣合契，古來所重。若君自賢，臣不匡正，欲不危亡，不可得也。君失其國，臣亦不能獨全其家。
>
> （〈君臣鑒戒第六〉，卷3，頁147。）

君臣合契同治，則天下安寧。然若君雖賢，臣失其職，則國家敗亡可得而見。太宗認為國之關係對於君臣而言，國非君之所獨有，而是君臣共有，乃唇亡齒寒，故君失其國，臣亦失其家。國對君臣而言不該是家天下之概念，不再是帝王之家所把持，而是君臣所共持。故隋朝之滅亡，乃是上下之過，隋帝暴虐而臣下鉗口。故有所省思：

> 君臣之義，得不盡忠匡救乎？朕嘗讀書，見桀殺關龍逢，漢誅晁錯，未嘗不廢書嘆息。公等但能正詞直諫，裨益政教，終不以犯顏忤旨，妄有誅責。……。公等為朕思隋氏滅亡之事，朕為公等思龍逢、晁錯之誅，君臣保全，豈不美哉！
>
> （〈政體第二〉，卷1，頁35。）

臣對君之義在「盡忠匡救」以益政教，而君對臣之義則在稟受正詞直諫而不誅犯顏者。故群臣為帝王阻隋朝滅亡之禍根，帝王為群臣思忠而被殺之憾事，如此君臣相互保全而共治天下。此治術之理念，非唯太宗主之，其臣亦有所肯認，如魏徵言：

> 臣聞君臣協契，義同一體。未聞不存公道，惟事形跡。若君臣上下，同遵此路，則邦國之興喪，或未可知！
>
> （〈納諫第五〉，卷2，頁123。）
>
> 聽之於無形，求之於未有，虛心以待下，庶下情之達上，上下無私，君臣合德者也。
>
> （〈論誠信第十七〉，卷5，頁297。）

君臣雖有上下之別，然若能虛心待下而下情能上達，則君臣相契協和為一體，上下無所偏私，國無你我之分，無君臣之別，此乃合於天德之化境。魏徵為臣，故其諫言乃以國君當為之事，聽之、求之、虛心以待之。而太宗則反以君對臣之期許，其言「朕今志在君臣上下，各盡至公，共相切磋，以成理道。公等各宜務盡忠讜，匡救朕惡，終不以直言忤意，輒相責怒。」[71]昔賈后（257-300）欲廢愍懷太子（278-300），然張華（232-

---

71 唐．吳兢著，謝保成集校：《貞觀政要集校》，卷2，頁85-86。

300）雖位列三公卻不能死節爭諫之，其辯言「式乾之議，臣諫事具存，非不諫也。」[72] 然人以其諫若不從則不該居其位，故仍夷其三族。是以太宗認為君臣需各盡其務，讜言無諱，其至公處乃在「匡救朕惡」。依此而論，若以國為帝王家所獨有，則此為「私」。然若一轉家天下之論而成君臣同心共治，則轉私成公，公私對反。魏晉以來公私之論，蓋聚焦於士之公乃忠與清，以國家為最高。[73]然時至唐代，終將「公」之概念施於朝政，此可說是將魏晉公私之論執行於治術上。當君臣皆以公之態度對待天下，則雙方同處一至公無私之境界，有如桴鼓相應，故其言：

> 太宗謂侍臣曰：「正主任邪臣，不能致理；正臣事邪主，亦不能致理。惟君臣相遇，有同魚水，則海內可安。」
>
> （〈求諫第四〉，卷2，頁83。）
>
> 上下相疑，則不可以言至治矣。……。夫以一介庸夫結為交友，以身相許，死且不渝，況君臣契合，寄同魚水。
>
> （〈論禮樂第二十九〉，卷7，頁406。）

前則乃太宗所論，後則為魏徵所言。正主邪臣、邪主正臣，皆是有公有私，非致理之途。故若能君臣相遇以公，相契以德，則如魚水相遇，兩得其中。然君臣能相知互信者甚少，故魏徵言：

> 夫君臣相遇，自古為難。以石投水，千載一合，以水投石，無時不有。其能開至公之道，申天下之用，內盡心膂，外竭股肱，和若鹽梅，固同金石者，非惟高位厚秩，在於禮之而已。
>
> （〈論禮樂第二十九〉，卷7，頁403。）

自古君臣相遇而以德合者甚少，但若能內外相契，固若金湯，定非決於高官厚祿，而在君臣之禮而已，此禮乃上下同心、公而無私，若股肱與首級，雖有上下之分，卻是同體共用，無分彼此。故君臣若能開至公之道，便能舒展而盡天下之所需所用，此乃無為而無不為之道，帝王無為於親事，有為於用臣，故群臣便助帝王達無不為之效用。綜而論

---

72 唐・房玄齡：《晉書》，卷36，頁1074。

73 施穗鈺論魏晉士群之公與私，其言：「『忠』與『清』，乃是其『士』之自律精神的展現；其對象則是『天下』、『社稷』與『百姓』，這是基於『國家至上』的理念而有的想法。文中一方面梳理了『清』觀念在人物品評之外的意涵，另一方面也把『忠』觀念從狹義的『忠君』釋放出來，回到『忠於他人』的解釋脈絡。」此乃從士群之角度出發，說明魏晉之「公」的意義。其又以裴頠所謂「禮制弗存，則無以為政矣」、顧和「禮所以軌物成教，故有國家者莫不崇正明本」，認為魏晉乃「以『禮』作為人倫綱紀的根本及國家『政道』之關鍵所在。」此論公以禮，從個人推至政道。參閱施穗鈺：《公與私──魏晉士群的角色定位與自我追尋》，收錄於《中國學術思想研究輯刊》十一編（新北市：花木蘭文化出版社，2011），頁306、307。

之，君主養德而達無為之境界，不自慮、不自說、不自為，無去造作、物欲之妄為，故君上能以無為而使臣下無不為，故能為天下所用而不竭。且因君臣之關係，非是單純上下服從，而是以至公綰合君臣，使君臣同心共治天下。

六　結論

本文以《群書治要》所收錄《莊子》為核心，分析魏徵欲呈顯之思想。相較於今人多將重心放於內七篇，《群書治要．莊子》所展現的視野卻是外雜篇中的黃老治術一面，甚至在節錄當下，在一段原文當中便已剔除無關黃老之言，此用心顯然與其編纂目的有關。《群書治要》成書於貞觀5年，是提供給唐太宗的治國方略，對治唐初的政治局勢。筆者以《群書治要．莊子》為主，以《貞觀治要》中群臣對答實錄為輔，欲彰顯太宗貞觀之治的治術精神，貞定唐初之聖人一格為何。

概而論之，在黃老體系下，聖人即是聖君。《群書治要．莊子》以聖君之首要在「養德」，此德以天地為宗，以無為為常，故需抑情損欲，不損百姓以適其欲，此乃治國之本，並以此延伸出「無為」等概念。其以「無為」之道渾括養德之修身與治國之無不為，上下互相銜接，互為表裏。若能以無為為常，便能無欲而清靜，不作異端嗜欲之行，則能行於所當行。故君主無為，是為其本；有為於用臣，此是其末。聖君當該無為而無不為，消解到造作妄為，而群臣皆行其所當為。無為、有為互勘而明照天道、帝道、聖道為渾淪不二。且君與臣之關係，乃是同心共治，君臣雖有上下之別，然有如元首、股肱，乃一體同心。太宗於此裂解了帝王家天下之概念，使公私之壁壘消融，天下非君所獨有，而是群臣所共有，故君臣無私可合德而同心，此自唐太宗觀隋朝之滅亡而有所慨嘆。

以《群書治要．莊子》中的黃老思想而言，因《莊子》之外雜篇年代應早於《淮南子》，故《群書治要．莊子》並無超出《淮南子》者，然《淮南子》在漢武帝時並無被運用在治術上，反而是《群書治要．莊子》中的黃老思想不斷扣合於太宗與群臣之間，使臣下無懼於上諫，君上廣納諫言。又以莊學視野觀之，從先秦原莊，自有述莊、無君、黃老三脈，漢代莊學雖弱，然黃老莊學一派自成暗流潛藏其中。而至魏晉，向秀注莊，郭象述廣，自此大暢玄風，注莊者數十家。時至唐朝，今人多將視野聚焦於成玄英之《莊子疏》，然於成疏中黃老治術之所由卻不甚明。以成玄英入長安之時間論之，《群書治要．莊子》應對成玄英疏解《莊子》有一定程度之影響。再觀以今所殘存文如海《莊子邈》，其皆論以黃老治術。以此觀之，唐初《群書治要》對《莊子》之篩選節錄，實影響唐代莊學甚深。除成疏吸收佛理以注莊外，此黃老莊學實需一路追蹤而不可忽視。

徵引文獻

一　原典文獻

漢・陸　賈：《新語》，收錄於《四部備要》第357冊，臺北：中華書局，1981。
漢・劉安撰，漢・高誘注：《淮南子》，收錄於《四部備要》第419冊，臺北：中華書局，1981。
漢・賈　誼：《賈子》，收錄於《宋元明善本叢書十種》，臺北：臺灣商務印書館，1969。
漢・班　固撰，唐・顏師古注：《漢書》，臺北：鼎文書局，1983。
漢・許　慎著，清・段玉裁注：《說文解字注》，新北市：頂淵文化事業公司，2003。
唐・唐太宗：《帝範》，收錄於《叢書集成初編》第927冊，北京：中華書局，1985。
唐・房玄齡：《晉書》，臺北：鼎文書局，2003。
唐・魏　徵等編撰，《群書治要》校訂本編輯委員會校訂：《群書治要》（校訂本），北京：中國書店，2014。
唐・吳兢著，謝保成集校：《貞觀政要集校》，北京：中華書局，2012。
唐・文如海：《莊子邈》，收錄於《中華道藏》第13冊，北京：華夏出版社，2004。
唐・陸德明：《經典釋文》，北京：中華書局，1985。
後晉・劉昫：《舊唐書》，臺北：鼎文書局，1976。
宋・朱　熹：《四書章句集注》，臺北：大安出版社，2013。
宋・王欽若：《冊府元龜》，臺北：中華書局，1967。
清・郭慶藩：《莊子集釋》，新北市：頂淵文化事業公司，2001。
清・趙　翼：《廿二史劄記》，臺北：世界書局，2018。

二　近人專著

方震華：〈唐宋政治論述中的貞觀之政——治國典範的論辯〉，《臺大歷史學報》第40期（2007.12.），頁19-55。
王文暉：〈從古寫本《群書治要》看通行本《孔子家語》存在的問題〉，《中國典籍與文化》第4期（2018），頁113-119。
王立民：〈唐律與《貞觀政要》的吏治——一個以吏治為結合點的視角〉，《政法論壇》第29卷第5期（2011.9.），頁151-157。
呂　鵬：〈唐太宗的德治思想及其現代價值〉，《孔子研究》第6期（2011），頁106-112。

谷文國：〈《群書治要》的國家治理思想初探〉，《理論視野》第8期（2015），頁55-57。

林俊宏：〈成玄英的重玄思想與政治論述——以《南華真經注疏》為核心〉，《政治科學論叢》32期（2007.6.），頁145-202。

林溢欣：〈從《群書治要》看唐初《孫子》版本系統——兼論《孫子》流傳、篇目序次等問題〉，《古籍整理研究學刊》第3期（2011），頁62-68。

施穗鈺：《公與私——魏晉士群的角色定位與自我追尋》，收錄於《中國學術思想研究輯刊》十一編，新北：花木蘭文化出版社，2011。

郎擎霄：《莊子學案》，臺北：河洛出版社，1974。

高　旭：〈西漢黃老政治發展新論——基於大一統政治視閾的「漢政化黃老」義詮〉，《廣西社會科學》第8期（2017），頁103-111。

高　旭：〈漢代黃老政治道義觀的歷史闡揚——《淮南子》君臣民關系論及其思想特色〉，《政治思想史》第3期（2017），頁1-34。

張蓓蓓：〈略論中古子籍的整理——從嚴可均的工作談起〉，《漢學研究》第32卷第1期（2014.3.），頁39-72。

楊家俊、張兵：〈「貞觀之治」與唐太宗的安民思想〉，《蘭臺世界》第3期（2015），頁137-138。

萬澤民：〈論唐太宗的「用人之道」與「貞觀之治」〉，《浙江大學學報（社會科學版）》第8卷第4期（1994.12.），頁16-21。

劉笑敢：《莊子哲學及其演變（修訂版）》，北京：中國人民大學出版社，2010。

劉歆立：〈唐太宗獨特的治國理政思想鉤沉及略評〉，《蘭臺世界》第17期（2017），頁108-110。

劉榮賢：《莊子外雜篇研究》，臺北：聯經出版事業公司，2004。

劉廣普、康維波：〈《群書治要》的治政理念研究〉，《理論觀察》第11期（2014），頁30-33。

劉曉東：〈漢代黃老之學到老莊之學的演變〉，《山東大學學報（人文社會科學版）》第1期（2002），頁24。

潘銘基：〈日藏平安時代九条家本《群書治要》研究〉，《中國文化研究所學報》第67期（2018.7.），頁1-40。

謝青松：〈在歷史鏡鑒中追尋治理之道——《群書治要》及其現代價值〉，《雲南社會科學》第3期（2017），179-184。

叢連軍：〈《群書治要》政治倫理思想研究的幾個核心問題〉，《吉林師範大學學報（人文社會科學版）》第4期（2017），頁14-19。

瀧川龜太郎：《史記會注考證》，臺北：萬卷樓圖書公司，2006年。

龔鵬程：〈成玄英《莊子疏》探論〉，《鵝湖月刊》193期（1991.7.），頁17-32。

從《群書治要》文獻特質論唐太宗刑罰思想及其歷史實踐

陳弘學

成功大學中國文學系副教授

摘要

唐初天下方定，太宗以其遠謨，欲究古今治亂道理，以求帝國之永固，乃命魏徵、虞世南等人「採摭群書，翦截淫放。光昭訓典，聖思所存，務存乎政術」，編成《群書治要》五十卷。考其體例，實類書之疇；論其旨趣，則意在政法，用心可見。為明該書所揭律法理念及其實踐結果，本文乃以「刑罰思想」為觀照客體。先是探究《群書治要》成書經歷與文獻屬性，凸顯本書法制史研究價值；其次參覈史傳、《貞觀政要》、《唐律疏議》諸書，考察太宗刑罰思想落實程度。明理辨事、開塞顯微，立基前人研究成果，評價貞觀一朝刑政短長。冀此研究進路，能彰《群書治要》傳世價值與光彩。

關鍵詞：唐太宗、唐律、刑罰、群書治要、中國法制史

On Tang Taizong's Penalty Thought and Its Historical Practice from the Literature Characteristics of *The Selection of Books on Governance*

CHEN, HUNG-HSUEH

Associate Professor, Department of Chinese Literature, National Cheng Kung University

Abstract

At the beginning of the Tang dynasty, Taizong, with his long-term plan, wanted to explore the truth of the ancient and modern governance, in order to seek for the eternal stability of the empire. He ordered Wei Zheng, Yu Shinan and others to "collect a group of books, eliminate the complication, making the sage's idea of governing the country exist in political techniques", and they compiled *The Selection of Books on Governance* of fifty volumes of the book. The style is the reference books; its purpose lies in politics and laws. The intention is obvious. In order to clarify the legal concept and its practical results revealed in this book, this paper takes "penalty thinking" as the research object, firstly exploring the book-making experience and documentary attributes of *The Selection of Books on Governance*, highlighting the research value of the legal history, secondly, referring to history book Biography, *Political Essentials during the Period of Zhenguan* and *Tang Code* to examine the extent of the implementation of Taizong's penalty thinking. This paper distinguishes reasons, open the obstruction, shows the subtle, and evaluate the gains and losses of the criminal administration of Zhenguan, based on the research results of the predecessors. I hope that according to this research approach, I will demonstrate the passing value and brilliance of the passing of *The Selection of Books on Governance*.

Keywords: Tang Taizong, Tang Code, Penalty, *The Selection of Books on Governance*, Chinese Legal History

一　前言

《群書治要》乃唐太宗李世民（以下簡稱太宗）授命魏徵、虞世南等人編纂，旨在「務乎政術，存乎勸戒」，內容以經、史、子為範限，上始五帝，下迄晉年，依「採摭群書，翦截淫放」方式為之。眾人瀝血數年，終於貞觀五年（西元631年）編輯完成，計六十五部、五十餘萬言。《群書治要》既以政、法之道為核心，對於傳統法制史及法思想史研究，必具相當參考價值。蓋「《群書治要》作為一部中國古代治道思想的集大成之作，是唐太宗以史為鑒，偃武修文、治國安邦、開創『貞觀之治』的思想源泉和施政參考。」[1]

遺憾的是今日法制史研究雖頗興盛，相關文獻整理工作也如火如荼展開，逐漸形成「法律文獻學」一門，但因為諸多因素，《群書治要》知名度與研究成果卻遠不及《貞觀政要》、《唐律疏議》等書，法律文獻學研究學者也尚未將目光投注於此。為彌補此一缺憾，筆者乃以「刑罰思想」為研究範疇，《群書治要》及太宗為考察對象，以《群書治要》所述理念為據，對比分析太宗刑罰理念的歷史實踐。

論文主要分為兩部分：第一部分說明《群書治要》編訂過程，並為其文獻屬性作一定位，藉此闡明其於法制史研究價值為何。第二部分根據《群書治要》揭櫫的刑罰原理原則與適用情形，通過兩《唐書》、《貞觀政要》、《唐律疏議》、《唐會要》等史料，為太宗刑罰思想歷史實踐做一定位與評價。

二　《群書治要》成書與研究價值

（一）編輯目的

《群書治要》非博學炫耀之作、非盛世修書點綴，乃太宗為治理天下，特命魏徵等人結集諸書精華，俾利自己覽閱參考。如魏徵所撰《群書治要・序》云：

> 近古皇王，時有撰述，並皆包括天地，牢籠群有，競採浮豔之詞，爭馳迂誕之說；騁末學之博聞，飾雕蟲之小伎。……雖辯周萬物，愈失司契之源；術總百端，乖得一之旨。……將取鑒乎哲人，以為六籍紛綸，百家踳駁。窮理盡性，則勞而少功；周覽汎觀，則博而寡要。故爰命臣等採摭群書，翦截淫放，光昭訓典，聖思所存，務乎政術。[2]

1　韓星：〈《群書治要》的治道思想及其當代意義〉，《觀察與思考》2014年第11期（2014.10），頁47。

2　唐・魏徵、褚遂良、虞世南合編：《群書治要》，縮印日本尾張藩刻本五十卷。世界書局影印本。（臺北：世界書局，2011），第1冊，序目，頁22-23。

《群書治要》編纂旨在掃除前代君王競採浮艷之詞、馳騁博聞等奢靡文風，故「聖思所存，務乎政術」，凡與治國無關者，皆不在收錄之列。至於相關編輯人員，《新唐書・儒學上・蕭德言傳》記「魏徵、虞世南、褚亮、蕭德言」四人：

> 太宗欲知前世得失，詔魏徵、虞世南、褚亮及德言裒次經史百氏帝王所以興衰者上之，帝愛其書博而要，曰：「使我稽古臨事不惑者，公等力也！」賚賜尤渥。[3]

劉肅《大唐新語》則改「褚亮」為「褚遂良」：

> 太宗欲見前代帝王得失以為鑒戒，魏徵乃以虞世南、褚遂良、蕭德言等采經史百家之內嘉言善語，明王暗君之跡，為五十卷，號《群書理要》，上之。[4]

《大唐新語》為避唐高宗李治諱，改名《理要》，後又改為《政要》。《大唐新語》作「褚遂良」應係誤植。考魏徵、虞世南俱為貞觀時秘書監，掌管皇家經籍圖書。褚亮嘗於太宗為秦王時之王府文學，主文書編纂，三人職位性質接近，並一同活躍於貞觀初期，[5]《新唐書》、《唐會要》均作「褚亮」應較可信，《大唐新語》記載應有誤。

（二）選材標準

魏徵《群書治要・序》對於三國魏文帝命劉劭等人所撰《皇覽》，及梁武帝蕭衍命華林園學士編纂《華林遍略》均有批評，從而凸顯《治要》「周全無遺」的優點：

> 皇覽遍略，隨方類聚；名目互顯，首尾淆亂；文義斷絕，尋究為難。今之所撰，異乎先作。總立新名，各全舊體。欲令見本知末，原始要終；並棄彼春華，採茲秋實。一書之內，牙角無遺；一事之中，羽毛咸盡。（第一冊，頁23-24。）

《群書治要》分類以「原典」為單位，對於法政相關章句進行蒐集，屬一級分類結構。收錄對象限定於經、史、子類，文獻年代上始五帝，下迄晉年，計六十五部、合五十卷。唯卷四《春秋左氏傳》上、卷十三《漢書》一、卷二十《漢書》八皆已亡佚，故今僅存四十七卷。表列如下：

---

3 宋・歐陽修、宋祁撰：《新唐書》（北京：中華書局，1975），第18冊，卷198，列傳第一百二十三，頁5653。

4 唐・劉肅撰，許德楠、李鼎霞點校：《大唐新語》（北京：中華書局，1984），卷9，頁133。

5 如舊《唐書・音樂志三》「冬至。祀昊天於圜丘樂章八首」條下注「貞觀二年，祖孝孫定雅樂。貞觀六年，褚亮、虞世南、魏徵等作此詞，今行用。」後晉・劉昫等撰：《舊唐書》（北京：中華書局，1984），第4冊，卷30，頁1090。

帙卷數	所收書籍
第一帙十卷	第一《周易》；第二《尚書》；第三《毛詩》；第四《春秋左氏傳》上（亡佚）；第五《春秋左氏傳》中；第六《春秋左氏傳》下；第七《禮記》；第八《周禮》、《周書》、《國語》、《韓詩外傳》；第九《孝經》、《論語》）；第十（《孔子家語》。
第二帙十卷	第十一《史記》上；第十二《史記〉下、《吳越春秋》；第十三《漢書》一（亡佚）；第十四《漢書》二；第十五《漢書》三；第十六《漢書》四；第十七《漢書》五；第十八《漢書》六；第十九《漢書》七；第二十《漢書》八（亡佚）。
第三帙十卷	第二十一《後漢書》一；第二十二《後漢書》二；第二十三《後漢書》三；第二十四《後漢書》四；第二十五《魏志》上；第二十六《魏志》下；第二十七《蜀志》、《吳志》上；第二十八《吳志》下；第二十九《晉書》上；第三十《晉書》下。
第四帙十卷	第三十一《六韜》、《陰謀》、《鬻子》；第三十二《管子》；第三十三《晏子》、《司馬法》、《孫子》；第三十四《老子》、《鶡冠子》、《列子》、《墨子》；第三十五《文子》《曾子》；第三十六《吳子》、《商君子》、《尸子》、《申子》；第三十七《孟子》、《慎子》、《尹文子》、《莊子》、《尉繚子〉；第三十八《孫卿子》；第三十九《呂氏春秋》；第四十《韓子》、《三略》、《新語》、《賈子》。
第五帙十卷	第四十一《淮南子》；第四十二《鹽鐵論》、《新序》；第四十三《說苑》；第四十四《桓子新論》、《潛夫論》；第四十五《崔寔政論》、《昌言》；第四十六《申鑒》、《中論》、《典論》；第四十七《劉廙政論〉、《蔣子》、《政要論》；第四十八《體論》、《典語》；第四十九《傅子》；第五十《袁子書》、《抱朴子》。

（三）流傳始末

《群書治要》本為治理參考所編，故書成之後太宗並未廣為傳鈔，僅太子、諸王各賜一本。《大唐新語．著述》條云：

> 太宗手詔曰：「朕少尚威武，不精學業，先王之道，茫若涉海。覽所撰書，博而且要，見所未見，聞所未聞，使朕致治稽古，臨事不惑。其為勞也，不亦大哉！」賜徵等絹千疋，綵物五百段。太子諸王，各賜一本。[6]

6　唐．劉肅撰，許德楠、李鼎霞點校：《大唐新語》，卷9，頁133。

由於流通不廣，後又經唐末五代戰亂，本書宋初時已經失傳，《宋史》已不見載。所幸《群書治要》唐時已傳入日本，並獲日本皇室高度重視。[7]乾隆六十年《群書治要》由日本重新傳回中國，也引起了清代學者重視，相繼被編入《知不足齋叢書》、《宛委別藏》、《連筠簃叢書》、《粵雅堂叢書》、《四部叢刊》、《叢書集成》和《域外漢籍珍本文庫》等叢書中。王雲五主持上海商務印書館出版之《叢書集成初編》時，也將《群書治要》重新編排出版。清代學者認為《群書治要》有兩方面價值，「一是它『所采各書并屬初唐善策，與近刊多有不同』，即保存了古代典籍在初唐的面貌；二是『其所引子書多近缺佚之本』，即包含部分失傳典籍的篇章。這兩方面價值分別與清代學者校勘和輯佚兩方面的工作相連」。[8]如嚴可均《全上古三代秦漢三國六朝文》即利用《群書治要》為底本進行輯佚工作，並據《群書治要》以校對《晉書》。[9]

二十世紀九〇年代，中國原駐日本大使符浩透過日本皇室成員獲天明本《群書治要》，後由呂效祖點校，先後於2004年和2011年出版《群書治要》點校本及《群書治要考譯》，方便本書流通與閱讀。至於《群書治要》於世界各地流傳、廣為人知，則要從2010歲末，長年於衛星電視及世界各地弘法的淨空法師，由大陸弟子處獲得天明本《群書治要》，從此發願弘揚此書。2011年3月透過世界書局印出日本尾張藩刻本《群書治要》（全三冊）一萬部，捐贈世界各地。2012年以後陸續由世界書局、馬來西亞中華文化教育中心、臺南國學書院出版《群書治要三六〇》第一冊至第四冊，並陸續翻譯成多國語言，包括：英文版、法文版、德文版、日文版、西班文版，至2017年已有八種語言，並帶動各處學會與書院的學習風潮。《群書治要》於當代流傳弘揚，淨空老法師厥功至偉。

（四）文獻屬性

《群書治要》收經、史、子三部，各家學說均入其中，或許因為內容博雜，兩《唐書》則皆未將《群書治要》歸入「類事」、「類書」中，而是繫於「雜家類」，歷代經籍志、藝文志、公私藏書家，也都入「子部雜家類」。[10]但從現代文獻學分類標準視之，《群書治要》既以「採摭群書，翦截淫放」方式為之，又有「務乎政術，存乎勸戒」明

---

7 《群書治要》於日本流傳經過，見謝青松：〈在歷史鏡鑒中追尋治理之道——群書治要及其現代價值〉，《雲南社會科學》2017年第3期（2017.5），頁180。

8 王維佳：《《群書治要》的回傳與嚴可均的輯佚成就》（上海：復旦大學歷史研究所碩士論文，2013），頁7。

9 王維佳：《《群書治要》的回傳與嚴可均的輯佚成就》，頁22。

10 宋・歐陽修、宋祁撰：《新唐書》，第5冊，卷59，〈藝文志〉第四十九，頁1537。後晉・劉昫等撰：《舊唐書》，第6冊，卷47，〈經籍志〉第二十七，頁2035。

確工具導向作為收錄標準，實屬類書之疇。所謂類書「就是在體制上將文獻依類纂輯的圖書」，[11]也因此當代文獻學研究者，如夏南強、丁元基等人均將之歸入「類書」。[12]目前學界對於《群書治要》的類書性質理解應無疑義。

從文獻特質與分類範疇檢視，兩《唐書》入雜家類不確，當入類書類為佳。所謂雜家，即本身無思想原創性，且無特別宗主；取各家之長，去各家之短，凡合用者皆收錄之。雜家之名最早見班固《漢書・藝文志》言：「雜家者流，蓋出於議官。兼儒、墨，合名、法，知國體之有此，見王治之無不貫，此其所長也。及盪者為之，則漫羨而無所歸心。」[13]漫羨即散漫之義，魏徵主修《隋書・經籍志三》對雜家批評更加具體：「放者為之，不求其本，材少而多學，言非而博，是以雜錯漫羨，而無所指歸。」[14]欲以《群書治要》引導太宗治國理政的魏徵，自不會故意以「言非而博」、「雜錯漫羨」動機及標準編定《群書治要》。換句話說，《群書治要》文獻屬性定位問題，實牽涉到貞觀君臣政法思想是否具有統一性與體系性。若屬隨物方圓的雜家，則《治要》恐無作為評價太宗刑罰實踐情況的功能，蓋《治要》所錄僅是一種策略或手段，可視現實狀況隨時調整。但若屬類書，則可將其中所錄經、史、諸子言論視為一種有機體，文獻來源雖異，背後隱藏「務乎政術，存乎勸戒」之理實為一致，可收嚐一水而知大海之味之效。

然百密終有一疏，魏徵諸人廣擷諸書，引用文獻難免博雜而衝突，儘管例證不多，尚不會影響《群書治要》屬性定位，但仍是白璧之瑕，略損《群書治要》義理的一貫性。例證之一表現在《韓非子》文句的援引。蓋《群書治要》肯定儒家寬仁思想，而儒法之爭重點在於對「重刑」的使用態度。所謂「重刑」主張包括「刑度施設之重」與「用刑比例之重」，[15]商韓法家力主支持，儒家則明白反對。《群書治要》一方收錄刑尚寬仁的論述，卻在卷四十引用《韓子・難勢》「重其刑罰，禁奸邪」之說，使系統內出現自相矛盾的命題：

> 明主之治國也，適其時事，以致財物。論其稅賦，以均貧富。厚其爵祿，盡賢能。重其刑罰，以禁奸邪。使民以力得富，以事致貴，以過受罪，以功置賞，而不望慈惠之賜，此帝王之政也。（第八冊，卷四十，頁1047-1048。）

---

11 劉兆祐：《文獻學》（臺北：三民書局，2007），頁43。

12 詳參夏南強：〈類書的類型與歸類〉，《大學圖書館學報》第4期（2002.7），頁70。丁原基「六十種類書書目研究」：http://myweb.scu.edu.tw/~ting6153/research/category.htm。（2019.05.15上網）

13 漢・班固撰：《漢書》（北京：中華書局，1975），第6冊，卷30，〈藝文志〉第十，頁1742。

14 唐・魏徵等撰：《隋書》，第4冊，卷34，〈經籍志〉第三，頁1010。

15 法家「重刑說」可分「刑度施設之重」與「用刑比例之重」。所謂「刑度施設之重」係指透過常人不能忍受的處罰，使人畏懼於犯法。《漢書・刑法志》載：「秦用商鞅，連相坐之法，造參夷之誅，增加肉刑、大辟、有鑿顛、抽脅、鑊烹之刑。」「用刑比例之重」，如商鞅提出「重刑輕賞」、「刑九賞一」、「行刑重其輕」等論點，針對極微小行為施予極重處罰，如此「輕者不生，重者不來」，以達天下無刑理想世界。

韓非讚美商鞅「重輕罪」之舉可使「小過不生，大罪不至」，肯定殷法「刑棄灰」舉措；[16]而對晏嬰「減刑惠民」做法大表反對，[17]《群書治要》在此加以肯定，自不免造成系統內部的價值矛盾，略微減損自身理念的一貫性。

（五）運用價值

《群書治要》屬類書或雜家著作，表面只是文獻歸類的認知差異，但對本論文而言實有重要的定位意義。雜家本身並無思想原創性，也無思想系統內在一貫性，但取各家之長，去各家之短，凡合用者皆收錄之，但彼此或有重大衝突。如將《群書治要》理解為雜家之作，則《群書治要》也就缺乏價值確定性，連帶失去對比太宗刑罰思想歷史實踐的資格。簡言之，太宗不可能一方面在政治法律措施上執行儒家理念，另方面編修一部義理雜錯、且極有可能隨時與自己政策牴觸的著作。

反之，《群書治要》確定為類書之後，就無上述考量，我們只需要單獨針對所節錄的章句進行理解，毋須顧忌檢視徵引文獻來源有無思想融貫性。此外，《群書治要》乃太宗主動修書，先有取材與價值設定，成書後並獲太宗高度肯定且躬身實踐，這點又讓《群書治要》與為廣引典故所編寫之類書不同，具有極高程度的立場一致性，而能產生對比的指標意義。

唯有遺憾者，《群書治要》目前為止尚未獲得法律文獻學研究者的關注，田慶鋒等編《中國古代法律文獻引論》乃目前所出重要著作，內容也稱精審完備，但其中論及「類書法律文獻」一項時，但僅蒐錄簡介《北堂書鈔》、《藝文類聚》、《初學記》、《白氏六帖》等二十一種類書，[18]《群書治要》尚未羅列在其中。筆者歸納原因有二：

其一，就歷史因素言，《群書治要》最初僅保存於少數人之手，後來亡佚，清末雖從日本重新傳回，但因長期於歷史舞台缺席，缺乏歷史後續影響力。法律史研究具有相當程度的歷史實證要求，既無歷史實質影響，則不為法律史研究者所關注乃屬當然。第

---

16 《韓非子》：「殷之法刑棄灰於街者。子貢以為重，問之仲尼，仲尼曰：『知治之道也。夫棄灰於街必掩人，掩人，人必怒，怒則鬪，鬪必三族相殘也。此殘三族之道也，雖刑之可也。且夫重罰者，人之所惡也；而無棄灰，人之所易也。使人行之所易而無離所惡，此治之道』」。清・王先慎撰，鍾哲點校：《韓非子集解》（北京：中華書局，1998），卷9，〈內儲說上七術第三十〉，頁240-241。

17 《韓非子》：「或曰：晏子之貴踴，非其誠也，欲便辭以止多刑也。此不察治之患也。夫刑當無多，不當無少；無以不當聞，而以太多說，無術之患也。敗軍之誅以千百數，猶且不止；即治亂之刑如恐不勝，而姦尚不盡。今晏子不察其當否，而以太多為說，不亦妄乎！夫惜草茅者耗禾穗，惠盜賊者傷良民。今緩刑罰行寬惠，是利姦邪而害善人也，此非所以為治也。」清・王先慎撰，鍾哲點校：《韓非子集解》，卷15，〈難二第三十七〉，頁392。

18 田慶鋒、何青洲、邢文艷編著：《中國古代法律文獻引論》（北京：中國政法大學，2014），頁91-95。

二，《群書治要》雖體現大量太宗政法思想，然太宗為一代名君，相關文獻甚多。行事上有《貞觀政要》可為參考；法律實踐有《唐律》可為對照，其餘兩《唐書》、《唐六典》等資料完備詳贍，如非有意深入研究貞觀時期政法思想者，《群書治要》於法律文獻學領域的重要性也就不易凸顯。但一旦理解貞觀君臣對於《群書治要》寄寓之用心及編採之謹慎，我們就能通過《治要》取得一個觀照點，據此評價太宗個人政法理念與現實實踐的契合與落差情形。為標舉《群書治要》之法制史研究價值，以下筆者乃以《群書治要》為觀照客體，舉要分析太宗之刑罰思想內涵與歷史實踐。

三　《群書治要》反映之太宗刑罰理念與歷史實踐考察

由於中國傳統特殊的歷史與文化背景，「天道禮法刑」乃成為一「互依互異，錯綜複雜」的法律概念組。某些語脈或書籍習慣中，「法」或指稱「天、道、禮」，意指一種超越而又普遍的規範；但在某些文獻脈絡中，「法」又與「刑」無甚區分，「法」即是「刑」，「刑」即是「法」。所以如此，乃因早期兵刑不分的歷史與法刑互文的語法修辭習慣，使「法、刑」成為一組血脈相連的概念。

而在現代法理念中，法與刑乃是涇渭分明的不同指涉。法意味一種具普遍性、抽象性規範，並有客觀性制度保障功能；刑僅是法展現力量的一種手段。為避免概念失焦及研究範圍過大，致生「法」、「刑」不分之失。本文採用現代語意下之「刑罰」概念，專門探討行為處罰部分，並從《群書治要》中離析出六大原則。其中四項太宗確實落實到施政中，其餘兩項或囿於現實權力自我保護考量，或難違背法律傳統形成的慣性力量而未能落實。

此外，所謂六大原則倒不是意味因為先編纂《治要》然後才形構出太宗的刑罰理念，事實上我們也可從太宗行事相關資料中導出。這些原則也多屬於「共法」，既非專屬《唐律》，也不僅止為太宗所接受。但是由於《群書治要》的收錄，乃能明確思想與文獻彼此間的連結性。尤其諸子思想繁多，論點並多不同，唯有透過《治要》才能確認哪個概念為太宗所繼受認同。至於「法」理論部分，如「太宗之法思想屬自然法體系、《唐律》屬禮律」等，因研究者眾多，本文不再贅述。

（一）落實：刑尚寬仁原則

儒、法兩家法律思想具有高度對立性，由於法家以嚴刑峻法著稱，常人也就理所當然認為儒家以輕刑為主。實則嚴格論之，以孔、孟、荀為首之原始儒家，其刑罰觀固然反對「重刑說」，但也不必然為「輕刑說」，而是「稱刑說」。即犯罪行為與處罰之間，必須具備一定比例性，太寬或太嚴都失之公允，故孔子主張「以直報怨」。而孔子最尊敬的政治家子產提出執政寬猛相濟說，孔子對此也大表贊同，如《左傳》載：

> 鄭子產有疾，謂子大叔曰：「我死，子必為政。唯有德者能以寬服民，其次莫如猛。夫火烈，民望而畏之，故鮮死焉。水懦弱，民狎而玩之，則多死焉，故寬難。」……仲尼曰：「善哉！政寬則民慢，慢則糾之以猛。猛則民殘，殘則施之以寬。寬以濟猛；猛以濟寬，政是以和。」[19]

「稱刑說」一詞則於《荀子．正論篇》中明確提出：

> 刑稱罪則治，不稱罪則亂。故治則刑重，亂則刑輕，犯治之罪固重，犯亂之罪固輕也。《書》曰：「刑罰世輕世重。」此之謂也。[20]

儘管「稱刑說」比「輕刑說」更接近原始儒家立場，但在「仁心仁政」的大原則下，後世儒家刑罰思想確實朝著「寬仁」方向前進，體現「政治、法律、刑罰」三者間的有機互動。這點可從《群書治要》引《孔子家語．刑政》得到證明：

> 仲弓問於孔子曰：「雍聞：至刑無所用政，至政無所用刑。至刑無所用政，桀紂之世是也；至政無所用刑，成康之世是也。信乎？」孔子曰：「聖人之治化也，必刑政相參焉。太上以德教民，而以禮齊之。其次以政導民，以刑禁之。化之弗變，導之弗從，傷義敗俗，於是乎用刑矣。」（第二冊，卷十，頁258。）

刑罰乃不得已而用之，但又不得已必須存在。寬平思想要求的不僅是刑罰施用的結果之輕，同時也要求在動機上，必須以「不忍人之心」、「涕泣而行之」為用心，如《群書治要》卷五十引《袁子正書．明賞罰》：

> 先王制肉刑，斷人之體。徹膳去樂，咨嗟而行之者，不得已也。刑不斷則不威，避親貴則法日弊，如是則姦不禁而犯罪者多。惠施一人之身，而傷天下生也。聖人計之於利害，故行之不疑，是故刑殺者，乃愛人之心也。涕泣而行之，故天下明其仁也。（第十冊，卷五十，頁1344-1345）

貞觀君臣躬身實踐刑罰寬仁原則，《貞觀政要．君臣鑒戒第六》載太宗對於國家興亡與刑罰施用因果關係，曾有以下言論：

> 貞觀六年，太宗謂侍臣曰：「朕聞周、秦初得天下，其事不異。然周則惟善是務，積功累德，所以能保八百之基；秦乃恣其奢淫，好行刑罰，不過二世而滅。豈非為善者福祚延長，為惡者降年不永。朕又聞桀、紂帝王也，以匹夫比之，則

---

19 楊伯峻編著：《春秋左傳注》（臺北：洪葉文化，2007），〈昭公二十年〉，頁1421-1422。

20 清．王先謙撰，沈嘯環、王星賢點校：《荀子集解》（北京：中華書局，2012），頁387-388。

以為辱；顏、閔，匹夫也，以帝王比之，則以為榮。此亦帝王深恥也。朕每將此事以為鑒戒，常恐不逮，為人所笑。」[21]

觀察貞觀元年至貞觀十六年言行，多年來太宗確實一直恪守「用刑務在寬平」原則，貞觀初，魏徵等大臣以律令苛重為由，提議絞刑之屬五十條，免其死罪，改為斷其右趾。太宗仍認為太重，徒增犯人苦楚而不同意，交付臣下再議，最後在房玄齡等人反覆磋商集議後，最終創設流三千里、居作三年的加役流制度，去除原律文五十條死刑。戴炎輝先生盛讚「如此慎殺，可謂恤刑之最。」[22]又《貞觀政要》記太宗即位初曾云：

> 貞觀元年，太宗謂侍臣曰：「死者不可再生，用法務在寬簡。古人云：『鬻棺者欲歲之疫。』非疾於人，利於棺售故耳。今法司覈理一獄，必求深刻，欲成其考課。今作何法，得使平允？」諫議大夫王珪進曰：「但選公直良善人，斷獄允當者，增秩賜金，即姦偽自息。」詔從之。[23]

又，貞觀十六年太宗曉喻臣下：

> 貞觀十六年，太宗謂大理卿孫伏伽曰：「夫作甲者欲其堅，恐人之傷；作箭者欲其銳，恐人不傷；何則？各有司存，利在稱職故也。朕常問法官刑罰輕重，每稱法網寬於往代，仍恐主獄之司，利在殺人，危人自達，以釣聲價。今之所憂，正在此耳，深宜禁止，務在寬平。」[24]

種種證據顯示，刑罰尚寬仁不僅是一政治口號，更是貞觀君臣共同理念與現實實踐，《新唐書・刑法志》言：「太宗以英武定天下，然其天姿仁恕。初即位，有勸以威刑肅天下者，魏徵以為不可，因為上言王政本於仁恩，所以愛民厚俗之意，太宗欣然納之，遂以寬仁治天下，而於刑法尤慎。」[25]可謂定評。

（二）落實：慎殺覆奏原則

儒家不否定死刑的施用，但自始保持謹慎的態度，孔子答季康子「如殺無道，以就有道，何如」提問時，乃言「子為政，焉用殺」。（《論語・顏淵》）孟子見齊宣王時，也提出一套複雜的死刑執行條件，所謂「左右皆曰可殺，勿聽；諸大夫皆曰可殺，勿聽；

---

21 唐・吳兢：《貞觀政要》（臺北：宏業書局，1983），卷3，頁131。

22 戴炎輝：《唐律通論》（臺北：元照出版社，2010），頁27。

23 唐・吳兢：《貞觀政要》，卷8，頁373。

24 唐・吳兢：《貞觀政要》，卷9，頁388。

25 宋・歐陽修、宋祁撰：《新唐書》，第5冊，卷56，〈刑法志〉第四十六，頁1412。

國人皆曰可殺，然後察之；見可殺焉，然後殺之。」（《孟子・梁惠王下》）

由儒家慎殺主張再加皇權的崇高性，表現為對人民生命權的絕對掌控，中國傳統法律對於死刑的重視及嚴謹，遠高於當時其他國家，顯示中華法系進步的一面。[26]具體表現在「三刺」、「覆奏」、「會審」等對死刑裁判與執行的程序管控。如《群書治要》引《周禮》言「三刺」云：

> 司刺，掌三刺三宥三赦之法，以贊司寇聽獄訟。刺，殺也，致三問之，然後殺。一刺曰，訊群臣；再刺曰，訊群吏；三刺曰，訊萬民。訊，言問也。壹宥曰，不識；再宥曰，過失；三宥曰，遺忘。不識，謂愚民無識也。宥，寬也。壹赦曰，幼弱；再赦曰，老耄；三赦曰，惷愚。惷愚，生而癡騃也。赦，謂免其罪也。以此三法者求民情，然後刑殺。（第二冊，卷八，頁184-185）

孫詒讓《周禮正義》注云：「三刺者，問眾以當殺與否，是刑與宥不可豫定。」[27]「三刺」即與群臣、群吏、萬民百姓反覆計議，確無疑義而後殺之。儘管與群吏、萬民討論死刑案件有施行上的困難，但卻催生出後來的死刑覆奏制度，[28]確保皇帝得知並終局同意執行死刑。其中「三覆奏」制始於隋朝，《隋書・刑法志》載：「（開皇）十五年制，死罪者三奏而後決。」[29]唐承隋制，[30]三覆奏制度隨之保留下來。貞觀元年，太宗並創設死刑案件九卿會議制度：

> 太宗又曰：「古者斷獄，必訊於三槐九棘之官，今三公九卿，即其職也。自今以後，大辟罪皆令中書門下四品已上及尚書九卿議之，如此庶免冤濫。」由是至四年，斷死刑天下二十九人，幾致刑措。[31]

---

26 中國古代法制的人道與設計雖不能與現代相比，不過關於死刑執行卻是公認的嚴謹。呂麗：〈中國傳統的慎殺理念與死刑控制〉，《當代法學》2016年第4期（2016.8），頁38。D・布迪、C・莫里斯著，朱勇譯：《中華帝國的法律》（南京：江蘇人民出版社， 2003），頁24。

27 清・孫詒讓撰，王文錦、陳玉霞點校：《周禮正義》（北京：中華書局，2000），卷68，頁2841。

28 死刑覆核制度萌芽於漢，北魏太武帝時明確規定：「當死者，部按奏聞。以死者不可復生，懼監官不能平，獄成皆呈，帝親臨問，無異辭怨言，乃絕之。諸州國之大辟，皆先讞報乃施行。」唐代則設「三司推事」、「九卿議刑」、「都堂議制」控管死刑的審判。呂麗：〈中國傳統的慎殺理念與死刑控制〉，《當代法學》第4期（2016），頁45。又詳見胡東興：《中國古代死刑制度史》（北京：法律出版社，2008），頁482-483。

29 唐・魏徵等撰：《隋書》（北京：中華書局，1973），第3冊，卷25，〈刑法志〉第二十，頁714。

30 《文獻通考・刑考五》載：「刑制：唐高祖入關，除苛政，約法十二條，唯制殺人、劫、盜、背軍、叛逆，餘悉蠲之。武德二年，頒新格五十三條，唯吏受贓、詐冒盜府庫物，赦不原。凡斷屠日及正月、五月、九月不行刑。四年，高祖躬錄囚徒，以人因亂冒法者眾，盜非劫傷其主及征人逃亡、官吏枉法，皆原之。已而又詔僕射裴寂等十五人更撰律令，大略以開皇為準，凡律五百，麗以五十三條。」元・馬端臨撰：《文獻通考》（臺北：新興書局，1958），第5冊，卷166，頁1437。

31 唐・吳兢：《貞觀政要》，卷8，頁373。

貞觀五年太宗並因張蘊古案，將「三覆奏」增為「五覆奏」。《貞觀政要．刑法第三十一》載：

> 貞觀五年，張蘊古為大理丞相，州人李好德素有風疾，言涉妖妄，詔令鞠其獄。蘊古言：「好德癲病有徵，法不當坐。」太宗許將寬宥。蘊古密報其旨，仍引與博戲。持書侍御史權萬紀劾奏之，太宗大怒，令斬於東市。既而悔之，謂房玄齡曰：「公等食人之祿，須憂人之憂，事無巨細，咸當留應。今不問則不言，見事都不諫諍，何所輔弼？如蘊古，身為法官，與囚博戲，漏洩朕言，此亦罪狀甚重；若據常律，未至極刑。朕當時盛怒，即令處置，公等竟無一言，所司又不覆奏，遂即決之，豈是道理！」因詔曰：「凡有死刑，雖令即決，皆須五覆奏。」五覆奏自蘊古始也。又曰：「守文定罪，或恐有冤，自今以後，門下省覆，有據法令合死而情可矜者，宜錄奏聞。」[32]

張蘊古任大理寺丞，相州人李好德患有瘋症，言涉妖妄，張蘊古主張瘋癲所致，不應判刑。太宗本將寬宥之，御史權萬紀彈劾兩人有私，太宗一怒之下迅速處決張蘊古。太宗隨即後悔，下詔：「凡有死刑，雖令即決，皆須五覆奏。」五覆奏制度自殺張蘊古始。[33]

只是五覆奏此制度，行政部門很快流於形式化處理，太宗警覺到這點，同年再次下詔必須分攤為三日，不可一日五覆奏，並責令門下省「據法合死，而情在可矜者，宜錄狀奏聞」：

> 貞觀五年，詔曰：「在京諸司，比來奏決死囚，雖云五覆，一日即了，都未暇審思，五奏何益？縱有追悔，又無所及。自今後，在京諸司奏決死囚，宜三日中五覆奏；天下諸州三覆奏。」又手詔敕曰：「比來有司斷獄，多據律文，雖情在可矜，而不敢違法；守文定罪，惑恐有冤。自今門下省復有據法合死，而情在可矜者，宜錄狀奏聞。」[34]

如未踐行覆奏制度，官員便有一定懲罰，《唐律．斷獄律》「死囚覆奏報決」規定：

> 諸死罪囚，不待覆奏報下而決者，流二千里。即奏報應決者，聽三日乃行刑，若限未滿而行刑者，徒一年；即過限，違一日杖一百，二日加一等。[35]

---

32 唐．吳兢：《貞觀政要》，卷8，頁375。

33 宋代典籍如《冊府元龜》、《新唐書》、《通鑑》將五覆奏之建立時間訂於貞觀五年十二月，顯示張蘊古案後，三覆奏增為五覆奏制尚有一發展過程。詳參陳俊強：〈唐代前期死刑覆奏制度——兼論其與儒家思想的關係〉，收於高明士編：《中華法系與儒家思想》（臺北：臺大出版中心，2014），頁338-341。

34 唐．吳兢：《貞觀政要》，卷8，頁380。

35 劉俊文撰：《唐律疏議箋解（下）》（北京：中華書局，1996），卷30，頁2105-2106。

案：皇帝乃死刑定讞之終局審判者，「五覆奏」旨在防止帝王的情緒或恣意，[36]也最大程度避免因為司法制度缺失或人為操控而產生冤殺，在司法體系不成熟、三權未能權力分立前，有其歷史積極意義與功能。但律法制度往往利弊互見，反過來說因為覆奏、會審的設計，也屬行政侵害司法權的表現，或將延緩司法獨立的到來。這意味著未經皇帝確認前，一切死刑審判結果都是不確定的，不僅影響人民對於司法審判的信任，也讓司法獨立的制度設計更加困難。[37]

（三）落實：反對濫赦原則

太宗為政雖主寬仁，也強化了覆奏程序，使死刑之執行愈加謹慎，但並不代表太宗對於每個事件容忍程度皆同。倘遇侵害皇權事件，太宗態度仍主嚴懲。這倒不是太宗法思想有系統內的牴觸，因為「寬仁、從輕、慎殺」原則不會導出判刑確定後的必然恩赦。相反的，為保護法律尊嚴與有效運作，一旦判刑確定，太宗對於行赦之事反而保持高度謹慎態度。太宗與《群書治要》編纂者在此立場也有高度的一致，如《群書治要》引《管子．中匡》提出「刑廉而不赦」概念：

> 管仲朝。公曰：「寡人願聞國君之信。」對曰：「民愛之，鄰國親之，天下信之，此國君之信。」公曰：「善。請問信安始而可？」對曰：「始於為身，中於為國，成於為天下。」公曰：「請問為身？」對曰：「道血氣以求長年、長心長德，此為身也。遠舉賢人，慈愛百姓，此為國也。法行而不苛，刑廉而不赦，此為天下也。」（第六冊，卷三十二，頁815-816）

廉即簡斂，律法如簡約收斂，自無苛刻之弊；無苛刻之弊，則犯人該當其罪，故無行赦的必要。《群書治要》又引《管子．明法解》言「行私惠而赦有罪」所生的弊害：

> 夫舍公法而行私惠，則是利姦邪而長暴亂也。行私惠而賞無功，則是使民偷幸而望於上也。行私惠而赦有罪，則是使民輕上而易為非也。夫舍公法用私惠。明主弗為也。故曰：「不為惠於法之內。」（第六冊，卷三十二，頁828）

---

36 太宗創立之五覆奏僅延續至玄宗朝，肅宗時已不復見，可見此制度維繫不易及太宗用心所在。詳參石冬梅：《唐代死刑制度研究》（北京：人民出版社，2018），頁131-132。

37 清末法學名家沈家本任職刑部多年，力主廢除會審制，以為人民對於法律所以缺乏信任感，在於下級判決缺乏確定性，除須行政官層層上報，也需要皇帝最終同意。沈家本《秋審條款案語》中指出，朝廷現已明令行政不准干涉司法，若總督、巡撫、布政使和中央九卿繼續會審，「是與違法干涉何異？」司法如欲獨立，會審之制亦需停止。李貴連：《沈家本傳（修訂本）》（桂林：廣西師範大學，2017），頁277-278。

太宗對於「法行而不苛，刑廉而不赦」說深表贊同，《貞觀政要‧赦令第三十二》載，太宗曾對侍臣指出「一歲再赦，善人喑啞」濫赦之弊：

> 天下愚人者多，智人者少，智者不肯為惡，愚人好犯憲章。凡赦宥之恩，惟及不軌之輩。古語云：「小人之幸，君子之不幸。」一歲再赦，善人喑啞。凡養稂莠者傷禾稼，惠姦宄者賊良人。昔文王作罰，刑茲無赦。又蜀先主嘗謂諸葛亮曰：「吾周旋陳元方、鄭康成之間，每見啟告，理亂之道備矣，曾不語赦。」故諸葛亮理蜀十年，不赦而蜀大化；梁武帝每年數赦，卒至傾敗。夫謀小仁者，大仁之賊，故我有天下已來，絕不放赦。今四海安寧，禮義興行，非常之恩，彌不可數，將恐愚人常冀僥倖，惟欲犯法，不能改過。[38]

太宗以「諸葛亮治蜀十年，不赦而蜀大化」自勉，也確實秉持這樣理念治國，如《貞觀政要‧論刑法第三十一》記太宗不赦舊秦府功臣：

> 貞觀九年，鹽澤道行軍總管、岷州都督高甑生，坐違李靖節度，又誣告靖謀逆，減死徙邊。時有上言者曰：「甑生舊秦府功臣，請寬其過。」太宗曰：「雖是藩邸舊勞，誠不可忘，然理國守法，事須畫一；今若赦之，使開僥倖之路。且國家建義太原，元從及征戰有功者甚眾，若甑生獲免，誰不覬覦？有功之人皆須犯法。我所以必不赦者，正為此也。」[39]

然而一個歷史著名事件，也讓太宗蒙上沽名釣譽、濫赦市恩的指責。即《資治通鑑‧唐紀十》記貞觀六年縱囚事件：

> 辛未，帝親錄繫囚，見應死者，閔之，縱使歸家，期以來秋來就死。仍敕天下死囚，皆縱遣，使至期來詣京師。……去歲所縱天下死囚凡三百九十人，無人督帥，皆如期自詣朝堂，無一人亡匿者；上皆赦之。[40]

太宗縱死囚歸家，約定來年秋天回來赴死。結果三百九十名囚犯在無人監督情形下，皆如期歸來受刑。太宗嘉許之，因此全部予以特赦。

這本為一件美談，但自宋‧歐陽修撰〈縱囚論〉批評道：「吾見上下交相賊以成此名也，烏有所謂施恩德與夫知信義者哉？」[41]太宗從此難逃偽善懷疑與指責。朱熹也嚴厲批判：「太宗之心，則吾恐其無一念之不出於人慾也。直以其能假仁借義，以行其

---

38 唐‧吳兢：《貞觀政要》，卷8，頁390。

39 唐‧吳兢：《貞觀政要》，卷8，頁381。

40 宋‧司馬光撰，陳晉、張鳴主編，樊善國點校：《資治通鑑》（北京：九州圖書，1998），卷194，頁2421-2422。

41 宋‧歐陽脩撰：《歐陽文忠集》（臺北：中華書局，1981），第1冊，卷18，頁10上。

私，而當時與之爭者，才、能、知、術既出其下，又不知有仁義之可借，是彼善於此而得以成功耳。」[42]明．王夫之則從唐代制度設計指出逃亡之難，縱囚不過君臣上下共演的一齣戲：

> （太宗之世）法令密而廬井定，民什伍以相保，宗族親戚比閭而處，北不可以走胡，南不可以走粵，囚之縱者雖欲逋逸，抑誰為之淵藪者？……太宗陰授其來歸則赦之旨於有司，使密諭所縱之囚，交相隱以相飾，傳之天下與來世，或驚為盛治，或詫為非常，皆其君民上下密用之機械所籠致而如拾者也。[43]

太宗縱囚之動機為何？是否確屬君臣逢場作戲，我們不得而知。只是縱囚之舉古已有之，非始於太宗，也非止於太宗，清．趙翼《陔餘叢考》卷十九「縱囚不始於唐太宗」條，羅列自後漢至明，其中帝王或官吏縱囚者共二十餘次。[44]

筆者根據沈家本《歷代刑法考》提供資料，統計唐帝王行赦次數，發現唐中葉以前，太宗平均一年一赦，於二十七位評比帝王中，排名第十一，表格整理如下：

帝王	在位年間與行赦次數	平均次數／排名	備註
《唐書．高祖紀》	按：高祖在位九年，大赦四，降一，釋流罪以下一，又曲赦九。	約1.667次／年【第7名】	《歷代刑法考》〔清〕沈家本（中華書局），頁616
《唐書．太宗紀》	按：太宗在位二十三年，大赦六，降二，釋流罪以下一，又曲赦十四。	1次／年【第11名】	同上，頁617
《唐書．高宗紀》	按：高宗在位三十四年，大赦十七，降三，又曲赦十八。	約1.118次／年【第10名】	同上，頁617
《唐書．武后紀》	按：武后僭位二十一年，大赦二十九，又曲赦九。唐代大赦之多，於斯為甚。《冊府元龜》詳載唐赦事而不及武后，蓋削除之矣。	約1.810次／年【第6名】	同上，頁618

---

42 語見朱熹〈答陳同甫書〉。朱傑人、嚴佐之、劉永翔主編：《朱子全書》（上海：上海古籍出版社，2012），第20冊，《晦庵先生朱文公文集（二）》，卷36，頁1583。

43 清．王夫之：《讀通鑑論》（臺北縣：漢京文化，1984），卷20，頁697-698。

44 清．趙翼：《陔餘叢考．「縱囚不始於唐太宗」條》，收於徐德明、吳平主編：《清代學術筆記叢刊》（北京：學苑出版社，2005），第22冊，卷19，頁210-211。

帝王	在位年間與行赦次數	平均次數／排名	備註
《唐書・中宗紀》	按：中宗在位六年，大赦六，又曲赦三。（按：一年五赦，中宗之昏懦即此事可見。）	1.5次／年【第8名】	同上，頁618
《唐書・睿宗紀》	按：睿宗在位三年，大赦八，放免一，又曲赦一。	約3.333次／年【第1名】	同上，頁619
《唐書・玄宗紀》	按：玄宗在位四十四年，大赦二十，降二十，曲赦十四。	約1.227次／年【第9名】	同上，頁620
《唐書・肅宗紀》	按：肅宗在位七年，大赦十，降三，又免徒一。寶應元年二月至四月，月一赦，加以代宗即位又赦，一年四赦矣。	2次／年【第3名】	同上，頁620
《唐書・代宗紀》	按：代宗在位十七年，大赦七，降三，又曲赦二。	約0.706次／年【第17名】	同上，頁621
《唐書・德宗紀》	按：德宗在位二十五年，大赦八，降一。	0.36次／年【第21名】	同上，頁621
《唐書・順宗紀》	按：順宗在位一年，大赦一，降二。	3次／年【第2名】	同上，頁621
《唐書・憲宗紀》	按：憲宗在位十五年，大赦五，降三。八年至十二年凡五年不赦，赦事之少惟此時。	約0.533次／年【第20名】	同上，頁621
《唐書・穆宗紀》	按：穆宗在位四年，大赦三，降二，又曲赦三。	2次／年【第3名】	同上，頁622
《唐書・敬宗紀》	按：敬宗在位二年，大赦三，又別赦一。	2次／年【第3名】	同上，頁622
《唐書・文宗紀》	按：文宗在位十四年，大赦二，降五，又曲赦四。	約0.786次／年【第15名】	同上，頁622

帝王	在位年間與行赦次數	平均次數／排名	備註
《唐書・武宗紀》	按：武宗在位六年，大赦四，降一。	約0.833次／年【第14名】	同上，頁622
《唐書・宣宗紀》	按：宣宗在位十三年，大赦六。自八年至十二年，五年不赦，又曲赦二。	約0.615次／年【第19名】	同上，頁622
《唐書・懿宗紀》	按：懿宗在位十四年，大赦七，降二。	約0.643次／年【第18名】	同上，頁623
《唐書・僖宗紀》	按：僖宗在位十五年，大赦七，降四，又曲赦二。	約0.866次／年【第13名】	同上，頁623
《唐書・昭宗紀》	按：昭宗在位十六年，大赦十二，又曲赦三。	0.9375次／年【第12名】	同上，頁623
昭宣帝（景宗）	按：昭宣帝在位四年，惟曲赦三。卜郊不行，朱全忠不以君事之矣。	0.75次／年【第16名】	同上，頁623

（圖表：作者繪製）

根據上列表格，進一步統計如下：

赦別	唐代行赦總數	太宗行赦次數	所占比例
大赦	165（武后29）	6	3.636 %
降	52	2	3.846 %
釋流罪以下	2	1	50 %
曲赦[45]	87（武后9／宣昭帝3）	14	16.092 %
放免	1	0	0%
免徒	1	0	0%
別赦	1	0	0%

（圖表：作者繪製）

45 曲赦：赦令之一。不普赦天下而獨赦一地、兩地或數地，故名曲赦。《晉書・惠帝紀》：「（永康元年八月）曲赦洛陽。」《資治通鑑・晉惠帝永康元年》引此文，胡三省注曰：「不普赦天下，而獨赦洛陽，故曰曲赦。」

從統計可知，太宗刑赦次數屬中等，並非唐帝中特出者；縱囚之舉也非太宗自創，何以批評聲浪最大？筆者以為更可能原因，或許來自宋人「聲東擊西」、「指桑罵槐」勸誡法。

宋朝乃一個行赦頻繁致有濫赦之譏的朝代。赦宥原本僅作為一權宜政策，兩宋之時則成為國家常制，《宋史・刑法志》稱「三歲遇郊則赦」。[46]且常赦之外尚有眾多名目，幾達無事不赦。[47]如司馬光稱：「國家素尚寬仁，數下赦令，或一歲之間至於再三。」[48]。宋・洪邁《容齋隨筆》記載一則惡僕殺主，搗碎其軀為肉泥案，最終因遇國家大赦，反而以示威方式嘲笑被害者家屬。洪邁此而感嘆：「紹熙甲寅歲至於四赦，凶盜殺人一切不死，惠姦長惡，何補於治哉。」[49]太宗縱囚或者真為沽名釣譽，或者心懷慈仁，已經難以檢驗，但是宋人藉批評縱囚而諷喻時政，卻是一個非常極有可能的行為。

為避免功臣恃寵而驕，太宗不願特赦高甑生，顯見太宗對於特赦一事有著高度的自覺。儘管表格統計顯示太宗平均一年一赦，頻率不算低，但多屬於有特定地區之「曲赦」，非無限制對象之大赦，因此本文仍判定太宗對於反對濫赦，確有落實。[50]

（四）落實：刑有等差思想

中華法系屬於自然法一支，[51]由「天、道、禮、法、刑」形成一組有機而互動的法規範體系，如《群書治要》引《周易・豫》云：

> 豫象曰：「雷出地奮，豫。」彖曰：「豫。順以動，故天地如之。天地以順動，故日月不過，而四時不忒。聖人以順動，則刑罰清而民服。豫之時義大矣哉。」
>
> （第一冊，卷一，頁5）

聖人順天地而動，如此刑罰自然清明而人民也沒有疑惑。道德連結施政，施政連結刑

---

46 元・脫脫等撰：《宋史》（北京：中華書局，1985），第15冊，卷201，〈刑法志〉第一百五十四，頁5029。

47 范立舟、蔣啟俊〈兩宋赦免制度新探〉，《暨南學報（人文科學與社會科學版）》，總第114期，第1期（2005.1），頁101。

48 元・脫脫等撰：《宋史》，第15冊，卷201，〈刑法志〉第一百五十四，頁5028。

49 宋・洪邁：《容齋三筆》，收於上海師範大學古籍整理研究所編：《全宋筆記》（鄭州：大象出版社，2012），第五編，第6冊，卷16，「多赦長惡」條，頁187。

50 邵志國指出太宗「對赦宥比較慎重，赦宥的針對性和目的性也都比較明顯」，觀點與筆者一致。參見邵志國：《唐代赦宥制度研究》（北京：人民出版社，2018），頁117。

51 主張先秦諸子屬自然法思想者，首先見於梁啟超著作。見梁啟超：〈中國法理學發達史論〉，收於梁啟超原著，范中信選編：《梁啟超法學文集》（北京：中國政法大學，1999），頁70。

罰，刑罰乃道、禮之下位規範，刑罰施用不得違逆上位規範。[52]《唐律》乃儒家禮教理念法制化之集大成者，表現最著者即儒家「刑有等差」主張，意即同樣犯罪行為，因身分而有不同處罰效果。此種論述甚多，可見《唐律》向以「禮律」著稱並非虛言。如《群書治要》卷四十六引《中論・佚文》論「貴賤等差」之義：

> 昔之聖王制為禮法，貴有常尊，賤有等差。君子小人，各司分職。故下無潛上之愆，而人役財力，能相供足也。
>
> （第九冊，卷四十六，頁1228）

《群書治要》卷四十六引《申鑒・政體》論「君子以情用，小人以刑用」：

> 君子以情用，小人以刑用。榮辱者，賞罰之精華也。故禮教榮辱，以加君子，治其情也。桎梏鞭撲，以加小人，治其刑也。君子不犯辱，況於刑乎？小人不忌刑，況於辱乎？若夫中人之倫，則刑禮兼焉。教化之廢，推中人而墜於小人之域；教化之行，引中人而納於君子之途，是謂彰化。
>
> （第九冊，卷四十六，頁1206-1207）

《群書治要》卷五引《左傳・宣公十二年》論禮有尊卑貴賤，德立則刑行：

> 君子小人，物有服章。尊卑別也。貴有常尊，賤有等威。威儀有等差也。禮不逆矣。德立刑行，政成事時，典從禮順，若之何敵之。
>
> （第一冊，卷五，頁88）

《群書治要》卷四十八引《體論》言「聽訟決獄。必原父子之親。立君臣之義」：

> 凡聽訟決獄，必原父子之親，立君臣之義，權輕重之敘，測淺深之量。悉其聰明，致其忠愛，然後察之。疑則與眾共之，眾疑則從輕者。所以重之也，非為法不具也，以為法不獨立，當須賢明共聽斷之也。
>
> （第十冊，卷四十八，頁1278-1279）

太宗可謂這個信念的奉行者與貫徹者，其信念強大到即使實踐的結果恐不利於皇權的穩定，太宗仍造新律強行推動。《唐律》中關於身分法的差別對待規定，俯拾即是，歷來論述者眾多，筆者茲不贅述，但引《貞觀政要》記太宗下令「奴僕告發主人謀反，盡令斬決」為證：

> 貞觀二年，太宗謂侍臣曰：「比有奴告主謀逆，此極弊，法特須禁斷。假令有謀

---

52 《唐律疏議》之特質，在於「寓經義於刑律」。黃源盛：《漢唐法制與儒家傳統》（臺北：元照出版社，2009），頁184。

反者，必不獨成，終將與人計之；眾計之事，必有他人論之，豈藉奴告也。自今奴告主者不須受，盡令斬決。」[53]

謀反屬「五逆十惡」大罪，在階級森嚴的古代，奴婢依律不得告主，唯獨謀反之事，告主無罪。[54]太宗卻規定「自今奴告主者，不須受，盡令斬決」，與前代律法規定迴異。不過考《唐律》相關規定，似乎並未真正落實，若涉大逆謀反等事，雖以奴告主，《唐律》仍不為罪。《唐律・鬪訟律》「部曲奴婢告主」條云：

諸部曲、奴婢告主，非謀反、逆、叛者，皆絞；告主之期親及外祖父母者，流；大功以下親，徒一年。誣告重者，緦麻加凡人一等，小功、大功遞加一等。即奴婢訴良，妄稱主壓者，徒三年；部曲，減一等。」[55]

陳俊強《皇恩浩蕩：皇帝統治的另一面》曾對太宗這個舉動作出解釋，以為「唐律對於奴僕殺主反主，一律嚴懲，可能與隋末以來奴婢殺主反主情況普遍有關」。[56]不過這僅屬於歷史外緣因素的客觀性解釋，另外一個深層的內在心理因素，或與太宗「聖人以順動，則刑罰清而民服」，此根深蒂固之自然法思想密切相關。以奴告主違背了尊卑貴賤的自然秩序，即使在現實層面對於統治大有利益，仍為太宗所否定，從這裡也可見到太宗之立法制，並非依循個人利害與喜惡，確實有其自然法的信仰與堅持。儘管這種身分法的思想不為現代社會所肯定，但卻無礙太宗將刑罰乃禮法之下位位階，刑罰是否得當，端視是否符合自然法之價值的立法理念

（五）未落實：罪疑惟輕原則

儘管中華法系已退出歷史舞台，難與今日民主法治社會相匹敵，但若放在同一時間軸，將傳統法律與當時世界各國法律比較，則中華法系諸多理念與制度實遙遙領先同時代，[57]「罪疑惟輕」理念的提出即是明證。《群書治要》引《尚書・大禹謨》云：

宥過無大，刑故無小。（過誤所犯，雖大必宥；不忌故犯，雖小必刑也。）罪疑

---

53 唐・吳兢：《貞觀政要》，卷8，頁374。

54 于振波嘗據秦漢律相關資料指出，如果主人所犯屬於「公室告者」，則鼓勵奴婢告發，否則將予以法律制裁；其並據唐律續指出「包括謀反、謀大逆、謀叛，是『十惡』中最重的三種罪。這說明，唐律也並非不論何種犯罪都一律禁止家屬及奴婢控告。」由此窺見其律法之延續性。于振波：〈秦律「公室告」與「家罪」所反映的立法精神〉，簡帛研究網，2005年12月31日發布，網址：http://www.bsm.org.cn/show_article.php?id=161（2019.05.01上網）

55 劉俊文撰：《唐律疏議箋解（下）》（北京：中華書局，1996），卷21，頁1638。

56 陳俊強：《皇恩浩蕩：皇帝統治的另一面》（臺北：五南圖書，2005），頁281。

57 美・D.布迪、C.莫里斯著，朱勇譯：《中華帝國的法律》（南京：江蘇人民出版社，2003），頁24。

惟輕，功疑惟重。（刑疑附輕，賞疑從重。忠厚至也。）與其殺弗辜，寧失不經，好生之德，洽于民心，茲用弗犯于有司。（咎繇因帝勉己，遂稱帝之德，所以明民不犯上也。寧失不常之罪，不枉不辜之善，仁愛之道也。）

（第一冊，卷二，頁25）

「罪疑惟輕」係指在「犯罪情節輕重有疑」情形下，刑罰應當往「輕」與「小」的方向位移。此論述甚多，俯拾即是。如《群書治要》引《尚書》標舉「刑疑赦，從罰。罰疑赦，從免」理念：

五刑之疑有赦，五罰之疑有赦。（刑疑赦從罰，罰疑赦從免。）刑罰世輕世重，惟齊非齊。（言刑罰隨世輕重也。刑新國，用輕典；刑亂國，用重典；刑平國，用中典。凡刑所以齊非齊。）

（第一冊，卷二，頁53）

又《群書治要》引《孔子家語．刑政》提出「比附入罪從輕，赦人之罪從重」說：

附從輕，赦從重。（附人之罪，以輕為比；赦人之罪，以重為比。）疑獄，則汎與眾共之。眾疑赦之。

（第二冊，卷十，頁258）

又《群書治要》引《政要論．詳刑》言「罰若有疑，即從其輕」：

夫堯、舜之明，猶惟刑之恤也。是以後聖制法，設三槐九棘之吏，肺石嘉石之訊，然猶復三判。僉曰可殺，然後殺之。罰若有疑，即從其輕。此蓋詳慎之至也。

（第十冊，卷四十七，頁1256）

參照前述「刑尚寬仁」與「慎殺覆奏」原則，我們應毋須懷疑太宗對於「罪疑惟輕」原則的實踐。但從太宗行事中也能發現此一原則並未能真正貫徹，一旦面臨威脅皇權情事，「罪疑惟輕」原則就得退位，《唐會要》記「張仲文妄稱天子案」可以為證：

十八年九月，茂州童子張仲文，忽自稱天子，口署其流輩數人為官司。大理以為指斥乘輿，雖會赦猶斬。太常卿攝刑部尚書韋挺奏：「仲文所犯，止當妖言。今既會赦，準法免死。」上怒挺曰：「去十五年，懷州人吳法至浪入先置鉤陳，口稱天子。大理刑部皆言指斥乘輿，咸斷處斬。今仲文稱妖，乃同罪異罰。卿乃作福於下，而歸虐於上耶？」挺拜謝趨退，自是憲司不敢以聞。數日，刑部尚書張亮復奏：「仲文請依前以妖言論。」上謂亮曰：「韋挺不識刑典，以重為輕。當時怪其所執，不為處斷，卿今日復為執奏，不過欲自取刪正之名耳。屈法要名，朕所不尚。」亮默然就列。上謂之曰：「爾無恨色，而我有猜心。夫人君含容，屈在于我，可申君所請，屈我所見。」其仲文宜處以妖言。[58]

本案頗為曲折，童子張仲文妄稱天子，大理寺主張此罪屬十惡不赦重罪，遇赦不赦，仍當處斬。刑部尚書韋挺則主張此為妖言罪，[59]準法可以免死。太宗當場斥責韋挺。風波稍平後，另一刑部尚書張亮也進奏，同樣主張應當以妖言論處，太宗對於這種「屈法要名」顯然非常厭惡，但最終仍屈服於二臣建議。

這場爭論幸賴太宗的自我約束，才沒釀成整肅臣下的慘劇，張仲文也幸運撿回一命。但其原因並非被說服，進而認同適用妖言罪處理。而是太宗自覺在兩次爭論中，即使自己用嚴峻的語氣喝斥臣子，自己對臣子實有猜疑之心，臣子對自己卻終無恨色。在政治上這是不應該的態度，最終因此選擇屈服，自始無關乎對張仲文「罪疑惟輕」的寬容。此案為何可以證明太宗沒有落實「罪疑惟輕」原則？

第一，從法理層次思考，太宗如肯定《周禮》「司刺，掌三刺三宥三赦之法」，其中三赦即包含了「壹赦曰，幼弱；再赦曰，老耄；三赦曰，惷愚。以此三法者求民情，然後刑殺。」（第二冊，卷八，頁184-185）張仲文乃童子，屬幼弱可赦之屬。

第二，從法律程序論，《唐律疏議．名例律》「30老小及疾有犯」條規定：「諸年七十以上、十五以下及廢疾，犯流罪以下，收贖。八十以上、十歲以下及篤疾，犯反、逆、殺人應死者，上請；盜及傷人者，亦收贖。餘皆勿論。九十以上，七歲以下，雖有死罪，不加刑。」[60]張仲文既是童子，不論依世俗年齡理解，或依《新唐書》規定「凡童子科，十歲以下能⋯⋯」[61]判斷，年紀必自幼小，兩刑部尚書依法上請，並提出另有適用妖言罪的可能，太宗顯然擬採最嚴厲手段處置。

第三，從犯罪事實判斷，依陳登武〈侵害國家法益罪──「謀判」以上重罪〉分析，吳法至口稱天子，並設「鉤陳」，即後宮，已經是著手實施；而張仲文自稱天子，「口署其流輩樹人為官司」，不論「自稱」或「口署」，都在口說階段，兩罪不能平等視之。[62]太宗要求依照吳法至案處理，乃是罪疑從重的處斷，非罪疑從輕之實踐。

總結上述，在這次張仲文案中，未見大理寺表態，而刑部兩位尚書皆主張準妖言罪免死，太宗先後斥責兩位尚書，最後妥協乃是政治的處理，而非律法「罪疑惟輕」的適用，此其刑法理念未能實踐貫徹之證明。

---

58 宋．王溥撰：《全本唐會要一百卷（一）》，卷39，收於文懷沙主編：《四部文明：隋唐文明卷（九）》（西安：陝西人民出版，2007），頁398-399。

59 關於妖言罪之構成要件與適用分析，詳見陳登武：《從人間世到幽冥界：唐代的法制、社會與國家》（臺北：五南圖書，2005），頁107。

60 劉俊文《唐律疏議箋解（上）》（北京：中華書局，1996），頁298。又，關於歷代律法對於老小疾人刑事責任能力之減免，詳參該書頁305。

61 宋．歐陽修、宋祁撰：《新唐書》，第8冊，卷198，列傳第一百二十三，頁5653。

62 陳登武：《從人間世到幽冥界：唐代的法制、社會與國家》，頁131-132。

（六）未落實：反對連坐原則

以親族為株連對象，商朝之法已有之。無血緣關係而犯罪同罰之連坐法，則為商鞅所創。《史記》卷六十八〈商君列傳〉載秦孝公以商鞅為左庶長，卒定變法之令：「令民為什伍，而相牧司連坐。不告姦者腰斬，告姦者與斬敵首同賞，匿姦者與降敵同罰。」[63]先秦儒家雖重視家族價值與親情倫常，並以血緣作為道德權利義務劃分標準，但卻反對以血緣作為刑罰施用的判斷。質言之：儒家本質反對「株連」、「保甲」、「連坐」等刑罰。如《左傳》言：「父子兄弟，罪不相及。」（昭公二十年）；《孟子》言：「罪人不孥。」（梁惠王下），連坐法使人無罪而有罰，無論從仁心或正義的角度，儒家都持反對立場。

族刑始於商朝，連坐為商鞅所發明，本非儒制，但卻在「漢承秦制」、「陽儒陰法」特殊歷史發展歷程中，在政治法律實踐中將兩者結合一處，使血緣成為刑罰輕重與牽連的準據，也讓儒家倫常思想蒙上不白之冤。帝王因為自身利益考量，自然樂意繼受這個歷史錯誤；而後世儘管有大儒名臣，或恐牴觸皇權，也沒見到有誰據理力爭根據儒家經義進行律法改革。甚者，即使以寬平得理著稱的《唐律》，長孫無忌在後來所編的《疏議》中反為連坐法申辯：

> 【疏】議曰：加役流者，本是死刑，元無贖例，故不許贖。反逆緣坐流者，逆人至親，義同休戚，處以緣坐，重累其心，此雖老疾，亦不許贖。[64]

太宗或許是歷代帝王中最有可能的一位。第一，太宗卻有心實踐刑罰寬仁原則，也躬身實踐法律改革，刪除前朝法典死刑數百條。君臣一心，無有阻力。第二，誅族之法曾遭隋文帝廢除，後隋煬帝自壞法制才又恢復。只要有心，大可一鼓作氣，引隋文帝之例一掃連坐誅族惡法。遺憾的是太宗只有限縮連坐、族刑的適用範圍，但終究沒能徹底拔除此惡法。[65]這點，我們可從《群書治要》選文與太宗行事及《唐律》實務規定交叉比對中得到驗證。

《群書治要》明確反對株族之法，如卷二引《尚書》武王之言，歷數商紂暴虐無道之行，其中一條罪名即是「罪人以族」：

> 武王伐殷，師渡盟津。王曰：「今商王受，弗敬上天，降災下民。沈湎冒色，敢行暴虐。」（沈湎嗜酒，冒亂女色。敢行酷暴，虐殺無辜也）。罪人以族，官人以

63 漢．司馬遷：《史記》（北京：中華書局，2014），第7冊，卷68，〈商君列傳〉第八，頁2230。

64 劉俊文撰：《唐律疏議箋解（上）》，頁298。

65 緣坐法直到清末，光緒28年四月，沈家本、武廷芳奉命修律，啟動晚清法律改革，至革命前十年，始正式廢除。李貴連《沈家本傳（修訂本）》，頁255-256。又見頁265。

世。(一人有罪，刑及父母兄弟妻子，言淫濫也。官人不以賢才，而以父兄，所以政亂也。)焚炙忠良，刳剔孕婦。(忠良無罪，焚炙之。懷子之婦，刳剔視之。言暴虐也。)

(第一冊，卷二，頁39)

又卷三十八引《孫卿子》明白反對「以族論罪」說：

古者刑不過罪，爵不踰德。故殺其父而臣其子，殺其兄而臣其弟。刑罰不怒罪，爵賞不踰德。是以為善者勸，為不善者沮。威行如流，化易如神。亂世不然，刑罰怒罪，爵賞踰德。以族論罪，以世舉賢。故一人有罪，而三族皆夷，德雖如舜，不免刑均，是以族論罪也。先祖賢，子孫必顯。行雖如桀，列從必尊，此以世舉賢也。以族論罪，以世舉賢，欲無亂得乎？(第八冊，卷三十八，頁1009)

貞觀君臣法理上並不認同「以族論罪」，但實務是《唐律》對於謀反、大逆兩罪仍規定父、子年十六以上一同處死，其他親屬均免去死刑，只是按其親疏關係，或收、或流。太宗刑尚寬仁，在通常情形下，對於個案也確實給予最大限度的寬待，[66]如《唐會要》卷三十九「議刑輕重」條載：

又舊條：兄弟分後，蔭不相及，連坐俱死，祖孫配流。會有同州人房強，弟任。統軍于岷州，以謀反伏誅，強當從坐。太宗嘗錄囚徒，憫其將死，為之動容，令百寮詳議。元齡等復定議曰：「按禮，孫為王父尸。案令，祖有蔭孫之義。然則祖孫親重，而兄弟屬輕。應重反流，合輕翻死。據理論情，深為未愜。請定律『祖孫與兄弟緣坐，俱配流』。其以惡言犯法，不能為害者。情狀稍輕，兄弟免死配流為允。」從之。[67]

太宗悲憫房強因弟謀反，連坐當死，因此下令大臣商議。大臣也根據「舉重以明輕」的法理，認為祖孫親重，兄弟親輕，但因兄謀反連坐之罰卻比祖父重，顯然不合理。君臣在此找到解套之法，因此最後改死為流，總算救下房強一命。

又《貞觀政要》記載太宗除去「諸州有犯十惡者，刺史須從坐」規定：

貞觀十四年，戴州刺史賈崇以所部有犯十惡者，被御史劾奏。太宗謂侍臣曰：「昔陶唐大聖，柳下惠大賢，其子丹朱甚不肖，其弟盜跖為臣惡。夫以聖賢之訓，父子兄弟之親，尚不能使陶染變革，去惡從善。今遣刺史，化被下人，咸歸善道，豈可得也？若令緣此皆被貶降，或恐遞相掩蔽，罪人斯失。諸州有犯十惡

66 高明士編：《東亞傳統教育與法制研究：教育與政治社會》(一)，頁284。

67 宋・王溥撰：《全本唐會要一百卷(一)》，卷39，收於文懷沙主編：《四部文明：隋唐文明卷(九)》，頁398。

者，刺史不須從坐，但令明加糾訪科罪，庶可肅清奸惡。」

在寬仁原則下太宗每常願意積極採取最寬厚解釋，但太宗顯然不像改革其他舊弊般，積極除去連坐惡法，仍聽任其保留律法之中，造成法理與法律實踐的矛盾。太宗寬仁之心筆者毫不懷疑，但正如錢大群《唐律研究》論「重罪緣坐」時所說：「反逆緣坐中此制之修改，只不過一定範圍的刑罰減輕，而並不動搖整個重罪緣坐的原則。」[68]這是皇權時代執政者基於自身權力考量所致，固不能深責太宗，但也反映了其思想與行事的限制性或未貫徹處。

四　結語

《群書治要》乃太宗下令、名臣編修，作為施政參考之書，也因此雖為類書之疇，卻不能視為盛世修書點綴或典故運用查考之工具。從法律文獻學角度視之，乃具備下列兩大功能：

一、法理念究源功能：法體系乃法理念、法規範與法實踐之綜合體，儒家思想乃中國文化主流，歷代法制多據儒家理念編訂。只是這些經典本身既非為後世修法而作，相關論述零散且缺乏完整性，究竟經典中的理念多少為立法者所認可？頗難確認。太宗主動下令編纂《群書治要》，編成之後並給予高度推崇，則將本書視為太宗法理念的匯集定論，應不為過。

二、法實踐對比功能：我們既能以《群書治要》確立太宗律法思想完整樣貌，無異取得一客觀參照點，通過與兩《唐書》、《貞觀政要》、《唐律疏議》所記太宗行事與貞觀律法交互對比，藉此評價太宗之法律理念與法律實踐之間，其契合或落差處究竟為何。

如本文所分析，太宗確實極大程度實踐「刑尚寬仁、慎殺覆奏、反對濫赦、刑有等差」等原則，體現其襟懷與《唐律》的進步性，但太宗確實也在自身權力維護考量下，未能徹底落實「罪疑惟輕、反連坐誅族」二原則。此二原則皆為《群書治要》所錄，太宗自己認可推崇的主張，但遇威脅皇權，如妄稱天子等事件，則太宗就難以貫徹實施。根據「皇權穩固」作為判斷價值位階參考點，太宗刑罰原則之序位可釐訂如下：

刑有等差原則 —優位於→ 皇權穩固 —優位於→
- 刑尚寬仁原則
- 慎殺覆奏原則
- 反對濫赦原則
- 罪疑惟輕原則
- 反連坐誅族原則

68 錢大群：〈唐律的基本原則與法律效力〉，《唐律研究》（北京：法律出版社，2000），頁83。

由《群書治要》提供種種資料可知，對太宗而言六大原則中唯有基於自然法理念所生之「刑有等差原則」可以對抗「皇權穩固」的效力，故奴告主反雖有利於國家統治，但仍一律處斬。而「皇權穩固」又優位於其他五項原則，排除政權威脅情況，一般犯罪案件太宗確實積極實踐，這是太宗思想進步處，也是其在法制史上不可抹滅的地位與貢獻。

徵引文獻

一　原典文獻

漢・司馬遷撰：《史記》，北京：中華書局，2014。
漢・班　固撰：《漢書》，北京：中華書局，1975。
唐・魏　徵等撰：《隋書》，北京：中華書局，1973。
唐・魏　徵、褚遂良、虞世南合編：《群書治要》，臺北：世界書局，2011。
唐・吳　競撰：《貞觀政要》，臺北：宏業書局，1983。
唐・劉　肅撰；許德楠、李鼎霞點校：《大唐新語》，北京：中華書局，1984。
後晉・劉　昫等撰：《舊唐書》，北京：中華書局，1984。
宋・歐陽脩、宋祁撰：《新唐書》，北京：中華書局，1975。
宋・歐陽脩撰：《歐陽文忠集》，臺北：中華書局，1981。
宋・司馬光撰；陳晉、張鳴主編；樊善國點校：《資治通鑑》，北京：九州圖書，1998。
元・馬端臨撰：《文獻通考》，臺北：新興書局，1958。
元・脫　脫等撰：《宋史》，北京：中華書局，1985。
清・王夫之撰：《讀通鑑論》，臺北：漢京文化，1984。
清・王先謙撰，沈嘯環、王星賢點校：《荀子集解》，北京：中華書局，2012。
清・王先慎撰，鍾哲點校：《韓非子集解》，北京：中華書局，1998。
清・孫詒讓撰，王文錦、陳玉霞點校：《周禮正義》，北京：中華書局，2000。
清・梁啟超撰，范中信選編：《梁啟超法學文集》，北京：中國政法大學，1999。

二　近人論著

上海師範大學古籍整理研究所：《全宋筆記》，鄭州：大象出版社，2012。
文懷沙：《四部文明：隋唐文明卷（九）》，西安：陝西人民出版，2007。
王維佳：《《群書治要》的回傳與嚴可均的輯佚成就》，上海：復旦大學歷史研究所碩士論文，2013。
田慶鋒、何青洲、邢文艷：《中國古代法律文獻引論》，北京：中國政法大學，2014。
石冬梅：《唐代死刑制度研究》，北京：人民出版社，2018。
朱傑人、嚴佐之、劉永翔：《朱子全書》，上海：上海古籍出版社，2012。
呂　麗：〈中國傳統的慎殺理念與死刑控制〉，《當代法學》2016年第4期（2016.8），頁37-47。

李貴連：《沈家本傳（修訂本）》，桂林：廣西師範大學，2017。

邵志國：《唐代赦宥制度研究》，北京：人民出版社，2018。

胡東興：《中國古代死刑制度史》，北京：法律出版社，2008。

范立舟、蔣啟俊〈兩宋赦免制度新探〉，《暨南學報．人文科學與社會科學版》2005年第1期（2005.1），頁101-105。

夏南強：〈類書的類型與歸類〉，《大學圖書館學報》2002年第4期（2002.7），頁70-74、91。

徐德明、吳平：《清代學術筆記叢刊》，北京：學苑出版社，2005。

陳俊強：〈唐代前期死刑覆奏制度——兼論其與儒家思想的關係〉，收入高明士編：《中華法系與儒家思想》，臺北：臺大出版中心，2014，頁338-341。

陳俊強：《皇恩浩蕩：皇帝統治的另一面》，臺北：五南圖書，2005。

陳登武：《從人間世到幽冥界：唐代的法制、社會與國家》，臺北：五南圖書，2005。

黃源盛：《漢唐法制與儒家傳統》，臺北：元照出版社，2009。

楊伯峻：《春秋左傳注》，臺北：洪葉文化，2007。

劉兆祐：《文獻學》，臺北：三民書局，2007。

劉俊文：《唐律疏議箋解》，北京：中華書局，1996。

錢大群：《唐律研究》，北京：法律出版社，2000。

戴炎輝：《唐律通論》，臺北：元照出版社，2010。

謝青松：〈在歷史鏡鑒中追尋治理之道——群書治要及其現代價值〉，《雲南社會科學》第3期（2017.5），頁179-184。

韓　星：〈《群書治要》的治道思想及其當代意義〉，《觀察與思考》第11期（2014.10），頁46-54。

美．D.布迪、C.莫里斯著，朱勇譯：《中華帝國的法律》，南京：江蘇人民出版社，一版2003。

《群書治要》、《通典》之編纂與思想內涵析論*

王志浩
政治大學中國文學系兼任講師

摘要

《群書治要》和《通典》二書，看似毫無交集，實具諸多可比較之處。自體例來看，兩書皆蒐羅前代文獻，保留舊說，儼然有「類書」的特徵；從撰述動機著眼，兩書都是供皇帝參考的著作，且皆涉及當代治國方略。

首先，根據考察，可以明白《群書治要》得以順利完成，虞世南可謂關鍵要角。《群書治要》的編纂，實是初唐君臣為了將過去經典內容，落實於政治管理。不僅如此，這也是李唐皇室憑藉國家權力，將傳統典籍「經典化」的一次嘗試。其中，一部典籍被安置在《群書治要》內的前後次序，象徵該部典籍的位階高低，反映了受統治集團重視的程度差異。

其次，透過初步比對《通典》和《群書治要》引述的子籍情況，可見二書援引的典籍及其思想內涵，有諸多暗合之處。藉由《群書治要》和《通典》的比較，有助理解杜佑在創新之餘，實則更多地承繼了唐前期編纂的典籍，最終使其完成一部具類書性質的政論。

關鍵詞：群書治要、貞觀政要、通典、類書

* 感謝兩位匿名審查人惠賜寶貴意見。

The Compilation and Ideological Analysis of *Qunshu Zhiyao* and *Tongdian*

Wang, Chih-Hao

Adjunct Instructor, Department of Chinese Literature,

National Chengchi University

Abstract

Qunshu Zhiyao ("The Governing Principles of Ancient China") and *Tongdian* ("Comprehensive Statutes") are two books which were completed in different period, however, there are some similarities. From the perspective of forming, both books collect documents from the previous dynasty and retain the old theories, like an "encyclopedia". From the motives of compiling, both books were for the emperor's reference, and both set forth contemporary statecraft.

First of all, based on the investigation, Yu Shinan is the key to the successful compilation of *Qunshu Zhiyao*. The compilation of *Qunshu Zhiyao* was actually made by the emperors and officials of the early Tang Dynasty in order to implement the classic contents of the past into political management. Moreover, this was also an attempt by Li Tang's royal family to classicalize traditional classic books by virtue of state power. Among them, the order of a classic book in *Qunshu Zhiyao* symbolizes its rank and the difference in the extent of attention paid by the literati group.

Furthermore, this paper compares the circumstances of Zi books between *Qunshu Zhiyao* and *Tongdian*, the classics cited in the two books and their ideology were found to have much in common. Former scholars often focused on the changing and new aspects in *Tongdian*, however, they neglected the old aspects. The comparison of *Qunshu Zhiyao* and *Tongdian* helps to understand how Du You inherited the documents of encyclopedia compiled in the early Tang Dynasty, and how he completed a political commentary with the nature of an encyclopedia.

Keywords: Qunshu Zhiyao, Zhenguan Zhengyao, Tongdian, Encyclopedia

一　前言

根據《唐會要》記載，《群書治要》乃於唐太宗貞觀年間，由魏徵（580-643）上呈：

> 貞觀五年九月二十七日，秘書監魏徵撰《群書政要》，上之。[1]

《唐會要》原文寫得十分簡要，僅粗略敘述整起呈書事件。值得留意的是，宋人王溥在整理這段史事時，又特別於文後添加一段註解，作為補充：

> 太宗欲覽前王得失，爰自《六經》，訖于諸子；上始五帝，下盡晉年。徵與虞世南、褚亮、蕭德言等始成，凡五十卷，上之。[2]

對照魏徵〈群書治要序〉曰：「爰自《六經》，訖于諸子；上始五帝，下盡晉年，凡為五袠，合五十卷」[3]，可知王溥所論符應序文，確實有據。其註解有助我們理解三件事：第一，《群書治要》的撰者並非魏徵一人，虞世南（558-638）、褚亮（560-647）、蕭德言（558-654）等亦屬合力完成該著之功臣。關於這點，唐人劉肅《大唐新語》中的材料，可為佐證：

> 太宗欲見前代帝王事得失以為鑒戒，魏徵乃以虞世南、褚遂良、蕭德言等采經史百家之內嘉言善語，明王暗君之跡，為五十卷，號《群書理要》，上之。太宗手詔曰：「朕少尚威武，不精學業，先王之道，茫若涉海。覽所撰書，博而且要，見所未見，聞所未聞，使朕致治稽古，臨事不惑。其為勞也，不亦大哉！」賜徵等絹千匹，彩物五百段。太子諸王，各賜一本。[4]

《唐會要》的《群書政要》、《大唐新語》的《群書理要》，指的都是《群書治要》，當是為避唐高宗李治之諱而改「治」為「政」、「理」。此外，《大唐新語》乃誤將褚遂良視作編纂者，實際上當為其父褚亮。第二，《群書治要》的編撰目的，乃是唐太宗「欲覽前亡得失」、「欲見前代帝王事得失以為鑒戒」，遂令群臣著手編纂；第三，《群書治要》蒐羅經書、子書，時代上溯五帝，下迄晉朝，從時間的跨度和類別之含括以觀，在在可見這是一場浩大的書籍編纂工程。然而，《群書治要》卻沒有保存下來，其具體亡佚時間並不清楚。[5]《宋史・藝文志》載「《群書治要》十卷」，原注又有「秘閣所錄」等字，[6]

1　宋・王溥撰；牛繼清校證：《唐會要校證》（西安：三秦出版社，2012），見「修撰」條，上冊，卷36，頁559。

2　宋・王溥撰；牛繼清校證：《唐會要校證》，見「修撰」條，上冊，卷36，頁559。

3　唐・魏徵等撰：《群書治要》（臺北：臺灣商務印書館，1981），見序文第二頁。

4　唐・劉肅撰；許德楠、李鼎霞點校：《大唐新語》（北京：中華書局，1984），卷19，頁133。

5　林溢欣曾扼要交代阮元、呂效祖等幾位學者對於《群書治要》亡佚時間之不同說法，參見林溢欣：〈《群書治要》引《賈誼新書》考〉，《雲漢學刊》第21期（2010.6），頁62。

得見該書卷數雖從五十卷散佚至十卷，但至少仍藏於宋代宮廷，為時人所見。據林溢欣考證，《群書治要》約佚於宋末元初，直至清嘉慶年間，方從日本輾轉傳回中國，引發清代學者討論和重視。[7]

相較命運多舛的《群書治要》，唐人杜佑的《通典》在保存和流傳上，顯得幸運地多，除去中國本土保留的刊本，尚有日本傳回之北宋版本，[8]這也是何以今日《通典》相關研究成果遠過《群書治要》之由。《通典》彙集歷來典章制度，並依序分成九門，[9]杜佑之所以能夠統整且掌握龐大的知識體系，歸因於其仕宦經歷的豐富。[10]除了人事歷練以外，過去的經典、同時代的著作，諸如《周禮》、[11]《管子》、[12]《大唐開元禮》、《政典》等，對於《通典》的編纂皆有莫大的助益，甚至起著強烈的指導作用。其中，《通典》取材自《政典》的說法，乃見諸《舊唐書・杜佑傳》載：

> 初開元末，劉秩採經史百家之言，取周禮六官所職，撰分門書三十五卷，號曰《政典》，大為時賢稱賞，房琯以為才過劉更生。佑得其書，尋味厥旨，以為條目未盡，因而廣之，加以開元禮、樂，書成二百卷，號曰《通典》。[13]

此段材料引發許多討論，有接受該說者，也有想方設法為杜佑辯護者。這裡要指出的是，《通典》的編纂和立說，顯然受到同時代著作的影響，甚至，《大唐開元禮》更是直

6 元・脫脫等撰；楊家駱主編：《新校本宋史并附編三種》（臺北：鼎文書局，1994），卷207，頁5301。

7 參見林溢欣：〈從日本藏卷子本《群書治要》看《三國志》校勘及其版本問題〉，《中國文化研究所學報》第53期（2011.7），頁196。

8 目前得見《通典》最早本子，為日本宮內廳書陵部藏的北宋版。諸版本的介紹及差異比較，參見尾崎康：〈通典の諸版本について〉，《斯道文庫論集》第14輯（1997），頁267-306。

9 值得注意的是，杜佑《通典》之序文言全書共分為八門，然其於〈進《通典》表〉卻又謂「書凡九門」，兩造間存在歧說。清人王鳴盛於《十七史商榷》為之調和，曰：「觀佑自序，以兵刑為一，皆稱為刑，與班史同，所謂大刑用甲兵，其次五刑，故輸序言八門。今其細目兵刑仍分為二者，合之中又自分也。」參見清・王鳴盛撰；黃曙輝點校：《十七史商榷》（上海：上海古籍出版社，2016），卷90，見「杜佑作通典」條，頁1329。

10 據張榮芳的考證，杜佑一生擔任數十個職官，在撰寫《通典》的三十六年裡，其從司法參軍開始，到檢校右僕射加同平章事兼徐泗濠節度使為止，中間至少轉任逾二十種職位。參見張榮芳：〈杜佑與通典〉，《通典：典章制度的總滙》（北京：九州出版社，2018），頁27。

11 參見甘懷真：〈中國古代的周禮國家觀與《通典》〉，收入黃寬重主編：《基調與變奏：七至二十世紀的中國》冊3（臺北：政大歷史學系等出版，2008），頁43-70。以及楊曉宜：〈杜佑理想社會之建構——以《通典・食貨典》為中心〉，《早期中國史研究》第7卷第1期（2015.6），頁39-87。

12 內藤湖南認為杜佑受到管子極深的影響，甚至評判杜佑表面上是儒家道德主義，實際則是法家主義。參見內藤湖南：〈通典の著者杜佑〉，收入內藤湖南：《內藤湖南全集》第6冊（東京：筑摩書房，1972），頁150。

13 後晉・劉昫等撰；楊家駱主編：《新校本舊唐書附索引》（臺北：鼎文書局，2000），卷147，頁3982。

接被照抄入書。然而，除了《大唐開元禮》、《政典》以外，是否還有其他作品的介入？本文著眼於此，試圖從「類書」的視野，重新檢視《群書治要》和《通典》之內涵，藉此釐清中唐以前的「類書」學編纂脈絡。

自體例來看，《群書治要》、《通典》二書皆蒐羅前代文獻，[14]保留舊說，儼然有「類書」的特徵；其次，從撰述動機著眼，兩書都是供皇帝參考的著作，且皆涉及當代治國方略，隱含某種「政論」意味。在分類方面，《通典》最初被歸入《新唐書・藝文志》的子部、類書類，這種分類標準在宋代堪稱主流說法，宋代以後才開始鬆動，[15]直至《四庫全書總目提要》在史部中另外設置「政書類」，《通典》屬於史部方成為定論。《四庫總目》的分類影響十分巨大，連帶使得後人探究二書思想內涵之途徑，產生莫大歧異。近代學者多數肯認《通典》有一套明顯的「《周禮》國家觀」，甚至是儒家的教化理念，[16]亦涵蓋其中；然《群書治要》向來被視為類書，多運用於文獻保存、版本校勘，乃至漢學交流，[17]較少觸及內部思想。如何抉發《群書治要》的思想內涵，乃本文欲闡明之議題。

二　君臣共治：《群書治要》之編纂及其思想內涵

《群書治要》在宋末元初的亡佚，使得後人無從得知它的存在，無怪乎清人阮元（1764-1849）初見抄錄自該書的鄭注《孝經》，會心生懷疑其為偽作。[18]不僅如此，連唐人、宋人的著作裡亦罕言此書。之所以如此，依照《唐會要》載「魏徵撰《群書政要》，上之」，及《宋史・藝文志》載「《群書治要》十卷」，原注又有「秘閣所錄」等材料推斷，這可能和《群書治要》作為宮廷藏書的性質有關。易言之，《群書治要》從一

14 耿振東曾比較《通典》、《群書治要》及《意林》輯錄《管子》內容之不同，認為三書體現的治道思想有別，並將其歸咎於編纂者人生經歷殊異而致。參見耿振東：〈淺談《群書治要》、《通典》、《意林》對《管子》的輯錄〉，《湘南學院學報》第30卷第3期（2009.6），頁25-30。

15 宋元之際的史學家馬端臨，即將《通典》歸入史部。參見元・馬端臨：《文獻通考》（北京：中華書局，1986），卷201，頁1681。

16 參見葉鴻灑：〈杜佑「通典」中民本思想的分析〉，《中國歷史學會史學集刊》第12期（1980），頁7-25。以及甘懷真：〈《通典》中的教化觀〉，宣讀於第十三屆「唐代文化國際學術研討會」（2018.5），頁1-10。

17 利用文獻保存、版本校勘、漢學回傳等角度，研究《群書治要》的論著甚多，學位論文方面，可參見金光一：《《群書治要》研究》（上海：復旦大學博士論文，2010）。以及楊春燕：《《群書治要》保存的散佚諸子文獻研究》（天津：天津師範大學碩士論文，2015）。期刊方面，除前引林溢欣之文章外，尚可參見吳金華：〈略談日本古寫本《群書治要》的文獻學價值〉，《文獻季刊》第3期（2003.7），頁118-127。以及金光一：〈《群書治要》回傳考〉，《理論界》總456期（2011），頁125-127。

18 參見金光一：〈《群書治要》回傳考〉，《理論界》總456期（2011），頁126。

開始的編纂動機，即如王溥所述「太宗欲覽前王得失」，為李世民個人欲觀覽前朝政治得失，作為朝廷理政之參考，並沒有流通於民間的打算，此亦是何以宋代仍沿襲前例，由「秘閣所錄」的緣故。《群書治要》的不傳，致使後人不聞，造成討論上的困難。

誠如前述，為避高宗名諱，《唐會要》裡《群書治要》作《群書政要》，《大唐新語》則言《群書理要》，表面上是由「治」改「政」、「理」的一字之差，實則直截地體現《群書治要》的編纂目的，乃是為了天子治理朝政之需求。關於這點，魏徵在序文曰：「本求治要，故以治要為名」，[19]即是明證。簡言之，《群書治要》有其強烈的治政實用傾向，這也是何以書成以後，李世民要「太子諸王，各賜一本」之緣故。若置於「類書」學的脈絡，《群書治要》可謂是部極具政論色彩的類書。而《群書政要》之名，則很容易讓人聯想到同時期且間隔不遠的《貞觀政要》，該書詳細描述唐太宗與魏徵等人之言行舉止，有助我們理解初唐統治集團互動狀況。《群書政要》和《貞觀政要》命名的雷同絕非巧合，實際上這意味著二書的性質，存在某種相似性。[20]眾所皆知，《貞觀政要》紀錄初唐君臣互動過程，據撰者吳競自序，他「綴集所聞，參詳舊史，撮其指要，舉其宏綱，詞兼質文」之由，乃「義在懲勸」，[21]故關乎人倫之事皆完整地收錄書中。《四庫總目》在分類上，並未因吳競採集太宗朝君臣間的對話將之《貞觀政要》歸入類書類，而是視其為史部雜史類。之所以如此，一方面固然是《貞觀政要》以近似語錄體的方式鋪陳材料，異於類書體例；另一方面，或許是四庫館臣明白吳競撰書目的，並非僅是為了呈現「故事」，而是要通過這些「故事」，給予朝廷作為施政參照。當然，還有可能的是，四庫館臣知悉吳競曾入史館、修《太宗實錄》，他所蒐集的貞觀「故事」理應不是偽造。無論如何，我們可以發現，完成於唐前期的《群書治要》、《貞觀政要》，這兩部著作共同特徵皆是透過鋪陳材料，讓統治者觀覽過往的經典、故事，並理解如何進行有效的政治管理。

需要留意的是，《群書治要》得以順利編纂，唐太宗的個人意志固然是推動的助力；實際上，以魏徵、虞世南、褚亮、蕭德言等人為首的初唐文士集團，[22]才是重要關鍵。歷來論者或依《唐會要》所云「貞觀五年九月二十七日，秘書監魏徵撰《群書政

---

19 唐・魏徵等撰：《群書治要》，見序文第二頁。

20 林朝成曾比較《群書治要》和《貞觀政要》二書，依據「為君難」、「為臣不易」、「君臣共生」與「直言受諫」四道主題式焦點，指出兩者呈現了貞觀時期君臣互動的思想底蘊。參見林朝成：〈《群書治要》與貞觀之治——從君臣互動談起〉，《成大中文學報》第67期（2019.12），頁101-142。

21 唐・吳競：《貞觀政要》（臺北：宏業書局，1999），頁19。

22 此處以「初唐文士集團」一詞，概括圍繞著唐太宗的文人群體。不少論者指出，初唐延續著南北朝時代的風氣，諸多文人常圍繞著特定人物，尤其是君王，於宴會、宮廷間產生頻繁的互動，可謂之文學集團。例如朱錦雄即以宮廷詩歌為進路，檢視初唐文學集團。參見朱錦雄：〈初唐文學集團與宮廷詩風的發展〉，《彰化師大國文學誌》第31期（2015.12），頁201-217。朱氏已於文章裡詳細羅列歷來學者有關初唐文學集團之論述，本文不再贅述。

要》，上之」，[23]認為《群書治要》一書的編纂工作，由魏徵主導；[24]或據《群書治要》成書一事僅載諸蕭德言之傳，而主張蕭氏出力較多。[25]然而，揆諸唐初文壇狀況及彼時君臣互動，眾人之中，當以號稱「十八學士」[26]且文采之名最盛的虞世南，和《群書治要》關係最為密切。固然，《舊唐書・褚亮傳》文末贊曰：「文皇盪滌，刷清蒼昊。十八文星，連輝炳耀。虞、褚之筆，動若有神。安平之什，老而彌新」，[27]乃將虞世南、褚亮並列，特別表彰二人的文采；不過，相較於褚亮，若以《群書治要》的編纂工作來看，焦點仍須放在虞世南身上，箇中原因有二：第一，虞、褚兩人雖並列「十八學士」，然而，不僅《貞觀政要》裡不載褚亮事蹟，劉肅在《大唐新語》裡竟將《群書治要》編纂者誤植作褚亮之子褚遂良。當然，這並非是說褚亮的地位無足輕重，而是反映了在唐人眼中，至少就統治管理、君臣互動層面以論，虞世南的重要程度遠過褚亮。準此，我們有理由將虞世南作為檢視具有強烈政論性質的《群書治要》之首選。第二，虞世南與類書關係甚為密切，被譽為「唐代四大類書」[28]之一的《北堂書鈔》即出自虞氏之手。《大唐新語》曰：

---

23 宋・王溥撰；牛繼清校證：《唐會要校證》，見「修撰」條，上冊，卷36，頁559。

24 張蓓蓓便言：「《治要》為唐太宗貞觀年間（627-649）所編纂的一部經、史、子精選集，由魏徵主纂。」參見〈略論中古子籍的整理——從嚴可均的工作談起〉，《漢學研究》第32卷第1期（2014.3），頁42。

25 潘銘基即曰：「《群書治要》書成以後，唐太宗甚為愛之，賞賜極豐。然而此事並不見載於魏徵、虞世南、褚亮之傳，或許蕭德言參與本書編撰，較諸其他人為多。」參見潘銘基：〈論《群書治要・經部》所見唐初經學風尚〉，《書目季刊》第53卷第3期（2019.12），頁5。

26 《新唐書・褚亮傳》詳細記載武德年間秦王立文學館招攬賢才一事，曰：「初，武德四年，太宗為天策上將軍，寇亂稍平，乃鄉儒，宮城西作文學館，收聘賢才，於是下教，以大行臺司勳郎中杜如晦、記室考功郎中房玄齡及于志寧、軍諮祭酒蘇世長、天策府記室薛收、文學褚亮姚思廉、太學博士陸德明孔穎達、主簿李玄道、天策倉曹參軍事李守素、王府記室參軍事虞世南、參軍事蔡允恭顏相時、著作郎攝記室許敬宗薛元敬、太學助教蓋文達、軍諮典簽蘇勗，並以本官為學士。七年，收卒，復召東虞州錄事參軍劉孝孫補之。」此文士集團共十八人，在當時號稱「十八學士」。參見宋・歐陽修、宋祁等撰；楊家駱主編：《新校本新唐書附索引》（臺北：鼎文書局，1998），卷102，頁3976-3977。關於「十八學士」的人物事蹟簡介，可參見鄭振卿：〈秦府十八學士評探〉，《河北大學學報》第4期（1991），頁103-109+71。以及田久川：〈論秦府學士團〉，《北京聯合大學學報》第11卷第4期（1997.12），頁28-33。附帶一提，《唐會要》載武德九年，太宗初即位，於弘文殿側設置弘文館，「精選天下賢良文學之士，虞世南、褚亮、姚思廉、歐陽詢、蔡允恭、蕭德言等以本官兼學士，令更宿直。聽朝之隙，引入內殿，講論文義，商量政事，或至夜分方罷。」除了虞世南、褚亮以外，蕭德言亦得列名其中。參見宋・王溥撰；牛繼清校證：《唐會要校證》，見「弘文館」條，下冊，卷64，頁950。

27 後晉・劉昫等撰；楊家駱主編：《新校本舊唐書附索引》，卷72，頁2585。

28 「唐代四大類書」係指虞世南編《北堂書鈔》、歐陽詢編《藝文類聚》、徐堅編《初學記》、白居易編《六帖》。參見唐光榮：〈第一章　唐代類書的編纂〉，《唐代類書與文學》（成都：巴蜀書社，2008），頁85。

> 太宗嘗出行，有司請載書以從。太宗曰：「不須。虞世南在，此行秘書也。」南為秘書監，於省後堂集群書中奧義，皆應用者，號《北堂書鈔》。今此堂猶存，其書盛行於代。[29]

據晁公武《郡齋讀書志》所述，《北堂書鈔》是虞世南仕隋為秘書郎時，「鈔經史百家之事以備用。分八十部，八百一類。北堂者，省中虞世南抄書之所也。」[30]無論如何，《大唐新語》透露《北堂書鈔》盛行於唐朝，顯見虞世南擅長蒐羅材料以成類書，且廣獲好評，我們或可視此為虞世南乃編纂《群書治要》的關鍵要角之旁證。

關於虞世南的生平，除詳實地載諸史冊外，吳競《貞觀政要》將其納入「論任賢」章，和房玄齡、杜如晦、魏徵、王珪、李靖、李勣、馬周等七人並列，顯然視之為唐初重要賢臣。其中有段材料，值得我們留意：

> 虞世南，會稽餘姚人也。貞觀初，太宗引為上客，因開文館，館中號為「多士」，咸推世南為文學之宗，授以記室，與房玄齡對掌文翰。……太宗每機務之隙，引之談論，共觀經史。世南雖容貌懦弱，如不勝衣，而志性抗烈，每論及古先帝王為政得失，必存規諷，多所補益。[31]

「貞觀初」當指貞觀元年，是年唐太宗發動政變即位，並將年號武德變更為貞觀。前引《唐會要》載武德九年太宗設置弘文館，事實上便是指貞觀元年，<u>此乃是皇權轉移之際，典籍常會出現的新舊年號並存情況</u>。太宗初登基，馬上成立弘文館，以「精選天下賢良文學之士」，[32]虞世南則被推舉為文學之宗，執掌文章、公文書札。弘文館的建置，固然可以說是太宗雅好文學，[33]而產生的實際行動；不過，若從統治層面考量，恐怕是延續過去與太子承乾、四子元吉在爭奪皇位時，招攬人才納為已用的手段。[34]職是之故，初即皇位的太宗，知曉「居馬上得之，寧可以馬上治之乎」之理，[35]為防止賢良

---

29 唐・劉肅撰：《大唐新語》，卷8，頁117。

30 宋・晁公武撰；孫猛校證：《郡齋讀書志校證》（上海：上海古籍出版社，1990），卷14，頁649。

31 唐・吳競：《貞觀政要》，頁67。

32 宋・王溥撰；牛繼清校證：《唐會要校證》，見「弘文館」條，下冊，卷64，頁950。

33 《唐會要》載唐太宗曾戲作艷詩，虞世南遂進表勸諫，曰：「聖作雖工，體制非雅，上之所好，下必隨之。此文一行，恐致風靡，輕薄成俗，非為國之利。賜令繼和，輒申狂簡。而今之後，更有斯文，繼之以死，請不奉詔旨。」宋・王溥撰；牛繼清校證：《唐會要校證》，見「秘書省」條，下冊，卷65，頁960。虞世南的反應如此激烈，並非是因為太宗雅好文學、作艷詩，而是其仿效在當時被視為亡國之音的南朝徐陵、庾信體。參見牟潤孫：〈唐初南北朝學人論學之異趣及其影響〉，《注史齋叢稿》（臺北：臺灣商務印書館，1990），頁390-400。

34 參見陳寅恪：〈中篇　政治革命及黨派分野〉，《唐代政治史述論稿》，收入氏著：《隋唐制度淵源略論稿；唐代政治史述論稿》（臺北：里仁書局，1994），頁200-205。

35 日・瀧川龜太郎：〈酈生陸賈列傳〉，《史記會注考證》（臺北：萬卷樓，1993），卷97，頁1104。

離去，與朝廷官僚間互動，常保持較為謙遜的態度，朝臣亦明白此理，故有魏徵、虞世南等人，不畏懼君威而敢直言不諱。[36]可以說，初唐君臣在政局紛亂之際，卻建立了絕佳的溝通默契。無論如何，從上述幾則文獻可以推斷，身為弘文館文學領袖的虞世南，由於具有曾編纂類書的實績，加上和太宗之間建立良好的君臣互動默契，準此，完成於貞觀五年的《群書治要》，極有可能是由虞氏主導整個工程。

對於唐太宗來說，《群書治要》的編纂並非僅是文獻上的重新彙整，其目的是將過去經典內容，落實於政治管理；對於虞世南等群臣而言，則是試圖憑藉類書的編纂，將儒家傳統五經及史冊、子書裡，有益於治的內容，納入帝王的視野，進而達到潛移默化的效用。《群書治要》的編纂，背後儼然有一套君臣間的政治對話、政治溝通脈絡可循。[37]日本學者藤居岳人便據《群書治要》引用《論語》「諫」字，認為這正是以諫臣聞名的魏徵，其行動具體反映於《群書治要》的結果。[38]雖然，本文認為《群書治要》編纂的關鍵人物當是虞世南，若先入為主地將該書和魏徵諫臣形象緊密連結，恐易產生推論過當之嫌；不過，這裡仍要指出的是，《群書治要》確實如藤居岳人所描述的，是部具有政治溝通和政治論述性質的類書，甚至，可以更進一步地視《群書治要》為初唐君臣「共治天下」的成果。[39]

不僅如此，我們還可以把編纂《群書治要》，視為李唐皇室憑藉國家權力，將傳統典籍「經典化」（canonization）的一次嘗試。眾所皆知，孔穎達等人注疏的《五經正義》，同樣也是由唐太宗下詔諸儒共議經典之成果，並初次刊定於貞觀十六年。[40]唐代以前的學者，雖然也有「六經」、「五經」的概念，但多止於一經章句、一家之言，未形成整備的論述。直至唐代，憑藉皇權的介入，開始著手修正錯誤的經注，及蒐集散佚的

---

36 例如《唐會要》載：（貞觀）七年九月二十三日，唐太宗曾謂侍臣曰：「朕因暇日，每與祕書監虞世南商量今古。朕一言之善，虞世南未嘗不悅；有一言之失，未嘗不悵恨。」由此可見太宗朝君臣互動的一幕。參見宋．王溥撰；牛繼清校證：《唐會要校證》，見「祕書省」條，下冊，卷65，頁960。

37 關於「政治溝通」議題，毛漢光曾利用皇帝的冊、制、敕等詔書，如何受到給事中等官僚的封駁，藉以檢討唐代君臣於此周旋之間，逐漸建立互信關係。毛漢光曾以唐代詔書封駁及《貞觀政要》等材料，探討唐代君臣間的政治溝通情況。參見毛漢光：〈中國中古皇權之極限——以唐代詔書封駁為中心〉，《止善》第21期（2016.12），頁3-30。以及毛漢光：〈論唐代之封駁〉，《國立中正大學學報》第3卷第1期（1992.10），人文分冊，頁1-50。必須要說明的是，本文僅是欲藉此概念，說明類書的編纂背後，同樣隱含了皇帝的意志，以及臣僚的應對進退。

38 參見日．藤居岳人：〈『群書治要』における古典籍の引用傾向——『論語』を中心として——〉，收入加地伸行等著：《類書の総合的研究》（大阪：大阪大學，1994），頁117-126。

39 林朝成亦根據《群書治要》和《貞觀政要》的比對，指出「貞觀時期君臣在面對國事上，已有意識地導向共同承擔的走向」。參見林朝成：〈《群書治要》與貞觀之治——從君臣互動談起〉，《成大中文學報》第67期（2019.12），頁121。

40 參見張寶三：〈第二章　五經正義之修撰與版本〉，《五經正義研究》（上海：華東師範大學出版社，2010），頁22。

典籍，故皮錫瑞言有唐為「經學統一時代」。[41]今日已無法得知《群書治要》的編纂過程，是否和《五經正義》一樣，具備明確的分工；[42]不過，我們仍可以從「經典化」的角度，重新思考《群書治要》之成書意義。林啟屏曾提到「文字記錄」如何憑藉「經典化」而成為「經典」的過程：

> 就人類文明的發展而言，文字的產生以及隨之而來的種種型式之記錄，是確保人類努力成績的重要手段，是以在許多的文化體系中，先民活動的種種文字記錄，最後都被賦予「神聖性」的位階。……不過，值得注意的是，一旦這些「文字記錄」的神聖性被確立之後，他們就顯然有別於其它的文字記錄，而享有另外一種特殊的對待方式，我們乃將之稱為「經典」。[43]

固然，某些特定的文本，如《周易》、《詩經》、《尚書》、《禮記》、《春秋》等，由於內容具有「可以越過『時間』與『空間』的限制，提供異時異地的人們，索尋真理的途徑」之特質，早在戰國時期，已被儒家奉為不易之典籍；[44]不過，更值得我們留意的，還是那些「被賦予」神聖性位階，享有特殊對待方式的「經典」。皇權常常會依循三種途徑「製造經典」，賦予某些典籍特殊的地位，藉以達成政治目的：第一，官職利祿的誘惑。最明顯的例子，即是漢代設置五經博士；第二，會議的召開。讓群臣集思廣益，如西漢宣帝的「石渠議奏」、東漢章帝的「白虎觀會議」；第三，書籍的編纂、整理、注疏工作。《群書治要》、《五經正義》便屬於此類。職是之故，那些傳統「五經」以外的作品，之所以被收入《群書治要》，背後有其政治層面的考量存在。

必須要瞭解的是，一部典籍被安置在《群書治要》內的前後次序，象徵該部典籍的位階高低，反映了受統治集團重視的程度差異。不同「袠」之間的落差情況甚為明顯，如「五經」在第一袠、史冊在第二和第三袠、子書則居第四及第五袠，象徵了先經書、次史書、末子書的邏輯，箇中意義自然不必贅言。不只如此，同一「袠」內部安排，亦

---

41 參見清．皮錫瑞著；周予同注釋：〈七　經學統一時代〉，《經學歷史》（北京：中華書局，2008），頁193-219。

42 皮錫瑞曾言《五經正義》的修撰方式，曰：「穎達入唐，年已耄老；豈盡逐條親閱，不過總攬大綱。諸儒分治一經；各取一書以為底本，名為創定，實屬因仍。……其時同修《正義》者，《周易》則馬嘉運、趙乾叶，《尚書》則王德韶、李子雲，《毛詩》則王德韶、齊威，《春秋》則谷那律、楊士勛，《禮記》則朱子奢、李善信、賈公彥、柳士宣、范義頵、張權。標題孔穎達一人之名者，以年輩在先，名位獨重耳。」參見清．皮錫瑞著；周予同注釋：〈七　經學統一時代〉，《經學歷史》，頁202。參與《五經正義》初修與初次刊定者眾多，皮錫瑞亦是列舉其要，詳細情況可參見張寶三：〈第二章　五經正義之修撰與版本〉，《五經正義研究》，頁26-27。

43 參見林啟屏：〈第十章　正典的確立：學術與政治之間的「石渠議奏」〉，《從古典到正典：中國古代儒學意識之形成》（臺北：國立臺灣大學出版中心，2007），頁374-375。

44 參見林啟屏：〈第十章正典的確立：學術與政治之間的「石渠議奏」〉，《從古典到正典：中國古代儒學意識之形成》，頁376-377。

有其道理。以《孝經》為例，《孝經》被放置在第一袠第九卷，僅次於「五經」、《周禮》、《國語》等傳統「經典」的後面，甚至列於《論語》以前，其重要性可想而知。

事實上，古代皇權莫不思考如何利用《孝經》，達到以「孝」治天下之目的。尾形勇曾指出，「君臣」之「忠」、「父子」之「孝」，有時會產生矛盾、對立；然而，如何通過「孝」使「君臣」和「父子」一體化，臻至「忠孝一體」的層次，乃是皇帝統治的關鍵理論。[45]尾形勇並以《藝文類聚》載曹羲（？-249）的〈至公論〉言「夫至公者，天之經也，地之義也，理之要也，人之用也。昔鯀者，親禹之父也，舜則殛鯀而興禹。禹知舜之殛其父無私，故受命而不辭；舜明禹知己之至公」，指出此乃是統治集團將《孝經・三才章》「夫孝，天之經也，地之義也，民之行也」的「孝」的理論，巧妙地轉移到「至公」。[46]此外，渡邊信一郎從制度層次，思量《孝經》與國家的關係，其指出由於漢代實施察舉制，「孝廉」為選拔官吏的標準之一，準此，能夠諷誦與實踐《孝經》的內容，乃彼時對官吏的要求。[47]職是之故，可以說自漢代以降，《孝經》儼然成為統治集團的「經典」，同時也是古代社會日常人倫、官僚體系運行的基礎。陳登武便曾以唐代為例，指出唐朝自開國之初，就以具體的行動不斷地倡導孝道，諸如：「不孝」在《唐律》之中被列入「十惡」的重罪、和孝道相關的律文制定地極為完備等。唐玄宗更親自為《孝經》注解，下敕「宜令天下家藏《孝經》一本，精勤教習。學校之中，倍家傳授，州縣官長，明申勸課焉」。[48]不單如此，往昔種種孝子故事還被收入於唐人的類書之中。唐代類書裡蒐羅諸多孝子事跡，甚至成為特定條目。據陳登武的統計，由高祖下令、歐陽詢主編的《藝文類聚・人部四》「孝」目，收錄二十五個孝子故事；徐堅奉敕編纂的《初學記・人部上》「孝」目，收錄孝子故事二十七人次，略去羅威重複一次，尚有二十六人；白居易私撰的《六帖》更收錄六十一次孝子事跡，略去重複的曾子、王祥等人，尚有五十七人。[49]唐人對於「孝」的重視，具體地呈現於《藝文類聚》、《初學記》、《六帖》，以及本文側重的《群書治要》等類書。值此之際，不單是沒有官修、私撰性質之別；還跨越了不同皇帝、「長時段」[50]的時間向度，而且隨著光陰

---

45 參見日・尾形勇著；張鶴泉譯：〈第四章「家」與君臣關係〉，《中國古代的「家」與國家》（北京：中華書局，2010），頁142-143。

46 參見日・尾形勇：〈第四章「家」與君臣關係〉，《中國古代的「家」與國家》，頁152。

47 參見日・渡邊信一郎：〈第五章《孝經》の國家論——秦漢時代の國家とイデオロギ〉，《中國古代國家の思想構造》（東京：校倉書房，1994），頁249-252。

48 參見陳登武：〈家內秩序與國家統治——以唐宋廿四孝故事的流變的考察為主〉，收入高明士主編：《東亞傳統家禮、教育與國法（二）：家內秩序與國法》（上海：華東師範大學出版社，2008），頁244-245。

49 參見陳登武：〈家內秩序與國家統治——以唐宋廿四孝故事的流變的考察為主〉，收入高明士主編：《東亞傳統家禮、教育與國法（二）：家內秩序與國法》，頁214-225。

50 費爾南・布羅岱爾依照時間長度，將一次爆發性「事件」稱為「短時段」，而十年、二十年、五十年區間則為「中周期」或「局勢」，至於更長的時間，謂之「長時段」或「結構」。參見法・費爾

推移，蒐集的孝行事跡、對象有日益擴大之情況。[51]至此，可以說崇「孝」的心理儼然根深蒂固於唐朝統治集團，內化為其思維結構的一部分。無怪乎《群書治要》特別將《孝經》安放在第一袠，僅次「五經」、《周禮》、《國語》等傳統「經典」之後，甚至列於記載孔門師生言行的《論語》以前。之所以如此，乃是統治集團思考如何利用《孝經》，達到以「孝」治天下之結果。這也是何以《藝文類聚》、《初學記》、《六帖》等類書，亦不約而同地廣蒐諸多孝子事跡，甚至成為特定條目的理由。

三　創「新」與守「舊」：《通典》之思想及其類書性質

自《藝文類聚》到《群書治要》，再至《初學記》，反映了唐代官方有股編纂類書之熱潮，故賈晉華指出：

> 從隋煬帝至唐玄宗開元中，官修類書大量湧現，皇帝、太子、諸王都爭先恐後地組織第一流的學者文士編纂類書。開元後，官修類書熱潮歇息下來，但私人撰述之風，卻自隋至五代，一直持續不衰。[52]

官方的行動影響民間私人的撰述，白居易的《六帖》於焉而生。賈晉華更進一步推論，認為類書的發展，乃是在唐代詩歌興盛的背景下產生。不僅如此，由於類書的大量編纂，對於詩歌的普及和繁榮，具有極大的推動作用。[53]類書與詩歌之間確實存在千絲萬縷的關係，[54]然實非本文關懷所在；這裡要指出的是，開元以降官修類書熱潮趨緩，實受唐代政治局勢的變動左右，尤其是爆發於天寶末年的安史之亂。當前學界研究，早已

南．布羅岱爾著；劉北成，周立紅譯：〈歷史學和社會科學：長時段〉，《論歷史》（北京：北京大學出版社，2008），頁27-60。

51 陳登武分析《藝文類聚》、《初學記》、《六帖》收錄的孝行故事，發現「《白氏六帖》孝行事跡的孝行對象更加擴大。原來的孝行對象大致就是父母親，或包括後母。《白氏六帖》則包括祖母、大嫂、弟弟等均被收入。可見『孝』是一個極具擴展性概念，儘管該倫理主要針對父母親；但卻往往可以伸展。」參見陳登武：〈家內秩序與國家統治——以唐宋廿四孝故事的流變的考察為主〉，收入高明士主編：《東亞傳統家禮、教育與國法（二）：家內秩序與國法》，頁224-225。

52 賈晉華：〈隋唐五代類書與詩歌〉，《廈門大學學報（哲社版）》第3期（1991），頁127。

53 賈晉華：〈隋唐五代類書與詩歌〉，《廈門大學學報（哲社版）》第3期（1991），頁131。

54 最早針對類書與詩歌關係提出見解者，當屬聞一多，其指出：「所以，我若說唐初是個大規模徵集詞藻的時期，我所謂徵集詞藻者，實在不但指類書的纂輯，連詩的制造也是屬於那個範圍裡」，甚至言：「這樣看來，若說唐初五十年間的類書是較粗糙的詩，他們的詩是較精密的類書，許不算強詞奪理吧？」原文分別參見聞一多：〈類書與詩〉，《唐詩雜論》（北京：中華書局，2004年），頁8及頁6。另外，唐雯亦統計《藝文類聚》、《初學記》裡大量輯錄唐代以前的詩格、詩式及詩文作品，指出六朝文學是唐初人們無法迴避的傳統，故具體呈現於類書之中。參見唐雯：〈《藝文類聚》、《初學記》與唐初文學觀念〉，《西安聯合大學學報》第1期（2003），頁77-80。

清楚地闡明安史之亂絕非單純的政治事件，其對彼時的社會經濟、學術思想、文學創作之衝擊甚為劇烈，形成的餘波盪漾直至北宋亦未止息。[55]易言之，安史之亂可以說是唐代思想產生重大轉向的指標，包弼德（Peter K. Bol）即利用安史之亂為界線，將唐代區分為前、後期，認為：唐前期的文人相信，文化傳統能夠為國家秩序提供典範；然而，這種想法到了中唐，卻因為唐帝國的潰敗開始鬆動。現實秩序瓦解，連帶使得人們固有價值觀的崩毀，迫使文士（literary intellectuals）改覓其他出路，重建新的價值觀，欲挽救作為上古形式傳統（formal traditions）的「斯文」，藉以維持形式文化的延續性。[56]不過，學界還有另外一種說法，強調中唐思想的轉變，理當追溯至安史亂前，尤其是開元、天寶時期，彼時士人面臨接踵而來的社會問題，早已具備自覺地反省意識，諸如王仲犖、王德權等，皆持此說。[57]

簡而言之，學界檢討造成中唐思想變遷之轉折，有兩種說法：其一是以安史之亂為界線，其二則上溯至安史亂前。[58]循此脈絡，杜佑於《通典》裡極力批評開元、天寶以降稅賦、選舉、職官之弊病，毋寧說是更貼近於後說。如其〈食貨典〉論曰：

> 昔我國家之全盛也，約計歲之恒賦，錢穀布帛五千餘萬，經費之外，常積羨餘。遇百姓不足，而每有蠲恤。自天寶之始，邊境多功，寵錫既寵，給用殊廣，出納之職，支計屢空。[59]

在杜佑眼中，唐前期的盛世到了玄宗朝開始走下坡，箇中緣由端在朝政方向擺盪於戰爭與和平之間——疆域的擴張、兵力的募集、將領的賞賜，軍費的增額嚴重地拖垮唐代財

---

55 錢穆提及中國文化有幾個變動時期，而在諸多變動之中，尤以安史之亂至五代的變動最大，錢氏還指出，安史之亂以前是古代中國，安史之亂以後則為近代中國。參看錢穆：〈唐宋時代文化〉，收入於宋史座談會編：《宋史研究集》第3輯（臺北：國立編譯館中華叢書委員會，1984），頁1-6。此外，日本學者內藤湖南、宮崎市定等京都學派的「唐宋變革」（Tang-Sung Transition）說，依據其論述，造成唐宋之際產生變革的關鍵，可追溯到安史之亂。參見日．內藤湖南：〈概括的唐宋時代觀〉，收入於劉俊文主編，黃約瑟譯：《日本學者研究中國史論著選譯》第一卷通論（北京：中華書局，1993），頁10-18。

56 參看美．包弼德著；劉寧譯：〈第一章導言〉，《斯文：唐宋思想的轉型》（南京：江蘇人民出版社，2000），頁3。

57 王仲犖在《隋唐五代史》一書，認為玄宗朝官員上疏諫言，批評彼時佛教發展過盛，乃是中唐韓愈排佛的先聲。王德權於〈李華政治社會論的素描——中唐士人自省風氣的轉折〉一文亦反省學界過於強調以安史之亂作為分水嶺，並指出以往的研究，忽略開元前後諸多對思想變遷有所影響之因子。上述說法，詳見王仲犖：〈第九章　隋唐五代的學術與宗教〉，《隋唐五代史》（上海：上海人民出版社，2003），頁1000-1003。以及王德權：〈李華政治社會論的素描——中唐士人自省風氣的轉折〉，《國立政治大學歷史學報》第26期（2006.11），頁1-28。

58 筆者曾整理學界有關中唐思想變遷的兩種解釋方式，可參見拙著：〈第一章緒論〉，《尊經．崇禮．教化：柳宗元儒學思想研究》（臺北：國立政治大學中國文學研究所碩士論文，2015），頁8-13。

59 唐．杜佑：〈食貨十二〉，《通典》（北京：中華書局，1988），卷12，頁294。

政，統治集團在朝堂看似運籌帷幄，演練一場場戰爭遊戲，藉以博得聖君賢臣之名；然而，實際上卻帶給百姓沉重的稅賦，以及生命的威脅。準此，杜佑將財政困窘歸咎於征伐四起，甚至說出重話，言唐代種種策略的錯誤，「蓋是人事，豈唯天時」，亦即人事問題致使唐帝國走向衰敗，而非渺不可測的天道自然。相較於天道，杜佑顯然更加重視人事，其態度是中唐思想轉變一大標幟。爾後韓愈（768-824）提出「吾意有能殘斯人使日薄歲削，禍元氣陰陽者滋少，是則有功於天地者也。蕃而息之者，天地之讎也」[60]之說，引起柳宗元（773-819）著〈天說〉大力批評，以及劉禹錫撰（772-842）〈天論〉試圖調和二人，韓愈、柳宗元、劉禹錫三人，針對「天」是否與「人」有牽連，展開激烈的爭辯，即是延續「天道」、「人事」孰重孰輕之脈絡。[61]

杜佑的《通典》不僅標誌著中唐思想的轉向，[62]其同時呈現了撰著體例創新之嘗試。有關《通典》體例問題，過去學者多據《舊唐書・杜佑傳》，認為《通典》體例受《周禮》、《政典》乃至史傳影響；[63]相較於此，事實上《通典》可能受到唐代類書編纂活動更大的啟發。最明顯的例子，莫過時代離唐朝甚近的宋人，其為群書分類，便常將《通典》歸入類書類。例如如宋人鄭樵（1104-1162）在《通志》便將劉秩《政典》及杜佑《通典》歸入類書類。[64]再如宋代官方修纂的《崇文總目》、晁公武（1105-1180）的《郡齋讀書志》、陳振孫（1179-1262）的《直齋書錄解題》皆視《通典》為類書。[65]

---

60 唐・柳宗元撰；尹占華、韓文奇校注：〈天說〉，《柳宗元集校注》（北京：中華書局，2013），冊4，卷16，頁1089-1090。值得注意的是，韓愈於〈天說〉所言不見諸韓集，故錢穆懷疑柳宗元之說有偽作之嫌。參見錢穆：〈雜論唐代古文運動〉，《中國學術思想史論叢（四）》（臺北：東大圖書，1978），頁58-59。

61 關於中唐天人關係之爭辯，可參見拙著：〈第二章中唐思想變化的三條線索──論儒學思想變遷下的柳宗元〉，《尊經・崇禮・教化：柳宗元儒學思想研究》（臺北：國立政治大學中國文學研究所碩士論文，2015），頁30-36。

62 王德權指出，杜佑於《通典》中「無論是詮釋經典的『六經之志』、『酌古適今』，抑或強調士人立身行事，如『出與入』、『進與退』、『內與外』，都體現出隋唐國制變動下官僚個體化這個基調。『士自身』是『酌古適今』、溝通古今的主體，這是中唐士人自省的重要趨向。」參見王德權：〈第二章酌古之要，適今之宜──杜佑與中唐士人的自省風氣〉，《為士之道──中唐士人的自省風氣》（臺北：政大出版社，2012），頁148。瞿林東也言：「中國歷史上的經世致用之學，濫觴於唐中葉，從代宗大歷年間至憲宗元和年間則顯得尤其活躍；這時期的經世致用之學，用杜佑的話來說，它是作為『術數之藝』、『章句之學』的對立物而出現的。」參見瞿林東：〈論《通典》的方法和旨趣〉，《歷史研究》第5期（1984），頁126。可以說，中唐士人思想的轉向，正是在這股自省之風以及務求經世致用的情境下產生的。

63 如廖正雄言：「杜佑《通典》受到《周禮》、《政典》等一系性質之書的影響與啟發殆無疑問，但《通典》所用的體裁，在更大程度上和實質上是紀傳體史書中『書志』部分的運用發展。」廖正雄：〈第三章《通典》的編纂創新及其特點〉，《杜佑《通典》的編纂創新及其史學思想》（臺北：花木蘭文化工作坊，2005），頁14。

64 參見宋・鄭樵：《通志》，（臺北：新興書局，1963），卷69，頁814。

65 參見胡道靜：〈第一章　類書的性質、起源及類型〉，《中國古代的類書》（北京：中華書局，2005），頁12。

明人俞安期（生卒年不詳）曾將他心目中的唐人類書刪除重複，編錄成一部類書《唐類函》，除《北堂書鈔》、《藝文類聚》、《初學記》、《六帖》以外，還包括了《通典》。[66]不只如此，依據近代學者胡道靜的考察，胡應麟（1551-1602）的《少室山房筆叢》、祁承㸁（1563-1628）的《澹生堂藏書約》等，無不將《通典》視作類書。[67]有意思的是，就連近人胡道靜雖接受《四庫總目》另為《通典》等著作設置史部政書類的說法，然其仍將《通典》納入「大範圍裡的所謂類書」，和所謂「正宗類書的類型」作為對照。[68]從《四庫總目》費盡心思於史部闢立「政書類」以安頓《通典》，到胡道靜「大範圍裡的所謂類書」，在在可以覷見《通典》內部實具諸多難以歸屬的複雜面向，導致後人分類上的艱難。《通典》屬於史部「政書類」，在《四庫總目》以後基本上已成為定論；然而，鄭樵、晁公武、陳振孫、俞安期、胡應麟、祁承㸁等人的見解，卻也提醒我們《通典》的體例實具強烈的類書性質。[69]

眾所周知，《通典》彙集歷來典章制度，且依序分成「食貨」、「選舉」、「職官」、「禮」、「樂」、「兵」、「刑」、「州郡」、「邊防」等九門。其分目和次序，相較於部分唐代類書如《藝文類聚》、《初學記》等，兩者確實存在極大的差異。然而，韓昇卻發現，《通典》深受《北堂書鈔》及《群書治要》這兩部類書編纂的啟發：

> 若將《北堂書鈔》的分類作更加規範的整理，則職官（帝王、后妃、封爵、設官）、刑法、禮、樂、兵（武功）等部類，與《通典》相同，而衣冠服制等，杜佑是從禮治的角度來把握的。……魏徵《群書政要》也是這類著作，可惜業已散佚，難作比較。[70]

關於《通典》和《北堂書鈔》之淵源，韓昇已有指出；職是，此處賡續韓氏之推論，探討杜佑是否有從《群書治要》裡汲取思想資源。誠然，單就條目編排以觀，《群書治要》先經書、次史書、末子書的邏輯，和《通典》全然不同。不過，自思想層面上的聯繫程度來看，兩者並非扞格不入。如果說《周易》、《尚書》、《詩經》、《春秋》、《禮記》一類的「經典」，和《史記》、《漢書》、《後漢書》等史冊，屬當時人們共有的思想資

---

66 唐光榮：〈第一章唐代類書的編纂〉，《唐代類書與文學》，頁100。

67 參見胡道靜：〈類書的源流和作用〉，《中國古代典籍十講》（上海：復旦大學出版社，2004），頁63-64。

68 參見胡道靜：〈第一章類書的性質、起源及類型〉，《中國古代的類書》，頁11-18。

69 事實上，不僅是中國學界，日本學者內藤湖南也提到，當時日本學界普遍視《通典》為編纂物，並沒有充分理解其中蘊含的改革意見。參見日・內藤湖南：〈通典の著者杜佑〉，收入日・內藤湖南：《內藤湖南全集》第6冊，頁147。

70 韓昇：〈杜佑及其名著《通典》新論〉，《社會・歷史・文獻——傳統中國研究國際學術討論會論文集》（2006.7），頁131。

源；那麼，站在中古時期子籍散佚問題嚴重，諸多文獻並非如此易見的角度，[71]比較《群書治要》和《通典》裒輯、引述子籍之情況，或可視為一項有意義的對照。

揆諸《群書治要》，子籍主要見於第三袠末、第四袠及第五袠，計有：《六韜》、《陰謀》、《鬻子》、《管子》、《晏子》、《司馬法》、《孫子》、《老子》、《鶡冠子》、《列子》、《墨子》、《文子》、《曾子》、《吳子》、《商君子》、《尸子》、《申子》、《孟子》、《慎子》、《尹文子》、《莊子》、《尉繚子》、《孫卿子》、《呂氏春秋》、《韓子》、《三略》、《新語》、《賈子》、《淮南子》、《鹽鐵論》、《新序》、《說苑》、《桓子新論》、《潛夫論》、《崔寔政論》、《昌言》、《申監》、《中論》、《典論》、《劉廙政論》、《蔣子》、《政要論》、《體論》、《典語》、《傅子》、《袁子書》、《抱朴子》，共四十七部書。上述子籍有不少見諸《通典》，其中，僅提及書目、人名或相關線索者以（I）標示；具體徵引書中文句者則用（II）代表。詳見下面表格：

表一

名稱	出處	徵引情況
《六韜》	〈禮典〉	（I）
《陰謀》	無	無
《鬻子》	無	無
《管子》	〈序〉、〈食貨典〉、〈選舉典〉、〈職官典〉、〈禮典〉、〈兵典〉、〈邊防典〉	（II）
《晏子》	〈選舉典〉、〈禮典〉、〈刑法典〉	（II）
《司馬法》	〈食貨典〉、〈職官典〉、〈禮典〉、〈樂典〉、〈兵典〉、〈邊防典〉	（II）
《孫子》	〈選舉典〉、〈禮典〉、〈兵典〉	（II）
《老子》	〈選舉典〉、〈禮典〉、〈刑法典〉、〈州郡典〉、〈邊防典〉	（II）
《鶡冠子》	無	無
《列子》	〈禮典〉	（I）
《墨子》	〈選舉典〉	（I）
《文子》	〈食貨典〉、〈職官典〉、〈禮典〉	（II）

71 張蓓蓓曾指出《群書治要》、《意林》二書保留諸多中古時期的子籍條目、內容，對於清人嚴可均的輯佚工作，具有重大的貢獻。參見張蓓蓓：〈略論中古子籍的整理——從嚴可均的工作談起〉，《漢學研究》第32卷第1期（2014.3），頁39-72。

名稱	出處	徵引情況
《曾子》	〈禮典〉	（II）
《吳子》	〈選舉典〉、〈禮典〉、〈兵典〉	（II）
《商君子》	〈食貨典〉、〈刑法典〉、〈邊防典〉	（I）
《尸子》	無	無
《申子》	〈刑法典〉	（I）
《孟子》	〈食貨典〉、〈選舉典〉、〈職官典〉、〈禮典〉、〈兵典〉、	（II）
《慎子》	無	無
《尹文子》	無	無
《莊子》	〈職官典〉、〈禮典〉	（II）
《尉繚子》	〈兵典〉	（II）
《孫卿子》	〈食貨典〉、〈選舉典〉、〈職官典〉、〈禮典〉、〈刑法典〉、〈邊防典〉	（II）
《呂氏春秋》	〈選舉典〉、〈禮典〉、〈樂典〉、〈兵典〉	（II）
《韓子》	〈選舉典〉、〈職官典〉、〈兵典〉、〈刑法典〉	（II）
《三略》	〈兵典〉	（II）
《新語》	〈職官典〉、〈邊防典〉	（I）
《賈子》	〈食貨典〉、〈職官典〉、〈兵典〉、〈邊防典〉	（II）
《淮南子》	〈職官典〉、〈禮典〉、〈刑法典〉、〈州郡典〉	（II）
《鹽鐵論》	〈食貨典〉	（II）
《新序》	〈職官典〉、〈兵典〉	（II）
《說苑》	〈職官典〉、〈禮典〉、〈刑法典〉、〈邊防典〉	（I）
《桓子新論》	〈禮典〉、〈樂典〉	（II）
《潛夫論》	無	無
《崔寔政論》	〈食貨典〉、〈州郡典〉	（II）
《昌言》	〈食貨典〉	（II）

名稱	出處	徵引情況
《申監》	〈食貨典〉、〈職官典〉、〈禮典〉、〈邊防典〉	（I）
《中論》	〈食貨典〉	（II）
《典論》	〈禮典〉	（I）
《劉廙政論》	無	無
《蔣子》	〈禮典〉	（II）
《政要論》	〈職官典〉	（I）
《體論》	〈職官典〉、〈州郡典〉	（I）
《典語》	〈州郡典〉	（I）
《傅子》	無	無
《袁子書》	無	無
《抱朴子》	〈食貨典〉、〈禮典〉、〈邊防典〉	（II）

根據上述表格，可以發現三點現象：第一、《通典》毫無提及《群書治要》裡四十七部子籍相關訊息者共十部，約佔21.3%。第二、曾提到書目、人名或相關線索者共十二部，約佔25.5%。第三、具體徵引書中文句者共二十五部，約佔53.2%。若將第二和第三點相加，即表格內的（I）與（II）則有78.7%，整整佔了近八成比例。當然，我們不能據此論斷半數以上的子籍文獻皆為《通典》抄錄自《群書治要》；不過，此處的表格和統計數字，至少能夠說明：站在中古時期典籍亡佚嚴重，許多書籍並不容易見到的角度而觀，虞世南等人廣輯舊籍、抄錄文獻以成《群書治要》，對於日後杜佑《通典》的編纂，確實會帶來莫大的助益。此外，還可以注意到，《通典》多次徵引的子籍思想性質，如：《管子》、《商君子》、《韓子》，諸多帶有強烈的法家傾向。如果再加上與韓非有師徒關係、常被視為法家的荀子，那麼杜佑引述和法家關係密切的文獻數量及次數，著實讓人難以忽視。無怪乎內藤湖南便認為杜佑受到管子極深的影響，甚至據此評判杜佑為法家主義。[72]杜佑究竟是否為法家，固然還有商榷餘地；然內藤湖南說法亦指明法家學說內部蘊含的實用性質，對杜佑的思想影響甚大，職是，這些文獻廣泛地呈現於〈食貨典〉、〈刑法典〉、〈兵典〉等，與百姓生活貼近之類別。

總地來說，《通典》是部思想性質十分複雜的著作，其成書過程和材料來源，至今亦是難以釐清。自架構以觀，《通典》除了有序文、有議論，還有杜佑的自注，這便擺落往昔類書的基本形式；從思想內涵而論，無論是內藤湖南謂杜佑具有法家傾向，抑或

72 參見日．內藤湖南：〈通典の著者杜佑〉，收入日．內藤湖南：《內藤湖南全集》第6冊，頁150。

是甘懷真、楊曉宜等人指出《通典》內部有一套明顯的「《周禮》國家觀」，在在顯示《通典》之性質，已然突破初唐以降的類書體例，轉而走向作者杜佑個人的政治論述。不過，杜佑在大發議論前，其廣泛地抄錄、徵引文獻的行為，背後隱然仍存在類書的影子，這也是何以宋人多視《通典》為類書之由。本文藉著比對《通典》和《群書治要》引述的子籍情況，發現二書援引的典籍及其思想內涵，有諸多暗合之處。我們固然無法證明《通典》所徵引的子籍材料，皆抄錄自《群書治要》；然而，若是從中古時期典籍亡佚嚴重的角度以觀，這兩部典籍在子籍引用方面高度重疊，又不免引人注意。還可以進一步地說，類書這種看似日常的、平凡的文本，提供給人們最需要的一般常識，構成其往後思想的基礎；[73]亦正是因為類書具備「百姓日用而不知」[74]的特色，致使其不被特意地提起，逐漸隱沒於思想史研究邊緣。過去學者幾乎將目光聚焦於《通典》體例之「變」、思想之「新」，卻忽略其延續的、守「舊」的面向。透過《群書治要》和《通典》的比對，有助理解杜佑在創新之餘，更多的是承繼唐前期以降大量編纂的類書文獻，最終使其完成一部具類書性質的政論。清人王鳴盛曾批評杜佑《通典》「既以劉秩書為藍本，乃自序中隻字不及，復襲取官書攘為己有，以佑之事力，撰集非難，而又取之他人者若是之多，則此書之成亦可云易也。」[75]在杜佑的時代裡，著作權的觀念尚未清楚，王鳴盛之譏稍嫌苛刻。不過，誠如王氏所述，《通典》確實因襲諸多官修書籍，除了《大唐開元禮》、《政典》以外，《群書治要》等類書，亦被杜佑納入書中。

四　結論

本文聚焦於《群書治要》和《通典》二書，檢討這兩部時間分隔久遠、體例差異甚大，看似毫無交集的作品。實際上，《群書治要》、《通典》二書皆蒐羅前代文獻，保留舊說，儼然有「類書」的特徵。此外，若從撰述動機著眼，兩書都是供皇帝參考的著作，皆涉及當代治國方略，隱含某種「政論」意味。易言之，這兩部典籍在性質上，實屬高度契合，並非判若雲泥。

首先，根據本文考察，可以明白《群書治要》之編纂有以下幾項特點：第一，《群書治要》得以順利完成，太宗的意志固然是推動的助力；不過，以魏徵、虞世南、褚亮、蕭德言等人為首的初唐文士集團，才是重要關鍵，尤以虞世南最為重要。第二，《群書治要》絕非僅是文獻上的重新彙整，其實則是初唐君臣為了將過去經典內容，落實於政治管理。第三，《群書治要》的編纂為李唐皇室憑藉國家權力，將傳統典籍「經

---

73 參見葛兆光：〈第八節　什麼可以成為思想史的資料？〉，《思想史的寫法——中國思想史導論》（上海：復旦大學出版社，2004），頁118。

74 魏．王弼，晉．韓康伯：〈繫辭上〉，《周易王韓注》（臺北：大安出版社，1999），頁206。

75 參見清．王鳴盛：《十七史商榷》「杜佑作通典」條，卷90，頁1329。

典化」的一次嘗試。第四，其中，一部典籍被安置在《群書治要》內的前後次序，象徵該部典籍的位階高低，反映了受統治集團重視的程度差異。

其次，《通典》是部思想性質十分複雜的著作，其成書過程和材料來源，至今亦是難以釐清。除了有序文、有議論，《通典》內部還有杜佑的自注，凡此種種便擺落往昔類書的基本形式；從思想內涵而論，無論是內藤湖南謂杜佑具有法家傾向，抑或是甘懷真等人指出《通典》內部有一套明顯的「《周禮》國家觀」，在在顯示《通典》之性質，已然突破初唐以降的類書體例，轉而走向作者杜佑個人的政治論述。不過，杜佑在大發議論前，其廣泛地抄錄、徵引文獻的行為，背後隱然仍存在類書的影子，這也是何以宋人多視《通典》為類書之由。

藉由初步比對《通典》和《群書治要》引述的子籍情況，可以發現二書援引的典籍及其思想內涵，有諸多暗合之處。我們固然無法從中直接地證實《通典》所徵引的材料皆抄錄自《群書治要》；然而，若是站在中古時期典籍亡佚嚴重的角度，這兩部典籍於子籍引用方面存在高度重疊，又不免引人注目。類書這種看似日常的、平凡的文本，提供給人們最需要的一般常識，構成其往後思想的基礎；然而，因其具備「百姓日用而不知」的特色，致使類書不被刻意地提起，逐漸隱沒在思想史研究邊緣。過去學者多半將目光聚焦於《通典》體例之「變」、思想之「新」，卻忽略其延續的、守「舊」的面向。透過《群書治要》和《通典》的比較，有助於理解杜佑在創新之餘，實則更多地承繼了唐前期以降大量編纂的典籍，除了為人熟知的《大唐開元禮》、《政典》以外，《群書治要》等類書，亦被杜佑納入書中，這也使其最終完成一部具類書性質的政論。

徵引文獻

一　原典文獻

魏・王　弼，晉・韓康伯：《周易王韓注》，臺北：大安出版社，1999。
唐・魏　徵等撰：《群書治要》，臺北：臺灣商務印書館，1981。
唐・吳　兢：《貞觀政要》，臺北：宏業書局，1999。
唐・劉　肅撰；許德楠、李鼎霞點校：《大唐新語》，北京：中華書局，1984。
唐・柳宗元撰；尹占華、韓文奇校注：《柳宗元集校注》，北京：中華書局，2013。
後晉・劉昫等撰；楊家駱主編：《新校本舊唐書附索引》，臺北：鼎文書局，2000。
宋・王　溥撰；牛繼清校證：《唐會要校證》，西安：三秦出版社，2012。
宋・歐陽修、宋祁等撰；楊家駱主編：《新校本新唐書附索引》，臺北：鼎文書局，1998。
宋・晁公武撰；孫猛校證：《郡齋讀書志校證》，上海：上海古籍出版社，1990。
元・馬端臨：《文獻通考》，北京：中華書局，1986。
元・脫　脫等撰；楊家駱主編：《新校本宋史并附編三種》，臺北：鼎文書局，1994。
清・王鳴盛撰；黃曙輝點校：《十七史商榷》，上海：上海古籍出版社，2016。
清・皮錫瑞著；周予同注釋：《經學歷史》，北京：中華書局，2008。
日・瀧川龜太郎：《史記會注考證》，臺北：萬卷樓，1993。

二　近人論著

毛漢光：〈中國中古皇權之極限——以唐代詔書封駁為中心〉，《止善》第21期（2016.12），頁3-30。
毛漢光：〈論唐代之封駁〉，《國立中正大學學報》第3卷第1期（1992.10），人文分冊，頁1-50。
王仲犖：《隋唐五代史》，上海：上海人民出版社，2003。
王志浩：《尊經・崇禮・教化：柳宗元儒學思想研究》，臺北：國立政治大學中國文學研究所碩士論文，2015。
王德權：〈李華政治社會論的素描——中唐士人自省風氣的轉折〉，《國立政治大學歷史學報》第26期（2006.11），頁1-28。
王德權：《為士之道——中唐士人的自省風氣》，臺北：政大出版社，2012。
甘懷真：〈《通典》中的教化觀〉，宣讀於第十三屆「唐代文化國際學術研討會」（2018.5），頁1-10。

田久川：〈論秦府學士團〉，《北京聯合大學學報》第11卷第4期（1997.12），頁28-33。

朱錦雄：〈初唐文學集團與宮廷詩風的發展〉，《彰化師大國文學誌》第31期（2015.12），頁201-217。

牟潤孫：《注史齋叢稿》，臺北：臺灣商務印書館，1990。

吳金華：〈略談日本古寫本《群書治要》的文獻學價值〉，《文獻季刊》第3期（2003.7），頁118-127。

宋史座談會編：《宋史研究集》，臺北：國立編譯館中華叢書委員會，1984，第3輯。

林啟屏：《從古典到正典：中國古代儒學意識之形成》，臺北：國立臺灣大學出版中心，2007。

林朝成：〈《群書治要》與貞觀之治——從君臣互動談起〉，《成大中文學報》第67期（2019.12），頁101-142。

林溢欣：〈《群書治要》引《賈誼新書》考〉，《雲漢學刊》第21期（2010.6），頁62-90。

林溢欣：〈從日本藏卷子本《群書治要》看《三國志》校勘及其版本問題〉，《中國文化研究所學報》第53期（2011.7），頁193-216。

金光一：〈《群書治要》回傳考〉，《理論界》總456期（2011），頁125-127。

金光一：《《群書治要》研究》，上海：復旦大學博士論文，2010。

胡道靜：《中國古代典籍十講》，上海：復旦大學出版社，2004。

胡道靜：《中國古代的類書》，北京：中華書局，2005。

唐光榮：《唐代類書與文學》，成都：巴蜀書社，2008。

唐　雯：〈《藝文類聚》、《初學記》與唐初文學觀念〉，《西安聯合大學學報》總18期（2003年第1期），頁77-80。

耿振東：〈淺談《群書治要》、《通典》、《意林》對《管子》的輯錄〉，《湘南學院學報》第30卷第3期（2009.6），頁25-30。

高明士主編：《東亞傳統家禮、教育與國法（二）：家內秩序與國法》，上海：華東師範大學出版社，2008。

張榮芳：《通典：典章制度的總滙》，北京：九州出版社，2018。

張蓓蓓：〈略論中古子籍的整理——從嚴可均的工作談起〉，《漢學研究》第32卷第1期（2014.3），頁39-72。

張寶三：《五經正義研究》，上海：華東師範大學出版社，2010。

陳寅恪：《隋唐制度淵源略論稿；唐代政治史述論稿》，臺北：里仁書局，1994。

黃寬重主編：《基調與變奏：七至二十世紀的中國》，臺北：政大歷史學系等出版，2008。

楊春燕：《《群書治要》保存的散佚諸子文獻研究》，天津：天津師範大學碩士論文，2015。

楊曉宜：〈杜佑理想社會之建構──以《通典．食貨典》為中心〉，《早期中國史研究》第7卷第1期（2015.6），頁39-87。

葉鴻灑：〈杜佑「通典」中民本思想的分析〉，《中國歷史學會史學集刊》第12期（1980.5），頁7-25。

葛兆光：《思想史的寫法──中國思想史導論》，上海：復旦大學出版社，2004。

賈晉華：〈隋唐五代類書與詩歌〉，《廈門大學學報（哲社版）》第3期（1991），頁127-132。

廖正雄：《杜佑《通典》的編纂創新及其史學思想》，臺北：花木蘭文化工作坊，2005。

聞一多：《唐詩雜論》，北京：中華書局，2004。

劉俊文主編，黃約瑟譯：《日本學者研究中國史論著選譯》，北京：中華書局，1993，第一卷通論。

潘銘基：〈論《群書治要．經部》所見唐初經學風尚〉，《書目季刊》第53卷第3期（2019.12），頁1-27。

鄭振卿：〈秦府十八學士評探〉，《河北大學學報》第4期（1991），頁103-109+71。

錢　穆：《中國學術思想史論叢（四）》，臺北：東大圖書，1978。

韓　昇：〈杜佑及其名著《通典》新論〉，《社會．歷史．文獻──傳統中國研究國際學術討論會論文集》（2006.7），頁113-138

瞿林東：〈論《通典》的方法和旨趣〉，《歷史研究》第5期（1984），頁112-128。

日．內藤湖南：《內藤湖南全集》，東京：筑摩書房，1972。

日．加地伸行等著：《類書の総合的研究》，大阪：大阪大學，1994。

日．尾形勇著；張鶴泉譯：《中國古代的「家」與國家》，北京：中華書局，2010。

日．尾崎康：〈通典の諸版本について〉，《斯道文庫論集》第14輯（1997），頁267-306。

日．渡邊信一郎：《中國古代國家の思想構造》，東京：校倉書房，1994。

法．費爾南．布羅岱爾著；劉北成，周立紅譯：《論歷史》，北京：北京大學出版社，2008。

美．包弼德著；劉寧譯：《斯文：唐宋思想的轉型》，南京：江蘇人民出版社，2000。

為君之難，為臣不易
——以《群書治要》之納諫與勸諫為主軸

施穗鈺

嘉南藥理大學兼任助理教授

摘要

孔子曾謂「如知為君之難」則近乎「一言興邦」，若「唯其言而莫予違」則近乎「一言喪邦」，這說明了君臣的「納諫與勸諫」關係，乃國家之「治／亂」樞機之所在，此亦是古代思想家對「正臣／佞臣」與「明君／闇主」的重要判準依據。是以，本文寫作的重點有二：一是，以《群書治要》卷四十四至卷五十所選錄的東漢至魏晉之十五部諸子著作為主，藉以說明《群書治要》的成書性質雖為節錄選編形式，但在「務乎政術」、「網羅政體」宗旨之下，不僅具有明確的選文意識，並於其中清楚得見魏晉諸子「治論」思想的重要性及影響力。二是，依魏晉政論思想家的詮釋脈絡，歸納出明君與正臣「具德在身」的特點就在「致信」、「任誠」之「公心」，如此不但能預先警覺於「奸佞」、「媚道」以防禍端茲生，同時也由寬而能容、公而不私的德行，保證了君臣意見交流過程中所有可能的開放性；「信而後諫」的深義亦由此展現。

關鍵詞：群書治要、治論、諫、公心、誠信

"It's Hard for the King, It's Not Easy for the Cabinet Ministers."

——Accepting Advice and Admonishing in Qunshu Zhiyao

Sui-Yu Shih

Adjunct Assistant Professor, Chia Nan University of Pharmacy & Science

Abstract

Confucius once said that if one phrase could make a country prosperous, it would be "knowing how hard it is to be a king." On the other hand, if one phrase could make a country fail, it would be "obeying the king's words without objection." This "Listening-Admonishing" relationship is the key for the country's prosperity and/or failure. This is also an important criterion for the ancient thinkers to judge whether the ministers are "righteous or fawning" and whether the kings are "wise or fatuous".

This paper emphasizes two points: First, it explains the rules of the article selection based on the fifteen articles selected from Qunshu Zhiyao Volumes 44 to 50 (ranging from the Eastern Han Dynasty to the Wei and Jin Dynasties). Although the nature of the book is an excerpted selection under the tenet of "political conduct" and "governance forms", it not only has a clear sense of choice, but also well reflected the importance and influence of "Governance Theory" raised by the Wei and Jin thinkers.

Secondly, according to the interpretation by the thinkers of the Wei and Jin Dynasties, it is concluded that wholeheartedly "for public" with "devoting trust" and "absolute honesty" are the characteristics of the wise kings and righteous ministers who demonstrate the integrity themselves.

Thus, not only can they be alerted to "crafty and fawning" conducts in advance and prevent the evils from being born. At the same time, it is also an understanding, forgiving, and impartial virtue that guarantees the openness in the process of exchanging opinions between the kings and the ministers.

Keywords: Qunshu Zhiyao, Governance theory, Admonish, For public, Integrity

一　前言

《群書治要》乃博採各類典籍，依「務乎政術」、「網羅政體」之宗旨輯錄而成，後人以唐太宗（598-649）據此作為警示匡政之作並成為開創「貞觀之治」的思想根源，故謂此書乃集古代「治」論思想之大成。所謂「治」論，其核心主題始終環繞如何恢復社會的和諧與秩序為優位，諸如思想家的著書論議或人臣實務的進諫疏文，皆從各種角度演繹了相關論題。故本文以「勸諫與納諫」為主軸的理由在，這正是古代「正臣／佞臣」與「明君／闇主」的判準所在；且在「勸—納」的過程中，若國君人臣能不受讒佞的干擾而能進行有效溝通，必然能對決策方向發揮調節的作用。但問題關鍵就在「如何可能」？

首先，從《群書治要》[1]的選本意識及其選錄文本談起。

依魏徵（580-643）的〈序〉可知，編選群組透過「采摭群書，翦截淫放」的手法，依「務乎政術」、「網羅治體」的架構，組織並重塑足以「用之當今」、「傳之來葉」的治國之道與執政策略。在「上始五帝，下盡晉年」的時間縱軸的歷史事件得失紀錄中，又以「為君之難」與「為臣不易」為緯線，藉以標誌足以垂範示人的貞正之道與日新之美德，進而勾勒出所謂「治道之要」的圖景。故《群書治要》五十卷的內容，乃其編選群組博採六經與諸子百家典藉六十餘種、五十萬餘文字，編訂而成。

其中令人注目的是，卷四十四至卷五十所選錄東漢至魏晉之十五部諸子著作，書名明確標示「政論」的就有三部，又或者多以〈政略〉、〈政務〉為篇名者。例如，《群書治要》除了在四十七卷節錄曹魏劉廙（180-221）《政論》之外，並於卷二十六《魏志》劉廙本傳處，完整列出其〈論治道表〉全文[2]，此即清代王夫之所言：「荀悅、仲長統立言於紛亂之世，以測治理，皆矯漢末之失也」[3]，所謂「測治理」，就是思想家在面對失

1　本文所引，參見唐・魏徵等撰：《群書治要》（江蘇：古籍出版，1988）「宛委別藏」之73-77冊以及「中國哲學書電子化計劃」（https://ctext.org/sui-tang/zh）。又，由於《群書治要》採取節錄形式且像《荀子》、《傅子》、《體論》等原本篇目亦被省略，故文中若有解說需要，則對照清・嚴可均所輯之《全上古三代秦漢三國六朝文》，隨文以夾頁注形式標示。

2　《三國志・魏書》卷21〈廙別傳〉：「廙表論治道」，其對象為曹操。清・嚴可均則名之以〈論治道表〉收入《全三國文》卷34。同卷另可見建安二十年（215）所寫的〈上疏諫曹公親征蜀〉，劉廙以「王者不以人廢言」開頭，期望自己能發揮「韋弦之佩」的勸諫之效，曹操雖不聽而選擇進攻漢中，卻在出發前答覆了劉廙，其言：「非但君當知臣，臣亦當知君。今欲使吾坐行西伯之德，恐非其人也」。由此可見，即便諫言意見未必被採用，但在訊息傳達的過程中，仍具有彼我觀點交流與立場說明的作用。本文所引參見晉・陳壽撰、裴松之注：《三國志》（北京：中華書局，2002）。

3　參見清・王夫之著、舒士彥整理：《讀通鑑論》（北京：中華書局，2002），頁251。但王夫之將崔寔、荀悅、仲長統等人歸為「申、韓之緒論，仁義之蟊賊」的看法，則須進一步釐清。譬如，陳啟雲便指出：在魏晉南北朝與唐代早期，「荀悅被盛譽為標準儒生，傑出的政論家，以及堪稱楷模的歷史學家」，即便在《申鑒》中對道家與法家表現出既順應又批評的矛盾，這仍是他在面對巨大時

序時局時，企圖提出如何才是回復有序與安定狀態的解決方案。[4]也正是對「治道」的關注，呈現了魏晉政論思想家[5]的相同思致與《群書治要》的選錄意向。因此，從《群書治要》所選四十七部子書的結果來看，漢晉間諸子文本被選錄的比例上都相對的高；尤其，傅玄（217-278）《傅子》的篇幅份量不但與《管子》、《荀子》相當，還以獨占一卷的形式呈現，這是不容忽視的現象。那麼，本文論題的梳理以此諸卷作為主要分析資料，亦是恰當的做法。

其次，扣緊《群書治要》〈序〉「為君之難」與「為臣不易」這條線索，可以繼續追問：君臣意見交流之「勸諫—納諫」關係，為何有其難度存在？而這又如何成為國家興衰治亂的樞機所在？

答案從孔子回答魯定公的說法可推知一、二。在《論語・子路》中，孔子所謂「一言興邦」，乃意指在位者若能藉由領略「為君難，為臣不易」的道理，進而敬謹持守於政務，就是發揮一句話可使國家興盛的作用；至於「予無樂乎為君，唯其言而莫予違」——做君主沒什麼快樂，除了我的話沒有人違背之外，這便是幾近使國家衰亡的一句話。關鍵就在「莫予違」的自以為是的心態所導致不良的結果（《論語・子路・15》）。對此，宋・朱熹（1130-1200）解釋：「如不善而莫之違，則忠言不至於耳。君日驕而臣日諂，未有不喪邦者也」[6]，便清楚的將國之興衰，與君之納諫、臣之進諫緊密連結起來。以史為例，陳群（？-236）因魏明帝（206？-239）營建宮室而使百姓錯過農時，兩次上〈諫營治宮室疏〉希望能停建，魏明帝雖不認同但亦有所回應，且最終「有所減省」。[7]換言之，不論諫言內容是否被採納，都不妨將之視為一種意欲取得君臣

代因難時，期望「保持真實的儒家兼收並蓄的精神和中庸之道」所做出的努力。參見陳啟雲著、高專誠譯：《荀悅與中古儒學》（瀋陽：遼寧大學出版社，2000），頁2，頁10。關於思想家之思想性格的衡定工作並不容易，但從崔寔《政論》篇名標示〈足信〉、〈內恕〉或仲長統《昌言》之〈德教〉來看，則王夫之的批評需要保守看待。

4 關於東漢後期社會經濟政治各種問題的理性分析與解決方案之提出，任繼愈將研究對象鎖定在王符、崔寔、仲長統、荀悅以及徐幹等人，並謂諸人所掀起的社會批判思潮「是建立在理性基礎之上的自由的政論」之思想。參見任繼愈，《中國哲學發展史・秦漢卷》（北京：人民出版社，1985），頁709-712。

5 此處以「魏晉政論思想家」統稱的理由在於，錢穆先生言：中國並未另外開出政治學，所謂「仕而優則學，學而優則仕」（《論語・子夏》），意即「學以學其道，仕以行其道，則學與仕，義屬一貫」。以司馬光費十九年完成的《資治通鑒》一書為例，名曰「資治」，是亦史學即政治學之一證。故中國聖哲，雖絕少以政治家自命，然「細研中國一部儒學史，必知與政治聲息相通，難解難分。」參見錢穆：〈略論中國政治學〉，收入《現代中國學術論衡》（北京：生活・讀書・新知三聯書店，2016），頁198-218。準此，漢晉間綜採各家、以議論政治為主的思想家，未可逕以「雜家」歸屬或簡單的以「政治」或「哲學」分判其思想學說，是很清楚的。

6 本文所引朱熹《四書集注》語，參見程樹德撰，程俊英、蔣見元點校：《論語集釋・第三冊》（北京：中華書局，2006），頁920。

7 陳羣的勸諫疏文，亦收錄在《群書治要》卷26〈魏志下・傳〉。陳羣第一次所持的理由是：蜀、吳

彼我意見交換與立場說明的舉動。畢竟，相互理解是有效溝通的重要指標。

若然如此，則君之「難」與臣「不易」者又為何？唐太宗曾以此詢問魏徵：為君者若欲持守政權，「任賢能、受諫諍即可，何謂為難？」魏徵答：「安而能懼，豈不為難？」（《貞觀政要．君道》）[8]意指歷來的帝王只有在危難憂患時才會任賢受諫，及至安逸承平時必然有所懈怠，人臣議政亦因而只求謹慎自保，日久自然綱紀廢弛、上下失序以至於危亡。然而，人君之所以無法任賢納諫，顯然還有更為關鍵的因素，線索之一就在《群書治要》卷四十七選錄的曹魏桓範（？-249）《政要論》[9]，他以〈為君難〉、〈臣不易〉為篇題申述了：「為君難」者在於，人君對「悅主言以取容」的奸佞之臣無法有所警覺；故而忠正之臣雖知應負「匡上之行，諫主之非」之責，但困難處就在如何不被「邪臣所譖，幸臣所亂」以致於流放或被殺，「為臣不易」者即此。可見，政論思想家的著書議論或實際政務的進諫疏文，皆演繹了古代「治」論思想關注如何恢復社會和諧與秩序為優位的主題，而其中重要環節則與「勸諫與納諫」關係所涉及的君臣互動及其產生的決策調節功能密切相關。故說，能否不受奸佞讒言的干擾，不但是「明君／闇主」的分判尺度，亦是國家「治／亂」之樞機所在。

再次，綜觀《群書治要》卷四十四至卷五十論及「治世之具」、「治世之要」的內容而言，似乎是以《論語》「政者，正也」與「身正令行」（〈子路〉）為主軸幅射出去的觀點。意即，在「制（度）—治（身）」關係的論述上，魏晉政論思想家或《群書治要》編輯者的態度[10]，更偏重於管理者的自覺與自治。[11]是以，本文的寫作以「焦點—場

未滅，應集中財力、人力來講武勸農，以備戰時之需。魏明帝回答：建立王業與營造宮室，可以同時完成。第二次陳羣又上諫言：宮室建或不建的決定，取決於國君的心意所向，「固非臣下辭言所屈」，然「王者豈憚一臣，蓋為百姓也」；明帝遂因此減省了宮室營造（《三國志．魏書》卷22，頁637）。孫盛《魏氏春秋》評論魏明帝：「優禮大臣，開容善直，雖犯顏極諫，無所摧戮，其君人之量如此之偉也」（《三國志．魏書》卷3，頁115）。這裡透露兩點訊息：一，勸諫的意見是否被採納，與其正確與否無關，端視決策者的心意而定；二，魏明帝被視為具有帝王風範的原因就在「能容直諫」。

8 本文所引為唐．吳兢撰、謝保成集校：《貞觀政要集校》（北京：中華書局，2012），頁25。以下所引，皆以（《貞觀政要集校》，卷，頁）之夾頁注形式標示。

9 《政要論》又名《世要論》，史載：「（桓）範嘗抄撮《漢書》中諸雜事，自以意斟酌之，名曰《世要論》。」（《三國志》卷9，頁290）。清．嚴可均則根據《群書治要》所錄桓範《政要論》十四篇錄為一卷，收入《全三國文》卷37。筆者以為，不論書名為何，從其〈政務〉、〈節欲〉、〈辨能〉、〈諍爭〉、〈決壅〉等篇目，皆可得見桓範的寫作意圖聚焦在「治世之要」。至於《隋書經籍志》將之列入「法家部」的看法，則有待商榷。理由在於，桓範在〈辨能〉中對商鞅、韓非「廢禮義之教，任刑名之數」的觀點，是有所批評。

10 這點從以下對話可見。唐太宗：「若安天下，必須先正其身，未有身正而影曲，上理而下亂者」，魏徵對曰：「詹何曰：『未聞身治而國亂者。』陛下所明，實同古義。」參見〈君道第一〉，《貞觀政要》，頁11-12。

11 張再林便指出：相較而言，只重績效的西方管理思想，有「管理主體的缺位」的問題。即便現代西

域」理論為框架[12]，意在將明君與正臣所具之「德」——此處聚焦於涵攝「信」、「誠」美德的「公心」，並將之視為兼具個性化的能力以及與他人整合的能力。因為，唯有「致信」、「任誠」之「公心」，方能預先警覺於「奸佞」、「媚道」以防禍端茲生，並同時由寬而能容、公而不私的德行，保證了君臣意見交流過程中所有可能的開放性；「兼聽則明治」及「信而後諫」的深義亦由此展現。

二　「勸諫與納諫」之難題及其解鑰

人我溝通交流的媒介之一就是語言，然如莊子的形象比喻「言者，風波也」(〈人間世〉)，語言就像流動的風，輕輕一吹就激盪著聽者內心的各種情緒，再難平靜；有時人們憤怒之起沒有特別原因，就只與聽取了「巧」言「偏」辭語言所承載的失真訊息有關。故說「為君之難」且「為臣不易」的解鑰，正在如何妥適處理「勸諫—納諫」的諸多難題。其中，尤為重要者在君臣雙方如何能預先警覺並排除「寵信」、「奸佞」、「媚道」等負面的干擾因素，進而做出正確的決策判斷。對此，精研於治道的思想家自是有所關注的，譬如東漢荀悅（148-209）《申鑒》〈政體〉便列舉了人君必須思慮在任賢用能時可能面臨的十種難題，其中的「以干訐傷忠正」、「以邪說亂正度」與「以讒嫉廢賢能」(《群書治要》卷46引《申鑒》)，便都指向了惡意攻擊話語、阿諛巧言將造成貞士賢臣被傷害廢黜或社會因異端邪說而產生價值惑亂的不良後果。

是以，魏晉的政論思想家多從人君需具備「遠佞」的明智切入，更重要的是，他們對於「忠」異於「順」的警覺，進而從人臣是否能展現「勸諫」的舉措，做出了「違上順道」或「悅主詐忠」的價值分判。以下分述之。

(一)「遠佞」之明智與「譎諫」之藝術

首先，明君之「明智」與其「遠佞」的作為有關。

孔子認為，若是一個人能對日積月累的讒言或急迫切身之謗言，都能無動於衷、不受影響，那就稱得上具備洞徹的明見。《論語》記載：

方管理學之「Y 理論」，提出以人的自身價值實現為宗旨的「人本」新說法，揭示有效的管理不再是利與力的交用。但事實上，這種基於人自身的自覺與自治的成熟管理理論，早在儒家以「禮」與「仁」為核心的「治」論中已得見。參見張再林：〈引言〉，《治論：中國古代管理思想》(北京：北京燕山出社，2017)。

12 「焦點—場域」理論是美國漢學家郝大維與安樂哲所提出，乃將中國傳統理想人格範式所具之「德」視為眾人眼光注目的焦點，與此同時又能不斷地擴展到他的影響力所及之區域。簡言之，「德」這個焦點，構成了社會秩序的聯結點。參見郝大維、安樂哲著，施忠連譯，《漢哲學思維的文化探源》(南京：江蘇人民出版社，1999)，頁44-48。

子張問明。子曰：「浸潤之譖，膚受之愬，不行焉，可謂明已矣。浸潤之譖，膚受之訴，不行焉。可謂遠也已。」（《群書治要》卷9引《論語》〈顏淵〉）

這提示到，對他人評論言語（不論稱譽或誹謗）的警覺，因為毀謗之言或諂媚之辭，必然不真實。值得推敲的是，孔子以「明」與「遠」並提。[13]程樹德從「人君知人之明」的角度詮釋：「凡人君信譖愬之言，皆由君心多疑所致。多疑即是不明也」（《論語集釋》，頁836），他並引西漢劉向（77B.C.-6B.C.）：「夫執狐疑之心者，來讒賊之口。持不斷之意者，開群枉之門。讒邪進者眾賢退，群枉盛者正士銷」（《群書治要》卷15引〈漢書三〉）加以證成。箇中緣由在於，「浸潤」與「膚受」都是形容一般人對讒言與謗言的「當時不覺」，但一旦經過時間的蘊釀發酵，便足以動搖我對他人的信任，進而造成缺乏互信、難以對話的局面。

依此來看，所謂的「明君」之「明」，除了具洞察讒言的明智外[14]，更有用賢不疑的公開光明之意。是以，魏・袁準[15]（？）說：為君者，莫不想任用賢才、剔除奸邪，但現實中卻難免發生賞罰有誤、任官失當的情況，究其原因就在人君之「智不能見是非之理，明不能察浸潤之言，所任者不必智，所用者不必忠，故有賞賢罰暴之名，而有戮能養奸之實，此天下之大患也。」（《群書治要》卷50引《袁子正書》〈人主〉）仍是將問題的解鑰繫於人君能分辨是非、識別讒言的明智；反之，倘若人君不具備這種能力，則現實中「戮能養奸」的情事便層出不窮，終成治國大患。

問題就在人君「智之不能～」或「明之不能～」，究竟是先天稟賦的不足？抑或是

---

13 朱子以「其心之明不蔽於近矣」釋「遠」字，意指「明之遠」；錢穆採朱子之釋義故謂「遠，明之至也。」但《群書治要》的《論語》注解卻引唐前古注：「譖人之言，如水之浸潤，以漸成之，膚受，皮膚外語，非其內實也。無此二者，非但為明，其德行高遠，人莫之及也」。參見錢穆：《論語新解》（北京：生活・讀書・新知三聯書店，2002），頁309；程樹德：《論語集釋》，頁834-836。本文認為，「德行高遠」的「遠」字把「遠離小人」之意亦囊括於內。人君若能不惑於譖愬之言，便具備了洞察是非邪正之遠見、明智，自然能使奸邪退卻、小人遠離，免於讒惑禍端之生。

14 諸如《淮南子》〈主術〉：「耳妄聞則惑」，《孔子家語》〈賢君〉：「佞臣諂諛，忠士鉗口」，《說苑》〈臣術〉論「六邪」之「諛臣」、「讒臣」、「亡國之臣」皆與此有關。東晉葛洪《抱朴子》〈君道〉亦言：「雖務含弘，必清耳於浸潤」，意即人君雖包容一切、廣納群言，卻必須杜絕讒言的滋長。參見楊明照：《抱朴子外篇校箋》（北京：中華書局，1996），頁189。值得繼續探究的是，《抱朴子》外篇之〈君道〉、〈臣節〉、〈貴賢〉、〈任能〉、〈審舉〉諸篇都明確與「治道」相關，但《群書治要》卷五十皆未選錄，反而收錄了〈酒誡〉、〈疾謬〉、〈刺驕〉關於社會亂象的討論，以及〈博喻〉、〈廣譬〉兩篇連珠體，託物借事以闡說事理。這也是筆者主張《群書治要》有其明確選本意識的理由之所在。

15 袁準其人「忠信公正，不恥下問，唯恐人之不勝己。以世事多險，故常治退而不敢求進。著書十餘萬言，論治世之務。」（《三國志》卷11，頁336）可謂「以儒學知名」（《晉書》卷83，頁2170）。清・嚴可均：「唐初人似未知袁淮即袁準，故《羣書治要》載《正書》題曰袁淮」，乃隸俗變「準」為「准」而誤為「淮」所致。他將所輯之《正論》與《正書》，各定為一卷，一并放入《全晉文》卷54。《群書治要》則收錄於卷50。

其他原因所致？以東漢左雄（？-138）的事例為證，史載：

> （左）雄之所言，皆明達治體，而宦豎擅權，終不能用。雄復諫曰：臣聞人君莫不好忠正而惡讒諛，然而歷世之患，莫不以忠正得罪，讒諛蒙幸者，蓋聽忠難，從諛易也。夫刑罪人情之所甚惡，貴寵人情之所甚欲，是以世俗為忠者少，而習諛者多，故令人主數聞其美，稀知其過，迷而不悟，至於危亡也。
>
> （《群書治要》卷23《後漢書三》〈傳〉）

左雄雖能洞達治國之事理，但為何漢順帝卻對其建議「終不能用」？究其根柢，就在「聽忠難，從諛易」六字點出了環環相扣的關節：為人君者莫不喜好人臣的忠貞正直，然而歷史上卻多有因忠正而獲罪的例子，原因就在人之常情莫不喜愛奉承美言而不願聽批評之辭；不但如此，人君更因悅心而賞賜阿諛之人，致使是非不辨、歪風更熾，甚至在不實資訊覆蓋下，遮蔽了一切真實意見的傳達。

這裡，左雄直指的真相是：人君若不能適度的克制欲望而選擇聽從讒諛，其結果必然會為國家帶來毀滅性的災難。事實上，東漢後期「宦豎擅權」的結果，就造成了「巧偽滋萌，下飾其詐，上肆其殘」的局面，但這並非官僚體系制度面的失效而是敘述了價值崩壞後的社會亂象，其禍亂之根源就藏在人君選擇聽從諛言的細節裡。

對此，荀悅以「除內寇」論之。在荀悅看來，君主亦是凡人，所以人君的敵人並非境外的夷狄而是在環繞身邊的「內寇」[16]，其言：

> 天子之內守在身。曰：何謂也。曰：至尊者，其攻之者眾焉。故便僻御侍攻人主而奪其財，近幸妻妾攻人主而奪其寵，逸游伎藝攻人主而奪其志，左右小臣攻人主而奪其行，不令之臣攻人主而奪其事，是謂內寇，自古失道之君，其見攻者眾矣。小者危身，大者亡國。……萬眾之寇凌疆場，非患也。一言之寇襲於膝下，患之甚矣。八域重譯而獻珍，非寶也。腹心之人匍匐而獻善，寶之至矣。故明主慎內守，除內寇，而重內寶。
>
> （《群書治要》卷46引《申鑒》）

人君身旁的諂媚侍從與親近妃嬪，一切作為無非在競得財利與寵愛，但貽禍大者更在攻奪人君心志使其玩物喪志、品行不端或延誤國政的小臣。「一言之寇襲於膝下，患之甚矣」意謂著人君若無法審斷聽取言論的真偽，必受言語煽動性之害。那麼，如何慎守重

---

16 相關的看法，從劉廙《政論》所立篇名〈慎愛〉、〈審愛〉即可窺見，其謂「人主莫不愛愛己，而莫知愛己者之不足愛也。故惑小臣之佞而不能廢也，忘違己之益己而不能用也」或「今彼有惡而己不見，無善而己愛之者，何也？智不周其惡，而義不能割其情也」（《群書治要》卷47所引），皆指出人君雖聰慧卻無法覺察小臣奸佞為惡且不值得寵愛，其原因就在人君自身的無法割捨對身邊親信的私情，導致淪於「愛小臣以喪賢良」而「朋黨日固」「暗蔽日甚」的景況。

寶？在荀悅設想的理想君主範式——「明主」需以「中」、「和」、「正」、「公」、「誠」與「通」六項為行事原則。所謂「不任所愛謂之公，惟公是從謂之明」（〈雜言上〉），就清楚界定了「公」的內涵大於「明」。只要不寵信親近的一切作為便謂之「公」，因為能「不阿私親」，自然不受好惡情緒干擾，而能具備辨奸邪、杜讒佞之「明」，繼而「親賢」而「任賢」亦屬自然。這一點詳見後述。

把眼光拉回到為臣者之「難」。

桓範《政要論》〈諫爭〉：「國之將興，貴在諫臣」，卻也同時指出為人臣者常處在「不諫則君危」與「固諫己身殆」的兩難困境。[17]原因就在，所謂的忠言真話，必然是不順耳且拂逆他人心意，甚至是意欲改變對方情志或抑制其欲望的；而撩撥憤怒情緒的起因之一[18]，亦在他人直白地向我表達「異」見，讓我感覺不受尊重所致。[19]一般人已然若此，更何況權力在握的君主？只不過，直諫之士明知有可能因此「近死辱而遠榮寵」卻仍選擇不回避的理由，就是為了阻止人君之過失或亡國危機的萌發，故說「知進諫之難矣」（《群書治要》卷47引《政要論》）。

那麼，出於衷誠的諫言如何能為他人心悅接納？這不得不注意到，在《群書治要》卷十二《史記・下》所選錄的內容有其特殊性。因為，本卷節選了部分〈列傳〉與〈循吏傳〉、〈酷吏傳〉的「太史公評曰」兩段文字，竟選錄了五段〈滑稽列傳〉？或者換個方式問：「滑稽」之能言善辯與《群書治要》以「治道」、「政術」的輯錄準則有何關連？

事實上，孔子所謂「邦無道，危行言孫」（《論語・憲問》）已提示了：當政治黑暗時，仍須端正己身，但說話則要委婉謙遜；言辭謙遜並非畏禍，乃因召禍亦無益於事，故君子不為。因此，上述問題不妨從譎諫的效果與東方朔（161B.C-93B.C）的形象切入。所謂「譎諫」，語出《詩經・大序》「上以風化下，下以風刺上，主文而譎諫，言之者無罪，聞之者足以戒」，乃假借對事物的形容以寄寓規諫的意思。《史記・滑稽列傳》

---

17 關於人臣的難處窘境，荀悅《申鑒》亦言：「人臣之患，常立於二罪之間，在職而不盡忠直之道，罪也。盡忠直之道焉。則必矯上拂下，罪也。有罪之罪，邪臣由之，無罪之罪，忠臣致之」（《群書治要》卷46引）。意即：任官而不能忠直獻謨，是罪；但直言規諫，必然會違背上意，亦是（獲）罪。不同的是，忠臣的（獲）「罪」是不怕罪及自身的的諫言行為招致的。相較於此，筆者更有興趣的是《中論》所言：「先民有言，人之所難者二：樂知其惡者難；以惡告人者難。夫唯君子，然後能為己之所難，能致人之所難也」（《群書治要》卷46引），由於徐幹以「反本慎德」的君子人格立論，使得解釋脈絡回到了《論語・憲問》「忠焉能勿誨乎」——若真心為一個人好，能不規勸引導他？則勸諫與聽諫的關係，便從「臣→君」擴展到「我→他」。

18 唐太宗曾謂房玄齡等大臣：「自古帝王多任情喜怒，喜則濫賞無功，怒則濫殺無罪。……公等亦須受人諫語，豈得以人言不同己意，便即護短不納？若不能受諫，安能諫人？」（《貞觀政要・求諫》，頁87）重點一，採納他人意見時得摒除個人喜怒之情緒；重點二，「勸諫—納諫」的關係，應從君臣之間拓展至人與人之間。

19 弗朗索瓦・勒洛爾，克里斯托夫・安德烈著、王資譯：《我們與生俱來的七情》（北京：生活書店，2015），頁40。

開頭亦說：「談言微中，亦可以解紛」[20]，意指言語巧妙的切中要點、說話委婉又中肯，便可化解糾紛。重點在「解紛」二字，凸顯了出於自身的真誠意見若能藉由恰適的表達、不起衝突的方式讓人接受並付諸實踐，可謂高明的溝通藝術。於是，可以對照兩種不同的方式：一是春秋衛國大夫史鰌「死而尸諫，忠感其君者」之「直」，其做法忠烈卻不免「遺恨」(《群書治要》卷十引《孔子家語・困誓》)，故而意味著「留有遺憾」的不完滿；二是西漢東方朔的「談何容易」[21]，他發揮故事敘事力或如〈非有先生論〉所述，反而容易使聽者接受，故史載：「朔直言切諫，上常用之」(《群書治要》卷十八引《漢書・六》〈傳〉)。

以上所述，皆表明在意見交換的過程中，「說者—聽者」彼此間的婉轉表達與明辨語言信實的能力，乃是同等重要的。但對精研治道的魏晉政論思想家而言，人臣進諫固然是盡己忠心的表現，但更為重要的課題是如何定義「忠」的內涵及價值序位。

(二)「違上順道」或「悅主詐忠」的價值分判

對君主制度下的古代思想家而言，「治道」在相當的程度上就是「為君之道」，因此政治思想的內容與焦點，就呈現在對君主規範的考察。其中，君主能否容受諫言，亦是「君道」的判準之一；而為臣者是否能進諫，亦是其貞正賢良的重要指標。以下所引，可適度呈現本文題旨與寫作脈絡。

《貞觀政要・君道》記載唐太宗手詔曰：

> 朕聞晉武帝自平吳已後，務在驕奢，不復留心治政。何曾退朝謂其子劭曰：「吾每見主上，不論經國遠圖，但說平生常語，此非貽厥子孫者，爾身猶可以免。」指諸孫曰：「此等必遇亂死。」及孫綏，果為淫刑所戮。前史美之，以為明於先見。朕意不然，謂曾之不忠其罪大矣。夫為人臣，當進思盡忠，退思補過，將順其美，匡救其惡，所以共為治也。
>
> (《貞觀政要》〈君道〉卷1，頁18)

唐太宗認為何曾犯的是「不忠」之大罪，因為他眼見晉武帝在國運安泰後便不務修身、無心於政事的驕奢態度，卻未嘗有「直辭正諫」、「論道佐時」之舉措，但後人不知所以，反誤以為何曾具有洞察世局的遠見，實屬大謬。可見，唐太宗將人臣「盡忠」之作為，定調在能出言匡正君主的錯誤，而此種看法亦是對孔子所謂事君之道乃「勿欺也，

---

20 參見楊家駱主編：《新校本史記三家注并附編二種・冊四》(臺北：鼎文書局，1987)，頁3197-3214。

21 關於這部分還可以再深究。譬如，魏晉名士嵇康在〈與山巨源絕交書〉中竟稱東方朔為「達人」，箇中緣由則需再推敲。

而犯之」（《論語・憲問》）以及「危而不持，顛而不扶，則將焉用彼相矣」（《論語・季氏》）的回應。前一句是強調，為臣者寧可因出於道義之心的批評而觸犯國君，也不願欺心違道。[22]尤其，後一句乃唐太宗闡發「君臣之義，得不盡忠匡救乎？」用來對侍臣們宣誓的話語：他會以關逢龍、鼂錯之被誅之史實為鑒，期能聽到「正詞直諫，裨益政教」，而侍臣們也不必擔心因此而遭到妄戮與責罰（《貞觀政要》〈政體〉卷1，頁35）。

事實上，漢末荀悅就已定義：人臣的「忠」不等於「順」，其言：「違上順道，謂之忠臣」（《申鑒・雜言上》），意指人臣的行事乃以道義為準則，而不是隨著君主個人意志而有所改變。那麼，「忠順不失」就可以解釋為：順著道義原則而不失公正，是謂「忠」。「違上」二字，乃是以「道」的高度制約了君主不當的行為，故忠順並非「忠君」之意，是十分清楚的。同樣，曹魏桓範亦沿此思路並強調，當人君處於顛危之際，人臣能加以扶持的最好方法就是給予建言，其言：

> 夫諫爭者，所以納君於道，矯枉正非，救上之謬也。上苟有謬而無救焉。則害於事，害於事，則危道也。故曰：危而不持，顛而不扶，則將焉用彼相，扶之之道，莫過於諫矣。故子從命者不得為孝，臣苟順者不得為忠。
>
> （《群書治要》卷47《政要論》〈諫爭〉）

在桓範看來，唯有人臣之謇諤直諫所產生的矯枉救謬之效，方能將人君導引回治國之正道。故其〈臣不易〉所謂「敕身恭己，忠順而已。忠則獲寵安之福，順則無危辱之憂，曷為不易哉？」是以反問句式重新釐清了二者的內涵，並進一步以「忠」的價值內涵區別了人臣位階的不同：「小臣」以「執心審密，忠上愛主」為特徵，其「忠」因有特定對象（君），故而只是「小忠」[23]，這明顯有別於「動依典禮，事念忠篤，匡上之行，諫主之非」之「以道事君」的「大臣」（《群書治要》卷47引）。繼而，西晉傅玄更明確的將「敢犯主之嚴顏，面言主之過失」者稱之為「直臣」（直言諫諍之臣），而非以「忠臣」名之[24]，或許其用意就是為了區別出於由衷而諫之「忠」與順承君上意旨的「小

22 錢穆：孔子先言「其言不怍」又繼以事君勿欺章，則「《論語》編者之意，可謂深矣」，前章「言之不怍」意味不輕易苟且、大言欺人，以子路之賢與勇，不必擔心他會欺君或不敢犯顏直諫，或許孔子憂其過勇「以不知為知而進言者」，故以此教誨。參見錢穆：《論語新解》，頁370、頁372。在筆者看來，我既發言而能不欺人且不自慚，必是出於內心之真誠實意而有的肺腑之言。

23 以史為證，張紘臨終前留給孫權的奏章：歷來有國者施政不理想的原因在於，人主不能克勝私情，畢竟「人情憚難而趣易，好同而惡異」，故而「眩於小忠，戀於恩愛」，其作為「與治道相反」；唯有英明的君主了悟這點，才能做到「求賢如饑渴，受諫而不厭」（《群書治要》卷27引《吳志・上》）。這裡的「小忠」，專指以巧言詭辯取悅人君的做法，迥異於忠正賢良的「逆耳之言」。至於桓範的思考脈絡，則在〈為君難〉中提出「九慮以防惡」、「七恕以進善接下」的主張，其中，對於人臣的「立小忠」、「效小信」必須「慮之以詐」；反之，人臣的「犯難以為上」、「守正以逆眾意」則需以「忠」、「公」的角度予以理解（《群書治要》卷47引）。

24 後來，魏徵從另一個角度定義了「忠臣」。他對唐太宗：「臣以身許國，直道而行，必不敢有所欺

忠」的截然不同。

正是基於「不逆君意」的私忠迥異於「直指君非」之諫忠，於是注意到荀子以「德」論忠諫的看法。他在〈臣道〉分析：順從君命行事卻對君主沒有好處的舉動謂之「諂」；違背君主旨意反而有益人君的行為稱「忠」。凡是能向君主提出諫言意見的「諫」、「諍」或能改正君主失誤、免除國家危難的「輔」、「弼」，都是國家得以安定的瑰寶。在「從道不從君」的原則下，人臣之所以違逆君意，乃是以道義為更高的行事準則，因此，匡守正義的大臣被任用，朝廷政事的處理就不會有差錯；諫諍輔弼的人被信任，則君主就不會出現偏差。尤其特殊者，在荀子對「忠」的劃分[25]，其言：

> 以德覆君而化之，大忠也。以德調君而補之，次忠也。以是諫非而怒之，下忠也。不恤君之榮辱，不恤國之臧否，偷合苟容，以持祿養交而已，國賊也。
>
> （《群書治要》卷38引《荀子》）

人臣若以自身高尚品德使君主得到教化，是謂大忠；以自身品德改變或挽救人君的錯誤則次一等；最下者，是直陳君主之過失且讓其發怒。關鍵在「以德而化」四字，它揭示了一種「焦點—場域」的關係。那麼，「身正令行」的道德感召力，就不是只能單從人君身上顯現，而是每個「求諸己」的君子或人臣亦能展現的力量。故知，國君對諫、爭、輔、弼之社稷之臣的敬重與厚待，來自於彼此具身之「德」的吸引與加乘；反觀暗主愚君卻「妒賢畏能」、將之視為自己的仇人，反而獎賞「不恤君之榮辱，不恤國之臧否」的賊人，造成是非不明者，實為昏庸至極。

如此看來，「以德而化」能於無形中發揮極大效用，既可以防補君過於未然，又可避免言諫君非之時的衝突。從下面的分析將可以看到，魏晉政論思想家認為「治論」最有效的策略就是以「德」作為組織或系統的整合力與驅動力。

三　具「德」在身的明君與正臣：公心

《論語》所謂「身正令行」或「政者，正也」（〈子路〉）的脈絡，都強調了領導者自身品格德行的影響與作用。從以下幾段文字，可以看到由人君先「正己德」而後及於「德化天下」，乃古代思想家論述治道的主要向度。

首先，漢末王符（82？-167）《潛夫論》：「世之善否，……以化民心」、「正己德而

負。但願陛下使臣為良臣，勿使臣為忠臣」，二者差別在「良臣使身獲美名，君受顯號」而「忠臣身受誅夷，君陷大惡」（《貞觀政要》〈直言諫爭附〉，頁124）。至於魏徵是否受到魏晉諸子對「忠」多向度解釋的啟發，則需再行研究。

25 關於「忠」的發展脈絡，詳參佐滕將之：〈第四章　「忠」論之重定——忠於濁世難〉，《中國古代的「忠」論研究》（臺北：臺大出版中心，2010）。

世自化也」，意指人君治民的關鍵在「化變民心」，人君只需端正自己德行，百姓就自然被感化。故其歸納治道的具體方法就在「務正己以為表」，簡言之即「明王統治，莫大身化」。[26]不難發現，王符以對主政者自身道德修養所提出的「身化」、「德正」之說，銜接上了孔子「政者，正也」的想法[27]，其言：

> 人君之治，莫大於道，莫盛於德，莫美於教，莫神於化。……民有性有情，有化有俗。情性者，心也，本也；化俗者，行也，末也。上君撫世，先其本而後其末，順其心而理其行，心情苟正，則奸慝無所生，邪意無所載矣。是故上聖不務治民事而務治民心。故曰：聽訟吾由人也。必也使無訟乎。導之以德，齊之以禮，民親愛則無相害傷之意，動思義則無奸邪之心，夫若此者，非法律之所使也。非威刑之所強也。此乃教化之所致也。
>
> （《群書治要》卷44引《潛夫論》）

值得注意的是，這段話被魏徵明確的以「潛夫論曰」引用在貞觀十一年的疏文，用來證成「聖帝明王，皆敦德化而薄威刑」的觀點。尤其，魏徵在闡釋「德者，所以修己也」時，亦採用了王符的形象譬喻：「善化之養民，猶工之為麴豉也」（《貞觀政要・誠信》，卷5，頁293-294）。意思是：庶民之屬猶如麥子與大豆，要使其變化成酒麴、豆豉，就看國君如何改變他百姓的言行；而轉化的密碼，就在人君之「德」觸發他人仿效後的效力延展。

同樣的思路，桓範的詮釋也是從人君正身、以德化俗的角度切入，其言：

> 堯無事焉，而由之聖治，何為君難邪？曰：『此其所以為難也』。……正身于廟堂之上，而化應于千里之外。……。使化若春風，澤如時雨，消凋汙之人，移薄偽之俗，救衰世之弊，反之于上古之樸，至德加于天下，惠厚施于百姓，故民仰之如天地，愛之如父母，敬之如神明，畏之如雷霆。……。
>
> （《群書治要》卷47《政要論》〈為君難〉）

堯作為「聖治」之典型，其實質就是儒家所謂「恭己而正南面」的「無為」——人君效法天地四時的協和施化；君主「正身」是「治」之所以可能的前提。其中，「化應千里」強調了「德」的穿透力及其引發的共鳴；至於「『至』德」、「『厚』惠」則形容人君之德如同天地包覆而無遺漏的至廣至大。繼而，他又申述了「身治則國治」觀點，其言：

---

26 分見〈德化〉、〈本訓〉與〈敘錄〉各篇，參見漢・王符著、清・汪繼培箋，《潛夫論箋校正》（北京：中華書局，1997），頁380、369、327、480。

27 以此之故，劉文英從人性和教化的角度評定：王符「化變民心」之說，乃是「自覺地繼承了儒家『明教化』的歷史傳統」。參見劉文英：《王符評傳》（南京：南京大學出版社，1993），頁194。

故善治國者，不尤斯民而罪諸己，不責諸下而求諸身。《傳》曰：「禹、湯罪己，其興也勃焉；桀、紂罪人，其亡也忽焉」。由是言之，長民治國之本在身，故詹何曰：「未聞身治而國亂者也」[28]。若詹者，可謂知治本矣。

（《群書治要》卷47《政要論》〈治本〉）

統括桓範論述的治國樞要，就是對孔子「政者，正也」（〈顏淵〉）旨意的發揮。在他看來，「德」是人君的自我要求，亦與「修身」概念相通。因此，身治而國治的方法[29]，就是透過人君「罪諸己」、「求諸身」的自省力量來展現；願意自我審查與檢視的人，才有可能接受他人批評及糾正。

關於上述，可用黃俊傑「身體政治論」加以說明。所謂「身體政治論」，是指以人的身體作為「隱喻」（metaphor）所展開的針對諸如國家等政治組織之原理及其運作之論述。諸如《論語．衛靈公》謂「為政之道」在「恭己正南面而已」，或如《呂氏春秋．審分》「治身與治國，一理之術也」，說的都是從個人道德修持的「私領域」延伸外擴到國家政治「公領域」的發展過程。於是，身體與國家構成連續不斷的有機體；「公領域」就是「私領域」的擴大與延伸。所以，「身體政治論」的核心問題在於「修身如何可能」而不在於「權力如何獲得」，故其本質是道德學。[30]重點仍歸結於「修身如何可能」，因此關注治道的思想家亦以〈節欲〉〈正心〉〈誡盈〉等標示篇名，進行相關討論，這也暗示了「正己德」與如何妥善處理自身「私欲」（至少包括好惡情緒與物質欲望）的問題密切相關。

同樣是從個人道德修養（焦點）擴展至他人或國家（場域）的思致，王符與桓範的重點在「德－化－應」的關係，與此稍異，徐幹（171-218）[31]與袁準則標舉「信德」

---

28 唐太宗在思索「為君之道」時說：「朕每思傷其身者不在外物，皆由嗜欲以成其禍。」魏徵便以詹何這段話回應「陛下所明，實同古義」（《貞觀政要》〈君道〉，卷1，頁11）。

29 桓範的特殊點在，他從「君—吏—民」的結構，剖析「正身」的道德意涵，其言：「凡吏之于君，民之于吏，莫不聽其言而則其行，故為政之務，務在正身，身正于此，而民應于彼。……。故君子為政，以正己為先」，如此看來，所謂「德化」的行為主體，就未必專指人君，而是擴大為所有參與政治事務的各級官員。

30 參見黃俊傑：〈中國古代思想史中的「身體政治論」：特質與涵義〉，《東亞儒學的新視野》（臺北：喜瑪拉雅基金會，2002）。

31 徐幹《中論》二十篇，乃因身處於漢末「聖人之道息，邪偽之事興」的背景，故基於「上求聖人之中，下救流俗之昏」（〈中論序〉）的企圖而作。江建俊：徐幹可謂樹立了建安時期的醇儒典範。參見江建俊：《建安七子學述》（臺北：文史哲出版社，1982），頁110。注意到徐幹提出「反本慎德」之君子人格：「君子者能成其心，心成則內定，內定則物不能亂，物不能亂則獨樂其道，獨樂其道則不聞為聞、不顯為顯。」（〈考偽〉）徐湘霖將「成」字解為「誠」，參見徐湘霖校：《中論校注》（成都：巴蜀書社出版，2000），頁169。雖然《群書治要》未收錄這段話，但它涉及了君子必有發自內心真實之「誠心」的說法，故徐幹又以〈貴驗〉、〈貴言〉兩篇，述及君子「篤行」、「貴言」方可取信於人。就「誠心」這一點，可與後文杜恕所言並觀。

與「公心」作為治道的核心內容。這從《群書治要》收錄的兩段相似文字足以呈現：

> 人主之患，不在乎不言，而在乎不誠[32]，夫言用賢者，口也。卻賢者，行也。口行相反，而欲賢者之至，不肖者之退，不亦難乎。夫曜蟬者，務在明其火，振其樹而已，火不明，雖振其樹無益也。今人主有能明其德，則天下歸之，若蟬之歸明火也。
>
> （《群書治要》卷38引《孫卿子》）
>
> 孫子曰：『人主之患，不在於言不用賢，而在於誠不用賢，言用賢者，口也。卻賢者，行也。口行反而欲賢者之進，不肖之退，不亦難乎？』善哉言乎!人君苟脩其道義、昭其德音、慎其威儀、審其教令、刑無頗僻，獄無放殘仁愛普殷，惠澤流播，百官樂職，萬民得所，則賢者仰之如天地，愛之如親戚，樂之如塤篪，歆之如蘭芳。故其歸我也，猶決壅導滯水注之大壑，何不至之有？
>
> （《群書治要》卷46引《中論》）

兩段引文的重點在，人君若能明德則天下歸之，此處是藉由言行一致所展現的「信」德來呈現。[33]可玩味者在，《群書治要》選錄徐幹的這段話出自於〈亡國〉，除了省略「人主有能明其德者，則天下其歸之，若蟬之歸火也」之外，其他幾乎可說是對荀子〈致士〉意旨的演繹。以選文意識來看，既然有所刪節，就有理由相信這兩段文字並非因疏忽而重複收錄。

更進一步看，徐幹〈亡國〉篇首便以「凡亡國之君，其朝未嘗無致治之臣也」起頭，論述亡國之因在於有賢人而不任用，然其論據卻是引用荀子的講法。於是，致士與亡國在「口行相反」這一點上產生關聯，意即，是否能將招賢納士從口頭說法變成行動實踐，實關乎國家存危。但何以國君「尊賢」、「尚賢」口號喊得震天價響，卻無法「得賢者心」或讓人有言不由衷之感？因為，很現實的問題是「實際政治中的『尚賢』，等於是將自己的權力讓渡給選拔出的『賢人』」，當權者是否願意放棄既有的政治權力就是困難所在。[34]因此，即便徐幹強調：「明主之得賢也，得其心也，非謂得其軀也。苟得

---

32 《荀子》這句原文是「人主之患，不在乎不言用賢，而在乎不誠用賢」，袁準所引無誤，但相參照而言，《群書治要》的文字更顯簡潔。這也是筆者認為《群書治要》的「采摭」、「翦截」乃是有意識的刪節手法。

33 雷德蒙德．馬利克提出的「聖加侖管理模式」便主張：信任比激勵更重要，因為信任是激勵的前提；信任的缺失，會使得所有勵都變成陰謀手段或挖苦、諷刺。所謂信任，就只是管理者堅定的從自身做起——言行一致、重守承諾。參見〔奧〕雷德蒙德．馬利克（Fredmund MaliK）：《管理技藝之精髓》（北京：機械工業出版社，2018），頁258-259。

34 佐藤將之：荀子清楚意識到「尚賢」在理論和實踐上的落差，並指出統治者蒙蔽的後果，就是阻礙賢人的招募，〈解蔽〉篇的「解蔽」之人，指的是能有穩定寧靜心理狀態且分辨賢與不肖者的統治者。故人君能否招致人才，成為〈解蔽〉「心術論」的前導，「尚賢」理想也就成了〈解蔽〉的實際

其軀而不論其心，斯與籠鳥檻獸，未有異也」(〈亡國〉)，想要獲得賢者真心協治政務，唯有人君先自修信德，而後君臣關係方可如塤、篪樂器的合奏，協和共鳴且相應。但在現實層面上顯然還有關節必須突破，因為，「信」字必然隱含了一個他者；要贏得他的（相）信我，必得先展現我之（誠）信。是以，徐幹針對「今不信吾所行，而怨人之不信己」的情況，提出「篤行著信」的建議：

> 孔子曰：欲人之信己，則微言而篤行之，篤行之，則用日久，用日久，則事著明，事著明，則有目者莫不見也。有耳者莫不聞也。其可誣乎。故根深而枝葉茂，行久而名譽遠。
>
> （《群書治要》卷46引《中論》）

這段話出自〈貴驗〉，意思是凡能通過驗證的事物最為珍貴，因此，若希望別人相信自己，就要少說話而能切實履行；言行一致，才能保有長久的信用。徐幹用了兩個比喻：一，之所以沒人會懷疑石硬、火熱，是因為這些東西的質性顯露體外，倘若我的言行一致，別人如何會產生質疑？二，就像樹木扎根之深，則枝葉繁茂；守信者也因行事踏實且堅持不懈，自然聲名遠揚。由此看來，國君是否能與賢者分享政治權力是一回事，但最起碼延攬賢者的實際舉動必須要持續不斷並得見績效才行。以史為例，趙翼便謂：諸葛亮一流人才，魏、吳不能用而「(劉）獨能得之，亦可見以誠待人之效矣」；至於託孤，「設使（曹）操得亮，肯如此委心相任乎，亮亦豈肯為操用乎！」差別就在曹操用人只為濟一時之用，待勢位已定，不免因忌疑而殺功臣；劉備則是以「性情相契」而得人心。[35]此即「以誠待人之效」。

袁準亦以「信」來評論歷史人物得失。他認為，劉邦與項羽兩人成敗的關鍵，正在「用賢不疑」、「信則人歸之」與「意忌多疑」、「不信大臣」之對比；尤其，劉邦因寬厚、不猜忌他人[36]，故臣屬反映真實情況時無所畏懼顧忌，故有「人心安」(《正論》〈悅近〉)之效。要知，「以虛受人」、「寬則得眾」的聖賢，是不以苛察為「明」或視忌諱為「深」的。[37]故言：「聖人者，以仁義為本，以大信持之」則「物莫不由內及外，由大信而結，由易簡而上安，由仁厚而下親」(《群書治要》卷50引《袁子政書》〈悅

主題。參見佐藤將之：《參於天地之治：荀子禮治政治思想的起源與構》(臺北：臺大出版中心，2016)，頁245-251。

35 趙翼著、王樹民校證：《廿二史劄記校證》(北京：中華書局，2001)，頁140-143。

36 唐太宗的做法亦可對照。曾有臣子建議太宗「佯怒以試群臣」，太宗回：「我以魏武詭詐，深鄙其為人，……朕不取」(《貞觀政要》〈誠信〉，頁289)。

37 此可證之於荀彧的評論。在他看來，袁紹「貌外寬而內忌，任人而疑其心」而曹操「明達不拘，唯才所宜」乃「度勝」；袁紹「從容飾智，以收名譽」而曹操能「以至仁待人，推誠心不為虛美」故為「德勝」(《三國志》卷10，頁313)。也許荀彧對曹操有誇大溢美之嫌，但把人名放入括號不論，對照的結果不外乎是：推誠不矯、持信不疑仍是號召人心的最好方式。

近〉）。可以說，「大信」之「信」連結了「內」、「外」、「上」、「下」的關係；「大信」之「大」則從「安」、「親」之效，強化了作為「治之要」的地位。然而，「信」不只關乎國家治亂或人心歸附的問題，所謂「唯君子為能信，一不信則終身之行廢矣，故君子重之。」（《袁子政書》〈用賢〉）即從個人修養顯示了「信」的普遍意義。顯然，袁準對「信」的強調，已然超出了「人言為信」之恪守承諾的意涵。

不唯如此，袁準更以「況乎以至公處物」的問句，說明有一個更高的價值取向在「信」之上，於是可見，他將「治道」收攝在一「公」字，其言：

> 治國之道萬端，所以行之在一。一者何？曰公而已矣。唯公心而後可以有國，唯公心可以有家，唯公心可以有身。身也者，為國之本也；公也者，為身之本也。夫私，人之所欲，而治之所甚惡也。……偏于愛者，即心不別是非。是以聖人節欲去私，故能與物無尤，與人無爭也。明主知其然也，雖有天下之大，四海之富，而不敢私其親，故百姓超然背私而向公。公道行，即邪私無所隱矣。向公即百姓之所道者一，向私即百姓之所道者萬。一向公，則明不勞而姦自息；一向私，則繁刑罰而姦不禁。故公之為道，言甚約而用之甚博。
>
> （《群書治要》卷50引《袁子政書》〈貴公〉）

袁準認為，「公」作為「治國之道」是最簡易而有效的。一則，人君須以「公」之準則，作為正身之本並體現「公心」；二是，觀察民心意向以立法定制，是以人君不偏愛、不私親為前提。但「公」之意涵為何？他並沒有正面表述，而是從「私，人之所欲，而治之所甚惡」來定義：只要是任何與「偏私」心理與「不正」行為相背反者，就帶有「公」的性質。袁準繼續談依公道行事的效用，其言：

> 夫治天下者，其所以行之在一，一者何也，曰公而已矣。故公者所以攻天下之邪，屏讒慝之萌。……。故以仁聚天下之心，以公塞天下之隙，心公而隙塞，則民專而可用矣。公心明故賢才至，一公則萬事通，一私則萬事閉，兵者死生之機也，是故貴公。
>
> （《群書治要》卷50引《袁子政書》〈論兵〉）

「閉」字，就阻絕了一切的可能性。故袁準在如何能「天下治」的目標導向下，提出的策略是「一公而萬事通」。理由在：出於公心的作為，足以阻絕一切嫌隙生發的可能；奸邪讒慝之事止息，德厚廉節等賢明有才之士方得進用。可見，「公」是放在不阿私、不偏愛的脈絡來證成的，故知所謂的「公心」，既是公平正直、無所偏私的行為，也是關乎公眾利益的作為；因而與「寬」[38]的美德有了重合之處。或許可以推論遠些，袁準

38 柯雄文：「寬」是一種心胸開闊、不偏私的美德。他並提醒注意荀子談論君子論辯時，與「公心」

「公心明故賢才至」的發話對象，不只是人君「背私向公」的修養論，更有可能擴及至任何一個上疏荐舉的人臣，凡是「不自賢」且舉賢讓能的舉動，亦是「公心」的展現。

最後，特別關注曹魏杜恕（？-252）《體論》與傅玄《傅子》兩部治道之書，除了《群書治要》所錄分量不少之外，更在它們的體制完整、所討論議題可以呈現本文的意旨。

有關杜恕《體論》的內容，《群書治要》以不著篇名的方式選錄六千餘言，收於卷四十九。可注意者，是杜恕對「身體政治論」的延續及其「以誠養心」之論。其言：

> 夫聖人之脩其身，所以御群臣也，所以化萬民也。其法輕而易守，其禮簡而易持，其求諸己也誠，其化諸人也深。
>
> （《群書治要》卷48引《體論》）

他認為，在「君—臣—民」的結構中，若要產生「德—化」的關係與效果，必須以人君「求諸己」的自修為基始點。倘若人君以真心誠意對待人臣，則君臣關係即如身體與四肢密不可分的關係。與此同時，他並批評了商鞅與韓非之法術思想所強調「『尊』君（元首）而『卑』臣（肱股）」，反而是使君臣「離體」的邪說。繼而，杜恕以身與手足的「無間」關係，說明「君臣一體，相須而成」之信任[39]，但當他用「自然不覺」來形容時，似乎意味著將外顯的君臣「信—任」關係內收為「求諸己」的「誠意」問題，其言：

> 是以古之聖君之於其臣也。疾則視之無數，死則臨其大斂小斂，為徹膳不舉樂，豈徒色取仁而實違之者哉。乃慘怛之心，出於自然，形於顏色，世未有不自然而能得人自然者也。色取仁而實違之者，謂之虛，不以誠待其臣，而望其臣以誠事己、謂之愚，虛愚之君，未有能得人之死力者也。
>
> （《群書治要》卷48引《體論》）

杜恕以人君對臣屬的探病、撤膳舉動來說明「真/偽」關係。顯然「聖君」並不是為了獲致名聲才有這些行為，而是純粹出於內心真實的憂心，才有視疾多次與愁苦容色的表

一起出現的「學心」，「是一種不帶有刻板印象或預先判斷的傾聽能力。它是一項重要的美德，因為它詳述了一位展現寬厚心靈的公正之人的特質。」參見柯雄文：《君子與禮：儒家美德倫理學與處理衝突的藝術》（臺北：臺大出版中心出版，2017），頁63-65。

39 可對照《群書治要》卷48引陸景《典語》：「君稱元首，臣云股肱，明大臣與人主一體者」、「苟得其人，委之無疑，君之任臣，如身之信手，臣之事君，亦宜如手之繫身，安則共樂，痛則同憂，其上下協心，以治世事，不俟命而自勤，不求容而自親，何則，相信之忠著也」，意即，君臣關係就像身體信任雙手般，不須取悅而自然親近，這就是彼此信任深厚的表現。如果對照《尚書》或《春秋左傳》等典籍對「肱股」、「一體」的使用來看，魏晉政論思想家如陸景與杜恕，更偏重以「信而不疑」申述君臣關係，而袁準的論述，則從君臣的信任關係拓展至「人—人」交往準則。

現。「出於自然」的真心誠意與「違實之虛」的「愚」，不可同日而語。延此思路，他在〈行第四〉論及「以誠養心」的問題，其言：

> 君子之養其心，莫善於誠，夫誠，君子所以懷萬物也。天不言而人推高焉。地不言而人推厚焉。四時不言而人期焉。此以至誠者也。誠者，天地之大定，而君子之所守也。天地有紀矣。不誠則不能化育，君臣有義矣。不誠則不能相臨，父子有禮矣。不誠則疏，夫婦有恩矣。不誠則離，交接有分矣。不誠則絕，以義應當，曲得其情，其唯誠乎。
>
> （《群書治要》卷48引《體論》）

君臣義合出自於誠心而能親近、父子禮敬出於誠意而能不疏離、夫婦恩情出於真誠而能不離心。可見，杜恕將「誠」視為貫穿天地人倫，並且是以貞定力量存在的樣態。則「至誠」之所以為「至」的意涵，既指「天地有紀」的「綱紀」之意，並有「推高」、「推厚」的「極致」意思，亦指「誠」的施用乃涵蓋一切人際關係，故有「周至」之意。

這段話的重要性更在於，它幾乎與《群書治要》所選錄的荀子「君子養心，莫善於誠，致誠無他」（〈不苟〉）所闡述的幾乎一致。[40]但或許因為關注點不同，在《體論》的脈絡看不到更多關於工夫論的說明，然參照二者所說，「誠」指一種「真實」的心靈狀態，亦指統治者呈現道德倫理的最高方法，是無可懷疑的。不過，杜恕將此放在〈行〉篇而非〈君〉篇，或許可以說他主要是針對人與人的交往關係而發，這也同時呼應前文：口說無益，必驗之於行動與實踐。

再看《傅子》。《群書治要》以獨占一卷、未標篇名的形式，收錄《傅子》三十八段文字，顯見其重要性[41]。其原因可推測如下：其一，書之主旨可用「經綸政體，存重儒教」來概括[42]，尤其論及「治體」時，又多以公私對舉的方式提出倫理性的詮釋。[43]其二，如同張蓓蓓再三強調的：應該注意到《傅子》內篇所提出的時機與撰寫企圖，它與

---

40 有關荀子〈不苟〉「誠」作為「守道」的工夫，以及學界既有相關研究的梳理，詳見鄧小虎：〈誠與君子養心〉、〈誠和心之主宰〉、〈養心莫善於誠〉諸篇章，收於《荀子的為己之學：從性惡到養心以誠》（北京：北京大學出版社，2015）。

41 所謂重要性，更多是指獨占一卷的形式而非文字的多寡。原因在於，《傅子》原有數十萬言、百卷之多，但卻大量亡佚。今所見《傅子》乃清·嚴可均所輯，他以唐·魏徵《群書治要》所載與遍蒐各書所得之佚文，加以排比，共得四卷，收於《全晉文》。

42 此為西晉驃騎將軍王沈〈與傅玄書〉所言：「省足下所著書，言富理濟，經綸政體，存重儒教，足以塞楊墨之流遁，齊孫孟於往代。」（《全晉文》卷28）另外，干寶《晉紀》亦有「覽傅玄、劉毅之言，而得百官之邪」之論（《晉書》卷5，頁136），亦可證時人對《傅子》的評價。

43 有關魏晉時期的公私論述，可參見施穗鈺：《公與私——魏晉士群的角色定位與自我追尋》（新北市：花木蘭文化出版社，2011）。

《淮南子》內篇意在提供「治道」有著明顯的相似性；由《群書治要》大量選錄《傅子》內篇要義，亦見證了傅子學說的學術價值與實用性。[44]從〈治體〉、〈舉賢〉、〈正心〉、〈通志〉、〈義信〉〈信直〉與〈矯違〉等諸篇名[45]，皆可見與本文論題的密切相關。

〈通志〉篇不過一千多字，傅玄卻三次強調「通天下之志者」，其言：

> 夫能通天下之志者，莫大乎至公，能行至公者，莫要乎無忌心，唯至公，故近者安焉。遠者歸焉。枉直取正而天下信之，唯無忌心，故進者自盡，而退不懷疑，其道泰然，浸潤之譖不敢干也。
>
> （《群書治要》卷49引《傅子》）

所謂「通天下之志」，典出《周易・繫辭上》[46]，意指「易」之道深廣能會通洞察萬物的情理與思想。對此，傅子標示「公」字申述論及幾個層面，其一，是「至公」與「舉賢」的關係。他以舜殺鯀而授位予禹為例，說明「無忌心」即是「公心」。如是，能以至公之心薦舉賢者而不必避親仇，是謂「公道」；「唯至公，故近者安焉，遠者歸焉」說明其效用之大。基於公心舉賢的前提，先王立誹謗之木聽取諫諍之言，而不依私好用人；又或者賞進賢、責蔽賢，都可謂之「公制」。故說「公道行，則天下之志通；公制立，則私曲之情塞矣。」箇中關鍵更在，彼此若無所猜忌，則浸潤讒言是無法干擾選用賢人的結果，一切依「公心」而為，則至正公道與公正制度自可運行無礙。

其二，是關於「寬」（心胸開闊）與「公」（不偏私）的美德。曾有人問：何以漢代官制乃損益秦法而來，秦不二世而滅，漢朝卻能歷十二帝？傅玄以「制同用異」回應，即秦「任私有忌心，法峻而惡聞其失。任私則遠者怨，有忌心而天下疑，法峻則民不順之，惡聞其失，則過不上聞」，一旦怨恚與猜疑的情緒滋長，便難以凝聚共識。反之，漢代以寬簡之風持政，縱使「政雖有失，能容直臣」，「則上之失不害於下，而民之所患上聞矣。」能夠下情上達，亦是「通」的表現。又言：

> 明主患諛己者眾而無由聞失也。故開敢諫之路，納逆己之言，苟所言出於忠誠，雖事不盡是，猶歡受之，所通直言之塗，引而致之，非為名也。以為直言不聞，則己之耳目塞，耳目塞於內，諛者順之於外，此三季所以至亡而不自知也。
>
> （《群書治要》卷49引《傅子》）

重要的是「非為名也」之態度，人君廣開言路或優容正諫大臣，不是為了博得美名，而是發自內心憂慮因自己的過失無法修正以致造成百姓遭殃，或人民的聲音無法被聽見。因此，君主之「明」還不只在明辨阿諛之人，更在能欣然接受出於真誠的批評話語。故

44 參見張蓓蓓，〈傅子探賾〉，《魏晉學術人物新研》（臺北：大安出版社，2001），頁136-146。

45 以下所引《傅子》，皆見《群書治要》卷49所錄，但依嚴可均：《全晉文》之篇目標誌，以清眉目。

46 參見黃壽祺、張善文：《周易譯注》〔新修訂本〕（上海：上海古籍出版社，2018），頁718。

知，「偏信則暗，亂」與「兼聽則明，治」的差別就在：「偏信」之「信」，指向的是負面「偏私寵愛」的意涵，因而形成了阻絕交流的「閉」、「塞」狀態；至於「兼」則保證了所有可能發生的開放性，它與寬而能容、公而不私的德行相關切。

至於〈信直〉[47]與〈矯違〉前後兩篇，則關注了犯顏直諫的臣道與敗德亂政的佞臣問題，其言：

> 正道之不行，常由佞人亂之也。故桀信其佞臣推侈，以殺其正臣關龍逢，而夏以亡，紂信其佞臣惡來，以割其正臣王子比干之心，而殷以亡。曰：惑佞之不可用如此，何惑者之不息也。傅子曰：佞人善養人私欲也。故多私欲者悅之，唯聖人無私欲，賢者能去私欲也。
>
> （《群書治要》卷49引《傅子》）

在他看來，佞人依「伺主之欲」、「合主所欲」、「唯求主心」雖有程度上的不同，卻全部都可歸於「自利」的心理；「自環為私」的自私自利，是無法向他人敞開自身的。反觀，「賢者能去私欲」，即意指賢者能去除自利之心，故能不依隨人君個人意見或欲求而有所迎合。再者，依「惑」字可見，「德」亦與如何妥善處理自身「私欲」的問題有關，故要論及「德化」，如何方可「袪惑」、「解蔽」則為不可或缺的重要環節。

傅子又區分「任明而致信」與「任術而設疑」兩種用人方法，為「王道」與「霸道」的分界。所謂「致信」即是「任誠」，人君唯有「開至公之路，秉至平之心」方能「因人以致人」——求賢而後聚賢。對此，傅玄將一切收攝到「唯至公，然後可以舉賢」一句，這既是他務實精神的展現也是符合現實情況的思考。畢竟，歷史上的「聖王」、「明君」難求，於是把治國眼光調整到如何能獲得君王賢佐的「國之棟樑」是切實的做法。如前所言，誠信不只是對他人的責任或我自身品德的顯現，在傅玄看來，誠信更是法治與德治的重要介質，故言：

> 古之聖君賢佐，將化世美俗，去信須臾，而能安上治民者，未之有也。……講信修義，而人道定矣。若君不信以御臣，臣不信以奉君，父不信以教子，子不信以事父，夫不信以遇婦，婦不信以承夫，則君臣相疑于朝，父子相疑于家，夫婦相疑于室矣，小大混然而懷奸心，上下紛然而競相欺，人倫于是亡矣。
>
> （《群書治要》卷49引《傅子》）

他深知「無信」將造成「信者亦疑，不信亦疑」的窘境，故從天地四時般的不可動搖確認了「信德」的重要性。他不但強調了人我溝通交往重要原則，就在「互信」，更從人

---

47 此處的「信」通「伸」，「信直」即伸張直言之意。參見劉治立評注：《《傅子》評注》（天津：天津古籍出版社，2010），頁89。

道貞定於講信修義、人倫毀亡於懷奸相欺，陳述了「信」作為人道之本與治道之基的重要性。

綜上所述可知，魏晉治論的闡釋脈絡，乃聚焦於具「德」在身的明君與正臣，因二者皆能以美德倫理引導社會、喚醒人們心中的善，藉此讓社會產生轉變，而這不啻是化解衝突、消弭紛爭於無形的最佳策略。另一方面，就君臣的「信—任」關係而言，不只是單向的出於我之誠信或他對我的相信，更隱涵了我「有責任」以自身真誠作為回應他者對我的相信，如此，舉凡欺瞞、猜忌或所有信棄義之事，皆被隔絕於此關係之外。這樣的論述取徑，反而更好的展現了「信而後諫」之深義。

四　結語

人君之所以採納諫言，是為了取得真實資訊以便進行正確決策，而非為了寬弘之名；人臣之所以犯上直諫，亦非為求得忠名，而是基於君臣元首股肱「一體」的理念，由衷地提出信實之意見。唯有彼此基於「公心」，人君方能不為讒佞所惑、人臣能不受奸邪所譖，「勸諫—聽諫」的雙方才有可能達成有效溝通。

茲將本文寫作所得要點臚列於下：

（一）關於《群書治要》選錄文獻的特點。

本文提到兩處：一是《史記．滑稽列傳》收錄的意義，使得譎諫藝術得以凸顯。二是，在子書部分所選的典籍中，幾乎都列有篇名，如桓範《政要論》〈諫爭〉、〈決壅〉，但關於《荀子》或杜恕《體論》、傅玄《傅子》這三部著作，除了未標示篇名之外，所選錄的字數篇幅在比例上亦謂相對的高。尤其，《荀子》與《體論》所選錄的文字，竟在「以誠養心」一段有所重疊，本文認為，這現象並非編排的疏漏，反而正好說明《群書治要》有嚴謹的選文意識於其中，它不但彰顯了傳統治道思想之首要重點在「德行」而非「制度」，意即在「『治』身—『制』度」的關係上，更偏重管理者的自覺與自治。而這也正是現代西方管理學修正後的新的發展方向。

（二）魏晉政論思想家提出貴「信」著「誠」之思考向度。

古代人臣的諫言疏文，重點內容不外乎針對「君之過」──譬如決策有誤或私欲過重而發，但這些偏失都可歸咎於「君不明」以致蒙受奸佞之誘或讒諛之蔽而來，其結果就是任人不公，賢明有能者無法進用。此諸種問題，如「妒賢忌能」、「偏聽蔽賢」「奸佞干政」或「肆其侈靡」皆環環相扣，但魏晉精研於治道的思想家並不採取正面「用賢」、「兼聽」的論述方式，而是直探問題根源之所在──如何才能「不疑」、「解蔽」，故進而標示「誠」與「信」所展現的「公心」。在他們看來，唯有發自於「求諸己」之「誠」，才可能呈現君臣關係密切如手足身體般的自然，也唯有立基於此，人臣發自衷心的諫言，才有可能被國君毫無嫌隙的接受，則「遠佞—納諫—任賢」亦屬自然而然之事。

（三）古代治論對現代管理思想的啟發。

管理者最容易犯的錯誤，一是安於現狀，缺乏競爭力；二是無知人之明，任人唯親。關於前者，古代政論思想家指出，國君承平日久、安逸怠治，一旦淡化如履薄冰的危機意識，便離衰亡不遠。故提出親賢遠佞、誠心納心的對治策略。至於無自知之明，便易固執己見，甚至流於爆怒浮躁的情緒；任人不公，便易削弱其他成員積極的參與。魏晉政論思想家選擇從人君（管理者）自身的管理切入，提出求諸己身、廣覽兼聽的對治策略。因為，好的管理者（如明君），並非不會犯錯，而在其是否能「從諫如流」，進而在負面經驗中強化問題的解決能力。可見，古代治論對現今的組織管理思想而言，仍具有一定的解釋效力。

徵引文獻

一　原典文獻

漢・司馬遷著、楊家駱主編：《新校本史記三家注并附編二種》，臺北：鼎文書局，1987。

魏・徐　幹著、徐湘霖校：《中論校注》，成都：巴蜀書社出版，2000。

晉・陳　壽撰、裴松之注：《三國志》，北京：中華書局，2002。

晉・傅　玄著、劉治立評注：《《傅子》評注》，天津：天津古籍出版社，2010。

晉・葛　洪著、楊明照箋：《抱朴子外篇校箋》，北京：中華書局，1996。

唐・魏　徵等撰：《群書治要》，收入「宛委別藏」之73-77冊，江蘇：古籍出版，1988。

唐・吳　兢撰、謝保成集校：《貞觀政要集校》，北京：中華書局，2012。

清・王夫之著、舒士彥整理：《讀通鑑論》，北京：中華書局，2002。

清・嚴可均輯、何宛屏等審訂：《全三國文》，北京：商務印書館，1999。

清・嚴可均輯、何宛屏等審訂：《全晉文》，北京：商務印書館，1999。

清・趙　翼著、王樹民校證：《廿二史劄記校證》，北京：中華書局，2001。

程樹德撰，程俊英、蔣見元點校：《論語集釋》，北京：中華書局，2006。

二　近人論著

任繼愈：《中國哲學發展史・秦漢卷》，北京：人民出版社，1985。

江建俊：《建安七子學述》，臺北：文史哲出版社，1982年。

施穗鈺：《公與私——魏晉士群的角色定位與自我追尋》，新北市：花木蘭文化出版社，2011。

柯雄文：《君子與禮：儒家美德倫理學與處理衝突的藝術》，臺北：臺大出版中心出版，2017。

張再林：《治論：中國古代管理思想》，北京：北京燕山出社，2017。

張蓓蓓：《魏晉學術人物新研》，臺北：大安出版社，2001。

陳啟雲著、高專誠譯：《荀悅與中古儒學》，瀋陽：遼寧大學出版社，2000。

黃俊傑：《東亞儒學的新視野》，臺北：喜瑪拉雅基金會，2002。

黃壽祺、張善文：《周易譯注》〔新修訂本〕，上海：上海古籍出版社，2018。

劉文英：《王符評傳》，南京：南京大學出版社，1993。

劉治立評注：《《傅子》評注》，天津：天津古籍出版社，2010。

鄧小虎：《荀子的為己之學：從性惡到養心以誠》，北京：北京大學出版社，2015。

錢　穆：《論語新解》，北京：生活・讀書・新知三聯書店，2002。

錢　穆：《現代中國學術論衡》，北京：生活・讀書・新知三聯書店，2016。

日・佐藤將之：《中國古代的「忠」論研究》，臺北：臺大出版中心，2010。

日・佐藤將之：《參於天地之治：荀子禮治政治思想的起源與構》，臺北：臺大出版中心，2016。

美・郝大維、安樂哲著，施忠連譯：《漢哲學思維的文化探源》，南京：江蘇人民出版社，1999。

法・弗朗索瓦・勒洛爾，克里斯托夫・安德烈著、王資譯：《我們與生俱來的七情》，北京：生活書店，2015。

奧・雷德蒙德・馬利克（Fredmund MaliK）著、劉斌譯：《管理技藝之精髓》，北京：機械工業出版社，2018。

學術論文集叢書 1500015

第一屆《群書治要》國際學術研討會論文集

主　　編　林朝成、張瑞麟
責任編輯　張晏瑞、林以邠
主辦單位：國立成功大學中國文學系
合辦單位：香港中文大學中國語文及文學系、
　　　　　財團法人桃園市至善教育事務基金會

發 行 人　林慶彰
總 經 理　梁錦興
總 編 輯　張晏瑞
編 輯 所　萬卷樓圖書股份有限公司
排　　版　林曉敏
印　　刷　森藍印刷事業有限公司
封面設計　菩薩蠻數位文化有限公司

發　　行　萬卷樓圖書股份有限公司
　　　　　地址　臺北市羅斯福路二段 41 號 6 樓之 3
　　　　　電話　(02)23216565
　　　　　傳真　(02)23218698
　　　　　電郵　SERVICE@WANJUAN.COM.TW
香港經銷　香港聯合書刊物流有限公司
　　　　　電話　(852)21502100
　　　　　傳真　(852)23560735

ISBN 978-986-478-371-7
2020 年 8 月初版一刷
定價：新臺幣 720 元

如何購買本書：
1. 劃撥購書，請透過以下郵政劃撥帳號：
　帳號：15624015
　戶名：萬卷樓圖書股份有限公司
2. 轉帳購書，請透過以下帳戶
　合作金庫銀行　古亭分行
　戶名：萬卷樓圖書股份有限公司
　帳號：0877717092596
3. 網路購書，請透過萬卷樓網站
　網址　WWW.WANJUAN.COM.TW
大量購書，請直接聯繫我們，將有專人為您服務。客服：(02)23216565　分機 610

如有缺頁、破損或裝訂錯誤，請寄回更換

國家圖書館出版品預行編目資料
第一屆《群書治要》國際學術研討會論文集/ 林朝成, 張瑞麟主編. -- 初版. -- 臺北市 : 萬卷樓, 2020.08
　面 ;　公分. -- (學術研究論文集叢書 ; 1500015)
ISBN 978-986-478-371-7(平裝)
1.經書 2.研究考訂 3.文集
075.407　　109011623